MICHAELI MÜLLER

IN MEMORIAM

VORWORT

So sehr rechtliche Normen von der Situation der jeweiligen Gemeinschaft abhängen können: sobald die Offenbarung sich unter die
Menschen begibt, bedarf sie eines für die Gemeinschaft gültigen,
unverzichtbaren Grundbestandes von Geltungspunkten und Geltungslinien.

Die Geschichte des frühchristlichen Kirchenrechtes befaßt sich
darum auf weite Strecken mit bisweilen schwierigen verfassungs-
rechtlichen Problemen. Da die Kirche als das Gottesvolk auf biblischer
Grundlage verstanden wird, ersteht die Frage nach seinem Grund-
bestand an rechtlichen Normen und in deren Weiterführung das
Problem einer Verrechtlichung oder Klerikalisierung dieser Epoche.
Die Tatsachen sind demzufolge danach zu überprüfen, inwiefern die
ersten Jahrhunderte dem Vorwurf positivistischen Denkens entgehen
und anderseits den Blick auf die biblisch denkende Kirche der
Märtyrer freigeben.

Es erhebt sich zuvor schon die Frage, wie weit die Fixierung der
Lehre dem ständig sich erneuernden Auftrag sich entgegenstelle;
wie die von Christus gelehrten Wahrheiten sich mit der hierarchischen
Verfassung der Kirche und dem äußeren Kriterium der Zugehörigkeit vereinen lassen.

Die Frage nach revolutionären Bewegungen im Urchristentum
darf in diesem Zusammenhang nicht ausgeklammert werden.

Die Lebendigkeit des Geistes, der die ersten Jahrhunderte beseelte,
ist also danach zu überprüfen, wie weit sie Normen ertragen konnte,
ohne die Gefahr der Verharmlosung des göttlichen Auftrages befürchten zu müssen.

Die Auseinandersetzung mit dem geschichtslosen Menschen der
Gegenwart, verlangt eine *vertiefte* Einsicht in die Grundlegung und
die Grundlagen des Kirchenrechtes.

Da «aber keine gewachsene Stufe der kirchlichen Ordnungsent-
wicklung zu überspringen, jedes positiv-historische Element des

Kirchenaufbaus als etwas zu respektieren» ist, «das in der Existenz von Recht (auch theologisch) gegründet ist», sind «die ein für allemal historisch gewordenen Rechtsformen (in eben dieser ihrer «Historizität») ernst zu nehmen» [1].

Die Anlage der Arbeit verlangt, daß historisch gefragt wird. Die Ergebnisse literarkritischer Untersuchungen werden dabei berücksichtigt, wie denn allgemein die Erträgnisse der bisherigen Forschungen aufgenommen sind. Der ungelösten und umstrittenen Fragen bleiben noch genug. An Ort und Stelle ist dies zu ersehen.

Die Arbeit gründet auf langjährigen Vorstudien. Aus der Schrift *«Die christliche Taufe als Rechtsakt nach dem Zeugnis der frühen Christenheit»*, Freiburg/Schweiz 1953, sind manche Abschnitte mit verarbeitet, so vor allem die §§ 22, 25/26, 30/31, 37/38. Damit sei in gewissem Sinne den zahlreichen Wünschen nach Neuauflage der genannten Schrift entsprochen, die nicht erfüllt werden konnten.

Das umfangreiche Werk von J. Dauvillier (in der Reihe Histoire du droit et des institutions de l'Eglise en Occident II) Les temps apostoliques (1er siècle), Paris 1970, ist erschienen als die vorliegende Arbeit schon abgeschlossen und dem Verlag übergeben war. Es wird andernorts dazu Stellung genommen werden. Das Gleiche gilt für C. Andresen, Die Kirchen der alten Christenheit, Stuttgart 1971.

Zum Schlusse sei den hw. Erzbischöflichen Ordinariaten Bamberg und Freiburg i. Br. aufrichtiger Dank für namhafte Druckzuschüsse ausgesprochen, den verehrten Herren Kollegen J. Hermann, H. U. Instinsky, O. Perler, E. Seidl, L. Völkl und K. Walter für mannigfache Unterstützung bei Abfassung des Werkes.

Die Widmung gilt Michael Müller, dem 1970 verstorbenen Meister der Moralgeschichte, der mit rechtsgeschichtlichen Forschungen begonnen und diese nie mehr aus den Augen verloren hatte.

[1] E. WOLF, Ordnung der Kirche, Frankfurt 1961, 14 f.

INHALTSVERZEICHNIS

Vorwort VII
Literatur XI
Abkürzungen XXVIII

I. Die Grundlagen

§ 1. Die Quellen 1

    a) Die heiligen Schriften des AT und NT 1
    b) Die Apokryphen 2
    c) Die Kirchenordnungen 3
    d) Synodalbeschlüsse 8
    e) Die Kirchenväter und Kirchenschriftsteller 10

§ 2. Die Stellung der Kirche im Römischen Reich bis zum Nizänum .. 13
§ 3. Der Ursprung der Kirche und des Kirchenrechts 23

    a) Die Urgemeinde 23
    b) Die neutestamentlichen Grundlagen der Hierarchie 27

II. Die Ortskirche

§ 4. Der Bischof in den Zeugnissen der ersten Jahrhunderte 36
§ 5. Der Amtsbereich des Bischofs 56
§ 6. Der Chorepiskopat 58
§ 7. Die außerordentliche Leitung der Teilkirchen 60
§ 8. Kirchenglieder und Amtsträger 63
§ 9. Presbyter, Diakone, Subdiakone und niedere Kleriker 69
§ 10. Die Besetzung kirchlicher Ämter 74
§ 11. Amt und Charisma 79
§ 12. Die Ausbildung der «Geistlichen» 82
§ 13. Eignungsbedingungen für Geistliche 83
§ 14. Diakonissen, Witwen und Jungfrauen 93
§ 15. Das kirchliche Hilfspersonal 95

III. Kirchenbezirke und Synodaltätigkeit

§ 16. Die Kirchenprovinzen; die Metropoliten 96
§ 17. Die Organisation der größeren Kirchen; die Patriarchate ... 100

§ 18. Die Bischofsversammlungen 105
    a) Die Struktur der Synoden 105
    b) Synodalrecht und Gewohnheitsrecht 120
§ 19. Die Ordnung der Missionstätigkeit 121

IV. Primat und Gesamtkirche

§ 20. Der Primat des Bischofs von Rom 124
§ 21. Die geistliche Gewalt als Dienst 140
§ 22. Die rechtliche Bedeutung und Auswirkung der christlichen Gemein-
    schaft; das Recht auf Gleichheit und Freiheit 141

V. Die Ordnung der Gnadenmittel

§ 23. Die Taufe 152
§ 24. Die Firmung im kirchlichen Recht 165
§ 25. Die Eucharistie 168
§ 26. Die Eheschließung 172
§ 27. Die Frage der Ehescheidung 177
§ 28. Die Ordnung der Liturgie 177
§ 29. Die Bußdisziplin 180

VI. Die Bindung an kirchliche Glaubens- und Sittennormen

§ 30. Das «Gesetz des Glaubens» und die normative Kraft der Glaubens-
    vorlage 191
§ 31. Das «Gesetz der Disziplin»; sein Anspruch auf Unterwerfung unter
    die Kirchenordnung 196

VII. Das Kirchenvermögen

§ 32. Die Vermögensfähigkeit 209
§ 33. Die Vermögensverwaltung 216
§ 34. Der liturgische Ort nach seiner Stellung in der Rechtsordnung 218

VIII. Der Rechtsschutz

§ 35. Christ und Rechtsschutz 221

IX. Normen für den außerkirchlichen Bereich

§ 36. Die Ordnung der frühchristlichen Liebestätigkeit 225
§ 37. Der Christ im bürgerlichen Leben 228
§ 38. Christ und Wehrdienst 231

X. Zusammenfassung und Schluß

§ 39. Der Ertrag für die nachfolgenden Jahrhunderte................. 236

LITERATURVERZEICHNIS

1. Quellen und Quellensammlungen

Bibliothek der Kirchenväter[2], hrsg. von O. Bardenhewer, Th. Schermann und C. Weymann, Kempten und München 1911 ff.

Corpus Inscriptionum Latinarum, hrsg. von der Berliner Akademie, Berlin 1863 ff.

Corpus Iuris Civilis, hrsg. von Krueger-Mommsen, Berlin 1957.

Corpus scriptorum ecclesiasticorum latinorum, Wien 1866 ff.

Florilegium Patristicum, hrsg. von J. Zellinger und B. Geyer, Bonn 1904 ff.

Griechische christliche Schriftsteller, hrsg. von der Preußischen Akademie zu Berlin, Leipzig 1897 ff.

Migne, Patrologia, Series latina, Paris 1844/55.

– – Series graeca, Paris 1857/66.

Monumenta Germaniae Historica inde ab a. C. 500 usque ad a. 1500, Hannover-Berlin 1826 ff.

Sources chrétiennes, hrsg. von H. de Lubac und J. Daniélou, Paris 1941 ff.

Achelis H., Die ältesten Quellen des orientalischen Kirchenrechts, I. Buch: Die Canones Hippolyti, T U 6, 4, Leipzig 1891.

Achelis H. - Flemming J., Die syrische Didaskalia, T U 25, 2, Leipzig 1904.

Borleffs J. W. Ph., Q. Sept. Florentis Tertulliani libros de patientia, de baptismo, de paenitentia edidit ... Scriptores Christiani primaevi IV, Hagae 1948.

Botte B., La Tradition Apostolique de Saint Hippolyte[2], Münster 1963.

Enchiridion fontium Historiae ecclesiasticae antiquae col. C. Kirch, Freiburg i. Br. 1941.

Eusebius von Cäsarea: Kirchengeschichte, hrsg. und eingeleitet von H. Kraft, München 1967.

Fontes iuris Romani antiqui I[7], ed. C. G. Bruns - O. Gradenwitz, Berlin 1909.

Funk F. X., Die Apostolischen Väter, Neubearbeitung von K. Bihlmeyer, Tübingen 1924.

– – Patres Apostolici[2], 2 vol., Tübingen 1901.

– – Didascalia et Constitutiones Apostolorum, 2 vol., Paderborn 1905.

Goodspeed E. J., Die ältesten Apologeten. Texte mit kurzen Einleitungen, Göttingen 1915.

Hauler E., Didascalia Apostolorum fragmenta Veronensia latina, Leipzig 1900.

Hennecke E., Neutestamentliche Apokryphen[2], Tübingen 1924. I[3], hrsg. von W. Schneemelcher, Tübingen 1959.

JUNGKLAUS E., Die Gemeinde Hippolyts. Anhang: Hippolyts Kirchenordnung, Rekonstruktion, TU 46, 1, Leipzig 1930.

JAFFÉ PH., Regesta pontificum romanorum I², Leipzig 1858.

Kleine Texte, hrsg. von H. Lietzmann, Berlin 1902 ff.

LIGHTFOOT J. B., The Apostolic Fathers, 5 vol., London 1885/90.

LIPSIUS R. A. - BONNET M., Acta Apostolorum apocrypha, Leipzig 1891 ff.; Neudruck Darmstadt 1959.

MANSI G. D., Sacrorum conciliorum nova et amplissima collectio, Florenz und Venedig 1757/98.

MINUCIUS FELIX, Octavius, Lateinisch-deutsch, hrsg., übersetzt und eingeleitet von B. Kytzler, München 1945.

OPITZ H. G., Athanasius Werke, III, 1. Urkunden zur Geschichte des arianischen Streites, Berlin 1934.

RAHMANI I. E., Testamentum Domini nostri Jesu Christi, Mainz 1899.

RIEDEL W., Die Kirchenrechtsquellen des Patriarchats Alexandrien zusammengestellt und zum Teil übersetzt, Leipzig 1900.

RÜCKER A., Theodorus Episcopus Mopsuestenus, Ritus Baptismi et Missae, in linguam latinam translatus, Opuscula et textus, Series liturgica fasc. 2, Münster 1933.

SCHMIDT C., Πράξεις Παύλου, Acta Pauli. Nach dem Papyrus der Hamburger Staats- und Universitäts-Bibliothek herausgegeben, Glückstadt-Hamburg 1936.

Texte und Untersuchungen zur Geschichte der altchristlichen Literatur, Leipzig-Berlin 1882 ff.

TURNER C. H., Ecclesiae occidentalis monumenta iuris antiqui T. I., Oxford 1899.

2. Nachschlagewerke und Abhandlungen

ADAM K., Der Kirchenbegriff Tertullians. Eine dogmengeschichtliche Studie, Paderborn 1907.

AFFELDT W., Die weltliche Gewalt in der Paulus-Exegese, Göttingen 1969.

ALBERIGO G., Lo sviluppo della dottrina sui poteri nella chiesa universale. Momenti essenziali tra il XVI e il XIX secolo, Rom 1964.

ALÈS D'A., De baptismo et confirmatione, Paris 1927.

– – L'édit de Calliste, Paris 1914.

ALFÖLDI A., Zu den Christenverfolgungen in der Mitte des 3. Jahrhunderts, Klio 31 (1938), 323–348.

ALLO E. B., Première Epître aux Corinthiens, Paris 1935.

ALTANER B. - (STUIBER A.), Patrologie ²ff., Freiburg i. Br. 1950 ff.

ANDRIEU M., Les ordres mineurs dans l'ancien rite romain, Revue des sciences religieuses 5 (1925), 232–274.

ANTONINI L., Le chiese cristiane nell'egitto dal IV al IX secolo secondo i documenti dei papiri greci, Aegyptus 20 (1940), 129–208.

ARRANGIO-RUIZ V., Istitutioni di diritto Romano⁹, Napoli 1947.

AUDET J. P., La Didaché, Paris 1958.

– – Priester und Laie in der christlichen Gemeinde. Der Weg in die gegenseitige

Entfremdung, Der priesterliche Dienst (Quaestiones Disputatae 46), Freiburg i. Br. 1970, 115–174.

BARDY G., Alexandrie, Antioche, Constantinople (325–451), L'Eglise et les Eglises I, Chevetogne 1954, 183 ff.

– – La théologie de l'Eglise de S. Clément à S. Irénée, Paris 1945.

– – La Théologie de l'Eglise de Saint Irénée au concile de Nicée, Paris 1947.

– – Paul de Samosate², Löwen 1929.

BARISON F., Ricerche sui monasteri dell'Egitto bizantino ed arabo etc., Aegyptus 18 (1938), 29–148.

BARNARD L. W., Clement of Rome and the persecution of Domitian, NTSt X (1964), 251–260.

– – The problem of St. Polycarp's epistle to the Philippians, ChQR 163 (1962), 421–430.

BARTH K., Kirchliche Dogmatik IV 2, Zürich 1955.

BARTSCH H. W., Die Anfänge urchristlicher Rechtsbildungen. Studien zu den Pastoralbriefen, Hamburg-Bergstedt 1965.

BATIFFOL P., Cathedra Petri. Etudes d'histoire ancienne de l'Eglise (Unam Sanctam T. IV), Paris 1938.

BAUER W., Wörterbuch zum Neuen Testament², Gießen 1928.

BAYARD L., S. Cyprien, Correspondance. Texte et traduction, Paris 1925.

BECK A., Römisches Recht bei Tertullian und Cyprian. Eine Studie zur frühen Kirchengeschichte, Halle 1930.

BÉVENOT M., St. Cyprians De Unitate Chap. 4 in the Light of the Mss., Rom 1937.

BEYSCHLAG, Clemens Romanus und der Frühkatholizismus, Tübingen 1966.

BICKELL G., Geschichte des Kirchenrechts, Gießen 1843.

BIGELMAIR A., Die Beteiligung der Christen am öffentlichen Leben in vorkonstantinischer Zeit, München 1902.

BIHLMEYER-TÜCHLE, Kirchengeschichte¹³, Paderborn 1952.

BIONDI B., Giustiniano Primo principe e legislatore cattolico, Milano 1936.

BLUM G. G., Apostolische Tradition und Sukzession bei Hippolyt, ZntW 55 (1964), 96 f.

BOTTE B., Die Kollegialität im Neuen Testament und bei den Apostolischen Vätern, Das Konzil und die Konzile, Stuttgart 1962, 1–21.

– – Les plus anciennes collections canoniques, OrSyr 5 (1960), 331–350.

BOVINI G., La proprietà ecclesiastica e la condizione giuridica della Chiesa in età preconstantiniana, Milano 1949.

BRAUN F. M., Neues Licht auf die Kirche. Die protestantische Kirchendogmatik in ihrer neuesten Entfaltung, Einsiedeln 1946.

BRAUNERT H., Zu Agroecius-Agricius, Römische Quartalschrift 56 (1961), 231–233.

BRAUSS E., Quellenstudien zum Mischehenrecht unter besonderer Berücksichtigung der spanischen und deutschen Naturrechtsdoktrin, Jur. Diss. Freiburg 1964.

BROMMER F., Die Lehre vom sakramentalen Charakter, Paderborn 1908.

BROSCH J., Charismen und Ämter in der Urkirche, Bonn 1951.

BROX N., Die Pastoralbriefe, Regensburg 1969.

– – Zum Vorwurf des Atheismus gegen die alte Kirche, TrThZ 75 (1966), 274–282.

Burn A. E., Niceta of Remesiana, Cambridge 1905.

Busch B., De initiatione christiana secundum sanctum Augustinum, Ephemerides liturgicae 52 (1938), 159–178; 385–483.

Camelot P. Th., Die ökumenischen Konzile des 4. und 5. Jahrhunderts, Das Konzil und die Konzile, Stuttgart 1962, 53–87.

Campenhausen H. v., Die Anfänge des Priesterbegriffes in der Alten Kirche, Tradition und Leben, Tübingen 1960, 272–289.

– – Kirchliches Amt und geistliche Vollmacht in den ersten drei Jahrhunderten², Tübingen 1963.

Capelle B., L'introduction du catéchumėnat à Rome, Recherches de Théologie ancienne et médiévale 5 (1933), 129–154.

Casel O., Altchristlicher Kult und Antike, Mysterium 1926, I, 9–28.

Caspar E., Die älteste römische Bischofsliste, Berlin 1926.

– – Geschichte des Papsttums I, Tübingen 1930.

Cavallera F., Saint Jérôme, Paris 1922.

Chartier C., La discipline pénitentielle d'après les écrits de Saint Cyprien, Antonianum 14 (1939), 18–42; 157–180.

– – L'excommunication ecclésiastique d'après les écrits de Tertullien, Antonianum 10 (1935), 301–344; 499–536.

Chavasse A., Signification baptismale du Carême et de l'octave pascale, La Maison-Dieu 58 (1959), 27–38.

Christophilopoulos A., Ἑλληνικὸν Ἐκκλησιαστικὸν Δίκαιον, 2. Aufl., Athen 1965.

Clercq de V. C., Ossius of Cordova, Washington 1954.

Colson J., Les fonctions ecclésiales aux deux premiers siècles, Paris 1956.

– – L'Evêque dans les communautés primitives, Paris 1951.

Congar Y., Die Hierarchie als Dienst nach dem Neuen Testament und den Dokumenten der Überlieferung, Das Bischofsamt und die Weltkirche, Stuttgart 1964, 75–110.

– – Die Kirche als Volk Gottes, Theol. Jahrbuch 1966, 9–26.

– – Konzil als Versammlung und grundsätzliche Konziliarität der Kirche, Gott in Welt II, Freiburg i. Br. 1964, 149–156.

Connolly R. H., The so-called Egyptian Church Order and derived Documents, Cambridge 1916.

Coppens J., L'imposition des mains et les rites connexes dans le Nouveau Testament et dans l'Eglise Ancienne, Wetteren/Paris 1925.

Coppo A., Il problema delle reliquie di San Pietro, Rivista di storia e letteratura religiosa 1 (1965), 424–432.

Creed J. M., Egypt and Christian Church, Glanville, S. R. K., The Legacy of Egypt, Oxford 1942, 300–317.

Cullmann O., Die Tauflehre des Neuen Testaments. Erwachsenen- und Kindertaufe, Zürich 1948.

– – Urchristentum und Gottesdienst ⁴, Zürich-Stuttgart 1962.

Dallmayr H., Die großen vier Konzilien. Nicaea, Konstantinopel, Ephesus, Chalcedon, München 1961.

Daniélou J. (-J. Marrou), Geschichte der Kirche I, Einsiedeln 1963.

Daudet P., Etudes sur l'histoire de la juridiction matrimoniale I, Paris 1933; II, Paris 1941.

DAUSEND H., Kirchenrecht – Heiliges Recht, Wissenschaft und Weisheit 5 (1935), 265–271.

DAVIES J. G., Deacons, Deaconesses and the Minor Orders in the Patristic Period, Journal of Eccl. Hist. 14 (1963), 1–15.

DEISSMANN ADOLF (-Festgabe für), Die Kirche des Urchristentums, Tübingen 1927.

DEJAIFVE J., Die bischöfliche Kollegialität in der lateinischen Tradition, Baraúna II, 148–165.

DEMOUSTIER A., L'ontologie de l'Eglise selon Saint Cyprien, RechScRel 52 (1964), 554–558.

DIBELIUS M., Rom und die Christen im ersten Jahrhundert, Sitzungsberichte der Heidelberger Akademie der Wissensch. Phil.-hist. Klasse, Jahrg. 1941/42, 2. Abtl., Heidelberg 1942.

Dictionnaire d'archéologie chrétienne et de théologie, hrsg. von F. Cabrol und H. Leclercq, Paris 1907 ff.

DICK E., Das Pateninstitut im altchristlichen Katechumenat, ZkTh 63 (1939), 1–49.

DINKLER E., Die Petrus-Rom-Frage: ThRdsch 25 (1959), 189–230, 289–335.

DIX G., Ἀποστολικὴ Παράδοσις. The Treatise on the Apostolical Tradition of St. Hippolytus of Rome, Bishop and Martyr, London 1937.

Dizionario dei Concili, diretto da P. Palazzini e G. Morelli, Roma 1963 ff.

DÖLGER F. J., Die Taufe des Novatian. Die Beurteilung der klinischen Taufe im Fieber nach Kirchenrecht und Pastoral des christlichen Altertums, AChr II (1930), 258–267.

– – Sol salutis, Gebet und Gesang im christlichen Altertum², Münster 1925.

– – Sphragis, Paderborn 1911.

DOMBOIS H., Das Recht der Gnade, Witten 1961.

DU CANGE, Glossarium III, Venetiis 1738.

DUCHESNE L., Autonomies ecclésiastiques. Eglises séparées, Paris 1905.

– – Origines du culte chrétien ¹ ff., Paris 1898 ff.

DUJARIER M., Le parrainage des adultes aux trois premiers siècles de l'Eglise, Paris 1962.

EGER O., Rechtswörter und Rechtsbilder in den Paulinischen Briefen, ZntW XVIII (1918), 84–108.

EHRHARDT A., Constantin d. G. Religionspolitik und Gesetzgebung, ZSSt, Rom. Abt. 72 (1955), 127–190.

– – Das Corpus Christi und die Korporationen im spätrömischen Recht, ZSSt, Rom. Abt., 70 (1953), 299–347; 71 (1954), 25–40.

EID E., La figure juridique du Patriarche², Rom 1962.

ELFERS H., Die Kirchenordnung Hippolyts von Rom, Paderborn 1938.

ERCOLE D' G., Communio – Collegialità. Primato e Sollicitudo omnium Ecclesiarum dei Vangeli a Constantino, Rom 1964.

– – Iter storico della formazione della norma costituzionale e della dottrina sui vescovi, presbiteri, laici nella chiesa delle origini, Roma 1963.

– – Le fonti del diritto canonico, Rom 1948.

ESMEIN A., Le mariage en droit canonique I², Paris 1929.

EYNDE D. VAN DEN, Les normes de l'enseignement chrétien dans la littérature patristique des trois premiers siècles, Gembloux et Paris 1933.

FABBRINI F., La manumissio in ecclesia, Milano 1965.

FEDERER K., Liturgie und Glaube (Paradosis IV), Fribourg 1950.

FEINE H. E., Kirchliche Rechtsgeschichte⁴, Weimar 1964.

FERRINI C., Manuale di Pandette, Milano 1908.

FISCHER H. E., Die Notwendigkeit hoheitlicher Hirtengewalt zur Bußspendung, Ius Sacrum, Paderborn 1969, 231–251.

FISCHER J. A., Die Apostolischen Väter, München 1956.

FISCHER J., Die Bestimmung der Pastoralbriefe: «unius uxoris vir», Weidenauer Studien, 1. Heft (1906).

FLICHE-MARTIN, Histoire de l'Eglise depuis les origines jusqu'à nos jours, publiée sous la direction de A. Fliche et V. Martin, Paris 1935 ff.

FONTAINE J., Die Christen und der Militärdienst im Frühchristentum, Concilium 1 (1965), 592–598.

FRANCISCI DE P., Intorno alle origini della manumissio in ecclesia, Rend. Ist. Lomb. ser. II 44 (1911), 619–642.

FREISEN J., Geschichte des Canonischen Eherechtes, Aalen-Paderborn 1963.

FREUDENBERGER R., Das Verhalten der römischen Behörden gegen die Christen im 2. Jahrhundert, dargestellt am Brief des Plinius an Trajan und den Reskripten Trajans und Hadrians, München 1967.

FREY J. B., La signification des termes μόνανδρος et univira, RechScRel 1930, 48–60.

FRIES H., Handbuch theologischer Grundbegriffe, München 1962/63.

FUCHS H., Augustin und der antike Friedensgedanke, Berlin 1926.

FUCHS V., Der Ordinationstitel von seiner Entstehung bis auf Innozenz III., Bonn 1930.

FUNK F. X., Das Testament unseres Herrn Jesus Christus und verwandte Schriften, Tübingen 1901.

– – Die Apostolischen Konstitutionen, Rottenburg 1891.

GAECHTER P., Die Sieben, ZkTh 74 (1952), 129–166.

– – Petrus und seine Zeit. Neutestamentliche Studien, Innsbruck-Wien-München 1958.

GALTIER P., De paenitentia², Paris 1931.

GAUDEMET J., L'Eglise dans l'Empire Romain, Paris 1958.

GEFFCKEN J., Der Brief an Diognetos, Heidelberg 1928.

– – Zwei griechische Apologeten, Leipzig-Berlin 1907.

GERKAN A. v., Weitere Überlegungen zum Petrusgrab, Zu den neuesten Veröffentlichungen von A. Prandi und M. Guarducci, JbAC 7 (1964), 58–66.

GEWIESS J., Die neutestamentlichen Grundlagen der kirchlichen Hierarchie, Hist. Jahrb. 72 (1953) 1–24.

GHEDINI G., Paganesimo e cristianesimo nelle lettere papiracee greche dei primi secoli d. Cr., Atti del IV congresso int. di papirologia, Milano 1936, 333–350.

GILLMANN F., Das Institut der Chorbischöfe im Orient, München 1903.

GLOEGE G., Reich Gottes und Kirche im Neuen Testament, Gütersloh 1929.

GOEMANS P. M., Het algemeen concilie in de vierde eeuw, Nimwegen 1945.

GOETZ C., Die Bußlehre Cyprians. Eine Studie zur Geschichte des Bußsakramentes, Königsberg 1895.

GOTTLOB TH., Das Staatskirchentum, Düsseldorf 1930.

- - Der abendländische Chorepiscopat, Bonn 1928.

GRAF G., Geschichte der christlichen arabischen Literatur I, Rom 1944.

GRASMÜCK E. L., Coercitio. Staat und Kirche im Donatistenstreit, Bonn 1964.

GRÉGOIRE H., Les persécutions dans l'Empire Romain², Bruxelles 1964.

GROTZ H., Die Hauptkirchen des Ostens. Von den Anfängen bis zum Konzil von Nikaia (325), Rom 1964.

GROTZ J., Die Entwicklung des Bußstufenwesens in der vornicänischen Kirche, Freiburg 1955.

GRUPP G., Kulturgeschichte der römischen Kaiserzeit II, München 1904.

GUARDUCCI M., Hier ist Petrus ΠΕΤΡΟΣ ΕΝΙ, Regensburg 1967.

HABICHT CHR., Zur Geschichte des Kaisers Konstantin, Hermes 86 (1958), 360–378.

HAGEMANN W., Die rechtliche Stellung der Patriarchen von Alexandrien und Antiochien, Ostkirchliche Studien 13 (1964), 170–191.

HAJJAR J., Die bischöfliche Kollegialität in der östlichen Tradition, Baraúna, De Ecclesia II, Frankfurt/M. 1966, 125–147.

HANSSENS J. M., La liturgie d'Hippolyte (= OrChrA 155), Rom 1959.

HARNACK A. v., Der kirchengeschichtliche Ertrag der exegetischen Arbeiten des Origenes II, Leipzig 1919.

- - Die Mission und Ausbreitung des Christentums in den ersten drei Jahrhunderten, Leipzig 1902; II², Leipzig 1915.

- - Dogmengeschichte I³, Freiburg 1888; I⁵, Tübingen 1931.

- - Entstehung und Entwicklung der Kirchenverfassung und des Kirchenrechts in den ersten zwei Jahrhunderten, Leipzig 1910.

- - Militia Christi. Die christliche Religion und der Soldatenstand in den ersten Jahrhunderten, Tübingen 1903.

HASENHÜTTL G., Charisma Ordnungsprinzip der Kirche, Freiburg-Basel-Wien 1969.

HEFELE C. J. v., Conciliengeschichte I², Freiburg i. Br. 1873.

HEFELE-LECLERCQ, Histoire des conciles, Paris 1907 ff.

HEGGELBACHER O., Die Aufgabe der frühchristlichen Patriarchate, Festschrift B. Panzram, Freiburg 1972, 393–405.

- - Die Begründung der frühchristlichen Liebestätigkeit im kirchlichen Taufrecht, Caritas 55 (1954), 189–194.

- - Die christliche Taufe als Rechtsakt nach dem Zeugnis der frühen Christenheit, Freiburg/Schweiz 1953.

- - Die kirchlichen Seminarien im Wandel der Geschichte, Festschrift Studienheim St. Konrad, Freiburg i. Br. 1962, 51–60.

- - Die Taufe als rechtserheblicher sakramentaler Akt in der christlichen Frühzeit, Österr. Archiv f. Kirchenrecht 20 (1969), 257–269.

- - Vom Gesetz im Dienste des Evangeliums. Über Bischof Maximus von Turin², Bamberg 1966.

- - Vom römischen zum christlichen Recht. Juristische Elemente in den Schriften des sog. Ambrosiaster, Freiburg/Schweiz 1959.

HEITMÜLLER W., Σφραγίς, Neutestamentliche Studien, Georg Heinrici zu seinem 70. Geburtstag dargebracht, Leipzig 1914, 40–59.

HENGEL M., Nachfolge und Charisma. Eine exegetische religionsgeschichtliche Studie zu Mt 8, 21 f. und Jesu Ruf in die Nachfolge, Berlin 1968.

HERRMANN J., Ein Streitgespräch mit verfahrensrechtlichen Argumenten zwischen Kaiser Konstantinus und Bischof Liberius, Festschrift H. Liermann, Erlangen 1964, 77–86.

HERTLING L., Communio und Primat, Misc. Hist. Pont. VII, Rom 1943, 1–48.

HESS H., The Canons of the Council of Sardica A. D. 343, Oxford 1958.

HEUMANN-SECKEL, Handlexikon zu den Quellen des röm. Rechtes [10]. Neudruck Graz 1958.

HINSCHIUS P., Das Kirchenrecht der Katholiken und Protestanten II, Berlin 1878.

HOFMANN L., Militia Christi. Ein Beitrag zur Lehre von den christlichen Ständen, Trierer Theol. Zeitschrift 63 (1954), 78–92.

HOH J., Die kirchliche Buße im zweiten Jahrhundert, Breslau 1932.

HOLL K., Gesammelte Aufsätze II, Tübingen 1928.

HOLSTEIN G., Die Grundlagen des evangelischen Kirchenrechts, Tübingen 1928.

HÖSLINGER R., Die alte afrikanische Kirche im Lichte der Kirchenrechtsforschung nach kulturhistorischer Methode, Wien 1935.

HOVE A. VAN, Commentarium Lovaniense in Cod. I. C. 1/1 Prolegomena, Mecheln/Rom 1945.

IACONO V., Il Battesimo nella dottrina di S. Paolo, Roma 1935.

INSTINSKY H. U., Bischofsstuhl und Kaiserthron, München 1955.

– – Die alte Kirche und das Heil des Staates, München 1963.

– – Marcus Aurelius Prosenes – Freigelassener und Christ am Kaiserhof. Abhandlungen der Akademie der Wissenschaften und der Literatur in Mainz, Geistes- und sozialwissenschaftliche Klasse 1964, Nr. 3, 113–129.

– – Offene Fragen um Bischofsstuhl und Kaiserthron, Römische Quartalschrift 66 (1971), 66–77.

– – Zwei Bischofsnamen konstantinischer Zeit, Römische Quartalschrift 55 (1960), 203–211.

JAVIERRE A. M., Le thème de la succession des Apôtres dans la littérature chrétienne primitive, Unam sanctam 39 (1962), 171–221.

JEDIN H., Kleine Konziliengeschichte[2], Freiburg 1960.

JOICE G. H., Die christliche Ehe, Leipzig 1934.

JONGHE M. DE, Le Baptême au nom de Jésus d'après les Actes des Apôtres, Eph. theol. Lovan. 10 (1933), 647–653.

JUNGKLAUS E., Die Gemeinde Hippolyts. Anhang: Hippolyts Kirchenordnung, Rekonstruktion. TU 46, 1, Leipzig 1930.

JUNGMANN J. A., Die lateinischen Bußriten in ihrer geschichtlichen Entwicklung, Innsbruck 1932.

– – Missarum Sollemnia I[3], Wien 1952.

KAISER M., Die Einheit der Kirchengewalt nach dem Zeugnis des Neuen Testamentes und der Apostolischen Väter, München 1956.

KALSBACH A., Die altkirchliche Einrichtung der Diakonissen, Freiburg 1926.

KAERST J., Geschichte des Hellenismus II[2], Leipzig 1926.

KÄSEMANN E., Das Formular einer neutestamentlichen Ordinationsparänese, Neutest. Studien für R. Bultmann², Berlin 1957, 261–268.

KASER M., Das römische Privatrecht I², München 1971.

KATTENBUSCH F., Das apostolische Symbol, Leipzig 1894/1900.

– – Der Quellort der Kirchenidee, Festgabe für Adolf von Harnack, Tübingen 1927, 143–172.

KAYSER H., Zur marzionitischen Taufformel, Theologische Studien und Kritiken, 108. Jahrg., Neue Folge 3 (1937/38), 370–386.

KEES H., Das Priestertum im ägyptischen Staat vom Neuen Reich bis zur Spätzeit (Probleme der Ägyptologie, hrsg. von W. Helck), Leiden 1953.

KÉRAMÉ O., Les chaires apostoliques et le rôle de patriarcats dans l'Eglise, L'épiscopat et l'Eglise universelle (Unam sanctam 39), Paris 1962, 261–278.

KIDD B. J., The Roman Primacy to a. D. 461, London 1936.

KIRSCH J. P., Die römischen Titelkirchen im Altertum, Paderborn 1918.

KIRSCHBAUM E., Zu den neuesten Entdeckungen unter der Peterskirche in Rom, Archiv. Hist. Pont. 3 (1965), 309–316.

– – Die Gräber der Apostelfürsten, Frankfurt/Main 1957.

KITTEL G., Die Wirkungen der christlichen Wassertaufe nach dem Neuen Testament, Theol. Studien und Kritiken 87 (1914), 25–53.

– – Theologisches Wörterbuch zum Neuen Testament, Stuttgart 1933 ff.

KITTEL H., Die Behinderung des Bischofs und ihre Behebung im Altertum, Diss. Rom 1962.

KLAUSER TH., Der Ursprung der bischöflichen Insignien und Ehrenrechte, Krefeld 1949.

– – Taufet in lebendigem Wasser, Pisciculi. Studien zur Religion und Geschichte des Altertums, Münster 1939, 157–164.

KLEVINGHAUS J., Die theologische Stellung der Apostolischen Väter zur alttestamentlichen Offenbarung, Gütersloh 1948.

KNAUBER A., Das Anliegen der Schule des Origenes zu Caesarea, MThZ 19 (1968), 182–203.

– – Das «Kirchengebot» der sonntäglichen Eucharistiefeier. Sprachgebrauch und Gehalt, Ius et salus animarum, Freiburg i. Br. 1972, 239–268.

KNECHT A., System des Justinianischen Kirchenvermögensrechtes, Stuttgart 1905.

KNOCH O., Clemens Romanus und der Frühkatholizismus. Zu einem neuen Buch, JbAC 10 (1967), 202–210.

– – Die Ausführungen des 1. Clemensbriefes über die kirchliche Verfassung im Spiegel der neueren Deutungen seit R. Sohm und A. Harnack, ThQ 141 (1961), 385/407.

KNOPF K., Das nachapostolische Zeitalter. Geschichte der christlichen Gemeinden vom Beginn der Flavierdynastie bis zum Ende Hadrians, Tübingen 1905.

KNOPF R. (-G. KRÜGER), Ausgewählte Märtyrerakten³, Tübingen 1929.

KOCH W., Die Taufe im Neuen Testament, Münster 1910.

KÖHNE J., Die kirchliche Eheschließungsform in der Zeit Tertullians, Theol. Gl. 23 (1931), 645–654.

– – Die Mischehen in den ersten christlichen Zeiten, Theol. Gl. 23 (1931), 333–350.

KOENIGER A. M., Grundriß einer Geschichte des katholischen Kirchenrechts, Köln 1919.

KOEP L., «Religio» und «Ritus» als Problem des frühen Christentums, JbAC 5 (1962).

KOLPING A., Sacramentum Tertullianeum, Münster 1948.

KONIDARIS G., Zur Lösung der Quellenprobleme der Kirchenverfassung des Urchristentums, ZSSt Kan. Abt. 75 (1958), 337–342.

KOSCHAKER P., Europa und das römische Recht, München 1947.

KOSTER M. D., Ekklesiologie im Werden, Paderborn 1940.

KÖTTING B., Die Beurteilung der zweiten Ehe im heidnischen und christlichen Altertum, Diss. masch. Bonn 1940.

– – Der Zölibat in der Alten Kirche, Münster 1970.

KRETSCHMAR G., Die Geschichte des Taufgottesdienstes in der alten Kirche, Leiturgia V, Kassel 1970, 1–144.

– – Die Konzile der alten Kirche, H. J. Margull, Die ökumenischen Konzile der Christenheit, Stuttgart 1961, 13–74.

KRÜGER G., Die Rechtsstellung der vorkonstantinischen Kirchen, Stuttgart 1935 (Neudruck 1961).

KÜBLER B., Geschichte des römischen Rechts, Leipzig 1925.

KURTSCHEID B., Historia Iuris Canonici. Historia Institutionum I, Rom 1941.

LACY O'LEARY DE, The Coptic Church and Egyptian Monasticism, Glanville, S. R. K., The Legacy of Egypt, Oxford 1942, 317–331.

LAGRANGE M. J., Evangile selon Saint Marc⁴, Paris 1929.

LANGGÄRTNER G., Das Aufkommen des ökumenischen Konzilsgedankens, MThZ 14 (1964), 111–126.

– – Die Gallienpolitik der Päpste im 5. und 6. Jahrhundert, Bonn 1964.

LANNE D. E., Eglises locales et patriarcats à l'époque des grands conciles, Irén. 34 (1961), 292–321.

LEBRETON J., Les origines du dogme de la Trinité II⁴, Paris 1928.

– – The history of the primitive Church IV, London 1948.

LEDER P. A., Das Problem der Entstehung des Katholizismus, ZSSt Kan. Abt. 32 (1911), 276–308.

– – Die Diakonen der Bischöfe und ihre urchristlichen Vorläufer (KRA 23–24), Stuttgart 1905.

LE GUILLOU M. J., Eglise et communion. Essai d'ecclésiologie comparée, Istina 6 (1959), 33–82.

LEITNER F., Der gottesdienstliche Volksgesang im jüdischen und christlichen Altertum, Freiburg i. Br. 1906.

Lexikon für Theologie und Kirche², hrsg. von J. HÖFER und K. RAHNER, Freiburg 1957 ff.

LIERMANN H., Handbuch des Stiftungsrechts, Tübingen 1963.

LIESE W., Geschichte der Caritas I, Freiburg 1922.

LIETZMANN H., Geschichte der alten Kirche, Berlin 1936.

– – Messe und Herrenmahl, Bonn-Berlin 1926.

LIGHTFOOT J. B., The Apostolic Fathers, I(1)², London 1890.

LINTON O., Das Problem der Urkirche in der neueren Forschung, Uppsala 1932.

Löbmann B., Die Reform der Struktur des kirchlichen Strafrechtes, Ecclesia et Ius, München-Paderborn-Wien 1968, 707–725.

Lübeck K., Reichseinteilung und kirchliche Hierarchie des Orients bis zum Ausgange des vierten Jahrhunderts, Münster i. W. 1901.

Lübtow U., Das römische Volk. Sein Staat und sein Recht, Frankfurt 1955.

Lyonnet St., Die bischöfliche Kollegialität und ihre Grundlagen, G. Baraúna, De Ecclesia II, 106–124.

Maassen F., Das Primat des Bischofs von Rom und die alten Patriarchalkirchen, ein Beitrag zur Geschichte der Hierarchie, insbesondere zur Erläuterung des sechsten Kanons des ersten allgemeinen Konzils von Nizäa, Bonn 1853.

Magie D., Roman Rule in Asia Minor to the end of the III. cent. after Chr., Princeton 1950.

Marot H., Strukturelle Dezentralisierung und Primat in der Alten Kirche, Concilium 1 (1965), 548–555.

– – Vornicäische und ökumenische Konzile, Das Konzil und die Konzile, Stuttgart 1962, 23–52.

Marschall W., Karthago und Rom. Die Stellung der nordafrikanischen Kirche zum Apostolischen Stuhl in Rom, Stuttgart 1971.

Martimort A. G., Handbuch der Liturgiewissenschaft I, Freiburg i. Br. 1963.

May G., Die Stellung des deutschen Protestantismus zu Ehescheidung, Wiederverheiratung und kirchlicher Trauung Geschiedener, Paderborn 1965.

Mayer R., Einführung in das Alte Testament I und II, München 1965 und 1967.

Mayer-Maly Th., Der rechtsgeschichtliche Gehalt der Christenbriefe von Plinius und Trajan, SDHI 22 (1956), 311–328.

Meer van der F., Augustinus der Seelsorger. Leben und Wirken eines Kirchenvaters, Köln 1951.

Michiels A., L'origine de l'épiscopat. Etude sur la fondation de l'Eglise. L'œuvre des Apôtres et le développement de l'épiscopat aux deux premiers siècles, Louvain 1900.

Mikat P., Die Bedeutung der Begriffe Stasis und Aponoia für das Verständnis des 1. Clemensbriefes, Köln-Opladen 1969.

– – Lukanische Christusverkündigung und Kaiserkult, Jahres- und Tagesbericht der Görres-Gesellschaft 1970, 27–45.

Mitteis L., Reichsrecht und Volksrecht in den östlichen Provinzen des Kaiserreiches, Neudruck Hildesheim 1963.

Mohlberg K., Carmen Christo quasi deo, Rivista di Archeologia Cristiana 14 (1937), 93–123.

Molitor J., Die Eigennamen in der altgeorgischen Übersetzung der Evangelien und der Apostelgeschichte und ihre textkritische Bedeutung, Bamberg 1962.

– – Die kirchlichen Ämter und Stände in der Paulus-Exegese des heiligen Ephräm, Festgabe Frings, Köln 1960, 379–390.

– – Grundbegriffe der Jesusüberlieferung im Lichte ihrer orientalischen Sprachgeschichte, Düsseldorf 1968.

Mommsen Th., Röm. Staatsrecht I³, Leipzig 1887 (Neudruck 1963).

Monachino V., De persecutionibus in imperio Romana saec. I–IV et de polemica pagano-christiana saec. II-III. Praelectionum Lineamenta, Rom 1959.

Montevecchi O., Progetto per una serie di ricerche di papirologia cristiana, Aegyptus 36 (1956), 3–13.

Monzel N., Was ist christliche Gesellschaftslehre?, München 1956.

Mor C. G., La Manumissio in Ecclesia, Estratto dalla Rivista di storia del diritto italiano. Anno I Vol. 1, Fasc. I, Roma 1928.

Moreau J., Die Christenverfolgung im Römischen Reich, Berlin 1961.

Mosiek U., Das altkirchliche Prozeßrecht im Spiegel der Didaskalie, Österr. Archiv für Kirchenrecht 16 (1965), 183–209.

Müller M., Die Lehre von der Irregularitas ex defectu perfectae lenitatis bei den Glossatoren. Ein Beitrag zur Geschichte der Irregularitäten, Diss. Masch. Schrift, München 1912.

– – Ethik und Recht in der Lehre von der Verantwortlichkeit, Regensburg 1932.

Munier C., Les sources patristiques du droit de l'église du VIIIe au XIIIe siècle, Mulhouse 1957.

Mussner F., Die Bedeutung des Apostelkonzils für die Kirche, Ekklesia. Festschrift für Bischof M. Wehr (Trierer Theol. Studien 15), Trier 1962, 35–46.

Nestle W., Der Friedensgedanke in der antiken Welt, Leipzig 1938.

Neunheuser B., Handbuch der Dogmengeschichte IV 2, Freiburg i. Br. 1956.

Neumann J., Das Zusammenspiel von Weihegewalt und Hirtengewalt bei der Firmung. Archiv f. kath. Kirchenrecht 130 (1961), 388–435; 131 (1962), 66–102.

– – Der Spender der Firmung in der Kirche des Abendlandes bis zum Ende des kirchlichen Altertums. Eine rechtsgeschichtliche Untersuchung, Meitingen 1963.

– – Der theologische Grund für das kirchliche Vorsteheramt nach dem Zeugnis der Apostolischen Väter, MThZ 14 (1963), 253–265.

Neumann K. J., Der römische Staat und die allgemeine Kirche bis auf Diocletian, Leipzig 1890.

Nielen J. M., Gebet und Gottesdienst im Neuen Testament, Freiburg 1937.

Ogara F., Aristidis et epistolae ad Diognetum cum Theophilo Antiocheno cognatio, Gregorianum 25 (1944), 72–102.

Öhlander, C. J., Canones Hi. och besläktade skrifter, Lund 1911.

Ott L., Das Weihesakrament (Handbuch der Dogmengeschichte IV 5), Freiburg-Basel-Wien 1969.

Otto A. J., Mission und Kaste in Südindien, Missionswissenschaft und Religionswissenschaft 4 (1941), 111–119.

Pantaleo P., Dogma e Disciplina, Religio 11 (1935), 231–238.

Partsch J., Juristische Texte der römischen Zeit, Mitt. a. d. Freiburger Papyrussammlung, 2. Sitzber. Heidelberger Akademie der Wiss. 1916, 10. Abh.

Pauly-Wissowa-Kroll, Realenzyklopädie der klassischen Altertumswissenschaft, Stuttgart 1893 ff.

Perler O., De catholicae ecclesiae Unitate, Cap. 4–5. Die ursprünglichen Texte, ihre Überlieferung, ihre Datierung. Römische Quartalschrift 44 (1936), 1–44; 151–168.

– – Evêque représentant du Christ selon les documents des premiers siècles, Unam sanctam 39 (1962), 31–66.

- - Ignatius von Antiochien und die römische Christengemeinde, Divus Thomas 22 (1944), 413–451.
- - Méliton de Sardes, Sur la Pâque, Paris 1966.
- - Sünde, Frühkirche und Seelsorge, Anima 7 (1952), 17–26.
- - «Universo caritatis coetui praesidens». Zur dogmatischen Konstitution Lumen gentium II/13, Freiburger Zeitschrift für Philosophie und Theologie 17 (1970), 227–238.
PETERSON E., Das Buch von den Engeln. Stellung und Bedeutung der heiligen Engel im Kultus, Leizpzig 1935.
- - Das Praescriptum des 1. Clemensbriefes, Pro Regno – Pro Sanctuario, Nijkerk 1950, 351–357.
- - Christianus, Miscellanea – Mercati, I (Studi e testi, Bd. 121), Roma 1946, 355–372.
- - Theologische Traktate, München 1951.
- - Frühkirche, Judentum und Gnosis, Freiburg 1959.
PILGRAM F., Physiologie der Kirche, Mainz 1860 (Neudruck Mainz 1931).
PITRA J. B., Juris ecclesiastici Graecorum Historia et monumenta I, Rom 1864.
PLÖCHL W., Geschichte des Kirchenrechts I, Wien-München 1953.
POSCHMANN B., Buße und letzte Ölung, Handbuch der Dogmengeschichte IV 3, Freiburg i. Br. 1951.
- - Die innere Struktur des Bußsakramentes, MThZ 1 (1950), 12–30.
- - Paenitentia secunda. Die kirchliche Buße im ältesten Christentum bis Cyprian und Origines, Bonn 1940.
POURRAT P., La théologie sacramentaire³, Paris 1908.
PREISKER H., Christentum und Ehe in den ersten drei Jahrhunderten, Berlin 1927.
PRÜMM K., Christentum als Neuheitserlebnis, Freiburg 1939.
RAHNER H., Abendländische Kirchenfreiheit, Einsiedeln 1943.
- - Konstantinische Wende? Eine Reflexion über Kirchengeschichte und Kirchenzukunft, Stimmen der Zeit 86 (1960/61), 419–428.
- - Kirche und Staat im frühen Christentum, München 1961.
RAHNER K., Bußlehre und Bußpraxis der Didascalia apostolorum, ZkTh 72 (1950), 257–281.
- - Über die Schriftinspiration, Freiburg i. Br. 1958.
- - Rahner-Ratzinger, Episkopat und Primat, Freiburg i. Br. 1961.
RATZINGER J., Constitutio Dogmatica de Ecclesia, Das Zweite Vatikanische Konzil I, Freiburg-Basel-Wien 1966, 348–359.
- - Die bischöfliche Kollegialität. Theologische Entfaltung, G. Baraúna, De Ecclesia II, Frankfurt 1966, 44–70.
- - Die pastoralen Implikationen der Lehre von der Kollegialität der Bischöfe, Concilium 1 (1965), 16–29.
Reallexikon für Antike und Christentum, hrsg. von Th. Klauser, Stuttgart 1950 ff.
Religion in Geschichte und Gegenwart², Tübingen 1927 ff.
RHEINFELDER H., Der übersetzte Eigenname. Philologische Erwägungen zu Matth. 16, 18, München 1963.
RICHERT C., Die Anfänge der Irregularitäten bis zum 1. Allgemeinen Konzil von Nicäa, Freiburg 1901.

RITZER K., Formen, Riten und religiöses Brauchtum der Eheschließung in den christlichen Kirchen des ersten Jahrtausends, Münster 1962.

ROBERT-FEUILLET, Einleitung in die Heilige Schrift I, Wien 1963.

ROBERTIS F. M. DE, Il diritto associativo romano dai collegi della repubblica alle corporazione del Basso Impero, Bari 1938.

ROESSER E., Göttliches und menschliches, unveränderliches und veränderliches Kirchenrecht, Paderborn 1934.

RORDORF W., Der Sonntag (= Abh. zur Theologie des AT und NT 43), Zürich 1962.

RÜCKER A., Das dritte Buch der Mēmrē des Kyriakos und seine Väterzitate, Oriens Christianus 31 (1934), 107–115.

RUSCH P., Die kollegiale Struktur des Bischofsamtes, ZkTh 86 (1964), 257–285.

SAGLIO M. E., Dictionnaire des antiquités grecques et romaines II, Paris 1918.

SAINT PALAIS D'AUSSAC F. DE, La réconciliation des hérétiques dans l'Eglise latine. Contribution à la théologie de l'initiation chrétienne, Paris 1943.

SALMON P., Mitra und Stab. Die Pontifikalinsignien im römischen Ritus, Mainz 1960.

SAN NICOLO M., Ägyptisches Vereinswesen zur Zeit der Ptolemäer und Römer II (Münchner Beiträge zur Papyrusforschung H. 2), München 1915.

SCHEELE J., Zur Rolle der Unfreien in den römischen Christenverfolgungen, Diss. Tübingen 1970.

SCHELKLE K. H., Die Petrusbriefe, Freiburg i. Br. 1961.

– – Jüngerschaft und Apostelamt, Freiburg 1965.

SCHERMANN TH., Die allgemeine Kirchenordnung, Paderborn 1914.

SCHLATTER A., Der Evangelist Matthäus. Seine Sprache, sein Ziel, seine Selbständigkeit, Stuttgart 1929.

SCHLIER H., Der Brief an die Epheser ³, Düsseldorf 1962.

– – Der Staat nach dem Neuen Testament, Besinnung auf das Neue Testament II, Freiburg 1964, 193–211.

– – Die Ordnung der Kirche nach den Pastoralbriefen, Gogarten-Festschrift, Gießen 1948, 38–60.

– – Grundelemente des priesterlichen Amtes im Neuen Testament, Theologie und Philosophie 44 (1969), 161–180.

– – Zur kirchlichen Lehre von der Taufe, Theol. Literaturzeitung 72 (1947), 321–336.

SCHMAUS M., Das katholische Priestertum – ein soziologisches oder ein theologisches Problem? Ius sacrum, Festschrift K. Mörsdorf, Paderborn 1969, 3–14.

– – Katholische Dogmatik III 2, München 1941.

SCHMID J., Das Evangelium nach Matthäus⁴, Regensburg 1960.

SCHMIDT C., Gespräche Jesu mit seinen Jüngern (Texte und Untersuchungen 43), Leipzig 1919.

SCHMIDT K. L., Das Kirchenproblem im Urchristentum, Theol. Bl. 6 (1927), 93–302.

– – Die Kirche des Urchristentums, Festgabe für Adolf Deißmann, Tübingen 1927, 259–319.

SCHNACKENBURG R., Das Heilsgeschehen bei der Taufe nach dem Apostel Paulus, München 1950.

– – Die Kirche im Neuen Testament, Freiburg i. Br. 1961.

– – Die sittliche Botschaft des Neuen Testamentes, München 1954.

– – Episkopos und Hirtenamt (zu Apg 20, 28), Episkopos (Kardinal Faulhaber zum 80. Geburtstage), Regensburg 1949, 66–88.

SCHNORR VON CAROLSFELD L., Geschichte der juristischen Person, München 1933.

SCHÖPF B., Das Tötungsrecht bei den frühchristlichen Schriftstellern bis zur Zeit Konstantins, Regensburg 1958.

SCHÜRMANN H., Neutestamentliche Marginalien zur Frage der «Entsakralisierung», Der Seelsorger 38 (1968), 38–48; 89–104.

SCHWARTE K. H., Das angebliche Christengesetz des Septimus Severus, Historia 12 (1963), 185–208.

SCHWARTZ E., Der sechste nicaenische Kanon auf der Synode von Chalkedon, Sitzungsberichte der Preuß. Akademie der Wiss., Berlin 1930.

– – Kaiser Konstantin und die christliche Kirche², Leipzig-Berlin 1913.

– – Zur Geschichte des Athanasius VI. Nachrichten von der Königlichen Gesellschaft der Wissenschaften zu Göttingen 1905.

SEEBERG A., Die Taufe im Neuen Testament, Groß Lichterfelde-Berlin 1905.

SEEBERG R., Lehrbuch der Dogmengeschichte I³, Leipzig 1920.

SEECK O., Geschichte des Untergangs der antiken Welt II², Stuttgart 1921.

SEESEMANN H., Der Begriff κοινωνία im Neuen Testament, Gießen 1933.

SEIDL E., Die Eingliederung kleiner Staaten in das Imperium nach den Papyri, Gedächtnisschrift H. Peters, Berlin 1967, 111–115.

SELZER H., Die Anfänge der armenischen Kirche. Berichte über die Verhandlungen der Kgl. Sächs. Gesellschaft der Wiss. zu Leipzig, Philol. hist. Kl. 1895, 171–174.

SIFONIOU A., Les fondements juridiques de l'aumône et de la charité chez Jean Chrysostome, RevDrCan 14 (1964), 241–269.

SÖHNGEN G., Grundfragen einer Rechtstheologie, München 1962.

SOHM R., Kirchenrecht I, Leipzig 1892; II, München/Leipzig 1923.

STAMMLER R., Lehrbuch der Rechtsphilosophie³, Leipzig und Berlin 1928.

STAUFFER E., Die Theologie des Neuen Testaments, Stuttgart und Berlin 1941.

STEINMANN A., Sklavenlos und alte Kirche⁴, M.-Gladbach 1922.

STEINWENTER A., Das Recht der koptischen Urkunden, München 1955.

– – Der antike kirchliche Rechtsgang und seine Quellen, ZSSt Kan. Abt. 23 (1934), 1–116.

– – Die Stellung der Bischöfe in der byzantinischen Verwaltung Ägyptens. Studi in onore di Pietro de Francisci I, Mailand 1956, 75–99.

STENZEL A., Zeitgebundenes und Überzeitliches in der Geschichte des Katechumenates und der Taufe, Concilium 3 (1967), 96 ff.

STICKLER A., Historia Iuris Canonici Latini I (Historia Fontium), Turin 1950.

STIRNIMANN J. K., Die praescriptio Tertullians im Lichte des römischen Rechts und der Theologie, Freiburg/Schweiz 1949.

STOCKMEIER P., Bischofsamt und Kircheneinheit bei den apostolischen Vätern, TrThZ 73 (1964), 321/335.

STOCKMEIER P., Konstantinische Wende und kirchengeschichtliche Kontinuität, Hist. Jahrb. 82 (1963), 1–21.

STRAUB J., Kaiser Konstantin als ἐπίσκοπος τῶν ἐκτός, Studia Patristica I, Berlin 1957, 678–695.

STROBEL F. A., Schriftverständnis und Obrigkeitsdenken in der ältesten Kirche, Diss. Erlangen 1956.

STROMBERG A. v., Studien zur Theorie und Praxis der Taufe in der christlichen Kirche der ersten zwei Jahrhunderte, Berlin 1913.

STUFLER J., Die verschiedenen Wirkungen der Taufe und Buße nach Tertullian, ZkTh. 31 (1907), 372–376.

STUTZ U., Kirchenrecht, Enzyklopädie der Rechtswissenschaft in systematischer Bearbeitung, Bd. V, München-Leipzig-Berlin 1914.

TEEUWEN ST. W. J., Sprachlicher Bedeutungswandel bei Tertullian. Ein Beitrag zum Studium der christlichen Sondersprache (Studien zur Geschichte und Kultur des Altertums XIV, 1), Paderborn 1926.

TELLENBACH G., Libertas. Kirche und Weltordnung im Zeitalter des Investiturstreites (Forschungen zur Kirchen- und Geistesgeschichte, Bd. 7), Stuttgart 1936.

THANIAYAGAN H. ST., The Carthaginian clergy during the episcopate of Saint Cyprian, Ceylon 1947.

TIXERONT J., Histoire des dogmes dans l'antiquité chrétienne, I⁹, Paris 1924.

TROXLER G., Das Kirchengebot der Sonntagsmeßpflicht als moraltheologisches Problem in Geschichte und Gegenwart, Freiburg/Schweiz 1971.

TRUMMER J., Mystisches im alten Kirchenrecht. Die geistige Ehe zwischen Bischof und Diözese, Öst. Arch. f. Kirchenrecht 2 (1951), 62–75.

TURNER C. H., Apostolic Succession, Essay on the Early History of the Church and the Ministry, London 1919, 93–124.

Vocabularium iurisprudentiae romanae II, Berlin 1933.

VÖGTLE A., Der Einzelne und die Gemeinschaft in der Stufenfolge der Christus-offenbarung: Daniélou-Vorgrimler, Sentire Ecclesiam, Freiburg 1961, 50–91.

VOGT J., Constantin der Große und sein Jahrhundert², München 1960.

- - Der Niedergang Roms, Zürich 1965.

- - Heiden und Christen in der Familie Konstantins des Großen, Eremion-Festschrift für Hildebrecht Hommel, Tübingen 1961, 148–168.

VÖLKER K., Mysterium und Agape, Gotha 1927.

VÖLKL L., Die Kirchenstiftungen des Kaisers Konstantin im Lichte des römischen Sakralrechts, Köln-Opladen 1964.

- - Die konstantinischen Kirchenbauten im Orient und Okzident, Diss. Pont. Ist. Archeol. Crist., Rom 1950.

VRIES W. DE, Das Collegium Patriarcharum, Concilium I (1965), 655/663.

- - Die Entstehung der Patriarchate des Ostens und ihr Verhältnis zur päpstlichen Vollgewalt, Scholastik 37 (1962), 341 ff.

- - Rom und die Patriarchate des Ostens, Freiburg 1963.

WEBER L. M., Der Priesterrat, Der Seelsorger 38 (1968), 105–118.

WEIGAND R., Die bedingte Eheschließung im kanonischen Recht, München 1963.

WEINZIERL E., Die Funktion des Laien in der Kirche, Der Seelsorger 36 (1966), 229–240.

WENGER L., Aus Novellenindex und Papyruswörterbuch (Sitzungsber. Bayer. Akad. Wiss., Phil.-hist. Klasse 1928, Abh. IV), München 1928.
– – Die Quellen des Römischen Rechts, Wien 1953.
– – Canon in den römischen Rechtsquellen und in den Papyri, Wien-Leipzig 1942.
WICKERT U., Paulus, der erste Klemens und Stephan von Rom, Zeitschrift für Kirchengeschichte 79 (1968), 145–158.
– – Sacramentum Unitatis. Ein Beitrag zum Verständnis der Kirche bei Cyprian, Berlin-New York 1971.
– – Zum Kirchenbegriff Cyprians, Theologische Literaturzeitung 92 (1967), 257–260.
WIELAND F., Die genetische Entwicklung der sog. ordines minores in den drei ersten Jahrhunderten, Rom 1897.
WIKENHAUSER A., Die Apostelgeschichte[2], Regensburg 1951.
– – Die Kirche als der mystische Leib Christi nach dem Apostel Paulus, Münster 1937.
– – Einleitung in das Neue Testament[2], Freiburg i. Br. 1956.
WILL C., Acta et scripta, quae de controversiis ecclesiae graecae et latinae saeculo undecimo composita extant, Leipzig/Marburg 1861.
WILPERT J., Die Malereien der Katakomben Roms, Textband, Freiburg 1903.
– – I sarcofagi cristiani antichi I, Rom 1929.
WINDISCH H., Die Orakel des Hystaspes, Amsterdam 1929.
WINTERSWYL L. A., Die Briefe des heiligen Ignatius von Antiochien, Freiburg i. Br. 1940.
WISSOWA G., Religion und Kultus der Römer[2], München 1912.
WOLF E., Ordnung der Kirche, Frankfurt 1961.
– – Rechtsgedanke und biblische Weisung. Drei Vorträge, Tübingen 1948.
XIBERTA F. B., Clavis ecclesiae, Romae 1922.
ZEIGER I. A., Historia iuris canonici, Rom 1947.
ZIEGLER A. W., Religion, Kirche und Staat in Geschichte und Gegenwart I, München 1969.
ZMIRE P., Recherches sur la collégialité épiscopale dans l'Eglise d'Afrique, Recherches Augustiniennes 7 (1971), 3–72.

Weitere Literatur findet sich in den Anmerkungen und den dort angegebenen Bibliographien, vor allem auch bei Altaner-Stuiber, Patrologie[7], Freiburg-Basel-Wien 1966.

Die im Literaturverzeichnis ungekürzt angeführten Arbeiten werden überdies – der leichteren Orientierung halber – in der Regel noch in den Anmerkungen zumindest einmal mit dem vollständigen Titel zitiert.

VERZEICHNIS DER ABKÜRZUNGEN

AAS	=	Acta Apostolicae Sedis, Rom 1908 ff.
AChr	=	F. J. Dölger, Antike und Christentum, 5 Bde, Münster 1929 ff.
Archiv. Hist. Pont.	=	Archivum Historiae Pontificiae, Rom 1963 ff.
AT	=	Altes Testament.
Baraúna	=	G. Baraúna, De Ecclesia, 2 Bde, Freiburg i. Br. etc. 1966.
BKV	=	Bibliothek der Kirchenväter², Kempten 1911 ff.
Bruns	=	Fontes iuris Romani antiqui I⁷, ed. C. G. Bruns - O. Gradenwitz, Berlin 1909.
CCL	=	Corpus Christianorum, Series latina, Turnhout-Paris 1953 ff.
ChQR	=	The Church Quarterly Review, London 1875 ff.
CIC	=	Codex Iuris Canonici.
Cod. Theod.	=	Codex Theodosianus.
CSEL	=	Corpus Scriptorum ecclesiasticorum Latinorum, Wien 1866 ff.
DACL	=	Dictionnaire d'archéologie chrétienne et de liturgie, Paris 1907 ff.
DDC	=	Dictionnaire de droit canonique, Paris 1935 ff.
Ench. hist.	=	Enchiridion fontium historiae ecclesiasticae antiquae, Freiburg 1941.
Eph. theol. Lovan.	=	Ephemerides theologicae Lovanienses, Brügge 1924 ff.
Fliche-Martin	=	Histoire de l'Eglise depuis les origines jusqu'à nos jours, Paris 1935 ff.
GCS	=	Griechisch-christliche Schriftsteller, Leipzig 1897 ff.
H. E.	=	Historia Ecclesiastica.
Hefele-Leclercq	=	Histoire des Conciles, Paris 1907 ff.
Hist. Jahrb.	=	Historisches Jahrbuch der Görres-Gesellschaft, (Köln 1880 ff.), München 1950 ff.
HThG	=	H. Fries, Handbuch theologischer Grundbegriffe, München 1962/63.
JbAC	=	Jahrbuch für Antike und Christentum, Münster/Westf. 1958 ff.
Irén.	=	Irénikon, Amay Chevetogne 1926 ff.
JTS	=	The Journal of Theological Studies, London 1899 ff.
KO	=	Kirchenordnung.

LThK²	=	Lexikon für Theologie und Kirche², Freiburg i. Br. 1957 ff.
KRA	=	Kirchenrechtliche Abhandlungen, Stuttgart 1902 ff.
MANSI	=	MANSI G. D., Sacrorum conciliorum nova et amplissima collectio, Florenz-Venedig 1757 ff.
MG	=	MIGNE, Patrologia, series graeca.
ML	=	MIGNE, Patrologia, series latina.
Misc. Hist. Pont.	=	Miscellanea Historiae Pontificiae, Rom 1939 ff.
MThZ	=	Münchener Theologische Zeitschrift, München 1950 ff.
NT	=	Neues Testament.
NTSt	=	New Testament Studies, Cambridge 1954 ff.
OrChA	=	Orientalia Christiana Analecta, Rom 1923 ff.
OrSyr	=	L'Orient Syrien, Paris 1956 ff.
RAC	=	Reallexikon für Antike und Christentum, Stuttgart 1941 (1950) ff.
RevDrCan	=	Revue de Droit Canonique, Straßburg 1951 ff.
RechScRel	=	Recherches de science religieuse, Paris 1910 ff.
RGG²	=	Religion in Geschichte und Gegenwart², Tübingen 1927 ff.
RHR	=	Revue de l'histoire des religions, Paris 1880 ff.
RNT	=	Regensburger Neues Testament, hrsg. von A. Wikenhauser und O. Kuß, Regensburg 1938 ff.
SDHI	=	Studia et Documenta Historiae et Iuris, Rom 1935 ff.
Theol. Bl.	=	Theologische Blätter, Leipzig 1922 ff.
Theol. Gl.	=	Theologie und Glaube, Paderborn 1909 ff.
ThLZ	=	Theologische Literaturzeitung, Leipzig 1878 ff.
ThQ	=	Theologische Quartalschrift, Tübingen 1819 ff.; Stuttgart 1946 ff.
ThRdsch	=	Theologische Rundschau, Tübingen 1897 ff.
TheolRev	=	Theologische Revue, Münster 1902 ff.
ThWb	=	Theologisches Wörterbuch zum Neuen Testament, Stuttgart 1933 ff.
TrThZ	=	Trierer Theologische Zeitschrift, Trier 1888 ff.
TU	=	Texte und Untersuchungen, Leipzig-Berlin 1882 ff.
ZkTh	=	Zeitschrift für katholische Theologie (Innsbruck), Wien 1877 ff.
ZntW	=	Zeitschrift für neutestamentliche Wissenschaft und die Kunde der älteren Kirche, Gießen 1900 ff., Berlin 1934 ff.
ZSSt	=	Zeitschrift der Savigny-Stiftung für Rechtsgeschichte, Weimar 1803 ff. (Germ. Abt.); 1911 ff. (Kan. Abt.); 1880 ff. (Rom. Abt.).

Im übrigen sind die allgemein üblichen Abkürzungen gebraucht.

I. DIE GRUNDLAGEN

§ 1. Die Quellen

Eine Reihe von Quellen – *Rechtsgeschichts*quellen und teilweise zugleich *Rechts*quellen – stehen der frühchristlichen Kirchenrechtsgeschichte zu Gebote:

a) *Die heiligen Schriften des AT und NT*

Quellen zur frühesten Geschichte des Kirchenrechtes sind neben den alttestamentlichen vor allem die neutestamentlichen Schriften, welche die Anlage der ganzen kirchlichen Rechtsentwicklung enthalten.

Die Anordnungen des Alten Testamentes im liturgischen und juridischen Bereiche sind von der Christenheit zum größten Teile als außer Kraft gesetzt betrachtet worden [1]. Es blieb jedoch, von den Zeiten des Völkerapostels Paulus angefangen, immer schwer, den Menschen die teilweise Hinfälligkeit des mosaischen Gesetzes zu erklären [2]. Papst Siricius beruft sich Ep. 2,12 auf das AT. So machte die römische Congregatio de Propaganda Fide die Gläubigen überseeischer Länder noch 1866 darauf aufmerksam, daß sie als Christen an die Beschneidungsgesetze nicht gebunden seien [3]. Von den Reformatoren waren sogar Pläne erwogen worden, das mosaische Recht an die Stelle des römisch-kanonischen zu setzen [4].

---

[1] Zur Einführung in das Alte Testament R. MAYER, Einleitung in das Alte Testament I u. II, München 1965 und 1967. – ROBERT-FEUILLET, Einleitung in die Heilige Schrift I, Wien 1963. Für das Neue Testament: A. WIKENHAUSER, Einleitung in das Neue Testament[2], Freiburg i. Br. 1956. – Zum einzelnen R. SCHNACKENBURG, Die sittliche Botschaft des Neuen Testamentes, München 1954, 140 ff.

[2] In den *Constitutiones Apostolorum* 6,17, ed. FUNK 341, wird die Forderung des Gesetzes angeführt: καὶ ὁ Νόμος λέγει

[3] Coll. S. C. de Prop. Fide 1663.

[4] P. KOSCHAKER, Europa und das römische Recht, München 1947, 159.

Die Glaubens- und Sittenlehren des Neuen Testamentes stellen demgegenüber direkt oder wenigstens indirekt die echte und in erster Linie kompetente Quelle des kanonischen Rechtes dar. Aus ihr ist die Kenntnis der juristischen Natur der Kirche, ihrer Verfassung, des Sakramentenrechtes und Strafrechtes zumindest hinsichtlich der obersten Normen zu schöpfen [1].

b) *Die Apokryphen*

Die evangelisch-protestantische Bezeichnungsweise versteht – in allgemeinerem Sinne –, ebenso wie der katholische Sprachgebrauch unter Apokryphen des NT jene Schriften, die – im Gegensatz zu den öffentlichen, in der Kirche bekannten Büchern – geheim waren. Man teilt sie entsprechend den kanonischen Büchern in die Gruppen der apokryphen Evangelien, Apostelgeschichten, Briefe und Apokalypsen ein [2].

Wie die Geschichte der Taufe mit ihrem in die ganze Breite des bürgerlichen Lebens hineinwirkenden Taufrecht im besondern zeigt, stellen diese Apokryphen eine reiche Erkenntnisquelle für jene erste Zeit dar, in welcher die positive Rechtssetzung auch durch Rechtsentscheid in menschlicher Weise geschah, in der aber nichtsdestoweniger oft der Versuch gemacht wurde, durch Berufung auf göttliche, an sogenannte Charismatiker ergangene Inspiration Einfluß auf die Rechtsgestaltung auszuüben.

Sie geben mitunter von Überzeugungen, Bräuchen etc. besonders geprägter Kreise Kunde und sind dadurch im Bereich der ganzen Kirche von Belang [3]. Ihr historischer Wert ist demzufolge nicht ohne Bedeutung und erheblich für die Rechtsgeschichte.

So stammt das Zeugnis der Petrus-Apokalypse über das Martyrium

---

[1] Vgl. I. A. ZEIGER, Historia iuris canonici I, Rom 1947, 27.

[2] Vgl. J. MICHL, LThK I², 711 f. W. SCHNEEMELCHER, Neutestamentliche Apokryphen I³, Tübingen 1959, 6, definiert folgendermaßen: «Neutestamentliche Apokryphen sind Schriften, die nicht in den Kanon aufgenommen sind, die aber durch Titel und sonstige Aussagen den Anspruch erheben, den Schriften des Kanons gleichwertig zu sein, und die formgeschichtlich die im NT geschaffenen und übernommenen Stilgattungen weiterbilden und weiterformen, wobei nun allerdings auch fremde Elemente eindringen».

[3] Vgl. W. SCHNEEMELCHER, a. a. O. 33: «Lokale Interessen, wie die Missionierung bestimmter Gegenden, mußten berücksichtigt werden, sich bildende Bräuche sollten legalisiert werden».

des Petrus in Rom möglicherweise noch aus dem Beginn des 2. Jahrhunderts und kann darum in der Bewertung der kirchlich entscheidenden ältesten Petrus-Traditionen nicht übersehen werden [1].

Bisweilen haben die Apokryphen einen Zusammenhang mit Mißbräuchen, die bekämpft werden, mit Lehren und Tatsachen, die in irgendeiner Weise die Disziplin bestimmen [2].

c) *Die Kirchenordnungen*

Viel nüchterner zwar als die Bibelapokryphen, aber um so folgenreicher waren die *Kirchenordnungen*.

Obwohl die *pseudoapostolischen Sammlungen* keine authentischen Sammlungen der Gesamtkirche darstellen, ist ihr historischer Wert doch unbestritten. Sie wurden den Aposteln zugeschrieben; es handelt sich bei ihnen dennoch nicht um *Fälschungen* von Apostelrecht, sondern geht vielmehr um echte oder apokryphe Normen aus der *nach*apostolischen Zeit der Kirche, die sich die Autorität der Apostel leihen. Rechtsgeschichtlich bedeutungsvoll, weil sie die Rechtsanschauungen wiedergeben, die zur Zeit ihrer tatsächlichen Abfassung in der Kirche galten, wurden sie teilweise wie die Heilige Schrift in den Kirchen öffentlich vorgelesen: Wie schon mit der Didache, geschah dies z. B. mit Teilen der Apostolischen Konstitutionen. Sie waren in den entferntesten Gegenden bekannt und übten auf sich wechselseitig Einfluß aus: So die Didache auf die Didaskalia (3. Jh.), diese auf die Apostolischen Konstitutionen (4. Jh.). Die Ägyptische Kirchenordnung erweist sich als stark von der Traditio Apostolica geprägt. In der orientalischen Kirche waren 85 sogenannte *Apostolische Kanones* bekannt. In der abendländischen wurden 50 in die Dionysianischen Sammlungen, zwei direkt in das Decretum Gratiani aufgenommen.

Ihre Tragweite erhellt auch daraus, daß sie aus der Originalsprache ihres Entstehungsortes in mannigfache Versionen übersetzt wurden [3].

---

[1] E. PETERSON, Frühkirche, Judentum und Gnosis, Freiburg 1959, 91.

[2] Vgl. A. STICKLER, Historia Iuris Canonici Latini I (Historia Fontium), Turin 1950, 21.

[3] Zur Frage nach der Abhängigkeit dieser Sammlungen vgl. J. M. HANSSENS, La liturgie d'Hippolyte (OrChrA 155), Rom 1959, 3–216; B. BOTTE, Les plus anciennes collections canoniques OrSyr 5 (1960), 331–349; H. E. FEINE, Kirchliche Rechtsgeschichte[4], Weimar 1964, 32 ff.

1. *Zwölf-Apostel-Lehre* (Didache, Διδαχὴ τῶν δώδεκα 'Αποστόλων, Doctrina duodecim Apostolorum) [1].

Die Schwierigkeiten der Didache-Überlieferung und ihrer Deutung zu klären, ist bis zur Stunde nicht gelungen. Die Didache-Ausgaben und Didache-Exegesen geben kein Bild von der Unsicherheit der handschriftlichen Tradition: Der Bryennios-Text ist vielleicht eine spätere Rezension mit bestimmten theologischen Tendenzen. Der Verfasser scheint Barnabas und Hermas und wohl auch Texte der ägyptischen Liturgie gekannt zu haben und gibt möglicherweise in manchen Dingen eher eine utopische Schilderung von der Frühzeit der Kirche als einen Ausdruck der Wirklichkeit [2]. Dieses in der Großkirche sicher vor 150 entstandene Handbuch mit Gesetzescharakter [3] weist indessen z. B. hinsichtlich der ersten genaueren Vorschriften über die Materie des Taufsakramentes auf eine längere Übung hin, die bis in die Anfänge der Kirche zurückgehen dürfte [4].

2. *Die Apostolische Tradition* (Traditio Apostolica, 'Αποστολικὴ Παράδοσις), nach vorherrschender Meinung um 215 von dem Gegenpapst Hippolyt in griechischer Sprache verfaßt, ist, abgesehen von einigen griechischen Fragmenten, in sahidischer, bohairischer, arabischer, äthiopischer und teilweise in lateinischer Übersetzung überliefert. Im Unterschied von allen anderen, den pseudoapostolischen Sammlungen zugerechneten Gesetzeswerken ist diese älteste Kirchenordnung das einzige Rechtsdenkmal solcher Art, das in der *abendländischen Kirche* entstanden ist. Es übte freilich Einfluß auf eine Reihe von ostkirchlichen Sammlungen aus. Das Werk enthält ältestes kanonisches Recht, Vorschriften hauptsächlich auf dem Gebiet des Personenrechtes (zu Bischof, Priester, Diakon, Bekenner, Lektor, Subdiakon, Witwen und Jungfrauen), aber auch Normen hinsichtlich der Gnadenmittel, der Einführung in die christliche Gemeinschaft,

---

[1] RAC III 1009–1013. Text nach den Gesamtausgaben der Apostolischen Väter. Ferner J. RENDEL-HARRIS (mit Faksimile), London 1887; H. LIETZMANN, Kleine Texte 6, Berlin 1936; TH. KLAUSER, Floril. Patr. I, Bonn 1940; E. HENNECKE, Neutestamentliche Apokryphen², Tübingen 1924, 555–566. Eine Zusammenstellung der Literatur findet sich in der Arbeit von J. P. AUDET, La Didaché, Paris 1958; B. ALTANER, Patrologie⁶, Freiburg i. Br. 1960, 43 ff.; P. TH. CAMELOT in *LThK* III² 369 f.

[2] E. PETERSON, Frühkirche, Judentum und Gnosis 181.

[3] TH. KLAUSER, a. a. O. (Doctrina Duodecim Apostolorum etc.).

[4] TH. KLAUSER, Taufet in lebendigem Wasser, Pisciculi, Münster 1939, 159.

4

für Fasten und Gebet, Eucharistie und Begräbnis. Es wird *Ägyptische Kirchenordnung* (so von Achelis) genannt, weil zuerst in einem koptischen Manuskript gefunden und ist (gegen Lorentz und Engberding) als Schöpfung des berühmten Gegenpapstes anzusehen, auch wenn nicht zu verkennen bleibt, daß infolge ihrer Aufnahme durch die ägyptische Kirche Sonderheiten dieses Territoriums in sie Eingang gefunden haben.

F. X. FUNK, Didascalia et Constitutiones Apostolorum II, Paderborn 1905, 97–119; HENNECKE² 569–583; R. H. CONNOLLY, The so-called Egyptian Church Order and derived Documents, Cambridge 1916; E. JUNGKLAUS, Die Gemeinde Hippolyts. Anhang: Hippolyts Kirchenordnung, Rekonstruktion. TU 46,1, Leipzig 1930; G. DIX, Ἀποστολικὴ Παράδοσις The Treatise on the Apostolical Tradition of St. Hippolytus of Rome, Bishop and Martyr, London 1937; J. M. HANSSENS, La liturgie d'Hippolyte, Roma 1959 (= Orientalia Christ. Analecta 155); ALTANER⁶, 46 ff.; B. GÖGLER, LThK V² 379 f.; J. A. JUNGMANN, ebda I² 320; B. BOTTE, La Tradition Apostolique de Saint Hippolyte², Münster 1963.

3. *Die « Didaskalia, d. h. die katholische Lehre der zwölf Apostel und heiligen Schüler unseres Erlösers»,* bei Epiphanius Διατάξεις τῶν Ἀποστόλων genannt, ist höchstwahrscheinlich in der ersten Hälfte, vielleicht schon in den ersten Jahrzehnten des 3. Jahrhunderts im nördlichen Syrien für eine heidenchristliche Gemeinde in griechischer Sprache geschrieben worden. Dieser Urtext ging, abgesehen von geringen Fragmenten, verloren. Das ganze Werk ist in syrischer, teilweise in lateinischer und außerdem in koptischer, äthiopischer und arabischer Übertragung vollständig erhalten. Der Verfasser steht stark unter dem Einfluß der alttestamentlichen Ordnung. Immer sind Parallelen beziehungsweise Antithesen aufgewiesen. In Abhängigkeit von der Didache behandelt er die kirchliche Disziplin der christlichen Gemeinschaft mit besonderer Berücksichtigung der Eheleute, des Bischofsamtes, der Vermögensverwaltung, der Streitigkeiten unter Christen, von Taufe, Gottesdienst, Buße und Fastendisziplin. Dieser vielleicht früheste Versuch der Abfassung eines Corpus Iuris Canonici (Cicognani) ist jedenfalls Entwurf einer systematischen, übersichtlich geordneten Sammlung. In Palästina und Syrien auch als Gesetzbuch angesehen, greift die Didaskalie inhaltlich auf die älteste Didache zurück, während sie ihrerseits wesentlicher Bestandteil der Apostolischen Konstitutionen geworden ist.

Syr: P. A. DE LAGARDE, London 1854 (Erstausgabe); *Lat. Fragm.:* E. HAU-
LER, Leipzig 1900; *Übers.:* H. ACHELIS-J. FLEMMING, Leipzig 1904 (TU
25,2); R. H. CONNOLLY, Oxford 1929; F. NAU, ²Paris 1912; *Lat. nach dem
Syrischen:* F. X. FUNK, D. et Constitutiones Apost. I, Pad. 1905; ALTANER[6]
48 f.; J. A. JUNGMANN, LThK III² 371 f.; W. M. PLÖCHL, Geschichte des
Kirchenrechts I, Wien/München 1953, 101; U. MOSIEK, Das altkirchliche
Prozeßrecht im Spiegel der Didaskalie, Österr. Archiv f. Kirchenrecht 16
(1965), 183–209.

4. *Die Apostolische Kirchenordnung* (Canones ecclesiastici sanctorum
Apostolorum, Κανόνες ἐκκλησιαστικοὶ τῶν ἁγίων ἀποστόλων, auch
Canones Apostolici aegyptiaci oder Constitutio Apostolica ecclesiastica), in lateinischer, syrischer, koptischer, arabischer und äthiopischer
Fassung erhalten, möglicherweise *um die Wende des 3. zum 4. Jh. in
Ägypten entstanden,* sollte die von ihr in der ersten Hälfte benutzte
Didache ersetzen. Der Anlage nach einen Übergang zu den Apostolischen Konstitutionen bildend, erlangte diese aus dreißig Paragraphen oder Kanones bestehende Sammlung offizielles Ansehen und
wurde an die Spitze des Corpus Iuris Canonici der koptischen, äthiopischen und arabischen Kirchen in Ägypten gestellt. Indem sie die
einzelnen Kanones *verschiedenen Aposteln* zuschreibt und oft mit einem
direkten Hinweis einleitet wie «Petrus sprach», «Johannes sprach»
und so weiter, befaßt sie sich mit Vorschriften über die Wahl der
Bischöfe, die Bestellung des Klerus, über die Standespflichten des
Klerus, der Witwen, Diakonissen und Laien und schließlich über die
Teilnahme der Frauen an heiligen Handlungen.

J. B. PITRA, Juris ecclesiastici Graecorum Historia et monumenta I, Rom
1864,77 ff.; G. BICKELL, Geschichte des Kirchenrechts I, Gießen 1843,107ff.
TH. SCHERMANN, Die allgemeine Kirchenordnung, Paderborn 1914, 12 ff.;
A. VAN HOVE, Commentarium Lovaniense in Cod. I. C. 1/1 Prolegomena²,
Mecheln/Rom 1945, 127; G. D'ERCOLE, Le fonti del diritto canonico,
Rom 1948, 27.

5. *Die Apostolischen Konstitutionen* (Διαταγαὶ τῶν ἁγίων ἀποστόλων
διὰ Κλήμεντος), umfangreichste, rechtlich-liturgische Kirchenordnung
des Altertums, stammen aus der Zeit zwischen 360 und 370 und
sind antiochenisch. Sie geben sich als *Werk der Apostel* (VI 14)
und wollen *von Papst Clemens veröffentlicht sein,* sind aber die einheitliche Kompilation eines *semiarianischen Verfassers,* der in erweiternder
Benutzung älterer Quellen (Didache, Kirchenordnung des Hippolyt,
Didaskalia) schrieb. Während die ersten 6 Bücher eine auf die Zeit-

verhältnisse ausgerichtete Erweiterung der syrischen Didaskalia bilden, ist das 7. Buch eine Ausgestaltung der Didache mit der Liturgie von Taufe und Firmung samt einem Anhang von Gebeten. Das umfangreiche 8. Buch enthält eine auf *Hippolyt aufbauende Meßliturgie* (Kap. 5–15) und die Darstellung der Standespflichten von Gemeindemitgliedern (Kap. 16–46) sowie in Kap. 47 die sog. 85 Apost. Kanones. Vom 8. Buch der Apostolischen Konstitutionen besteht eine abweichende Fassung, die bald als *Epitome* (griech. Text bei Funk II 72–96), bald als *Constitutio per Hippolytum* bezeichnet wird. Sie ist koptisch, arabisch und äthiopisch, aber nicht syrisch überliefert und besteht aus fünf Teilen. Die A. K. sind von der Trullanischen Synode (692) als *häretisch verfälscht* bezeichnet worden.

F. X. FUNK, Didaskalia et Constitutiones Apostolorum I u. II, Paderborn 1905; C. J. HEFELE, Conciliengeschichte, III 331; HEFELE-LECLERCQ, Histoire des conciles, III 562; J. QUASTEN, Florilegium Patr. VII, Bonn 1936, 4; K. RAHNER, LThK I² 759; B. BOTTE, Tradition Apostolique², xxv ff.

6. *Die 85 Apostolischen Kanones,* die in den Apostolischen Konstitutionen 8, 47 stehen und anscheinend vom Bearbeiter des Werkes herrühren, ausschließlich Wahl, Weihe und Obliegenheiten des Klerus betreffend, sind frühestens in der ersten Hälfte des 4. Jh. abgefaßt, wobei spätere Überarbeitungen bis ins 6. Jh. reichen. Obwohl in der Regel 85 Kanones gezählt werden, finden sich auch Sammlungen mit 82, 83 und 84 Kanones. Während zuerst die ersten 50 Kanones in der *Ostkirche* anerkannt wurden und dann vom Trullanum insgesamt 85, werden sie im Pseudo-Gelasianischen Dekret als apokryph erklärt. Dionysius Exiguus bezweifelte ihren apostolischen Charakter, nahm aber eine lateinische Version der ersten 50 Kanones mit einer katholischen Interpretation der theologisch anfechtbaren Stellen in seine Sammlung auf und übermittelte sie andern Sammlungen der Westkirche (Pseudo-Isidor, Decretum Gratiani, Compilationes antiquae sowie Dekretalen Gregors IX., in alten Ausgaben des Corpus Iuris Canonici als Anhang zum Gratianischen Dekret und in einzelnen Ausgaben des Corpus Iuris Civilis).

F. X. FUNK, a. a. O. I 564 ff.; C. H. TURNER, JTS 16 (1914/15), 523–538; G. GRAF, Geschichte der christl. arabischen Literatur I, Rom 1944, 572–577; A. VAN HOVE, Prolegomena², 130 f.; G. D'ERCOLE, Le fonti 29; C. MUNIER, Les sources patristiques du droit de l'Eglise du VIIIᵉ au XIIIᵉ siècle, Mulhouse 1957, 101 et passim.

7. *Das Testamentum Domini nostri Jesu Christi* enthält zwei im 5. Jh. im Patriarchat Antiochien griechisch abgefaßte Bücher, die syrisch, koptisch, äthiopisch und arabisch überliefert sind. Die Kirchenordnung Hippolyts liegt ihnen zugrunde, aber auch die Apostolischen Kanones hatte der Redaktor vor Augen. Während in Buch 1 u. a. Anweisung darüber gegeben wird, wie ein Kirchenvorsteher beschaffen sein soll und wie er das Gotteshaus einrichten müsse, regelt das kanonische zweite Buch das Leben des Christen von Katechumenat und Taufe bis zum Begräbnis.

> J. E. Rahmani, Test. Dom Nostri Jesu Christi, Mainz 1899 (syrisch und lateinisch); F. X. Funk, Das Testament unseres Herrn Jesus Christus und verwandte Schriften, Tübingen 1901; J. Quasten, Flor. Patr. VII, Bonn 1936, 235–273; O. H. E. Burmester, Le Muséon 46 (1933), 203–235; A. Rücker, Oriens Christ. 31 (1934) 114 f.; G. Graf, a. a. O. I 569–572; B. Botte, La Tradition Apostolique², xxvi f.

8. *Die Canones Hippolyti,* um die Mitte des 4. Jahrhunderts entstanden und gleichfalls auf der Kirchenordnung Hippolyts beruhend, sind arabisch erhalten. Der Redaktor ließ sich von der Traditio Apostolica sehr frei inspirieren.

> H. Achelis, Die ältesten Quellen des Orientalischen Kirchenrechts I, Die Canones Hippolyti, Leipzig 1891; W. Riedel, Die Kirchenrechtsquellen des Patriarchats Alexandrien zusammengestellt und zum Teil übersetzt, Leipzig 1900, 193–230; C. J. Öhlander, Canones Hi. och besläktade skrifter, Lund 1911; G. Graf, a. a. O. I, Rom 1944, 602–605; K. Müller, ZntW 1924, 226–231; B. Botte, La Tradition Apostolique², xxvii f.; G. D'Ercole, a. a. O. 32 ff.; Altaner-Stuiber, Patrologie², Freiburg 1966, 257.

d) *Synodalbeschlüsse*

Schon die Rechtsentscheidungen der Väter und die Verfügungen bedeutender Bischöfe waren von Einfluß und wurden, weil wichtig für die Rechtsgestaltung, gesammelt. Bei Bedarf wagte man neue Sätze fälschlich einzuschieben. Demzufolge beklagt Cyprian, daß bei den Abschriften seiner Entscheidungen gefälscht werde. Besonderes Ansehen genossen die Kanones der Synoden, zumal derjenigen von Nizäa. Zur Förderung bestimmter Tendenzen wurden ihnen um so mehr gefälschte Sätze eingefügt. Da selbst die Reskripte der Kaiser gegen Fälschung nicht gefeit waren, scheint freilich diese Praxis allgemein üblich gewesen zu sein und muß in diesem Rahmen gesehen werden.

Was das Alter dieser Rechtsquellen angeht, steht jedenfalls fest, daß schon Papst Viktor aus dem weiten Gebiet zwischen Lyon und Mesopotamien Briefe der Synodalversammlungen zugegangen waren, die sich mit der Frage des Osterfestzeitpunktes befaßten. Die palästinensischen Bischöfe bitten des weiteren, Abschriften ihres Synodalbriefes an alle Christengemeinden zu senden[1]. In der Zeit der Sedisvakanz schreiben die römischen Presbyter nach dem Bericht der Epistula XXX (der Sammlung der Briefe Cyprians), daß eine Entscheidung keine große Kraft habe, die nicht von einer großen Zahl gebilligt worden sei[2]. Aus dem Zeugnis Cyprians wissen wir ferner, daß eben dieser Brief in alle Welt gesandt und allen Gemeinden und Gläubigen zur Kenntnis gebracht worden ist[3]. Nach Eusebius[4] unterrichtet Bischof Kornelius im Namen der römischen Synode Bischof Fabius von Antiochien über deren Beschlüsse wie über die Entscheidungen der Konzile Italiens, Afrikas und der dortigen Länder. Vom karthagischen Konzil des 1. September 256 sind die Meinungsäußerungen der 87 Bischöfe erhalten geblieben[5]. Das Konzil von Antiochien vom Jahre 268 richtet hernach ein Synodalschreiben über die daselbst getroffenen Entscheidungen an die Bischöfe Dionysius von Rom und Maximus von Alexandrien[6] und zugleich an alle «Mitdiener auf dem Erdkreise»[7] und die «ganze katholische Kirche unter dem Himmel»[8]. Mit gutem Grund wurde das Konzil von Antiochien darum «das Muster für das Konzil von Nizäa» genannt und darauf hingewiesen, es sei die Überzeugung der alten Kirche geworden, «daß durch das Urteil der Bischöfe *der katholischen Welt* der Bischof von Samosata seines Amtes enthoben wurde»[9]. Das Konzil von Elvira hatte schließlich als erstes eine kanonische Gesetzgebung verfaßt[10].

[1] EUSEBIUS, Kirchengeschichte V 25, ed. H. Kraft, München 1967, 270. Vgl. H. MAROT, Vornicäische und ökumenische Konzile, Das Konzil und die Konzile, Stuttgart 1962, 46 ff.
[2] Ep. XXX, 5; ed. HARTEL 2, 553: ... quoniam nec firmum decretum potest esse quod non plurimorum videbitur habuisse consensum.
[3] Ep. LV; ed. HARTEL 627:... per totum mundum missae sunt et in notitiam ecclesiis omnibus et universis fratribus perlatae.
[4] H. E. VI 43, 3.
[5] Sententiae Episcoporum LXXXV, ed. HARTEL II 435.
[6] EUSEBIUS, H. E. VII 30, 1.
[7] EUSEBIUS VON CAESAREA, Kirchengeschichte, ed. H. KRAFT 347.
[8] A. a. O. Diese deutsche Übersetzung wird regelmäßig zitiert.
[9] G. BARDY, Paul de Samosate², Löwen 1929, 352.
[10] Zum Zeitpunkt des Konzils von Elvira vgl. unten S. 112. H. MAROT meint, daß dessen Kanones teilweise von Arles übernommen worden seien: Konzil und Konzile 42.

Zwar wird von den Quellen auf die Einstimmigkeit der episkopalen Entscheidungen lediglich im Blick auf die *anwesenden* Väter Wert gelegt. Sie verlangt dennoch die zumindest stillschweigende Anerkennung der Konzilsentscheidungen durch die übrigen Christengemeinden oder durch bedeutendere Bischofssitze [1]. Das Konzil von Antiochien vom Jahre 325 schickt demzufolge seinen Synodalbrief wenigstens nach Thessalonich (oder nach Byzanz) und an die italischen Bischöfe, die dem römischen Stuhl unterstehen [2]. Daß die Unterzeichnung des Synodalbriefes durch die abwesenden Bischöfe als Beteiligung an den Konzilsentscheidungen gelten soll, wird von den Absendern des Synodalbriefes ausdrücklich hervorgehoben [3].

Wenn auch vom Nizänischen Konzil uns keine Akten überliefert sind, so haben wir dennoch das Glaubensbekenntnis und die zwanzig Disziplinarkanones sowie das an die Bischöfe Ägyptens, Libyens und der Pentapolis gerichtete Synodalschreiben [4] erhalten.

So hat, wie oben dargelegt, die Auffassung von Struktur und Tragweite der Synoden zu Sendschreiben und Urkunden geführt.

Daß in früher Zeit schon solche *gesammelt* wurden, ist ausdrücklich durch Eusebius bezeugt [5].

e) *Die Kirchenväter und Kirchenschriftsteller*

Ch. Munier [6] hat ein ziemlich genaues Bild dessen gegeben, wie Texte der Väter und Kirchenschriftsteller seit dem 8. Jh. im Westen als Zeugen zitiert wurden, nachdem sie bis zum Ende des 7. Jh. am Rande geblieben waren. Frühe Kollektionen, wie die Quesnelliana, die Collectio Veronensis, das Synodicum Casinense, der Codex ency-

---

[1] A. a. O. 46.

[2] A. a. O. 48.

[3] H. G. Opitz, Athanasius' Werke III, 1, Urkunden zur Geschichte des arianischen Streites, Berlin 1934, 36. Vgl. unten.

[4] Socrates, H. E. I, 9 1–4; MG 67, 77–84. – H. G. Opitz, a. a. O. 47–51. – Außerdem existieren Texte von Konstantin, Alexander von Alexandrien, Eusebius und Athanasius.

[5] H. E. VI 20: «Damals lebten schon mehrere gelehrte Kirchenmänner. Briefe, welche sie einander geschrieben haben, sind noch jetzt vorhanden und leicht zu erhalten. Dieselben sind heute noch in der Bibliothek zu Aelia aufbewahrt, welche von dem damals dort regierenden Bischof Alexander gegründet worden war und aus welcher wir das Material für vorliegende Arbeit sammeln konnten.»

[6] Les sources patristiques du droit de l'Eglise du VIIIe au XIIIe siècle, Mulhouse 1957. Hierzu die Besprechung von O. Heggelbacher, Theol. Revue 58 (1962), 118 f.

clius hatten ihnen lediglich theologische Argumente entnommen. Zwei Überlieferungswege führen dann zum Dekret Gratians: Der erste ist durch das Dekret Burchards von Worms und die Sammlungen des Ivo von Chartres umrissen, der zweite durch die Sammlungen der Gregorianischen Reform. Von den frühen Kirchenvätern spielt Cyprian hierin die wichtigste Rolle. Die Kompilatoren erwähnen die Väterschriften ausdrücklich unter den Quellen, denen sie Rechtsregeln entnommen haben, da sie die Väter als von den Päpsten und Konzilsgliedern untrennbar ansahen. Gratian reiht darum die auctoritates Patrum unter die Dokumente, die einen Teil vom allgemeinen Recht der Kirche ausmachen. In der Folgezeit erst werden die patristischen Lösungen zugunsten der im eigentlichen Sinn legislativen Dokumente ausgeschieden. Die Methodik des Mittelalters, das patristische Erbe in den Griff zu bekommen, ist eine andere als die der neuzeitlichen Wissenschaftslehre. Nach dieser obliegt es der Geschichte des Kirchenrechts zuvörderst, die direkten Dokumente der Entfaltung kirchlichen Rechtes, besonders die kanonischen Quellensammlungen, zu durchforschen.

Gleichwohl ist heute die patristische Literatur von Rang für die kirchliche Rechtsgeschichte. Auch theologische Texte stellen, zumal in der frühchristlichen Zeit, wegen ihrer Transparenz für geltende Rechtsauffassungen unersetzliche Zeugen für die wirklichen Verhältnisse und für die Geschichte der teilweise eben aus ihnen erflossenen kirchenrechtlichen Institute dar.

Das Recht der Kirche hängt – außer mit dem Recht allgemein – mit der dogmatischen Theologie, der Sittenlehre und der Pastoral engstens zusammen. In einer Epoche, in der zwischen den verschiedenen Disziplinen in keiner Weise oder höchst unvollkommen unterschieden wurde, nahm man darum selbst (vorwiegend oder nur teilweise) *theologische* Gegenstände in kanonische Sammlungen auf. Zumal im Sakramentenrecht werden die Normen solch verschiedener Art zusammen behandelt, bis in der Zeit der kanonistischen Wissenschaft – Dionysius Exiguus († um 545) gilt als Vater der Kirchenrechtswissenschaft – erst genauere Unterscheidungen getroffen werden.

Auch liturgische Dokumente zählen zu den Erkenntnisquellen des frühchristlichen Kirchenrechts, insofern sie die praktische Leitung des Kultes im Auge behalten mußten [1].

---

[1] A. STICKLER, Historia Iuris Canonici Latini I, 21.

Die patristischen Literaturen sind einerseits *Spiegelungen* der Rechtsverhältnisse. Anderseits müssen die Kirchenväter und Kirchenschriftsteller infolge ihres Einflusses auf die Zeitgenossen, die Zeitströmungen, die Rechtsgewohnheiten und das Gewohnheitsrecht als *Ursache* gelten. So war z. B. der Einfluß des Hermas auf die Bußdisziplin bedeutend.

Wären übrigens die Schriften früher häretischer Richtungen besser erhalten, bestünde über manche rechtlichen Sachverhalte mehr Klarheit, da Rechtsnormen bisweilen durch jene direkt oder indirekt veranlaßt wurden [1].

Tertullian in seinem Einfluß auf Cyprian ist hierfür symptomatisch. Dieser hielt noch, wie früher Tertullian und die Bischöfe Kleinasiens, die Ketzertaufe für ungültig und unter seinem Vorsitz sprachen sich drei Synoden von Karthago für die Ungültigkeit der Ketzertaufe aus [2].

Die Bemerkungen des Basilius zur Frage der Bestrafung des Ehebruches sind nicht weniger aufschlußreich. Wenn er unter Berufung auf das Gewohnheitsrecht den Verkehr eines verheirateten Mannes mit einem unverheirateten Mädchen wesentlich leichter bestraft sein läßt, ist eine Anlehnung an weltliches Strafrecht erkennbar [3]. Der Strom der Rechtsentwicklung hat so manche Fracht getragen, über deren Herkunft man sich lange nicht klar war. Allein die sog. römische Bannbulle von 1054 und die Aufzählung des Kataloges der Beschuldigungen gegen den Patriarchen gibt dazu erheblichen Aufschluß [4]: Dem Patriarchen und seinen Gesinnungsgenossen wird unter anderem vorgeworfen, daß sie wie die *Valesier* [5] (eine gnostische Sekte des 3. Jh.) Eunuchen zu Priestern, ja sogar zu Bischöfen weihten; wie die Arianer vorzüglich *Lateinern* die Wiedertaufe spendeten; wie die Nikolaiten für die Altardiener die Ehe gestatteten; wie die Naza-

---

[1] Vgl. SCHNEEMELCHER, a. a. O. 34: «Denn es ist ja nicht zu übersehen, daß die apokryphe Literatur ... zumeist aus Kreisen stammt, die auch auf anderen Gebieten eine andere Entwicklung genommen haben als die Kreise, die man als großkirchlich zu bezeichnen pflegt. In den gnostischen Gruppen scheint doch vieles von dem, was wir hier zusammentragen wollen, seine Heimat gehabt zu haben.»

[2] B. ALTANER, Patrologie², 143.

[3] M. MÜLLER, Ethik und Recht in der Lehre von der Verantwortlichkeit, Regensburg 1932, 37 f.

[4] WILL C., Acta et scripta, quae de controversiis ecclesiae graecae et latinae saeculo undecimo extant, Leipzig/Marburg 1861.

[5] Dizionario dei Concili I 1. Vgl. S. 91.

rener die jüdischen Reinlichkeitsgebote urgierten sowie Kopf- und Barthaare wachsen ließen und Zuwiderhandelnde von ihrer Gemeinschaft ausschlössen.

§ 2. Die Stellung der Kirche im Römischen Reich bis zum Nizänum

Das Wort von der «Kirche der Märtyrer» hat seine Richtigkeit. Desungeachtet waren die ersten drei Jahrhunderte nicht schlechthin eine Zeit der Verfolgung. Vor Kaiser Decius (249–251) hatte es jedenfalls keine systematische Christenverfolgung gegeben. Dennoch konnte das Martyrium von Einzelchristen sogar unter christenfreundlichen Regierungen aufgrund von Volkserhebungen oder Maßnahmen untergeordneter Verwaltungsstellen einsetzen [1]. Derlei Opfer sind für die beiden ersten Jahrhunderte typisch. Sie kennzeichnen auch die erste Hälfte des 3. Jh., bis unter Decius und Diokletian die systematische Verfolgung um sich greift, wobei nochmals von 260–303 eine Zeit verhältnismäßigen Friedens kommt. Diese wird von Gallienus (260–268) mit jenem Edikt eingeleitet, das der Kirche die Rückgabe der zuvor eingezogenen Güter zusichert [2].

Die Frage nach den juristischen Grundlagen der ersten Verfolgungen ist insofern ungelöst, als weder der Erlaß Neros noch eine andere einschlägige alte Norm bekannt ist [3]. Unter Trajan (Plinius, Ep. X, 97–98) wird die Anweisung gegeben, daß die Magistrate nicht die Initiative zu Verfolgungen zu ergreifen hätten. Diejenigen jedoch, die in gesetzlicher Weise den Beamten vorgeführt werden und ihre Zugehörigkeit zum Christentum gestehen, sollten bestraft werden, sogar mit dem Tode [4]. Plinius hatte, so scheint es, einen

[1] Vgl. H. Grégoire, Les persécutions dans l'empire romain[2], Bruxelles 1964, p. 63. Zur Kirchenverfolgung unter Domitian vgl. L. W. Barnard, Clement of Rome and the persecution of Domitian, NTSt X (1964), 251–260. V. Monachino, De persecutionibus in imperio romano saec. I–IV et de polemica pagano-christiana. II–III. Praelectionum Lineamenta, Rom 1959.

[2] Eusebius, H. E. VII 13; GCS 9, 2, 666; L. Völkl, Die Kirchenstiftungen des Kaisers Konstantin im Lichte des römischen Sakralrechts, Köln/Opladen 1964, 75 f.; J. Moreau, Die Christenverfolgung im Römischen Reich, Berlin 1961, 93; K. H. Schwarte, Historia 12 (1963), 185 ff.
Zur Stellung des Neuen Testamentes zum Staate vgl. unten S. 228 ff.

[3] H. Grégoire, Les persécutions dans l'empire romain[2], 23 f.

[4] Th. Mayer-Maly, Der rechtsgeschichtliche Gehalt der Christenbriefe von Plinius und Trajan, SDHI 22 (1956), 311 ff. J. Scheele, Zur Rolle der Unfreien in den römischen Christenverfolgungen, Diss. Tübingen 1970, 17 ff.

eindeutig erfaßbaren strafbaren Tatbestand zu schaffen sich bemüht. Er versuchte es mit der Suggestion, daß Christsein eo ipso flagitia voraussetze, ohne daß diese Verbrechen erst im einzelnen als begangen nachgewiesen werden müßten [1].

Vermutlich lag solchem Vorgehen gegen die Christen ein gesetzgeberisches Prinzip der republikanischen Zeit zugrunde, wonach die superstitio illicita verboten war [2].

Dennoch tolerierte das Imperium in seinen Häuptern lange Zeit die Christen, um so mehr, als am Hofe viele dem Christentum angehörten. Man muß hier zunächst an den Apologeten und Bischof Melito von Sardes († um 180) erinnern, der in seiner Schrift an den Kaiser (in des Eusebius Chronik ad annum 170 erwähnt) als erster, zumindest einschlußweise, einem einträchtigen Zusammenwirken zwischen Staat und Kirche das Wort redet. Er erklärt hierzu: «Die einzigen Kaiser, welche, von böswilligen Menschen verführt, unsere Religion in üblen Ruf zu bringen versuchten, waren Nero und Domitian» [3]. Dabei will bedacht sein, daß Melito zu den «großen Sternen Kleinasiens» [4] gezählt worden und als prophetischer Geist lange in hohem Ansehen gestanden ist, auch über seinen Tod hinaus.

Aus der Gestaltung gewisser Grabdenkmäler ergibt sich dann ein Hinweis auf die besondere Situation der Christen in der zweiten Hälfte des *zweiten* und der ersten Hälfte des *dritten* Jahrhunderts: An höchster Stelle, im Umkreis nicht nur eines Kaisers in diesen Jahrzehnten, hat es eine faktische Duldung von Christen gegeben, ohne daß diese als prinzipielle oder gar als offizielle Anerkennung der neuen Religion zu verstehen gewesen wäre. Man wird also die dennoch gleichzeitig weiterhin bestehende Möglichkeit und Wirklichkeit von Akten der Verfolgung weder überbewerten noch in unangemessener Weise bagatellisieren [5].

---

[1] R. FREUDENBERGER, Das Verhalten der römischen Behörden gegen die Christen im 2. Jahrhundert, dargestellt am Brief des Plinius an Trajan und den Reskripten Trajans und Hadrians, München 1967, 200. A. W. ZIEGLER, Religion, Kirche und Staat in Geschichte und Gegenwart, München 1969, 89 ff.

[2] Vgl. TERTULLIAN, Apologeticum 6; H. GRÉGOIRE, a. a. O. 24.

[3] EUSEBIUS, H. E. IV 26, 9; ed. KRAFT, 226. Vgl. O. PERLER, Méliton de Sardes, Sur la Pâque, Paris 1966, 220.

[4] EUSEBIUS, H. E. V 24, 5.

[5] H. U. INSTINSKY, Marcus Aurelius Prosenes – Freigelassener und Christ am Kaiserhof, Abhandlungen der Akademie der Wissenschaften und der Literatur in Mainz, Geistes- und sozial-wissenschaftliche Klasse 1964, Nr. 3, 125. Hier der

Es erhebt sich die Frage nach der Haltung der Christen am Kaiserhof zu bestimmten religiösen Bräuchen ihrer Umwelt, die sich mit der
christlichen Lehre und ihren Forderungen nicht vereinbaren ließen.
H. U. Instinsky [1] verweist auf den Bericht Herodians [2], wonach
Marcia, die Konkubine des Commodus, von welcher christliche
Quellen berichten, zuletzt alle Ehrenrechte einer Augusta erhalten
habe, mit der einen Ausnahme, daß ihr nicht das Feuer – das Zeichen
sakraler Herrscherverehrung – [3] vorangetragen wurde. Es ist zu ver-
muten, daß Marcia von sich aus darauf verzichtet hat, weil das Vor-
antragen des Feuers für einen Christen untragbar erschien.

Man kann es durchaus als Symptom für die Zwielichtigkeit der
Lage ansehen, wie schonend Tertullian sich gegenüber den Kaisern
verhält, trotz vieler, wegen ihrer Stellung im Staatskult möglichen
Einwände [4].

Schon immer war deutlich, daß sich zuerst am Hofe des Commodus
unter den kaiserlichen Bediensteten eine größere Zahl von Christen
mit spürbarem Einfluß fand [5]. Aus einer allgemeinen Formulierung
des Irenäus ist zu erschließen, daß diese Gruppe doch schon einen
großen Umfang hatte [6]. Im Blick auf die Eigenart des Commodus,
der seine Selbstvergottung in bizarren Zügen bis zum Exzeß getrieben
hat [7], ist diese Tatsache überraschend. Dies um so mehr, als es zur
gleichen Zeit ebenso Verfolgungen wie Martyrien gegeben hat. Die

Hinweis auf die besonders starke Bagatellisierung, zu der H. GRÉGOIRE in seiner
Studie über die Christenverfolgung neigt.

[1] A. a. O. 128.

[2] HERODIAN 1, 16, 4; TH. MOMMSEN, Röm. Staatsrecht I³, Leipzig 1887 (Neudruck 1963), 424, Anm. 4 und 5.

[3] Vgl. A. ALFÖLDI, Röm. Mitt 49 (1934), 111 ff.

[4] INSTINSKY, a. a. O.

[5] K. J. NEUMANN, Der römische Staat und die allgemeine Kirche bis auf Diocletian, Leipzig 1890, 82 ff.; E. CASPAR, Geschichte des Papsttums I, Tübingen
1930, 35 ff.; H. U. INSTINSKY, Marcus Aurelius Prosenes – Freigelassener und
Christ am Kaiserhof, 121 ff.

[6] Adv. haer. IV 30 1; ed. STIEREN I 659: Quid autem et hi, qui in regali aula
sunt, fideles, nonne ex eis, quae Caesaris sunt, habent utensilia, et his, qui non
habent, unusquisque eorum secundum virtutem suam praestat? Vgl. HIPPOLYT,
Refut. omn. haer. IX 11,4; 12,1 ff.; 12,4. A. STROBEL, Schriftverständnis und
Obrigkeitsdenken in der ältesten Kirche, Diss. Erlangen 1956, 118 ff. u. Anm. 648
(S. 63 des Anmerkungsteils), meint, *Irenäus* habe wie vermutlich kein anderer
nach Paulus die staatliche Ordnung hoch zu würdigen gewußt. Seine Lehre über
Staat und Kirche sei nur auf dem Hintergrund der das 2. Jh. noch prinzipiell
bestimmenden loyalen Konzeption der christlichen Kirche verständlich.

[7] H. U. INSTINSKY, a. a. O. 123 f.

Auffassung H. Grégoires, Commodus sei «nettement philochrétien» gewesen, ist deswegen unhaltbar [1]. Wie bei den Nachfolgern ist jedoch damit zu rechnen, daß der Kaiser Christen wie Marcus Aurelius Prosenes im Hause duldete und persönlich der Anordnung von Maßnahmen der Verfolgung sich enthielt, ohne freilich den Statthaltern Einhalt gebieten zu wollen, wenn diese als Richter gegen die Christen vorgingen. So gab es eine tatsächliche Duldung von Christen. Politisch bedingte Toleranz, Menschlichkeit oder auch mit Willkür verbundene Schwäche können zur Erklärung dienen [2].

Diese positive Haltung verstärkte sich unter den Severen [3]. Wie aus einigen Anspielungen Tertullians ersichtlich ist, hat Septimius Severus einzelne Christen dadurch geschützt, daß er sie in seine Nähe zog [4]. Daß diese Lage auch in den Jahren Caracallas andauert, beweist der Lebensgang des Prosenes. Des weiteren sagt Eusebius ausdrücklich, daß Maximinus Thrax aus Groll gegenüber der Familie des ermordeten Alexander Severus, die «mehrere Gläubige zählte», eine Verfolgung angeordnet habe, jedoch nur die Führer der Kirche als die Urheber der evangelischen Lehre hinzurichten befahl [5]. Daraus ergibt sich jedenfalls, daß die relativ günstige Lage bis zum Ende der severischen Dynastie sich nicht mehr änderte. Diese Spannungen zwischen Prinzip und persönlicher Praxis können erklären, daß Tertullian in seiner an die Statthalter gerichteten Verteidigung [6] sogar den Kaiser gegen sie ausspielen kann [7]. Origenes läßt dann in der Exegese von Röm 13,1–7 negative Erfahrungen mit dem römischen Staat durchblicken [8].

Philippus Arabs, 249 in Verona getötet, war nach dem Zeugnis des Eusebius möglicherweise sogar selbst Christ [9]. Die ersten Opfer des

---

[1] A. a. O. 122.

[2] A. a. O. 126.

[3] Instinsky, a. a. O. 122 f.

[4] Tertullian, Ad Scapulam 4,3 ff. Dazu J. Straub, RAC II 894 f.; K. H. Schwarte, Historia 12 (1963), 198 f.; H. U. Instinsky, Die alte Kirche, 56 f.

[5] Eusebius, H. E. VI 28. Das würde das Jahr 235 betreffen. Hierzu Lampridius, Historia Augusta 49, 22: «(Alex. S.) Christianos esse passus est». Vgl. J. Vogt, RAC II 1183. Moreau, a. a. O. 81. R. Freudenberger, a. a. O. 16.

[6] Apologeticum 1,1; Ad Scapulam 1 ff.

[7] Ad Scapulam 4,6. – Vgl. 1 Clem 61 das Gebet für die Herrscher. Hierzu P. Mikat, Stasis und Aponoia, Köln-Opladen 1969, 37 ff., und weiter unten S. 18.

[8] Vgl. W. Affeldt, Die weltliche Gewalt in der Paulus-Exegese, Göttingen 1969, 105.

[9] Vgl. Eusebius, H. E. VI 34; Moreau, a. a. O. 83. Chronicon, a. 245, ed. Helm; vgl. Hieronymus, De vir. ill. III 54.

Regierungs- und Dynastiewechsels nach ihm waren die Christen, da Philippus' Nachfolger Caius Messius Quintus Trajanus *Decius* spätestens im Januar 250 ein Verfolgungsedikt erlassen hat [1], in dessen Verlauf die Opfergesten verlangt wurden [2]. Cyprian berichtet in der Epistula XV von dem Mißbrauch, der damals um die libelli pacis eingerissen war [3]. Daß die dezische Verfolgung einen Massenabfall verursacht hatte, der etwas Neues für die Kirche war, kann tatsächlich erklären, warum die älteren Übungen und Grundsätze, die mit Einzelfällen rechneten, für die neue Situation versagten [4]. So mußte Cyprian die Frage der Versöhnungsmöglichkeit unter neuen Verhältnissen prüfen. Die Angelegenheit der Lapsi – d. h. der in der Verfolgung Abgefallenen – drängte auf baldige Antwort [5]; die auf die Hilfe frommer Mitchristen angewiesenen Büßer bemühten sich zuvörderst um die Interzession der Martyrer. Dieses sog. Martyrerprivileg, das für das lateinische Afrika durch Cyprian und für Alexandrien von Dionysius direkt bezeugt ist, schaffte aber gerade neue Komplikationen [6].

Von Cyprian [7] haben wir auch Nachricht über die beiden Verfolgungsdekrete des Licinius Valerianus, deren erstes, vielleicht im August 257 erlassen, die Bestrafung des höheren Klerus vom Diakon aufwärts betraf. Das zweite vom Jahre 258 ordnete demgegenüber die unverzügliche Exekution aller Kleriker an, die nach ihrer Festnahme nicht geopfert hatten, und zielte darüber hinaus einzig auf die Laien von höherem Rang [8]. Valerian hatte auf den Grundsatz des römischen Strafrechts zurückgegriffen, staatsgefährliche Organisationen und Bewegungen durch Bestrafung ihres Hauptes ungefährlich zu machen [9].

---

[1] GRÉGOIRE, a. a. O. 41 f. Hierzu CYPRIAN, Ep. 3,2 und Konzil von Rom 250; Dizionario dei Concili IV 123 f.; CYPRIAN, Ep. 44; 48; 55; 56; 59; 62; 68; Konzil von Carthago (April 251); Dizionario dei Concili I 248 f.

[2] Vgl. später den Kanon 3 des Konzils von Ancyra, HEFELE-LECLERCQ I 305 f. Vgl. auch die Verhandlungen des Konzils von Carthago (Herbst 254) über die abtrünnigen Bischöfe BASILIDES und MARTIALIS, Dizionario dei Concili I 250 f.

[3] Ep. 15,4; ed. HARTEL 516.

[4] Ep. 15,4; HARTEL I 516. H. v. CAMPENHAUSEN, Kirchliches Amt 313.

[5] Zum Konzil von Karthago vom 15. Mai 252 und der Frage der «lapsi» siehe HEFELE-LECLERCQ I 169–171.

[6] B. POSCHMANN, Handbuch der Dogmengeschichte IV 3,39–41; v. CAMPENHAUSEN, a. a. O.

[7] Ep. 80; HARTEL I 839 f. Acta proconsularia, ed. HARTEL, CSEL III 3, pp. CX–CXIV.

[8] GRÉGOIRE, a. a. O. 49.

[9] E. SCHWARTZ, Kaiser Konstantin und die christliche Kirche, Leipzig-Berlin 1913, 46.

In sich widersprechenden Angaben berichten Lactantius (De mortibus persecutorum 6) und Eusebius (H. E. VII 30,20) von einem Edikt Aurelians († April 275) gegen die Christen bzw. Versuchen, Aurelian zu einem solchen zu bewegen. Die Tatsache, daß Aurelian in der Affäre des Paul von Samosata als Schiedsrichter auftrat, erregte Zweifel daran, ob er als Verfolger angesehen werden könne [1]. Gewichtige Gründe sprechen indessen dafür, daß die Jagd des Probus auf die Christen noch unter Aurelians Regierung tatsächlich begonnen wurde. Die Verfolgung, welche die Christen unter dessen unmittelbaren Nachfolgern Tacitus und Probus heimsuchte, war also nichts als eine Verlängerung des Tatbestandes, der in seiner Herrschaft eingesetzt hatte. Und die *aurelianische* Verfolgung war in Wirklichkeit die des Aurelian, des Tacitus und Probus.

Der uneinheitliche Vollzug der Verfolgungsedikte seitens der Statthalter und das auffallende Wohlwollen einzelner Herrscher verlangen demzufolge auch differenzierte Aufmerksamkeit, wenn die Haltung der Christen zum Staate dargelegt werden soll.

Trotz der Verfolgungen bleibt die Kirche nämlich schon in vorkonstantinischer Zeit bei einer optimistischen Offenheit dem Staate gegenüber [2]. Das zeigt sich früh zumindest im Gebet der Kirche für das Heil des Staates und darüber hinaus. Der Eifer Tertullians, den gegen die Christen erhobenen Vorwurf der «Staatsferne» zu entkräften, ist ein deutlicher Beweis dafür [3]. Ihre Haltung in diesem Sektor ist demzufolge mehr als in quietistischer Weise duldend oder zuwartend.

«Die Christen drangen besonders in den östlichen Ländern zahlreich in die Ämter, in die bürgerlichen Berufe und in den Heeresdienst ein ... die Gemeinden stärkten ihren Zusammenhalt und vermehrten ihren Besitz, die Bischöfe der Provinzen hielten ungestört ihre Synoden ab. Lehre und Leistung der Christen wurden im Neuaufbau von Familie, Ehe und Beruf inmitten einer zerrütteten Welt wirksam» [4].

---

[1] H. GRÉGOIRE, a. a. O. 64, besonders aber in dem Exkurs S. 221–237. – Kritische und kommentierte Ausgabe zu LACTANTIUS: Lactance, De la mort des persécuteurs. Introduction, texte critique, traduction, commentaire de J. MOREAU (= Sources chrétiennes 39), Paris 1954.

[2] Vgl. P. STOCKMEIER, Konstantinische Wende und kirchengeschichtliche Kontinuität, Hist. Jahrb. 82 (1963), 64 ff.; I. ZEIGER, Historia Iuris Canonici II, Rom 1947, 57 f.; H. U. INSTINSKY, Die alte Kirche und das Heil des Staates, München 1963, 41 ff.

[3] INSTINSKY, a. a. O. 54.

[4] J. VOGT, Christenverfolgung, RAC II 1190.

Ausgehend von der Überzeugung, daß der Kult seiner vergotteten Person dem Imperium Romanum eine neue Grundlage geben müsse, eröffnete schließlich Diokletian den Kampf gegen die Christen, deren Widerstand sich an der Gleichsetzung von Kaiserkult und Staatstreue entzündet hatte [1].

Zwar hatte sogar Tertullian in seiner montanistischen Zeit geglaubt, eine passive Teilnahme am Kaiserkult für erlaubt ansehen zu dürfen, und keine Einwendungen dagegen erhoben, daß christliche Sklaven oder Klienten ihren Herrn zu solchen Zeremonien begleiteten [2]. Anderseits hatte schon Tacitus von der Gleichgültigkeit städtischer Magistrate gegenüber der Verehrung des göttlichen Augustus zu berichten gewußt [3].

Obendrein hatten die großen Verfolgungen zu Beginn der zweiten Hälfte des dritten Jahrhunderts Entwicklungen zur Annäherung an den Staat nicht erstickt und «man darf sogar fragen, in welchem Maß schließlich das Vordringen des Christentums in den Umkreis und die Familie Kaiser Diokletians zur Auslösung der letzten großen Verfolgung beigetragen hat, die erst das Edikt des Galerius beendet» [4].

Diese Verfolgung begann mit einem drakonischen Eingriff in den Rechtsbereich des bürgerlichen Lebens (Edikt vom 23. 2. 303) durch Aufhebung sämtlicher Standesvorrechte, Verlust aller öffentlichen Ämter und staatlichen Einkünfte mit Aberkennung jeglicher Wehrwürdigkeit [5]. Im rein kirchlichen Bereich hatten Sonderverfügungen ein generelles Versammlungsverbot, die planlose Zerstörung kircheneigener Kult-, Wohn- und Verwaltungsbauten sowie die Vernichtung des gesamten Schriften- und Aktenbestandes zur Folge.

Als Fanatiker (oder vielleicht auch Provokateure) mit Hohnlachen und Verunglimpfungen die kaiserlichen Befehle quittierten und Sabotageakte einsetzen, wurde der kaiserliche Hof von allen Verdächtigen gesäubert [6].

Ein zweites und ein drittes Edikt führten zur Verhaftung des gesamten Klerus, von den Bischöfen bis zu den Ostiariern. Aufgrund

---

[1] L. Völkl, Die Kirchenstiftungen des Kaisers Konstantin 79 f.

[2] De idolatria 16.

[3] Tacitus, Annales 4,36: Obiiciebatur enim publice civitatibus incuria caerimoniarum divi Augusti Cyzicenique propter id crimen libertatem amisere.

[4] H. U. Instinsky, a. a. O. 60. Kommentar zum Galerius-Edikt bei Moreau, Lactance 388 ff.

[5] J. Vogt, Art. Christenverfolgung I (historisch) RAC II 1159–1208, bes. 1192 ff.

[6] H. Grégoire, a. a. O. 78 f.; Eusebius, H. E. VIII 6,6 ff.

des vierten Ediktes erging an alle Bürger die Aufforderung, die vor dem Kaiserbilde üblichen Opfer zu bringen.

Obwohl die Verfolgungsedikte generelle Geltung hatten, wurden sie von den Statthaltern verschieden gehandhabt. So wird von Konstantius Chlorus, dem Vater des Kaisers Konstantin, rühmend berichtet, daß er Versammlungshäuser der Christen zwar zerstörte, die Christen selbst aber weitgehend zu schonen pflegte [1].

Von einer Ausrottung der Christengemeinden kann auch in diesem Stadium nicht die Rede sein. Während manche ins Gebirge oder in die Wüste flüchteten, opferten andere, simulierten den Opfergestus, ließen sich nur mit Gewalt Opferwein zwischen die Zähne gießen oder Weihrauchkörner in die Finger pressen. Die einen schmausten in Trauerkleidern vom Opferfleisch und andere erschienen in festlichem Gepränge, um von den heimlich mitgebrachten Speisen zu essen [2], wie denn auch vorher schon die Flucht vor dem Blutzeugnis vorgekommen war. Die Verteilung von Licht und Dunkel, die Proportionen von Schwarz und Weiß sind bisweilen undeutlich.

Für Diokletian endete diese Auseinandersetzung mit dem Verzicht auf das Herrscheramt [3]. Galerius kassiert seine Religionspolitik mit dem Edikt des Jahres 311. «Allgemein schon scheint es schwierig zu unterscheiden, wieweit eine politische Entscheidung wie diese aus Überzeugung und ehrlichem Willen, wieweit nur aus faktischem Kalkül begründet wird. Im Fall des Galerius und seines Ediktes entbehren wir außerdem ein Kriterium, das sonst bisweilen das Urteil erleichtern kann. Denn es gibt keine weiteren Verlautbarungen oder Handlungen des Kaisers, aus denen die Absicht der vorangehenden deutlicher wurde. Wenige Tage nach dem Erlaß des Ediktes ist er gestorben» [4]. Dafür, daß ein etwaiger Einfluß Konstantins den kranken Kaiser umgestimmt hätte, gibt es keine Zeugnisse [5].

Die christlichen Einflüsse am Kaiserhof, die unter Diokletian vielleicht die große Verfolgung mit ausgelöst hatten, sind teilweise [6] auf

---

[1] P. STOCKMEIER, Konstantinische Wende 6.

[2] H. LAST, Christenverfolgung II (juristisch), RAC II 1208–1228; H. GRÉGOIRE, Les persécutions dans l'Empire Romain, Bruxelles 1964; J. MOREAU, Die Christenverfolgung im römischen Reich, Berlin 1961; VÖLKL, a. a. O. 79.

[3] Vgl. VÖLKL, a. a. O.

[4] H. U. INSTINSKY, Die alte Kirche und das Heil des Staates 15.

[5] Vgl. E. SCHWARTZ, Kaiser Konstantin und die christliche Kirche[2], Leipzig 1936, 58 f.

[6] Vgl. H. U. INSTINSKY, Zwei Bischofsnamen konstantinischer Zeit, Römische Quartalschrift 55 (1960), 210 f.; H. BRAUNERT, ebda 56 (1961), 231/233.

Theodora, die Stiefmutter des jungen Konstantin zurückzuführen. Dieses läßt sich zwar nicht unmittelbar beweisen, ist aber sehr wahrscheinlich. Nachdem Konstantius durch Kaiser Diokletian gezwungen worden war, seine erste Frau Helena als unstandesgemäß zu entlassen und an ihrer Stelle eben Theodora, die Tochter der Eutropia, der Mutter des Maxentius und der späteren Frau des Konstantin, Fausta, zur Ehe zu nehmen, spielten Eutropia und Theodora tatsächlich eine gewisse Rolle. Sicher scheint, daß Theodora als Gemahlin des Konstantius Umgang mit Christen hatte, christliche Persönlichkeiten aus dem Osten mit nach Trier gebracht hat und selbst Christin war oder dem Christentum sehr starke Sympathien entgegenbrachte. Gründe dafür lassen sich zumindest erschließen. Es bleibt z. B. die hypothetische Erwägung, die nicht von vorneherein auszuschließen ist, daß Agricius, Bischof von Trier, aus dem Umkreis der kaiserlichen Frauen gekommen sein könnte.

Später rehabilitierte Konstantin, kaum zum Kaiser gerufen, seine verstoßene Mutter Helena, erhob sie in den Adelsstand und übertrug ihr die Erziehung seines Sohnes Krispus [1]. Seit Anfang des Jahres 321 lockerten sich übrigens die Bande zum Schwager und Mitkaiser Licinius und endeten mit der Auseinandersetzung des Jahres 323 [2].

Die Kirche paßte sich in Organisation und innerhalb gewisser Grenzen im hierarchischen Gefüge dann dem Staate an [3]. Es tauchte demzufolge eine neue Problematik in dem Augenblick auf, als Konstantin, ohne getauft zu sein, dem Glauben anhing und sich einem

[1] VÖLKL, a. a. O. 80 f.

[2] EUSEBIUS, H. E. X 8 und 9; ed. Kraft 436–440.– J. VOGT, Constantin der Große und sein Jahrhundert[2], München 1960, 191; CHR. HABICHT, Zur Geschichte des Kaisers Konstantin, Hermes 86 (1958), 363.

Im Rahmen der diokletianischen Religionspolitik war Konstantius der fiktiven Dynastie der «Herkulier» und Maximinianus jener der Jovier zugeteilt worden. Nach dem Tode seines Vaters hatte man Konstantin als höchsten Kaiser und Augustus ausgerufen (= Maximianus Herculius), ihn jedoch rechtens dem Maxentius, der in die Dynastie der Jovier eingerückt war und den Titel Augustus führte, nachgeordnet. Der Kampf gegen Maxentius dient dem Ziele, die Unterordnung zu überwinden und selbst zum Jovier bzw. zum Augustus aufzusteigen.– Hierzu auch J. VOGT, Heiden und Christen in der Familie Konstantins des Großen, Eremion-Festschrift für Hildebrecht Hommel, Tübingen 1961, 148–168.

[3] Zur kirchlichen Territorialorganisation W. M. PLÖCHL, Geschichte des Kirchenrechts I 54 f.; K. LÜBECK, Reichseinteilung und kirchliche Hierarchie des Orients bis zum Ausgange des 4. Jahrh., Münster i. W. 1901; A. SCHEUERMANN, Diözese (Dioikesis), RAC III 1053–1062; H. W. BAEYER-H. KARPP, Bischof, RAC II 394–407; P. SALMON, Mitra und Stab. Die Pontifikalinsignien im römischen Ritus, Mainz 1960.

Auftrag verschrieb, der bisher allein der Kirche vorbehalten war, nämlich einem Aufsichtsamt [1] über die Christen.

«Im gleichen Maß, mit dem man die Gefährlichkeit der Konstantinischen Wende wertet, muß der Lobpreis auf die vorkonstantinische Freiheit der reinen, noch biblisch denkenden, Märtyrer zeugenden Kirche gesteigert werden» [2].

Indessen hatte die Kirche sich schon in der Zeit vor Konstantin nicht auf die mystisch-spirituelle Ebene zurückgezogen, vielmehr längst vorher die sichtbare Ordnungsgewalt ausgebildet [3]. Seit Konstantin ist die Grenze, die den politischen vom religiös-kirchlichen Bereich scheidet, freilich nicht mehr mit gleicher Präzision gezeichnet. Der äußere Erfolg in der staatlichen Anerkennung war damit nicht ohne Gefahren für das Ordnungsgefüge der neuen Glaubensgemeinschaft.

Daraus den Schluß auf die Entwicklung der christlichen Hierarchie aus dem Römertum zu ziehen, erscheint nicht gerechtfertigt. Dieses ist ersichtlich zumal aus einem eigenartigen Gegenschlag, den das Römerreich führte: Nach Laktanz waren durch Maximinus Daza (310–313) «sacerdotes maximi» eingesetzt worden. Eusebius bestätigt diesen Bericht und sagt, daß ein Oberpriester bestellt wurde, dem eine Abteilung Soldaten als Ehrenwache zur Verfügung stand [4]. Wenn man also von der «Schaffung einer Heidenkirche» zu Beginn des 4. Jh. sprechen möchte, bleibt einerseits die Tatsache einer früheren heidnischen Hierarchie in Ägypten im Auge zu behalten [5]; andererseits ist ihre genetische Eigenart streng von der christlichen zu scheiden.

---

[1] J. STRAUB, Kaiser Konstantin als ἐπίσκοπος τῶν ἐκτός, TU 63, 678 ff.

[2] H. RAHNER, Konstantinische Wende? Eine Reflexion über Kirchengeschichte und Kirchenzukunft, Stimmen der Zeit 86 (1960/61), 420. Vgl. H. RAHNER, Kirche und Staat im frühen Christentum, München 1961, 21 ff.

[3] P. STOCKMEIER, a. a. O. 18; J. VOGT, a. a. O. 1190.

[4] LACTANTIUS, De mortibus persecutorum 36; ed. MOREAU: «Quibus annuens, novo more sacerdotes maximos per singulas civitates singulos ex primoribus fecit, qui et sacrificia per omnes deos suos quotidie facerent, et veterum sacerdotum ministerio subnixi, darent operam (ut) christiani neque (conventicula) fabricarent neque publice aut privatim colerent (coirent), sed comprehensos suo iure ad sacrificia cogerent, vel iudicibus offerent. Parumque hoc fuit, nisi etiam provinciis ex altiore dignitatis gradu singulos quasi pontifices superponeret, et eos utrosque candidis chlamidibus ornatos iussit incedere.» Vgl. EUSEBIUS, H. E. VIII 14 9. Vgl. auch IX 4, 2; H. GROTZ, Die Hauptkirchen des Ostens 93 ff.

[5] Hierzu H. KEES, Das Priestertum im ägyptischen Staat vom Neuen Reich bis zur Spätzeit (Probleme der Ägyptologie, hrsg. von W. HELCK), Leiden 1953.

In dieser Frage ist die Haltung der Christen von vorneherein eindeutig. Solches zeigt schon der Bericht des Laktanz. Näheres aber wird im Folgenden darzulegen sein.

§ 3. Der Ursprung der Kirche und des Kirchenrechts

a) *Die Urgemeinde*

Die Urkirche wird als die Zeit verstanden, «in der sich die Offenbarung als geschehende ... erst noch setzt, also Kirche noch wird, nicht nur Kirche bleibt» [1]. In dieser Periode gibt es nach der Lehrüberzeugung des Apostels Paulus [2] unpersönliche Normen, woran die Christen sich unbedingt zu halten haben, unter ihnen zuvörderst die Worte Jesu, die «unverbrüchliche Autorität sind» [3]. In diesem Sinne sind 1 Kor 7,10; 9,14 [4] ausgesprochen, welche Glaube und Sitte als objektive Normen regeln, für das Gebot des Herrn Achtung verlangen und für die paulinischen Gemeinden Ansätze zu einem Kirchenrecht darstellen. In beiden Fällen handelt es sich nicht um Formulierungen naturrechtlicher Ansprüche, die *als solche absolute Geltung* beanspruchen könnten.

Trotzdem kommt ihnen unbedingte Autorität zu: Wenn Paulus durch eigener Hände Arbeit sich den Lebensunterhalt verdient, um

---

[1] K. RAHNER, Über die Schriftinspiration, Freiburg i. Br. 1958, 52 Anm. 27.

[2] Protestantische Lehre sieht in Christus den Ausleger des Gesetzes und – dem Rechtfertigungsprinzip entsprechend – nicht den Gesetzgeber. In keiner Weise Auflöser des Gesetzes, ist er Erfüller und Ausleger, indem er die «rechte Mitte zwischen anarchisch-schwärmerischer Liebesgemeinschaft und totaler, starrgesetzlicher Zwangsgemeinschaft» weist. Aus dem Ganzen der Heiligen Schrift könnten wir danach feste Grenzlinien und Richtschnuren für die kirchlichen Ordnungen erfahren, ohne daß buchstäbliche Bindung an einen historischen Wortlaut oder «formlose, unfaßbare, willkürlich subjektive Schriftauslegung», herauskäme. Aus der Heiligen Schrift soll kein Codex Iuris divini, noch eine «ewig gültige kirchliche Musterverfassung» abgeleitet werden, wohl aber «Grundsätze, nach denen eine kirchliche Grundordnung beschaffen sein muß und, was nicht minder wichtig ist, wie sie nicht beschaffen sein darf». E. WOLF, Rechtsgedanke und biblische Weisung. Drei Vorträge, Tübingen 1948, 90/91.

[3] A. WIKENHAUSER, Die Kirche als der mystische Leib Christi, Münster 1937, 76. Vgl. R. SCHNACKENBURG, Die Kirche im Neuen Testament, Freiburg i. Br. 1961, 27 f., mit reichen Literaturangaben.

[4] 1 Kor 7,10: «Den Verheirateten gebiete nicht ich, sondern der Herr, daß die Frau sich nicht vom Manne trenne» (Übersetzung P. Ketter). – 1 Kor 9,14: «So hat auch der Herr verordnet, daß die, welche die Heilsbotschaft verkünden, von der Heilsverkündigung leben sollen».

niemandem zur Last zu fallen, lehnt er nicht die Gültigkeit der Herrenworte ab, auf welche er sich eben bezogen hat, sondern verzichtet nur freiwillig auf ein ihm zustehendes Apostelrecht [1]. Gewisse Anordnungen Christi, die als theologische Tatsachen feststehen, tragen formal alle Eigenschaften von Rechtsnormen an sich, auch wenn sie nicht juristisch erfaßt sind. So ist der Taufbefehl Christi eine soziale Willensäußerung, als «verbindendes Wollen» [2] dem Gemeinwohl zugewandt [3].

Hiergegen werden freilich Bedenken verschiedener Art vorgebracht. Bedenken gegen ein Ius divinum schlechthin beruhen auf dem protestantischen Prinzip einer *indikativen* Interpretation des Evangeliums (der *imperativen* auf katholischer Seite gegenüber) und auf der Tatsache, daß die Offenbarung dem Protestanten als ein Faktum gegenübertritt, von dem die «Sozialität» bzw. «Personengemeinschaft» [4] der Glaubenden fortwährend ausgeht, nicht als eine von der Gemeinschaft des Glaubens dargebotene, bindende Lehre [5].

In evangelischer Sicht ist «Kirchenrecht nach seinem Selbstverständnis ... ans Bekenntnis gebunden, aber vielfach bekenntnisfremden Weisungen folgend; *gottesrechtlich gestiftet, aber natürlich-geschichtlich bedingt und weithin als ius humanum gestaltet;* dem geistlichen Wesen der Kirche verpflichtet und doch an ideologischen Weltanschauungen mitorientiert; dem Auftrag der Kirche dienend, aber oft Staatswillen und Wirtschaftsinteressen sich anpassend; unvergleichbare Ordnung

---

[1] WIKENHAUSER, a. a. O. 76, Anm. 11. Schwieriger ist es zu erklären, daß er das Gebot der Unauflöslichkeit der Ehe im Sinne des Privilegium Paulinum mildert.

[2] Vgl. R. STAMMLER, Lehrbuch der Rechtsphilosophie[3], Leipzig und Berlin 1928, 80.

[3] Vgl. O. HEGGELBACHER, Die christliche Taufe als Rechtsakt nach dem Zeugnis der frühen Christenheit, Freiburg/Schweiz 1953, 26 f. Zur Exegese von Mt 28,18 ff. cfr. J. SCHMID, Das Evangelium nach Matthäus [4], Regensburg 1960.

[4] G. HOLSTEIN, Die Grundlagen des evangelischen Kirchenrechts, Tübingen 1928, 78.

[5] G. GLOEGE, Reich Gottes und Kirche im Neuen Testament, Gütersloh 1929, 375, hebt jedoch hervor, daß es dem Wesen der Frohbotschaft nicht widerspreche, den Begriff «Recht» im Sinne von «Stetigkeit gewisser Normen und Ordnungen», ohne die eine menschliche Gesellschaft nicht auskommen kann, auf das Neue Testament anzuwenden; es sei denn, man leugne die Innerweltlichkeit der Kirche und identifiziere sie zu Unrecht mit der Gottesherrschaft und ihrem überweltlichen, jenseits alles menschlichen «Rechtes» stehenden Wesen. Gloege spricht von einer «antikatholischen Psychose» und meint, es sei nicht einzusehen, warum man sie nicht aufgeben dürfte. A. a. O.

der Gemeinschaft des Corpus Christianum und dennoch wie andere soziale Gruppen körperschaftlich verfaßt oder vereinsmäßig genormt»[1]. Nach H. Dombois ist *darin* «der systematische Fehler» gelegen, «daß vom Rechte überhaupt als einer Wesenheit und nicht als einer Bezugsverfassung gesprochen wird. Schon die alte Kirche ist in einer nicht ungefährlichen Weise in die Nähe eines *so definierenden Kirchenbegriffes* getreten. Mit weiser Voraussicht hat sie in den ökumenischen Bekenntnissen die an die Naturenlehre angelehnte Beschreibung der Kirche una, sancta, catholica et apostolica eingeklammert zwischen das personale Bekenntnis zum Heiligen Geist und dasjenige zu den Gnadenmitteln und dem Heilsweg»[2].

Wie steht es mit dem urchristlichen Kirchenbegriff überhaupt? Während noch A. Harnack eine unsichtbare oder zumindest unorganisierte Kirche vorschwebte[3], eine «Societas fidei et Spiritus Sancti in cordibus», zeigte F. Kattenbusch[4], daß die Auffassung von einer «societas externarum rerum ac rituum» mit nicht weniger Grund auf die Urkirche anwendbar sei.

Die Untersuchung des Ekklesia–Begriffes führte neuerdings unmerklich dazu, daß die Kirche in den Vordergrund gerückt wurde: an die Stelle des Primates des einzelnen tritt jener der Gemeinschaft. Hatte man zuvor die Bedeutung von Ekklesia als Einzel-Gemeinde allgemein als die ältere gelten lassen, so führten Untersuchungen von K. L. Schmidt auf die enge Beziehung zwischen Qehal Jahve und Ekklesia[5]: Die Beweisführung, die sich einerseits auf die Septuaginta, anderseits auf das lateinische Schrifttum des Urchristentums stützt, zeigt, daß die Ekklesia des neuen Testaments im Grunde die Entsprechung des ersteren ist. Nachdem R. Sohm[6] die große Kirche

---

[1] E. WOLF, Ordnung der Kirche 7.

[2] H. DOMBOIS, Das Recht der Gnade, Witten 1961, 37 f.

[3] z. B. Lehre der zwölf Apostel, TU 2 (1884), Prolegomena 90.

[4] Der Quellort der Kirchenidee, Festgabe für ADOLF VON HARNACK, Tübingen 1921, 143/172; Zusammenfassung 172.

[5] Die Kirche des Urchristentums, Festgabe für ADOLF DEISSMANN, Tübingen 1927, 259–319; Das Kirchenproblem im Urchristentum, Theol. Bl. 6 (1927), S. 93/302; Th Wb III 502/539. Art. Le Ministère et les ministres dans le Nouv. Testament, Rev. d'hist. et de philos. rel. 18 (1937), 320 f. Hiezu aus neuester Zeit: Y. CONGAR, Die Kirche als Volk Gottes, Theol. Jahrbuch 1966, 9–26.

[6] Kirchenrecht I, München und Leipzig 1892, 22/28. O. LINTON, Das Problem der Urkirche in der neueren Forschung, Uppsala 1932, 51 (macht auf die weitgehende Abhängigkeit SOHMS von A. v. HARNACK, Lehre der Apostel, TU II, 1/2, Leipzig 1884, aufmerksam); H. E. FEINE, a. a. O. 29.

(Gesamtkirche) ausschließlich charismatisch gefaßt und alles ausgeschieden hatte, was ihr den Anschein einer juristischen Einrichtung verliehen hätte, hatte sich obigem zufolge in der Forschung neuerdings der sowohl für Paulus wie für die Zwölf geltende Grundgedanke einer großen und einheitlichen, sichtbaren Kirche deutlicher abgezeichnet [1].

Auch Paulus stellt die christliche Gemeinschaft als Ekklesia dar und drückt sich dabei so aus, wie es «in den konservativsten Kreisen der palästinensischen Christenheit üblich gewesen sein muß» [2].

Nachdem man seit der Jahrhundertwende von den zwei sich gegenüberstehenden und entgegenstehenden Richtungen gesprochen hatte, der paulinisch-charismatischen Kirchenlehre und der autoritativ gerichteten jerusalemischen Gemeinde [3], brach sich – andere Erwägungen spielen zusätzlich herein – die Erkenntnis einer großen, einheitlichen, innerlich und äußerlich festgefügten Urkirche Bahn. In der Gegenwart nimmt freilich E. Brunner fast unverändert die Position Sohms ein: «Das gerade ist das Wunderbare, Einzigartige, Einmalige der Ekklesia, daß sie als Leib Christi keine Organisation ist und darum nichts vom Charakter des Institutionellen an sich hat» [4]. «Die *Organisation* der Kirche und vor allem ihre *rechtliche* Ordnung ist ein Ersatz, der dann und dort notwendig wird, wo es an dieser Fülle des Geistes fehlt. Das Kirchen-Recht ist Geist–substitut» [5]. Demgegenüber kritisiert K. Barth vor allem die von R. Sohm und E. Brunner für die Urkirche gewählten Bezeichnungen wie Geistkirche, Freiwilligkeitskirche, Liebeskirche, Kirche des Glaubens, reine Personengemeinschaft, Brudergemeinschaft bzw. Lebensgemeinschaft [6]. Vom Kirchenbegriff her begründet er nicht nur die Möglichkeit,

---

[1] Die Vertreter des «Neuen Consensus» verwahren sich gegen den Gedanken einer nur unsichtbaren Einheit im Sinne des alten liberalen Protestantismus. Vgl. F. M. Braun, Neues Licht auf die Kirche. Die protestantische Kirchendogmatik in ihrer neuesten Entfaltung, Einsiedeln 1946, 95 mit Angabe der Literatur.

[2] F. M. Braun, a. a. O. 44.

[3] Hierzu P. Gaechter, Petrus und seine Zeit. Neutestamentliche Studien, Innsbruck-Wien-München 1958, 258–310; R. Schnackenburg, a. a. O. 21–33.

[4] Das Mißverständnis der Kirche, Stuttgart 1951, 13. Hierzu H. W. Bartsch, Die Anfänge urchristlicher Rechtsbildungen. Studien zu den Pastoralbriefen, Hamburg-Bergstedt 1965, 16 f.

[5] E. Brunner, a. a. O. 51.

[6] Kirchliche Dogmatik IV 2, Zürich 1955, 769.

sondern die Notwendigkeit von Rechtsbildungen, weil der christo-
logisch-ekklesiologische Begriff der Gemeinde «selbst ein Begriff
von Ordnung und Recht ist, den man gar nicht vollziehen kann,
ohne sofort auf diese Frage (sc. nach der Rechtsbildung) zu stoßen»[1].
Indessen: «So ziemlich alle kirchenrechtlichen Irrtümer haben ihren
Grund darin, daß die Gemeinde das – mehr oder weniger konsequent –
immer wieder getan hat, daß sie sich selbst nach Maßgabe des ihr
von der Welt her widerfahrenden Mißverständnisses verstanden hat»[2].

Die im wesentlichen inzwischen überwundene These von einer
rechts- und verfassungslosen Urkirche hat immerhin in der Diskussion
den Blick für die Entwicklung des Kirchenbegriffes geschärft[3]. Wir
wissen, daß neben einer sich in ihrer verfassungsmäßigen Struktur
immer mehr festigenden Kirche lange der Einfluß eines urchristlichen
Pneumatikertums erhalten blieb. Wie stark er noch im dritten Jahrhundert war, ist leicht aus dem Beifall zu ersehen, den die Tertullian
eigene Idee von der Kirche als einer Geistkirche in Kleinasien und
Ägypten fand. Denn diese Idee steht hinter dem im Ketzertaufstreit
von den Afrikanern gebrauchten Argument, daß die häretische Taufe
den Geist nicht zu geben vermöge, weil dieser nur im Besitz der
einen Kirche sei.

Die Entwicklung vollzog sich nicht nur in verschiedenen Etappen,
sondern auch in den verschiedenen Provinzen der Catholica mit ver-
schiedenem Zeitmaß. Eine differenzierte Betrachtung wird zu verschiedenen Unterscheidungen und Abgrenzungen führen müssen,
wo es um die Darstellung von Amt und Lehre, von Sakrament und
innerkirchlicher Ordnung geht.

b) *Die neutestamentlichen Grundlagen der Hierarchie*

Durch die neutestamentlichen Quellen ist eine gewisse Unsicherheit
im Blick auf die urchristliche kirchliche Ordnung insofern gegeben,
als sie nach Art von Gelegenheitsschriften sich solchen Fragen zu-

---

[1] A. a. O. 769 f. Vgl. H. W. BARTSCH, a. a. O. 17.
[2] K. BARTH, a. a. O. 777 f.
[3] Einen prägnanten Überblick über das Kirchenrecht «in freier Erstentwick-
lung» für die Zeit vom ersten bis zum vierten Jahrhundert gibt A. M. KOENIGER,
Grundriß einer Geschichte des katholischen Kirchenrechts, Köln 1919, 9–16.
Vgl. ferner U. Stutz, Kirchenrecht, in: Enzyklopädie der Rechtswissenschaft in
systematischer Bearbeitung Bd. V, München – Leipzig – Berlin 1914, 280–287.

wenden, die für die Adressaten gerade von Bedeutung sind. Anderseits liegen gewisse Unsicherheitsmomente in der Sache selbst, insofern die Kirchenordnung in der apostolischen und nachapostolischen Zeit noch im Werden ist [1].

Die Zwölf wissen sich auf Grund ihrer Berufung [2] und der ihnen vom Auferstandenen erteilten Aufgabe dem Werke Jesu, des Gottmenschen, in besonderer Weise verpflichtet und erscheinen als die Führer der neuen Gemeinde. In besonderer Stellung tritt später Paulus ihnen zur Seite – auf Grund einzigartiger Berufung zur Heidenmission durch den erhöhten Christus selbst [3].

Die Berufungsstellen und die Zwölferstellen (Mt 10,1–2.5; Mk 3, 13–16; Lk 6, 12–13; Jo 6,70) weisen auf die kollegiale Struktur ihres Amtes hin [4]. Danach bilden die Zwölf einen zur Einheit zusammengefaßten Personenkreis mit bestimmten gemeinsamen Vollmachten und Aufgaben [5]. Stellen, die den Symbolcharakter betonen (Lk 22, 28–30; Off 21, 9 ff.), besonders aber Stellen der Apostelgeschichte (Apg 2,14; 2,42 f.; 4,33; 5,12–42; 6,1–7; 8,14–17; Kap. 15) lassen die Zwölf als Einheit mit bestimmter Aufgabe auch deutlicher erscheinen [6]. Im Blick auf Mt 18,18; Mt 28, 16–18; Apg 6, 2–6; 8,14; Apg 15; Jo 20,21–23 wird das Apostelkollegium schließlich als Führungskollegium mit Vollmacht und Verantwortung für die Weiterführung des Heilswerkes Christi dargetan. Es hat (vgl. Mt 16,13–20; Jo 21, 15–17) eine autoritäre Spitze [7].

---

[1] Hierzu und zum folgenden J. GEWIESS, Die neutestamentlichen Grundlagen der kirchlichen Hierarchie, Hist. Jahrb. 72 (1953), 1 ff. M. KAISER, Die Einheit der Kirchengewalt nach dem Zeugnis des Neuen Testamentes und der Apostolischen Väter, München 1956.

[2] Zur Bezeichnung der Zwölf als Apostel M. KAISER, a. a. O. 25 ff. Der Name «Die Zwölf» ist älter als «die zwölf Apostel». Vgl. A. VÖGTLE, LThK X² 1443: «'Die Zwölf' lautet die älteste Bezeichnung der im NT auch als 'die Jünger', 'die 12 Jünger', 'die Apostel', 'die 12 Apostel' begegnenden Gruppe von Jüngern Jesu.» Ferner A. KOLPING, HThG I 69: «Die eigentliche und ursprüngliche Benennung der Zwölfer-Apostel scheint die der Zwölf zu sein». – H. V. CAMPENHAUSEN, Kirchliches Amt 15.

[3] GEWIESS, a. a. O. 7. P. GAECHTER, Petrus und seine Zeit 434 ff., 448 f.

[4] P. RUSCH, Die kollegiale Struktur des Bischofsamtes, ZkTh 86 (1964), 257 ff.

[5] A. a. O. 265 – A. MICHIELS, L'origine de l'épiscopat. Etude sur la fondation de l'Eglise, l'œuvre des Apôtres et le développement de l'épiscopat aux deux premiers siècles, Louvain 1900.

[6] P. RUSCH, a. a. O. 268.

[7] A. a. O. 269. Hierzu § 20.

Selbst wenn die Schrift einen Kollegialitätsbegriff in unserem Sinne nicht kennt, muß dieser Sachverhalt kein Argument gegen die sachliche Entsprechung des gemeinten Inhaltes sein [1].

In einer seltenen Dichtheit der Belegstellen ergibt sich jedenfalls die Gemeinsamkeit des Wirkens, Leidens, Entscheidens der Zwölf, die als Einheit auftreten und als Kollegium wirken. Die frühe Evangelisation ist ein Werk der Zwölf [2].

Wo sie überhaupt nach Pfingsten auftreten, geschieht es in der Weise einer kollegialen Größe [3].

Die Zwölf bleiben eine Repräsentation auch für alle zukünftigen Amtsträger der Kirche [4]. So erklärt sich der stetige Übergang vom Apostolat des Zwölferkollegiums zur Nachfolgeschaft [5]. Der zweite Teil der Apg (vgl. 11,30; 21,18; 20,17) und die Apostelbriefe zeigen, «wie sich der Übergang vom Kollegium der Zwölf zu denen vollzog, die ihre Nachfolger sein sollten, wobei die Beschränkung auf die Zwölfzahl nicht beibehalten zu werden brauchte; denn es ist ja eben das Kollegium selbst, welches das Werk fortsetzt, für das Christus es eingesetzt hat, mit derselben gleichzeitig kollegialen und hierarchischen Struktur, die Christus ihm gegeben hatte» [6]. Antiochien erhält in der Person des Barnabas, der zwischen Paulus und den Uraposteln in Jerusalem vermittelte (9,27), eine ständige Vertretung der Apostel (vgl. Apg 8,14 ff.) [7].

---

[1] Vgl. J. Ratzinger, Die bischöfliche Kollegialität, Theologische Entfaltung, G. Baraúna, De Ecclesia II, Frankfurt 1966, 60.

[2] Vgl. P. Rusch, a. a. O. 268.

[3] Vgl. K. Rahner, in: Rahner-Ratzinger, Episkopat und Primat, Freiburg i. Br. 1961, 73.

[4] J. Ratzinger, Concilium 1 (1965), 17.

[5] Siehe unten S. 30 ff.

[6] St. Lyonnet, Die bischöfliche Kollegialität und ihre Grundlagen, G. Baraúna, De Ecclesia II, 124. Vgl. ferner E. Schlink, Die apostolische Sukzession, in: Der kommende Christus und die kirchlichen Traditionen, Göttingen 1961, 194.
«Erklärung zur Apostolischen Sukzession» in: Informationsdienst der Vereinigten Evangelisch-Lutherischen Kirche Deutschlands 1958, 4–13.
Zur Diskussion über die Frage, was an der Kirchengründung durch den vorösterlichen Christus geschah, vgl. A. Vögtle, Der Einzelne und die Gemeinschaft in der Stufenfolge der Christusoffenbarung: Daniélou-Vorgrimler, Sentire Ecclesiam, Freiburg 1961, 90.

[7] J. Colson, L'évêque dans les communautés primitives, Unam Sanctam, Paris 1951, 30, spricht von einer «mission provisoire exercée au nom des Douze» des Barnabas.

In Anerkennung apostolischer Autorität legt Paulus sein gesetzes-freies Evangelium zu Jerusalem den dort anwesenden Gliedern des Zwölferkollegiums vor, um nicht ins Leere zu laufen oder gelaufen zu sein (Gal 2,2). Seine Sendung von Christus und Gott ist als eine durch kompetente Männer vollzogene mittelbare Sendung zu ver-stehen [1]. Nichtsdestoweniger erkennt er die Vorrangstellung des Petrus an und nennt ihn immer bei dem Namen Kephas, den ihm Jesus zur Bezeichnung seiner Eigenschaft als Fundament der Kirche gegeben hat [2].

Nach Apg 6,1–6 betrauen diese Zwölf auch sieben Männer von gutem Ruf, Männer voll des Geistes und der Weisheit mit dem Tisch-dienst für die hellenistischen Witwen. Obwohl ihr Dienst als διακονία bezeichnet wird, ist es fraglich, ob hier die Anfänge des späteren Diakonates zu finden sind, da ihre Stellung über die der späteren Diakone hinauszugehen scheint [3]. Im Blick auf den Begriff des διακονεῖν versagt jedenfalls die Theorie, sowohl, wenn sie die Insti-tution des Diakonats aus den Synagogendienern, wie wenn sie sie aus vorchristlichen griechischen Einrichtungen herleiten möchte. Nirgendwo findet sich eine dem christlichen Inhalt des Wortes eini-germaßen entsprechende Bedeutung [4], und eine Zusammenstellung wie ἐπίσκοποι und διάκονοι ist sonst schlechterdings gar nicht nach-zuweisen [5].

Apg 11,30 werden zum ersten Mal für Jerusalem die *Ältesten* (πρεσβύτεροι) genannt, und im Bericht über das sog. Apostelkonzil (Apg 15) erscheinen sie neben den Aposteln. Während nichts darüber zu erfahren ist, wie es zu ihrer Bestellung gekommen war, erhellt ihre leitende Funktion aus der Nennung *im Verein und zugleich* mit den Aposteln als Urheber des Aposteldekretes (Apg 15,23; 16,4). Daß man sich bei ihrer Bestellung der Form nach an jüdische Ein-richtungen, etwa an die Ältestenkollegien an den Synagogen ange-

---

[1] Vgl. P. Gaechter, a. a. O. 449.

[2] Gewiess, a. a. O. 8; P. Gaechter, Petrus und seine Zeit 429–433.

[3] P. Gaechter, Die Sieben, ZkTh 74 (1952), 129–166. O. Heggelbacher, Die Begründung der frühchristlichen Liebestätigkeit im kirchlichen Taufrecht, Caritas 55 (1954), 190 f.; J. Neumann, Der Spender der Firmung in der Kirche des Abendlandes bis zum Ende des kirchlichen Altertums, Meitingen 1963, 11 ff. mit umfassenden Literaturangaben zum Thema. – P. Gaechter, Petrus und seine Zeit 129–166.

[4] Vgl. J. Brosch, Charismen und Ämter in der Urkirche, Bonn 1951, 135.

[5] Vgl. H. W. Beyer bei Kittel, ThWb II 92; 604 ff.

lehnt habe, ist nicht auszuschließen [1]. Der Jakobusbrief setzt 5,14 jedenfalls die Presbyter voraus und schreibt ihnen das Recht der Krankenölung zu [2].

Was das neue Element dieses Kollegiums von Presbytern bzw. deren *jüdischen* Ursprung näherhin angeht, so waren sie hier wohl für Verwaltung und Gesetz zuständig.

Indessen bestehen klare Unterschiede gegenüber dem NT. Denn das Amt des Synedrium-Vorstehers wechselt jedes Jahr. Nicht dagegen das Presbyteramt in *Jerusalem,* wie auch in andern ordentlich organisierten Gemeinden [3].

Das Bild der heidenchristlichen Gemeinden ist nicht wenig lückenhaft. Laut Apg 14,23 bestellten jedoch Paulus und Barnabas auf ihrer ersten Missionsreise in jeder Gemeinde Älteste zur Übernahme der Leitung nach ihrem Weggang. Die Übertragung des Amtes er-

---

[1] P. GAECHTER, a. a. O. 136 ff.

[2] Vgl. H. SCHÜRMANN, Zur Frage der Entsakralisierung, Der Seelsorger 38 (1968), 45: «Die Bezeichnungen für die kirchlichen Dienste werden mit Bedacht nicht sakralen Bereichen entnommen, sondern aus den jüdischen oder heidnischen Profanbereichen: Die Christen kennen «Apostel» und «Evangelisten», auch «Propheten» und «Lehrer», als Gemeindevorsteher «Episkopen», «Presbyter», «Hegoumenoi», «Vorsteher», die nirgends als «geweiht» bezeichnet werden, sondern nur durch Handauflegung – so bis ins 3. Jahrhundert – «ordiniert». Vgl. auch J. SCHMID, LThK² VIII 743 f. Das Amt ist sicherlich kein heidnisch-sakrales, noch ein weltlich-profanes, da es ja das *eschatologische* Opfer Christi vergegenwärtigt. H. SCHLIER, Grundelemente des priesterlichen Amtes im Neuen Testament, Theologie und Philosophie 44 (1969), 180. Begriff und Wort consecratio, ein «Hauptterminus» der altrömischen Sakralsprache, wird erst, als «Mißverständnisse nicht mehr zu befürchten» sind, zum geläufigen Kultwort. RAC III 269, 276 ff.

[3] G. KONIDARIS faßt seine Forschungen hierzu wie folgt zusammen: «2. Bald nach diesen (sc. Apg 6,1–7) geschilderten Ereignissen erscheinen plötzlich und treten an die Seite der 12 Apostel die Presbyter (Apg 11,30 und 14,23 usw.). Das Amt der Presbyter als Grundamt der Gemeinde Christi wurde sodann allmählich in den Kirchen eingeführt (durch Wahl und Handauflegung) und 'eingesetzt'.

3. Die Chirotonie der Presbyter im südöstlichen Kleinasien, die auf Vorschlag der Apostel geschah (Apg 14,23), zeigt uns den Anfang der besonderen Bedeutung für die Gemeinde, die dieses Amt vom Jahre 35 bis 60 n. Chr. hatte, weil die Apostel nur auf kurze Zeit bei diesen Gemeinden vorbeikamen. Sie wurden die Vorsteher jeder ordentlich organisierten Gemeinde. Ihre Kompetenzen wurden in dieser Zeit von der Liturgie weiter auf die Verwaltung und sogar die Finanzen und allgemein die Aufsicht der Ortsgemeinde ausgedehnt.

4. Deshalb erhielten sie den Nebentitel 'ἐπίσκοποι' (Apg 20,17), in Ephesos und Philippi». Zur Lösung der Quellenprobleme der Kirchenverfassung des Urchristentums, ZSSt Kan. Abt. 75 (1958), 338.

folgte in einem kultischen Akt, wahrscheinlich durch Handauflegung [1]. Apg 20,28 bezeichnet Paulus jene Männer, die der Bericht-
erstatter Presbyter (Apg 20, 17) nennt, als ἐπίσκοποι, was sinnvoll erscheint, insofern πρεσβύτεροι als Standesbezeichnung und ἐπίσκοποι als
Funktionsbezeichnung verstanden werden will [2].

Das Problem ist damit allerdings nicht voll gelöst; ἐπίσκοποι bein-
haltet jedenfalls eine Tätigkeit im Sinne des «Aufsehers», wie der
Ausdruck längere Zeit noch verstanden wurde [3]. Πρεσβύτεροι hat
keinen dermaßen festumgrenzten Sinn und kann auch Altersbe-
zeichnung sein.

Dieses in der Apg gezeichnete Bild von der kirchlichen Ordnung
läßt sich mit dem der Paulusbriefe vereinbaren. Der Blick auf
1 Thess 5,12 sowie auf den Eingang des Philipperbriefes mit seiner
Erwähnung der ἐπίσκοποι und διάκονοι läßt keinen Zweifel daran, daß
jene, denen die Ordnung in der Gemeinde anvertraut war, eine feste
Amtsbezeichnung trugen: Sie wurden ἐπίσκοποι und διάκονοι genannt [4].

Ordinationen selbst lassen sich in den Paulus-Briefen außerhalb der
Pastoralbriefe zwar nicht sicher bezeugen. Dennoch wäre es falsch,
auf Grund von 1 Kor 12 und Röm 12 anzunehmen, Paulus habe
seine Gemeinden als charismatische Demokratien oder charismatische
Anarchien geschaffen oder hinterlassen [5]. Er selbst war für sie die
höchste Autorität [6].

Träger der Kirchenordnung wurden, wie die Entwicklung zeigt,
nicht die Charismenträger mit einer Lehrtätigkeit, wie derjenigen der
Propheten und Lehrer, oder einer Wunderwirksamkeit wie derjenigen
der Sprachenredner und Ausüber von Wunder- und Heilungskräften.
Die Inhaber des Verwaltungs- und Ordnungsauftrages innerhalb der
Gemeinden waren hinfort vielmehr identisch mit denjenigen, die das

---

[1] A. WIKENHAUSER, Die Apostelgeschichte[2], Regensburg 1951. Vgl. hierzu
Apg 20,21 ff. R. SCHNACKENBURG, Episkopos und Hirtenamt (zu Apg 20,28);
Episkopos (*Kardinal Faulhaber* zum 80. Geburtstage), Regensburg 1949, 66–88.
[2] GEWIESS, a. a. O. 11. Vgl. Apg 20,17.
[3] Vgl. IGNATIUS VON ANTIOCHIEN; siehe unten § 4.
[4] GEWIESS, a. a. O. 12. Zur Frage der Identität von Presbyter und Bischof vgl.
J. COLSON, a. a. O. bes. 41–44; 52–55.
[5] J. BROSCH, Charismen und Ämter in der Urkirche 154–162.
[6] A. WIKENHAUSER, Die Kirche als der mystische Leib Christi nach dem
Apostel Paulus 73 ff.

Vorsteheramt ausübten. Daß diese auch die Leitung der Eucharistie innehatten, ist schon für die neutestamentliche Zeit zumindest wahrscheinlich [1].

Die Hirten der Gemeinde im Sinne der προιστάμενοι von 1 Thess 5,12 sind also ἐπίσκοποι, welchen Gehilfen beigegeben sind. Die ἐπίσκοποι im Sinne derer, welche διάκονοι (nach Phil 1,2) zu Gehilfen haben, und die πρεσβύτεροι nach Apg 20,17 usw. werden identifiziert [2].

Bei 1 Ptr 5,1 ff. sind sie Mitarbeiter (συμπρεσβύτεροι) [3] und ähnlich gestellt wie die ἡγούμενοι von Hebr 13,7.17. 24. Desgleichen sind die Presbyter in den *Pastoralbriefen* [4] als Amtsträger genannt. Es läßt sich dartun [5], daß *hier* die Ordnung «der Kirche des lebendigen Gottes, der Säule und des Pfeilers der Wahrheit» (1 Tim 3,15), «des Hauses» Gottes (2 Tim 2,20) auf dem «Amt» beruht. Dem von Jesus Christus berufenen Diener steht «Gewalt» im Sinne der geistlichen Macht zu. Der damit Ausgestattete lehrt die maßgebende Lehrsubstanz des Evangeliums und übt die kritisch bewahrende Funktion des Wächters darüber aus. Des weiteren ordnet er prinzipiell und praktisch Kult und kirchliche Dienste so, wie Leben und Wirken der Gehilfen. Schließlich übt er das Bußgericht an den Gemeindegliedern und ordiniert durch Handauflegung [6].

Solche Gewalt liegt in den Händen bestimmter, berufener, mit Amtsgnade ausgestatteter und in einen Dienst eingesetzter Amtsträger, die «so die Kirche lehren, regieren und durch Handauflegen (Weihe) das Amt fortpflanzen» [7].

---

[1] J. SCHMID, a. a. O. 743: «Es ist, wenn auch durch das NT selbst nicht streng beweisbar, mindestens wahrscheinlich, daß schon in ntl. Zeit die Gemeindevorsteher von den Aposteln an auch die Leitung des Herrenmahles innehatten, wie das für die spätere Zeit durch Did 15,1 u. 1 Clem 44,4 bezeugt ist». Hiezu S. 54 f. und S. 170.

[2] GEWIESS, a. a. O. 16.

[3] K. H. SCHELKLE, Die Petrusbriefe, Freiburg i. Br. 1961, 127 f.

[4] Die Pastoralbriefe sind «kein Dokument eines erst beginnenden, sondern eines bereits ziemlich weit entwickelten Kirchenrechts». H. VON CAMPENHAUSEN, Kirchliches Amt und geistliche Vollmacht in den ersten drei Jahrhunderten [2], Tübingen 1953, 129. Zum literarischen Problem vgl. die Übersicht bei H. W. BARTSCH, a. a. O. 9–14.

[5] H. SCHLIER, Die Ordnung der Kirche nach den Pastoralbriefen. GOGARTEN-Festschrift, Gießen 1948, 54.

[6] A. a. O. 45. Zur Identität von ἐπίσκοπος und πρεσβύτερος vgl. H. SCHLIER, a. a. O. 59, Anm. 31; V. FUCHS, Der Ordinationstitel von seiner Entstehung bis auf Innozenz III., Bonn 1930, 17.

[7] H. SCHLIER, a. a. O. 54. Zu den Grundlagen des Weihesakramentes im NT

Das «Amt» hat hier seinen Ursprung in der Berufung und Einsetzung des Apostels durch Jesus Christus und pflanzt sich fort durch die Weitergabe des Amtscharismas und der apostolischen Paradosis vom Apostel an den Apostelschüler und weiter an die lokalen Presbyter-Episkopen. Dabei kennt dieses Amt gewisse Abstufungen. Es erscheint einerseits «in dem Dienst des über einem Kirchengebiet stehenden Apostelschülers, der dort zugleich als apostolischer Delegat auftritt, und in dem Dienst mehrerer 'vorstehender' Ältester oder Bischöfe in der lokalen Kirche. Dazu kommt noch der Dienst der Diakonen und 'Witwen', die beide unterstützende Funktionen ausüben. In seiner Abstufung zeigt das Amt die Tendenz zur monarchischen Spitze» [1].

So verbindet sich mit dem Prinzip des Amtes das der Sukzession und es schimmert das Prinzip des Primates durch [2]. Auch wenn der Apostelschüler über seinem Kirchengebiet steht und als apostolischer Delegat auftritt [3], – daß in den ersten Jahrhunderten eine *Metropolitanverfassung* der Kirche bestanden hätte, muß dennoch bestritten werden. Die Apostel legten höchstens durch die Weise ihrer Verkündigung die Basis für diese Organisation, während diese selbst einer späteren Zeit angehört. So können denn Timotheus und Titus auch nicht als Vorgänger der Metropoliten angesehen werden [4].

Neuerdings wird jedoch die Theorie einer Ausgliederung des nichtbischöflichen Priestertums aus dem Bischofsamt in apostolischer Zeit vertreten [5]. Es besteht ebensoviel Grund, die Jerusalemer Gemeinde als Prototyp anzusehen, in der seit Beginn das monarchische Prinzip mit einer Milderung durch jenes des Presbyterkollegiums nachweisbar ist. Daß die Presbyteroi – Episkopoi der paulinischen Gemeinden bischöfliche Vollgewalt im heutigen Sinne hatten,

siehe L. Orr, Das Weihesakrament, Freiburg-Basel-Wien 1969, 1–8 (mit Übersicht über die Literatur).

[1] A. a. O. Hierzu N. Brox, Die Pastoralbriefe, Regensburg 1969, 147–155, mit Übersicht über Problem und Literatur.

[2] A. a. O. Vgl. J. Molitor, Die kirchlichen Ämter und Stände in der Paulusexegese des heiligen Ephräm, Festgabe Frings, 1960, 385: «Die beiden urchristlichen Gemeindeämter, Presbyterat – Episkopat und Diakonat, zeichnen sich noch deutlich in der Paulusexegese des Kirchenvaters ab».

[3] H. Schlier, a. a. O. 54.

[4] Vgl. B. Kurtscheid, Historia Iuris Canonici, Historia Institutionum I, Rom 1941, 41–42.

[5] M. Schmaus, Das katholische Priestertum – ein soziologisches oder ein theologisches Problem? – Ius sacrum, Festschrift K. Mörsdorf, Paderborn 1969, 7–8.

wird einerseits angenommen. Demgegenüber steht die Ansicht, daß Paulus die Obergewalt über die Vorsteher seiner Gemeinden innebehielt. Danach hätte also nicht eine Ausgliederung aus dem Bischofsamt stattgehabt, sondern umgekehrt würden die paulinischen Gemeinden nach dem Tode des Apostels durch die geänderte historisch-soziologische Struktur im Sinne der monarchischen Episkopalverfassung vervollständigt, hier bald und früher, dort später. Zum Beweise kann die Einsetzung des Polykarp als monarchischer Bischof in Smyrna (durch Johannes?) dienen [1].

---

[1] Vgl. hierzu IRENÄUS, Adv. haeres. III 3,4; Epist. an Florinus bei Eusebius, H. E. V 20; TERTULLIAN, praescr. 32, adv. Marc. IV 5. Nach KLEMENS ALEXANDRINUS, Quis dives 42,1 (= EP 438), hat Johannes die hierarchische Organisation vervollständigt, doch wohl sicher im monarchischen Sinn. Und es geht nicht an, dem Zeugnis jeden historischen Sinn abzusprechen.

II. DIE ORTSKIRCHE

§ 4. Der Bischof in den Zeugnissen der ersten Jahrhunderte

«Seit dem Anfang des zweiten Jahrhunderts finden wir in der Kirche überall den monarchischen Episkopat und die Idee, daß diese Bischöfe in 'apostolischer Sukzession' ihr Amt und ihre Vollmacht von den Aposteln herleiten» [1].

Die Natur des Episkopates ist in patristischen Dokumenten überliefert, die verhältnismäßig selten und gelegenheitsmäßig sind und geschichtlich nicht immer leicht eingeordnet werden können. Dennoch läßt sich die Lehre darstellen, von der sich die alten Autoren inspirieren ließen. Die Auseinandersetzung mit den Häresien und Schismen hat sie gezwungen, die Grundlagen und Tragweite der kirchlichen Ämter, das Problem des Gehorsams den Amtsträgern gegenüber, die Frage nach der Verschiedenheit des Dienstes und nach der Einheit in den kirchlichen Dienstleistungen darzulegen. Die Transzendenz des geistlichen Auftrages wird von ihnen im Zusammenhang mit der Erfaßbarkeit der äußeren Formen behandelt [2].

---

[1] K. Rahner in Rahner/Ratzinger, Episkopat und Primat, 81.

[2] Zum Folgenden O. Perler, L'évêque représentant du Christ selon les documents des premiers siècles, Unam sanctam 39 (1962), 31 ff.; H. v. Campenhausen, Kirchliches Amt und geistliche Vollmacht in den ersten drei Jahrhunderten[2], Tübingen 1963; J. Colson, Les fonctions ecclésiales aux deux premiers siècles, Paris 1956; ders., L'Evêque dans les communautés primitives, Paris 1951; J. A. Fischer, Die Apostolischen Väter, München 1956; O. Knoch, Die Ausführungen des 1. Clemensbriefes über die kirchliche Verfassung im Spiegel der neueren Deutungen seit R. Sohm und A. Harnack, ThQ 141 (1961), 385/407; J. Neumann, Der theologische Grund für das kirchliche Vorsteheramt nach dem Zeugnis der Apostolischen Väter, MThZ 14 (1963), 253/265; H. E. Feine, a. a. O. 39 ff.; P. Stockmeier, Bischofsamt und Kircheneinheit bei den apostolischen Vätern, TrThZ 73 (1964), 321/335.

Gelegentlich der Absetzung von Presbytern, die in die alte Kirche von Korinth Unordnung gebracht hatten [1], sieht Klemens von Rom sich verpflichtet, die göttliche Einsetzung der Hierarchie darzulegen (um 96 n. Chr.). Die Bischöfe und die Diakone sind nach ihm die Beauftragten Gottes und Christi, kraft einer *Nachfolge,* die durch Gottes Willen eingerichtet ist (42, 1–4; 44, 1–2). Einerlei ob im Sinne der direkten Nachfolge der Apostel oder einer mittelbaren Nachfolge verstanden, beleuchtet diese Sukzessionslehre das Bischofsamt in seiner Würde und sichert es gegen Auflösungstendenzen [2]. Der Laie ist nach 40, 5 an die für Laien gegebenen Anordnungen gebunden. Nach dem Kirchenverständnis des Klemens setzt der Bischof und mit ihm der Diakon auf unterer Stufe – die noch verschwommene Terminologie erwähnt die *Zwischenstufe* der πρεσβύτεροι nicht – die Mission Christi durch die Jahrhunderte als sein sichtbarer Repräsentant, sein Stellvertreter, sein Beauftragter, mit der gleichen Funktion und denselben Vollmachten fort (44, 3–4).

Die Forschung gesteht allgemein zu, daß die von Paulus gegründete Kirche von Korinth durch ein *Kollegium* von «Presbytern» geleitet war, welches die Funktion des Episkopates in kollegialer Weise ausübte [3]. Dennoch würde der Vergleich des Klemens mit dem Alten Testament eine monarchische Leitung voraussetzen (40,5: Hoherpriester, Priester, Leviten, Laie).

Zugunsten der Lösung, die in den Presbyter-Bischöfen Amtsträger von bischöflichem Range sieht (Hieronymus, P. Batiffol etc.), könnten außer der Lehre von der Nachfolge jedenfalls die literarischen Beziehungen ins Feld geführt werden, die zwischen dem Brief des Klemens (Kap. 40–44) und dem ältesten Gebet der Bischofskonsekration obwalten. Freilich ist es wahrscheinlicher, daß der Klemenstext eher die

---

[1] Vgl. P. MIKAT, Die Bedeutung der Begriffe Stasis und Aponoia für das Verständnis des 1. Clemensbriefes, Köln/Opladen 1969.

[2] P. STOCKMEIER, a. a. O. 329. Vgl. B. BOTTE, Die Kollegialität im Neuen Testament und bei den Apostolischen Vätern, Das Konzil und die Konzile, Stuttgart 1962, 16; A. M. JAVIERRE, Le thème de la succession de l'Apôtre dans la littérature chrétienne primitive, Unam sanctam 39 (1962), 171–221.

[3] J. A. FISCHER, Die Apostolischen Väter 10: «Für einen monarchischen Episkopat in den beiden Gemeinden ist aus dem Wortlaut des Briefes, der sich als Schreiben von Kirche zu Kirche bezeichnet und von sich stets in der ersten Person Plural spricht, keinerlei Anhaltspunkt zu gewinnen».

Organisation und Liturgie von Rom widerspiegelt als diejenige von Korinth [1].

Ignatius von Antiochien

Ignatius von Antiochien [2] wird mit Recht als der Theologe des monarchischen Episkopates betrachtet. Der Gedanke der Sukzession, welcher Klemens einzigartig teuer ist, ist bei ihm kaum betont, obwohl die *göttliche Sendung* nach Ignatius der Grund oder das Konstitutivum der ganzen bischöflichen Autorität ist. Man kann sagen, daß bei ihm die horizontale Dimension mit ihrem historisch-kausalen Geschehen gegenüber der vertikalen Dimension mit ihrem aktual-kausalen Wirken zurücktritt.

So ist der, welcher die Vollmacht sendet oder übergibt, nicht wie bei Klemens, Christus durch die Apostel und ihre Nachfolger, sondern einfach Gott oder der Herr. So unterdrückt Ignatius die Zwischenglieder. «Er sieht nur mehr das erste Prinzip, um es dann weiterhin mit seinem Mandatar zu identifizieren. Der Jurist räumt den Platz dem Theologen, für welchen die sichtbare, hierarchische Kirche die wahrnehmbare Offenbarung der unsichtbaren, geistigen Kirche ist» [3]. Eben diese Form einer bischöflichen Kirchenordnung mit Presbyterium und Diakonen wird «immer wieder feierlich betont und bekannt, aber nicht mehr als solche diskutiert» [4], da «ohne diese von Kirche nicht gesprochen werden kann» (Trall. 3,1). Aber für diese gilt: «... Seid bestrebt, alles zu tun, indem der Bischof den Vorsitz führt an Gottes Stelle und die Presbyter an Stelle der Ratsversammlung der Apostel und die mir so besonders werten Diakonen mit dem Dienste Jesu Christi betraut sind» [5].

Die Ausgliederung des nichtbischöflichen Priestertums aus dem Bischofsamt müßte, wenn man von einer solchen sprechen könnte [6],

---

[1] PERLER, a. a. O. 31–35. Hierzu K. BEYSCHLAG, Clemens Romanus und der Frühkatholizismus, Tübingen 1966. O. KNOCH, Clemens Romanus und der Frühkatholizismus. Zu einem neuen Buch, Jahrbuch für Antike und Christentum 10 (1967), 202–210.

[2] Vgl. PERLER a. a. O. 35–43.

[3] A. a. O 36.

[4] v. CAMPENHAUSEN, Kirchliches Amt 107.

[5] Übersetzung nach L. A. WINTERSWYL, Die Briefe des heiligen Ignatius von Antiochien, Freiburg i. Br. 1940, 21.

[6] Hierzu M. SCHMAUS, a. a. O. Siehe auch oben S. 34.

um diese Zeit als vollzogen und nicht mehr diskutiert angesehen werden. Das Wesen des nichtbischöflichen Priestertums ist indessen nach der Auffassung des Ignatius jedenfalls nicht als nur soziologisch-historisch zu fassen, sondern theologisch. Bei ihm steht die dreigliedrige, monarchische Struktur als feste, eingebürgerte, unbestrittene Ordnung da, d. h. in den von ihm genannten kleinasiatischen Gemeinden, differenziert in Philippi. Die Frage nach einer Ausgliederung des nichtbischöflichen Priestertums im erwähnten Sinne stellt sich hier nicht, weder historisch, noch wohl auch theologisch. Die dreigliedrige Hierarchie ist (oder scheint) einfach als von Gott gewollte Institution da, gegen die man sich nicht auflehnen kann [1].

Die Verbundenheit mit dem Bischof der Gemeinde ist sichtbarer Ausdruck der Einheit mit Gott: «Alle, die Gottes und Jesu Christi sind, diese sind mit dem Bischof; und alle, die reumütig zur Einheit der Kirche kommen, auch diese werden Gottes sein, auf daß sie nach Christus leben» (Phil 3,2). Die kirchliche Einheit ist durch die gnadenhafte bedingt und umgekehrt, die pneumatische Sphäre durchdringt die organisatorisch-juridische [2]. Das Bild des Christus-Pastor wird in seiner ganzen Bedeutungsfülle aufgenommen: «Jesus-Christus allein und eure Liebe wird über sie (sc. die Kirche in Syrien) wachen» (ἐπισκοπήσει [Röm 9,1]). Im letzten Worte scheint übrigens bei ihm die ursprüngliche Bedeutung des «Überwachens» noch durch.

Der Bischof, der Macht hat, die Not zu wenden, ist aber nach ihm das unabdingbare Mittel der Einheit mit dem Vater, mit Christus und seiner Kirche. Das ist der Schluß, den Ignatius ausdrücklich im 4. Kapitel des Briefes an die Epheser zieht [3].

Ignatius ist auch einer der ersten, der das Problem der Beziehungen zwischen dem einzelnen Bischof und der Gesamtheit der Bischöfe sieht, zwischen der Teilkirche und der Gesamtkirche [4]. Als erster

---

[1] Vgl. hierzu G. HASENHÜTTL, Charisma Ordnungsprinzip der Kirche, Freiburg-Basel-Wien 1969, 293–308.

[2] STOCKMEIER, a. a. O. 332 f.

[3] PERLER, a. a. O. 39; vgl. Magn. 6 f.

[4] O. PERLER, Ignatius von Antiochien und die römische Christengemeinde, Divus Thomas 22 (1944), 413–451. – Vgl. hierzu die Feststellung von G. KONIDARIS, Zur Lösung der Quellenprobleme der Kirchenverfassung des Urchristentums, 342: «Das Alter der Amtsverrichtungen des Bischofs scheint philologisch und historisch bestätigt, denn durch Ignatius reichen wir tief ins 1. Jahrhundert hinein und spüren, was im letzten Jahrzehnt (60–70) der apostolischen Zeit geschehen ist, als Simeon dem Jakobus (61–62) in Jerusalem und Ignatius dem Evodios (68) folgte». Ferner ebda S. 341 f.

wendet er den Terminus der «Katholischen Kirche» an, d. h. der rechtgläubigen. Er scheint die Unfehlbarkeit als die Gabe Christi an seine Kirche – der Gesamtheit der Bischöfe vorzubehalten (Eph 3,2), dem Einzelbischof allein vorbehaltlich seiner Gemeinschaft mit seinen Kollegen, den Bischöfen der Gesamtkirche [1]. Die Betonung des monarchischen Episkopates tut der Einheit der Universalkirche dank Christus als dem Haupt der Kirche keinen Eintrag [2].

Die beiden seit den ältesten Zeiten begegnenden Grundkonzeptionen vom Bischof sind die des Klemens und die des Ignatius. Die eine ist vor allem juristisch, die andere vornehmlich theologisch. Beide sind zwei sich vervollständigende Aspekte. Die späteren Autoren greifen sie auf, indem sie sie nach den historischen Umständen und den persönlichen Tendenzen variieren [3].

Der Polykarpbrief [4]

Daß der Philipperbrief des Bischofs Polykarp von Smyrna wohl Presbyter und Diakonen (5,2; 6,1), aber keine Bischöfe erwähnt, berechtigt nicht zu dem Schluß, daß es in Philippi zu Polykarps Zeit kein Bischofsamt gegeben habe. Die persönlichen Beziehungen Polykarps zu Ignatius weisen vielmehr in die entgegengesetzte Richtung. «Aber seine Reise nach Rom, um dort die Tradition der Ostkirchen darzulegen, ist weit bedeutungsvoller. Darin drückt sich die Überzeugung eines Bischofs aus, der das Bedürfnis hat, seine Überlieferung mit der Überlieferung der übrigen Kirchen zu vergleichen, um die Einheit der Kirche zu erhalten» [5]. Es ist in diesem Zusammenhang angebracht, an die Beobachtung von G. Konidaris [6] zu erinnern: ... «Denn diese (sc. einseitige) Methode hatte sowohl Harnack als auch andere Schriftsteller dazu verführt, den Polykarpbrief gesondert zu behandeln, nachdem sie ihn von den beigefügten Ignatiusbriefen losgerissen hatten. Damit wurde der philologisch-historische Zusam-

---

[1] PERLER, Evêque représentant 40.
[2] STOCKMEIER, a. a. O. 335.
[3] PERLER, a. a. O. 43.
[4] v. CAMPENHAUSEN, Kirchliches Amt 130. Vgl. L. W. BARNARD, The problem of St. Polycarp's epistle to the Philippians, ChQR 163 (1962), 421–430. – Sowohl zur Frage der Chronologie wie der Aufteilung in zwei Briefe vgl. B. ALTANER, Patrologie[2], Freiburg 1950, 82.
[5] B. BOTTE, a. a. O. 18.
[6] A. a. O. 338.

menhang der Briefe des Polykarp und des Ignatius zerrissen (Pol. c. 13), und dies hat verhängnisvoll auf die Forschung gewirkt und die Lösung unseres Problems unmöglich gemacht. Der Polykarpbrief an die Philipper ist ein Bindeglied zwischen den Quellen der West- und Ostkirchen».

Die Märtyrerakten

Die einem *jeden Jünger* aufgetragene Nachfolge Christi ist für den Bischof eine *strengere* Pflicht.

Darum erscheint das Thema des Märtyrerbischofs in den Berichten Hegesipps über Jakobus den Jüngeren und Simeon, den Nachfolger des Jakobus [1].

Die Märtyrerakten des Polykarp heben bis zu den kleinsten Details die Ähnlichkeit des Todes des Bischofs von Smyrna mit der Passion Christi hervor [2], nennen ihn aber gleichzeitig «apostolischen Lehrer», insofern die Apostolizität die Rechtgläubigkeit garantiert [3].

Ähnliches gilt für Pothinus von Lyon wie für jene Reihe, die Polykrates von Ephesus erwähnt: Auch diese sind als Garanten der echten Überlieferung angeführt [4].

In den Augen Cyprians wird der Märtyrerbischof einesteils Christus und andernteils das Volk repräsentieren:

«... weil es sich geziemt, daß der Bischof in der Stadt, in der er der Kirche des Herrn vorsteht, den Herrn bekenne und das ganze Volk durch das Bekenntnis des gegenwärtigen Vorstehers verherrliche. Was nämlich ein Bekennerbischof im Augenblick seines Bekenntnisses mit der Eingebung Gottes redet, spricht er im Namen aller» [5].

Irenäus

Irenäus bildet die von Klemens begonnene Theologie der Nachfolgeschaft fort und akzentuiert sie. Sie klärt sich ab und entwickelt sich im Sinne einer Übermittlung der geistlichen Gewalt an monarchische

[1] H. E. II 23,16; III 32,6.
[2] ED. BIHLMEYER (Tübingen 1924): 8,1; 14,1; 14,2–3; dazu J. SCHEELE, a. a. O. 29 ff.
[3] 16, 2. Hierzu O. PERLER, a. a. O. 44.
[4] EUSEBIUS, H. E. V 1, 29 ff.; V 24,1–6.
[5] Ep. 81.

Bischöfe, die sich von den Aposteln an ohne Unterbrechung in den Kirchen folgen [1].

Eine Namensliste gibt er für die Kirche von Rom und von Smyrna und diese apostolische Sukzession setzt er vor allem zur Übermittlung der geoffenbarten Lehre in Beziehung [2]. Wenn er aber an die Überlieferung und die apostolische Sukzession appelliert, drückt er das aus, wonach man bislang lebte [3].

Dem Spiritualismus der gnostischen und marcionitischen Gegner stellt er eine entwickelte sakramentale Lehre entgegen.

Wenn er so sehr auf die apostolische Sukzession der Bischöfe als einzige Garantie des Glaubens und Quelle des Lebens im Heiligen Geiste Wert legt, so deswegen, weil die Gegner das Heil in der Gnosis allein sahen, welche unabhängig von der hierarchischen Kirche den Zugang zum Pleroma öffnen soll, von wo die Seele gekommen ist [4].

Hippolyt von Rom

In der Vorrede zu den Philosophoumena (1, 1, 6) erklärt Hippolyt: «Der Irrtum wird nur durch den Heiligen Geist zurückgewiesen, der in der Kirche überliefert ist, den die Apostel als erste empfangen haben und den sie den wahrhaft Glaubenden überlieferten. Da wir (– Hippolyt spricht als Bischof –) ihre Nachfolger sind und an derselben Gnade, am selben Hohepriestertum, am selben Lehramt teilnehmen und da wir als die Hüter der Kirche betrachtet werden, verschließen wir nicht die Augen und verschweigen wir nicht die wahre Lehre.»

Für Hippolyt wie für Irenäus ist somit der Heilige Geist in der Kirche den Bischöfen übermittelt, welche *Nachfolger* der Apostel, Hohepriester, Lehrer, Hüter oder verantwortliche Vorsteher in der Kirche sind. Wie Klemens von Rom, so schreibt Hippolyt dem Bischof das Hohepriestertum und das Wächteramt oder die Pastoralfunktion zu, welche nach Hippolyt in gleicher Weise das Lehramt einschließt. Die Übermittlung des Heiligen Geistes aber geschieht durch Wahl und Weihe [5].

---

[1] Adv. haer. III 3,1: HARVEY 2,8; SAGNARD 100 f.; Adv. haer. III 2,2: HARVEY 2,7; SAGNARD 100; Adv. haer. IV 26,2: HARVEY 2, 236; ROUSSEAU 718. IV 33,8; HARVEY 2, 262; ROUSSEAU 818 f.

[2] PERLER, a. a. O. 45.

[3] B. BOTTE, a. a. O. 19.

[4] PERLER, a. a. O. 47.

[5] O. PERLER, a. a. O. 48. Vgl. hierzu die Darlegung über das Zeugnis der

H. v. Campenhausen hat hier eingewendet, daß, wenn die Weihe schon bei Hippolyt nur durch Geistliche vollzogen werde, dies mit dem Gedanken der apostolischen Sukzession zusammenhänge; aber nicht Weihe und Charakter, sondern die Wahl, die Ordination und Sukzession machten den Bischof zum Bischof und den Priester zum Priester [1]. Indessen zeigt die Traditio Apostolica 2 und 3, daß die rituelle Gewaltübertragung das Wesentliche bei der Ordination und die Handauflegung das Instrument des göttlichen Wirkens ist [2].

Tertullian

Tertullian sieht wie Irenäus im apostolischen Ursprung der Kirche, in der legitimen Nachfolgeschaft ihrer Bischöfe und in der kirchlichen Gemeinschaft ein Merkmal der Kirche Christi, der autorisierten Trägerin der Überlieferung und des unerschütterlichen Hortes der Rechtgläubigkeit [3]. Aber im Gegensatz zu Irenäus ist er bestrebt, die geistliche Gewalt des Bischofs zu mindern.

Diese Tendenz steigert sich während der montanistischen Zeit bis zur vollen Verneinung [4].

Dennoch interessiert das Zeugnis des Tertullian die Fragestellung direkt, insofern der mit dem guten Hirten Jesus Christus identifizierte, zu Tertullian in Gegensatz gebrachte katholische Bischof die Gewalt der Sündenvergebung durch die Wiederversöhnung im Namen Gottes ausübt. Solches gilt also nicht nach der Meinung des Montanisten Tertullian, sondern nach der Lehre der offiziellen Kirche von Karthago [5]. Diese Auffassung wird mit größerer Klarheit und mit Ent-

Liturgie, insbesondere über die Traditio Apostolica. Ferner C. H. Turner, Apostolic Succession, in: Essays on the Early History of the Church and the Ministry[2], London 1921, 93–124. G. Dix, Le ministère dans l'église ancienne des années 90–410, Neuchâtel-P. 1955; weitere Literatur LThK IX[2] 1144.

[1] Die Anfänge des Priesterbegriffs in der alten Kirche. Tradition und Leben, Tübingen 1960, 278.

[2] Ed. Botte, 4 ff.; V. Fuchs, Ordinationstitel 37 f.; W. H. Frere bei H. B. Swete, Essays on the early history of the church and the ministry [2], London 1921, 280.

[3] De praescr. 20; 21,4; 32,1–3. Vgl. Serapion von Ant. bei Eus., H. E. VI 12.

[4] Perler, a. a. O. 48. Vgl. De pudicitia 21,17.

[5] H. v. Campenhausen, Kirchliches Amt 24 9 f.: «Tertullian rechnet in dieser (sc. vormontanistischen) Zeit nur mit einer in sich einigen, katholischen Gemeinde, die durch ihre Ämter und Organe oder auch unmittelbar, als ganze in der Vollmacht Christi zu handeln vermag. Es bedarf daher keiner besonderen Abgrenzung der jeweils in Betracht kommenden Rechte und Zuständigkeiten. Offenbar haben

schiedenheit durch den Verfasser der Didaskalie übernommen oder bestätigt.

Cyprian

Mit Cyprian erreicht die Theologie vom örtlichen monarchischen Episkopat als dem höchsten Vertreter Christi einen Kulminationspunkt, dessen Ungenügen und Gefahr für die Einheit der Gesamtkirche gleichzeitig offenkundig wird [1].

Gegenüber dem Schisma des Felicissimus und bald auch dem des Novatian versichert Cyprian ohne Unterlaß: «Keine Kirche ohne Bischof!»; «Die Kirche ruht auf den Bischöfen und jeder Akt der Kirche wird durch eben diese Vorsteher geleitet» [2]. Er schreibt dem Laien Florentius Puppianus, welcher sich gegen die kirchliche Autorität erhoben hatte: «Für Petrus (vgl. Joh 6,67–69) ist die Kirche das um seinen Bischof geeinte Volk und die beim Hirten verbliebene Herde. Daraus müssen sie erkennen, daß der Bischof in der Kirche ist und die Kirche im Bischof und daß, wenn einer nicht mit dem Bischof ist, er auch nicht in der Kirche ist» [3].

Nach ihm ist die bischöfliche Gewalt zuerst Petrus allein als Symbol und Grund der Einheit anvertraut worden [4], hernach den Aposteln, die sie ihrerseits nach dem Gesetze der Sukzession an alle Bischöfe weitergaben. Letztere besitzen also apostolische Autorität.

Cyprian sucht alle geistlichen Forderungen und Ansprüche beim Amtsträger zu versammeln und, wer ihnen entspricht, der gilt ihm als berufen zur Aufnahme ins heilige Kollegium [5]. Er ist Herr, Pontifex und Prophet in einem [6]. Aber es erhebt sich die Frage, ob der Bischof von Carthago dabei die Grenzen der Offenbarung sowohl

die genannten Honoratioren der Gemeinde bei der Wiederaufnahme des Sünders ein gewichtiges Wort mitzusprechen. Von dem Bischof selbst ist merkwürdigerweise überhaupt nicht ausdrücklich die Rede (Anm.). Erst in den späteren, montanistischen Schriften nennt ihn Tertullian als diejenige Instanz, durch die dem Büßer gegebenenfalls die Vergebung zuteil werden kann (De pud. 18,18; vgl. 14,16)». Vgl. unten § 20.

[1] O. PERLER, a. a. O. 49 f.
[2] Epist. 33,1.
[3] Ep. 66, 8, 3.
[4] Unit. 4; Ep. 43,5; 59,14; O. PERLER, a. a. O. 50; H. v. CAMPENHAUSEN, Kirchliches Amt 304; A. DEMOUSTIER, L'ontologie de l'Eglise selon Saint Cyprien, RechScRel 52 (1964), 554–588.
[5] Ep. 39,1; H. v. CAMPENHAUSEN, a. a. O. 299.
[6] PERLER, a. a. O. 52: «Il est chef, pontife et prophète à la fois».

hinsichtlich der Jurisdiktionsgewalt wie hinsichtlich der Weihegewalt nicht überschritten hat. Der Bischof ist nach ihm in einem solchen Grad Herr seiner Kirche, daß er für Handlungen nur Gott allein verantwortlich ist. So schreibt er hinsichtlich der Häretikertaufe an Papst Stephan, daß jeder Bischof jede Freiheit in der Verwaltung der Kirche habe, unbeschadet der Rechenschaft für sein Verhalten Gott gegenüber [1].

H. v. Campenhausen meint, daß bei ihm das liturgisch-sakramentale Element sich mächtig verstärkt habe: «... die tragenden juristischen Vorstellungen haben sich überall mit ihm verschlungen und durchdrungen. Hier ist gegenüber Tertullian ein besonders merklicher Fortschritt erfolgt» [2]. Es gehe bei der Begründung der amtlichen Stellung nicht mehr um die einfache, nach apostolischer Anordnung gültige «Zuständigkeit» für den liturgischen Dienst. Abgesehen von der korrekten, durch ordentliche Instanzen in vorgeschriebener Weise vollzogenen Wahl werde die klerikale Autorität jetzt immer auch durch den besondern Akt der sakramentalen Weihe gesichert. Sie trete zum juristischen Vorgang noch als ein weiteres Moment mit eigenem, verstärkenden Gewicht hinzu und mache den Priester erst wahrhaft zum Priester. Hinfort könne er die besonderen «geistlichen» Gaben durch seine Handauflegung bei der Taufe oder Buße weiter vermitteln, als Bischof auch seinerseits neue Kleriker ordinieren; er könne das Taufwasser heiligen, das eucharistische Opfer vollziehen und in besonders wirksamer Weise für andere fürbittend eintreten (Ep. 18,2; laps. 36). Kein Laie sei zu etwas derartigem befähigt [3].

Es kann indessen kein Zweifel sein, daß der Akt der sakramentalen Weihe des Bischofs schon von den Pastoralbriefen an und bei Ignatius von Antiochien eine Rolle spielt [4]. Nach H. von Campenhausen

---

[1] Ep. 72, 3, 2; vgl. PERLER, a. a. O. 52.
[2] A. a. O. 298. – Zur Rolle, welche Cyprians Auffassung vom Bischofsamt in den späteren Jahrhunderten spielt, vgl. jetzt G. ALBERIGO, Lo sviluppo della dottrina sui poteri nella chiesa universale. Momenti essenziali tra il XVI e il XIX secolo, Rom 1964, passim. Hierzu auch P. FRANSEN, Ordo, Ordination, LThK VII² 1214. P. ZMIRE, Recherches sur la collégialité épiscopale dans l'Eglise d'Afrique, Recherches Augustiniennes 7 (1971), 3–72.
[3] A. a. O.
[4] Vgl. oben S. 33 f., unten S. 54. – P. MIKAT hat in der Besprechung ZSSt Kan. Abt. 1962 (79), 370 f. zu HEGGELBACHER, Vom römischen zum christlichen Recht, Bedenken gegen die Interpretation von Q 46,6 beim Ambrosiaster auf den sakramentalen priesterlichen Charakter angemeldet. Es wäre hier wohl zwischen dem Terminus und der Sache selbst zu unterscheiden.

fällt das Aufkommen des «allgemeinen» Priesterbegriffes in der Kirche in das zweite Jahrhundert [1]. Aber noch bei Tertullian mache der Gedanke der Kirche jede Vorstellung eines priesterlichen Charakters und überhaupt jede prinzipielle, religiös maßgebende Unterscheidung zwischen Priester und Laien völlig unmöglich [2].

Demgegenüber schreibt Hippolyt († 235) in seiner Traditio apostolica (n. 2): «... quicumque cum nominatus fuerit et placuerit omnibus, conveniet populum una cum praesbyterio et his qui praesentes fuerint episcopi, die dominica. Consentientibus omnibus, imponant super eum manus, et praesbyterium adstet quiescens» [3]. Auch Cyprian kennt eine derartige *göttlich-apostolische Tradition* [4]. Durch Kanon 4 des Nizänums wird schließlich zumindest die Dreizahl gefordert, nicht wegen der Feierlichkeit oder aus übertriebener Vorsicht, sondern wegen der Vertretung des Kollegiums, außerhalb dessen der einzelne weder Gewalt noch Würde hat.

Die späteren Theologen zitieren den berühmten Ausspruch Cyprians: «Episcopatus unus est, cuius a singulis in solidum pars tenetur» [5], wie auch andere Sätze von De unitate [6] zur Begründung der Kollegialität des Bischofsamtes. Welche Schwierigkeiten seine Auffassung im Falle eines Konfliktes zwischen Bischöfen oder Kirchen in sich schloß, ist augenscheinlich. Auch der Einwand, daß in seinem Verständnis der Episkopat als ganzer und damit die Kirche selbst auf dem rechten Weg bleiben und niemals Neuerungen anheimfallen [7], räumt sie nicht aus dem Weg. Daß die gegenseitige Liebe, auch wenn

---

[1] Anfänge des Priesterbegriffes 276.

[2] A. a. O. 277. Der katholische und der montanistische Tertullian wäre wohl zu unterscheiden.

[3] B. Botte, a. a. O. 4.

[4] Ep. 67,5 (Hartel CSEL III 739): «... diligenter de traditione divina et apostolica observatione servandum est et tenendum apud nos quoque et fere per provincias universas tenetur ut ad ordinationes rite celebrandas ad eam plebem cui praepositus ordinatur episcopi eiusdem provinciae proximi quique conveniant».

[5] De unitate 5 (Übersetzung nach Bévenot zitiert aus G. Dejaifve, Baraúna II 155): «Die bischöfliche Gewalt (in der ganzen Kirche) bildet eine Einheit, und der Teil, den jeder Bischof (in seiner Kirche) verwaltet, ist ebenso selbst ganz unteilbar». Vgl. De unitate 5: «Quam unitatem tenere firmiter et vindicare debemus maxime episcopi qui in Ecclesia praesidemus ut episcopatum quoque ipsum unum atque indivisum probemus.» Hartel, CSEL III 213 f. – Vgl. G. Alberigo, Lo sviluppo della dottrina sui poteri nella chiesa universale 149.

[6] Alberigo, a. a. O. 249, 274, 289, 290, 315, 356, 365, 371, 398.

[7] v. Campenhausen, a. a. O. 307.

sie die Frucht des Geistes ist, und die Kirchenversammlungen gleichberechtigter Bischöfe nicht genügen, mußte der hartnäckige Verteidiger der Einheit anläßlich seiner Auseinandersetzung mit Papst Stephanus erkennen [1].

Cyprian gebraucht wohl als erster den Begriff «Kollegium» für die Gemeinschaft der Bischöfe [2]. Außerhalb dieses Kollegiums hat nach ihm ein Bischof weder Gewalt noch Würde [3].

Von hierher gewinnt auch seine Aussage über den Kollegialitätscharakter der Bischofsweihe Profil, daß die Bischöfe derselben Provinz zur Ordinatio nach göttlich-apostolischer Tradition zusammenkommen [4].

Man hat übrigens die Reichweite der cyprianischen Auseinandersetzung zu Recht mit den Worten zusammengefaßt: «Insofern als Cyprian die Rechtmäßigkeit der verschiedenen liturgischen Traditionen verteidigte, protestierte Cyprian zu Recht gegen die Zentralisationstendenzen Roms. Soweit hier aber eine dogmatische Frage zur Entscheidung stand, war Papst Stephan (254–257) sehr wohl befugt, das Recht zum Eingreifen zu behaupten» [5].

---

[1] PERLER, a. a. O. 53 mit Hinweis auf G. BARDY, La Théologie de l'Eglise de saint Irénée au concile de Nicée, Paris 1947, 200–208. Hierzu die Untersuchung O. PERLERS, Zur Datierung der beiden Fassungen des 4. Kapitels De Unitate Ecclesiae, Röm. Quartalschr. 44 (1936), 1–44. Vgl. Ep. 55, 24 (HARTEL 642): «... cum sit a Christo una ecclesia per totum mundum in multa membra divisa, item episcopatus unus episcoporum multorum concordi numerositate diffusus». «Diese Einheit erscheint also zuerst in der Einheit des einen eucharistischen Altars und des an ihm mit seinem Volk vereinten Bischofs. Sie vollendet sich mit gleicher Notwendigkeit zur umfassenden Einheit der ecclesia catholica una in der Verbundenheit aller Bischöfe unter sich. Diese erscheint konkret in jener, jene wird in dieser vollendet, bestätigt». B. NEUNHEUSER, Baraúna I 557.

[2] Ep. 68,3 (HARTEL, CSEL III 746: «... ut si quis ex collegio nostro haeresim facere et gregem Christi lacerare et vastare temptaverit, subveniant ceteri ...»

[3] Ep. 55,24; ed. HARTEL, CSEL III 643: «qui ergo nec unitatem spiritus nec coniunctionem pacis observat et se ab ecclesiae vinculo atque a sacerdotum collegio separat, episcopi nec potestatem potest habere nec honorem qui episcopatus nec unitatem voluit tenere nec pacem».

[4] Ep. 67,5; ed. HARTEL 739: «Propter quod diligenter de traditione divina et apostolica observatione servandum est et tenendum quod apud nos quoque et fere per provincias universas tenetur, ut ad ordinationes rite celebrandas ad eam plebem cui praepositus ordinatur episcopi eiusdem provinciae proximi quique conveniant et episcopus deligatur plebe praesente, quae singulorum vitam plenissime novit et uniuscuiusque actum de eius conversatione perspexit».

[5] H. DANIÉLOU, Geschichte der Kirche I, Einsiedeln 1963, 217.

Klemens von Alexandrien

Die dreigliedrige kirchliche Hierarchie mit Bischöfen, Priestern, Diakonen ist der Engelhierarchie nachgebildet: Strom VI, 13, 107 [1].

An der Spitze dieser Kirche steht ein Bischof, der vor Gott für die Sorge um seine Herde verantwortlich ist [2]. Im übrigen entlehnt er dem Apostel Paulus das Bild vom Bau des Tempels. Der Pastor Hermae, den Klemens gut kannte und den er gern zitiert, hat die Kirche mit einem Turmbau verglichen. Klemens legt Wert auf den geistigen Aspekt des Baues [3]. Gleichzeitig aber betont er die Einheit der Kirche und setzt sie in Beziehung zur Einheit Gottes [4]. Für die Rechtgläubigkeit hat er Sorge; er bekämpft Valentin, Marcion, Basilides, die Phrygier, die Enkratiten, die Doketen und andere, deren Namen heute wenig bekannt sind. Gleichwohl hängt er der griechischen Philosophie an, in der er eine providentielle Vorbereitung auf den christlichen Unterricht sieht, spricht aber von der Kirche mit der Anhänglichkeit des Kindes [5].

Origenes

Die Ekklesiologie des «Adamantinos» ist trotz seiner genialen Konzeption unfertig. Es mangelt ihm die Synthese von Episkopat und apostolischer Sukzession [6].

Der hierarchische Aufbau der Kirche als solcher wird von Origenes nicht angezweifelt, sondern ist selbstverständliche Gegebenheit aus der göttlichen Offenbarung [7]. Oft sind die Bischöfe, die Priester und die Diakone erwähnt. Die Verfassung des alttestamentlichen Gottesvolkes und die mosaischen Gesetzesvorschriften in ihrer allegorischen Auslegung aber werden zur Begründung häufig herangezogen [8]. Alles was die Leitung der Kirche angeht, obliegt den Bischöfen [9]:

---

[1] ed. Stählin, t. II, pp. 485–486.

[2] Quis dives salvetur 4, 2. – G. Bardy, La théologie de l'Eglise de saint Irénée au concile de Nicée, 117. Hierzu Paedag. III 12, 97, wo auf die Vorschriften in den Pastoralbriefen angespielt ist.

[3] A. a. O. 123.

[4] Strom VII 17, 107; G. Bardy, a. a. O. 125.

[5] A. a. O. 128.

[6] G. Bardy, La théologie de l'Eglise 128–165; vor allem 164.

[7] Entretien d'Origène avec Héraclide, ed. Jean Scherer, 1949, 128. H. v. Campenhausen, Kirchliches Amt 280. Vgl. De princ. IV 2,1.

[8] Hom. Num 10,1 (Baehrens 68).

[9] Vgl. G. Bardy, a. a. O. 132.

Sie nehmen das Bekenntnis der Sünder entgegen (In Levit., hom. II 4); sie bringen Gott das Opfer der Versöhnung dar (In Levit., hom. V 4); sie entfernen die Schuldigen aus der Kirche (In Levit., hom. XII 6); sie verwalten die Liebestätigkeit und sind mit den Gaben von Gläubigen an die Armen beauftragt (In Epist. ad Roman. II 11).

Immer ist ihre Leitungsgewalt ein Dienst: «Qui vocatur ergo ad episcopatum, non ad principatum vocatur, sed ad servitutem totius ecclesiae» [1]. Das ganze Volk muß schon bei der Wahl des Bischofs zugegen sein [2]. Jegliche Simonie muß fernbleiben (In Num. XXII 4). Die Fehler, die er an der Hierarchie entdeckt, würden für ihn nicht so schwer wiegen, wenn er nicht von ihrer göttlichen Einrichtung überzeugt und die Kirche sich ohne sie denken könnte [3].

Die Didaskalie

Als Repräsentant der orientalischen Theologie um die Mitte des 3. Jh. geht der Verfasser der Didaskalie konform mit dem Metropoliten von Karthago, ohne allerdings die Beziehungen *zwischen* den Bischöfen ins Auge zu fassen. Er betrachtet nur die Rolle des Bischofs in seiner Gemeinde.

Die Idee der Nachfolgeschaft (Klemens von Rom, Irenäus, Hippolyt, Tertullian, Cyprian) beschäftigt ihn nicht, obwohl er versichert, daß der Bischof in der Person der Apostel (Mt 18,18) die Vollmacht, die Sünder im Namen des Herrn zu richten, empfangen hat (Edition Funk II 11,2) [4].

Dafür inspiriert er sich an Ignatius von Antiochien. Von ihm übernimmt er Terminologie und Bilder [5]. Er unterscheidet sich von ihm,

---

[1] Is. homil. VI 1 GCS 33, 269, 18. ORIGENES nimmt an der Synode von Bosra teil (um 244).

[2] In Levit. VI 3 (ed. BAEHRENS I, 362 f.): «Requiritur enim in ordinando sacerdote et praesentia populi, ut sciant omnes et certi sint quia qui praestantior est ex omni populo, qui doctior, qui sanctior, qui in omni virtute eminentior, ille eligitur ad sacerdotium et hoc adstante populo, ne qua postmodum retractatio cuiquam, ne quis scrupulus resideret».

[3] Vgl. A. VON HARNACK, Der kirchengeschichtliche Ertrag der exegetischen Arbeiten des Origenes II, Leipzig 1919, 129–130.

[4] Vgl. O. PERLER, a. a. O. 54. Hierzu die Untersuchung von K. RAHNER, Bußlehre und Bußpraxis der Didascalia apostolorum, ZkTh 72 (1950), 257 ff. H. v. CAMPENHAUSEN, Kirchliches Amt 265 f.

[5] Vgl. v. CAMPENHAUSEN, a. a. O.

indem er dem Bischof alle Vollmachten zuteilt, die im Alten Testament nicht nur den Priestern und den Propheten, sondern auch den Königen zukamen [1].

Wiederholt begegnet die Empfehlung, nichts zu tun, ohne den Bischof: «Denn was man ohne Bischof macht, macht man vergebens. Eine solche Handlung wird nicht als ein verdienstliches Werk angenommen werden, weil es nicht angeht, was auch immer es sei, ohne den Hohenpriester zu machen» (II 27,2).

Daß auch die Urteilsfällung stark von dieser Grundidee durchdrungen ist, kann nicht überraschen [2]. Von hier gesehen ist die Unmöglichkeit, gegen den Spruch des Bischofs zu appellieren, durchaus verständlich [3].

Das Zeugnis der Liturgie

Das älteste Ritual der Erwählung und Konsekration des Bischofs ist in der Traditio Apostolica erhalten geblieben, die gemeinhin Hippolyt zugeschrieben wird. Bei Abfassung seiner so wertvoll gewordenen Arbeit behauptet Hippolyt, die alten Traditionen zu beachten. Trotzdem ist nicht daran zu zweifeln, daß er stellenweise Änderungen angebracht hat, da sie am Einfluß seiner eigenen Theologie zu erkennen sind [4].

Das Gebet der Bischofsweihe – man hat die Traditio Apostolica schon die liturgische Darstellung der paulinischen Gedanken über die Ordination genannt [5] – ist hauptsächlich dank einer alten und

---

[1] II 26,4; v. CAMPENHAUSEN, a. a. O.

[2] II 26,4: «Primus vero sacerdos vobis est levita episcopus: hic est, qui verbum vobis ministrat et mediator vester est; hic est magister et post Deum per aquam regenerans pater vester; (hic princeps et dux vester), hic est rex vester potens. hic loco Dei regnans sicuti Deus honoretur a vobis, quoniam episcopus in typum Dei praesidet vobis».

[3] II 48, 2–3: «Si quis vero innocens est et a iudicibus per acceptionem personae condemnatur, iudicium iudicum iniquorum nihil ei apud Dei damni afferet, sed eum etiam iuvabit, quoniam exiguum tempus iudicatus est inique ab hominibus, postea vero die iudicii pro eo, quod inique condemnatus erat, iudex erit iudicum iniquorum. Vos enim iudicii iniusti mediatores fuistis; ideo a Deo mercedem accipietis et eiciemini ex ecclesia Dei catholica, et implebitur in vobis illud: Quo iudicio iudicaveritis, iudicabimini».

[4] G. G. BLUM, Apostolische Tradition und Sukzession bei Hippolyt, ZNW 55 (1964), 96 f.

[5] V. FUCHS, Der Ordinationstitel von seiner Entstehung bis auf Innozenz III.,39.

getreuen lateinischen Übersetzung wiederherzustellen. Ebenso dient der Rekonstruktion der leicht geänderte griechische Text der Epitome der Apostolischen Konstitutionen. Das Weiheformular kulminiert im Flehen um die Kraft des ἡγεμονικὸν πνεῦμα für den Ordinanden [1].

Vielleicht kann gesagt werden, daß bislang im Begriff des Apostolischen die geschichtliche sukzessive Komponente dominierte und jetzt auf dem pneumatischen Aspekt der stärkste Akzent liegt [2].

Kein Zweifel aber, daß der Autor die Theologie der Nachfolgeschaft im 1. Klemensbrief übernimmt. Kraft dieser Nachfolgeschaft oder Sendung ist der Bischof mit derselben Vollmacht ausgestattet, wie die Apostel, wie Christus [3].

Diese Vollmacht ist eine doppelte, nämlich eine solche des Hirten (pascere gregem sanctam tuam) oder des Fürsten, vergleichbar derjenigen der Könige und Fürsten des Alten Testamentes (vgl. principes et sacerdotes) und eine hohepriesterliche (vgl. «primatum sacerdotii tibi exhibere»). Diese letzte Aufgabe ist aufgegliedert und schließt in sich die Darbringung des eucharistischen Opfers (offere dona), die Spendung der Taufe (dimittere peccata), das Recht, die Weihen zu erteilen (Nr. 5) [4].

Was die Funktion des Bischofs von der des Hohenpriesters im Alten Testament im Tempel zu Jerusalem unterscheidet und was sie charakterisiert, ist die doppelte Rolle als Vorsteher und Hohepriester oder, wie der Verfasser der Didaskalie sagt, die des Priesters und Königs. Der Grund dafür liegt darin, daß der Bischof in der Zeit das sichtbare Fortleben des Messias ist, des Königs und Priesters in einem [5].

Die Gleichheit der Sicht zwischen Traditio Apostolica und dem Brief des Clemens Romanus stellt das Problem der literarischen Beziehungen. Hat Klemens sich schon von derselben Weiheliturgie, oder wenigstens von einem analogen Text inspirieren lassen? Es bleibt lediglich zu konstatieren, daß das älteste Formular zur Bischofsweihe in seinen Gedanken und seinen Ausdrücken zu den ersten Anfängen der Kirche hinaufgeht [6].

---

[1] O. PERLER, a. a. O. 60; B. BOTTE, Tradition apostolique[2] 8.
[2] G. G. BLUM, a. a. O.
[3] PERLER, a. a. O. 62.
[4] Vgl. a. a. O.
[5] A. a. O.
[6] O. PERLER, a. a. O. 63.

Das Weihegebet im *Sakramentar des Serapion* [1] hat mit dem der *Traditio Apostolica* und mit dem Briefe des Clemens Romanus die Voraussetzung der Nachfolgeschaft gemeinsam. Diese ist sogar stärker akzentuiert und genauer gefaßt als eine Nachfolge der Apostel. Gemeinsam sind die Erinnerung an das Alte Testament und schließlich gewisse biblische Zitationen [2]. Hier ist die Hauptrolle oder erste für den Bischof charakteristische Rolle diejenige, die Herde Gottes zu weiden. Jedoch sucht man vergebens die ausdrückliche Erwähnung der priesterlichen Gewalt: Man steht also vor einer verschiedenen Überlieferung. Dadurch tritt das Band, welches zwischen der Traditio Apostolica und dem Briefe des Klemens von Rom besteht, noch offenkundiger zutage.

Der dogmatische Gehalt der Formel des Sakramentars erreicht indessen nicht den Reichtum und die Tiefe des Gebetes der Traditio Apostolica. Der Gedanke, der uns besonders interessiert, ist dennoch angerührt.

Nach den ältesten und repräsentativsten Texten der drei ersten Jahrhunderte ist der Bischof in den Augen der alten Kirche der durch die Jahrhunderte fortlebende Christus. Er nimmt teil am Königtum und am Priestertum des Messias und zwar mit einem anderen Titel als die Getauften oder auch die einfachen Priester [3].

Durch die apostolische Sukzession hat der Bischof den Heiligen Geist über die Apostel und seine Vorgänger empfangen. Diese vor allem juridische, die Legitimität der Nachfolger dartuende Auffassung schöpft indessen nicht den ganzen Inhalt der bischöflichen Funktion aus [4]. Für Ignatius, Cyprian und den Verfasser der Didaskalie ist der unmittelbarste Gedanke derjenige der Gegenwart des himmlischen Christus. Der Bischof ist sein sichtbares *Bild*, sein menschlicher *Repräsentant*, sein wahrnehmbarer *Stellvertreter*, sein *Werkzeug*. Immer ist es Christus, der in ihm und durch ihn handelt und so seine Herrschaft ausübt (vgl. Apg 2,32–36; 5,30 f.; Phil 2,9–11).

---

[1] F. X. FUNK, Const. Apost. II 190, n. 14.
[2] Vgl. hierzu und zum Folgenden PERLER, a. a. O. 63 f.
[3] Vgl. hierzu und zum Folgenden PERLER, a. a. O. 64 f.
[4] Die überlieferte Wahrheit ist nicht von der Sukzession zu trennen, da die «Überlieferung» ohne das aktive Prinzip des autoritären Episkopates nicht denkbar ist. Da diese beiden Elemente aufeinander bezogen sind, ist in dem bei Irenäus in seiner Bischofsliste regelmäßig gebrauchten Ausdruck der 'Diadoche' inhaltlich der Begriff der bischöflichen Sukzessionsliste gegeben: Dabei steht die überlieferte Wahrheit im Vordergrund. Vgl. § 30.

Augustinus geht später von diesem Begriff aus, um gegen die Donatisten die Gültigkeit auch der von Häretikern oder Sündern gespendeten Sakramente zu versichern: der erste, der eigentliche Spender der Gnade ist Christus: «Er tauft im Heiligen Geiste» (Mt 3,11; vgl. Contra Litt. Petil. III 49,59). Zwei übernatürliche Ströme begegnen sich und vereinigen sich im Episkopat. Der eine bindet ihn durch die apostolische Sukzession an die Anfänge, an den historischen Christus – denn es gibt keinen andern Weg der Übermittlung von Weihegewalt; der andere bindet ihn unmittelbar an den himmlischen Christus – denn er handelt als Hauptursache in jedem Sakrament und erneuert so bei jeder Weihe die Übermittlung des Heiligen Geistes an die Apostel. Diese aktive Gegenwart Christi ist kraft des bischöflichen Charakters eine dauernde. Das versichert Augustinus gegen die Donatisten als Lehre der Kirche.

Die Vollmacht des Bischofs ist, vor allem nach dem Verständnis der liturgischen Texte, zuerst eine hirtenmäßige königliche, führermäßige, bevor sie eine priesterliche ist. Es ist eine Gewalt der Leitung, eine Disziplinar- und Lehrgewalt, eine Vorstehergewalt und dadurch ein wesentlicher Pfeiler der kirchlichen Einheit [1]: Dadurch ist der Bischof über den Priestern. Seine Autorität erschöpft sich also nicht darin, die Ordnung zu sichern, sondern ist jederzeit verbunden mit der Pflicht des Zeugnisses für das Evangelium. Was seine königliche Größe ausmacht, bedeutet jedoch gleichzeitig eine Gefahr. Die Grenzen seiner Autorität im Blick auf diejenige seiner Kollegen im Episkopat, im Blick auf den niederen Klerus und die Gläubigen, die ihm untergeordnet sind, sind in dieser Epoche nicht klar gezogen.

Noch Hieronymus faßt seine Gedanken über den Episkopat im Brief an Heliodorus zusammen: «Es ist mit dem Bischof, wie mit dem König, oder vielmehr anders. Der König herrscht über Menschen, die sich gegen ihren Willen unterwerfen. Der Bischof herrscht über diejenigen, die ihm freiwillig gehorchen. Der König unterwirft durch den Terror. Der Bischof ist Herr, indem er sich dem Dienst am Volke hingibt durch die Gabe seiner selbst. Dem König obliegt die Wache über die Körper für den Tod, dem Bischof die Wache über die Seelen für das Leben» [2].

Nach H. v. Campenhausen wäre es allerdings «gewissermaßen die Probe auf das Exempel, daß sich in den ganzen ersten drei Jahrhun-

---

[1] STOCKMEIER, a. a. O. 335.
[2] Ep. 60, 4, 5. CSEL 54, 567 s.

derten der Kirche kein einziger Bischof auf seine Weihe berufen hat, um einen besonderen priesterlichen Vorrang des Geistlichen vor den Laien von hier aus zu begründen» [1]. Die entscheidende Wendung zu einer neuen, absoluten Fassung des Priesterbegriffs sei um die Wende des 4. zum 5. Jahrhundert erfolgt und es stehe fest, daß bei den älteren Vätern irgendwelche Spuren von einem «character indelebilis» oder einem «Sakrament» der Priesterweihe nicht nachzuweisen seien. Das gebe auch ein katholischer Forscher wie Kardinal van Rossum in einer 1932 erschienenen Studie für die Väter des 4. Jahrhunderts rundweg zu, auch wenn er sich den Tatbestand dann nachher als bloßen «Zufall» erklären möchte [2].

Es ist angebracht, hierauf die Frage nach einem Text zu stellen, in welchem ein Laie oder Bischof das allgemeine Priestertum durch ausdrückliche Ablehnung der priesterlichen Weihe begründete. Ein solcher ist nicht nachzuweisen. Darüber hinaus steht vielmehr die Ablehnung von Forderungen der Confessores, des Felicissimus durch Cyprian eindeutig fest [3].

Daß der Unterschied zwischen dem sakralen Amtspriestertum und dem Priestertum der Gläubigen deutlich festgehalten ist, ergibt sich auch aus folgenden Erwägungen:

Die Bestellung bzw. Einsetzung zum Bischofsamt geschah wesentlich durch die Ordination, wie aus der Paradosis des Hippolyt, der Didascalia, den Apostolischen Konstitutionen, dem Euchologium des Serapion zu ersehen ist. Diese Überzeugung war den Alten selbstverständlich [4]. Wegen der Gabe des Heiligen Geistes, die den Priestern in der heiligen Weihe verliehen wurde, gelten diese als Symmysten und Mitkämpfer der Bischöfe [5], wie die Constitutio

---

[1] Die Anfänge des Priesterbegriffs in der alten Kirche. Tradition und Leben, Tübingen 1960, 279.

[2] A. a. O. 280.

[3] Ep. 33,1; 43,3 (außer Epp. 27; 28; 36,1–3; 59, 5–7; 63,14); v. Campenhausen meint, Cyprian kenne keine Wirkung der priesterlichen Qualität unabhängig von der amtlichen Stellung und Funktion im Ganzen der Gemeinde; er scheide sich damit von der später allein gültigen formalisierten Vorstellung eines unzerstörbaren sakramentalen «Charakters». Kirchliches Amt und geistliche Gewalt 299.

[4] Aus der späteren Zeit wären Optatus von Mileve (VII 6) und Ambrosius, Brief an Valentinian II (Ep. 21, Übersetzung bei H. Rahner, Abendländische Kirchenfreiheit 134 ff.) zu nennen. Hierzu P. Zmire, a. a. O. 9–32.

[5] Constitutio Ecclesiastica Apostolorum XVII: Presbyteri als symmystai et symmachoi Episcoporum; ed. Th. Schermann, Die allgemeine Kirchenord-

Ecclesiastica Apostolorum erklärt. Die liturgischen Dokumente begehren schließlich seit frühen Zeiten von Gott die Ausgießung des Geistes über den Ordinanden [1]. Immer ist das Ziel eines Anderswerdens des Gesendeten ausgesprochen. Sein festumrissenes geistliches Amt gründet auf geistlicher, im Besitz des Heiligen Geistes beruhender Amtsgewalt [2]. Die Weihe «hat einen selbständigen Wert und prinzipiell dauernden Bestand». In jedem Falle war sicher die rituelle Ordination des Bischofs gefordert, was für die Verhältnisse in den ersten Jahrhunderten entscheidend ist. «Charismatische» Strömungen hiergegen überwindet das dritte Jahrhundert. Zu Anfang des vierten Jahrhunderts wird seitens des Konzils von Arles c. 13 schließlich entschieden, daß durch die Todsünde weder die Weihe noch die Vollmacht, diese auszuüben, verloren gehen könne [3].

Abschließend gilt es festzustellen [4]:

Der Bischof stand als legitimer Nachfolger der Apostel den einzelnen Ortsgemeinden vor. Der Name Episkopus wurde zumindest seit der Mitte des 2. Jahrhunderts allein den Bischöfen vorbehalten, wenn er auch anfänglich unterschiedslos Priestern und anderen Beamten zuerkannt wurde. Didache 14 wäre hierfür nur strittig, wenn sie später datiert würde.

Historisch läßt sich erhärten, daß den einzelnen Ortsgemeinden, sobald sie einigermaßen konstituiert waren, ein Bischof bestimmt wurde, dessen zentrale Gewalt eine wahre Weihe-, Lehr- und Iurisdiktionsgewalt war.

Was die Rechtsfigur der Bischöfe in alter Zeit jedoch von der mittelalterlichen am meisten unterscheidet und worin sozusagen die

---

nung I, Paderborn 1914, 26; A. HARNACK, TU II 4, Seite 12 und 13; ED. PITRA, Iuris eccl. Graec. hist. et monumenta 83: συμμύστας τοῦ ἐπισκόπου καὶ συνεπιμάχους

[1] Trad. Apost., ed. B. BOTTE (La Tradition Apostolique de Saint Hippolyte), 8. Durch die Konstitution PAULS VI. «Pontificalis Romani» (AAS 60 (1968), 370) wurde gerade ausdrücklich auf dieses Konsekrationsgebet zurückgegriffen.

[2] V. FUCHS, Der Ordinationstitel von seiner Entstehung bis auf Innozenz III., 34 f. Vgl. A. v. HARNACK, Entstehung und Entwicklung der Kirchenverfassung und des Kirchenrechts in den zwei ersten Jahrhunderten, Leipzig 1910, 20. K. KNOPF, Das nachapostolische Zeitalter, Tübingen 1905, 199: «Es ist auch kaum daran zu zweifeln, daß mit der Handauflegung Vorstellungen von Mitteilung pneumatischer Begabung verbunden waren. Die Fähigkeit, das Amt zu führen, wird (nach dogmatischer Theorie) auf Übertragung von Geistbesitz gegründet ....».

[3] V. FUCHS, a. a. O. 48 f.

[4] Vgl. I. ZEIGER, a. a. O. 38–40.

Eigenart des gesamten alten kirchlichen Rechtes zu sehen ist, ist die zentrale Gewalt der Bischöfe in der Diözese, die vorerst ohne rechtliche Dezentralisierung bleibt. Für die Spendung der Sakramente und zwar schlechthin aller – Einzelheiten sind später zu ergänzen –, für die Feier des Gottesdienstes, für die Lehre, für die Verwaltung der zeitlichen Güter, für die gesamte Leitung der Diözese ist allein der Bischof zuständig, der seine Gewalt ohne jede Beschränkung nicht nur rechtlich, sondern auch tatsächlich ausübt [1]. Es wird noch darzutun sein, wie weit er Priester, Diakone, andere Kleriker und Laien als Helfer gebraucht. Zunächst steht nicht zu erwarten, daß er diese Helfer für feststehende und auf Dauer errichtete, dauernd besetzbare mit ordentlicher Gewalt genauumschriebene Ämter beruft, sondern auf besonderen Willen und jederzeit widerruflich. Gewisse Beschränkungen der bischöflichen Gewalt, die im 1. Jahrhundert aus demokratischen Elementen erwachsen waren, verschwinden jedenfalls im Laufe des 2. und 3. Jahrhunderts, so daß die monarchische Gewalt des Bischofs voll ausgeprägt ist.

§ 5. Der Amtsbereich des Bischofs

Die Civitas spielt in der Kultur des römischen Staates eine wesentliche Rolle. Italien ist als staatsrechtliches Gebilde aus mehr oder weniger von Rom abhängigen Bürgerstaaten (civitates) und Städten (municipia) zusammengesetzt [2]. Rom selbst war wie die griechischen Poleis ein Bürgerstaat, bestehend aus der urbs und dem dazugehörigen Ackerland (ager Romanus).

Um Italien bildete sich ein Kranz von Provinzen in verschieden abgestufter Rechtslage, die von römischen Statthaltern regiert wurden [3]: Sizilien, Sardinien und Korsika, Spanien, Afrika, Kleinasien, Gallien, Germanien, Ägypten, Illyrien etc. Ob die hellenisch-italische Polisverfassung die Grundlage des Provinzialsystems bildete, ist zumindest fraglich [4].

---

[1] Vgl. S. 33.

[2] U. Lübtow, Das römische Volk. Sein Staat und sein Recht, Frankfurt 1955, 635 ff.

[3] A. a. O. 651.

[4] G. Wesenberg, Art. Provincia, PWK XXIII 1, 995 ff.; D. Nörr, Gymnasium 72 (1965), 485–499.

Vereinzelt wird mit dem Begriff Diözese (Dioikesis) das Stadtgebiet bezeichnet, mitunter die Summe der zur civitas gehörigen Ortschaften [1]. In der von Augustus 27 v. Chr. begründeten Einteilung des Gesamtreiches in Provinzen wird Diözese teilweise Bezeichnung für die Teilbezirke der Provinz, verschwindet aber bis Diokletian aus dem Staatsrecht. Selbst die diokletianische Einteilung in Reichsdiözesen gelangt im Westen kaum zu besonderer Bedeutung, und Diözese wird hier niemals zur Bezeichnung eines kirchlichen Großraums. Im Osten indessen spielt der Raum der spätrömischen staatlichen Diözese eine größere Rolle, und so ist Diözese im ostkirchlichen Bereich der im wesentlichen sich mit der Reichsdiözese deckende kirchliche Großraum.

Das Provinzialsystem aufs Ganze gesehen wurde freilich vom Prinzipat in Gallien, Spanien und Afrika in zielbewußter Weise zum Abschluß geführt [2].

Die Civitates als Mittelpunkte des öffentlichen, politischen, literarischen und wirtschaftlichen Lebens gebrauchten die lateinische oder griechische Sprache, was für die Liturgiegestaltung von Belang wird. Die Gebiete um die Civitas bildeten das Suburbium, das seine eigene pastorelle Entwicklung nimmt. In dem Raume zwischen den Civitates aber erstreckten sich die Landgebiete mit schwacher Besiedlung, bestehend aus Colonen, Sklaven, Veteranen und Arbeitern. Hier lebten zumindest bis zum fünften Jahrhundert wenige Christen [3]. Anderes gilt in dieser Beziehung für Kleinasien [4] und Ägypten [5], wo die staatliche wie auch die kirchliche Organisation sich in gleicher Weise auf die Civitates wie auf das Land stützte.

So war also das Territorium des Bischofs die Civitas und sie durfte sich eines eigenen Hirten erfreuen [6]. Darum zeigen die im alten römischen Imperium gelegenen Kirchenprovinzen so viele Bischofs-

---

[1] A. Scheuermann, RAC III 1054 ff.; hier Näheres über Ursprung und Wesen der D.

[2] Lübtow, a. a. O. 650.– I. Zeiger, Historia Iuris Canonici II, Rom 1947, 48 f.

[3] I. Zeiger, a. a. O. 40 f.

[4] D. Magie, Roman Rule in Asia Minor to the end of the III. cent. after Chr., Princeton 1950.

[5] E. Seidl, Die Eingliederung kleiner Staaten in das Imperium nach den Papyri, Gedächtnisschrift H. Peters, Berlin 1967, 111–115.

[6] Der Bischofssprengel wird zunächst im untechnischen Sinn mit parochia oder paroecia bezeichnet. Der früheste Beleg für die Diözese als Bezeichnung des bischöflichen Sprengels liegt vielleicht bei Innozenz I. vor (Ep. 40 ad. Episcop. Tib.; ML 20, 606 f.).

sitze, während das Mittelalter weite Territorien und zahlreiche Städte zu einer Diözese zusammenfassen wird [1]. Im zweiten und dritten Jahrhundert wurden infolge der wachsenden Christenzahlen zur besseren seelsorgerlichen Erfassung zumindest in den größeren Städten Regionen mit Diakonen und Presbytern an ihrer Spitze eingerichtet. So gab es nach dem Catalogus Liberianus unter Papst Fabian (236–250) in Rom sieben Diakonsregionen. Ähnliches darf von andern Städten zumindest mit Grund angenommen werden. Für Alexandrien teilt uns Epiphanius um 374–377 eine Reihe von Kirchennamen mit [2].

Auch das Suburbium, d. h. die Umgebung der Stadt, war der Seelsorge des Bischofs anvertraut. Hier gab es keine eigentlichen Pfarrkirchen, obschon wahrscheinlich nicht selten kleine Oratorien vorhanden waren. Soweit feste Seelsorgestationen fehlten, sorgten Missionare aus der Stadt, zumal in Notfällen, für die Christen [3].

§ 6. Der Chorepiskopat

«Erst seit dem Anfang des 4. Jahrhunderts beginnt – nach unseren Quellen – der Kampf gegen den Chorepiskopat, wenigstens ist vor dieser Zeit meines Wissens auch nicht eine Spur desselben nachgewiesen, und ebenso beginnt erst seit dieser Zeit – nach unseren Quellen – das Bestreben der Bischöfe, in den Dörfern die Einrichtung von Bistümern zu untersagen und die Bistümer benachbarter kleiner

---

[1] I. Zeiger, a. a. O. 41 f.

[2] Haeres. 69,2 berichtet von einer Kirche des Dionysios, des Theonas, des Pierios, des Serapion, des Persea, des Dizu, des Mendidios, des Annianos, des Baukalis und anderen. Cfr. Bardy, La théologie de l'Eglise, 275. Vielleicht sind mit den Namen der Kirchen diejenigen der Erbauer angegeben. Jedenfalls gilt dies für Theonas, den Erbauer einer Muttergotteskirche: Patrologia Orientalis XI 514–525.

[3] Der Brief Innozenz' I. an Decentius von Eugubium vom 19. März 416 (Mansi III 1030 B): «... cum omnes ecclesiae nostrae intra civitatem sint constitutae ... Quod per parochias fieri debere non puto, quia nec longe portanda sunt sacramenta: nec nos per coemeteria diversa constitutis presbyteris destinamus, et presbyteri eorum conficiendorum ius habeant atque licentiam». In den Acta Pauli et Theclae ist von dem Aufenthalt des Paulus, des Onesiphorus und seiner Angehörigen «in einer offenen Grabanlage an dem Wege, auf dem man von Ikonium nach Daphne gelangt», berichtet. Hennecke-Schneemelcher, Neutestamentliche Apokryphen II³, 247. Zur Abfassungszeit vor 200, möglicherweise 185/195, vgl. ebda S. 241. Die Friedhofskirchen und ihr Klerus, die z. B. in Rom von Bedeutung waren, seien erwähnt.

Städte eingehen zu lassen, um ihre Diözese zu vergrößern» [1]. Diese Feststellung bedarf der Differenzierung.

Daß in den volkreichen Gegenden von Kleinasien und Ägypten das Institut der Chorbischöfe eingerichtet worden war, ist schlechterdings nicht bestritten. Daß seine Spuren auch schon vor dem vierten Jahrhundert vorhanden sind, ist den Angaben des Eusebius zufolge ebensowenig zu bezweifeln [2].

Die Chorbischöfe wurden, obwohl für ein bestimmtes ländliches Gebiet aufgestellt, anfangs als wahre Bischöfe den Stadtbischöfen rechtlich sicherlich koordiniert. Das Anwachsen ihrer Zahl erregte jedoch Auseinandersetzungen um ihre Rechte. Von Klerus und Volk ihres Territoriums erwählt, von dem Bischof der benachbarten Stadt ordiniert, hatten sie als wahre Bischöfe Weihe- und Leitungsgewalt. Sie weihten die *niederen Kleriker* ihres Gebietes aufgrund eigenen Rechtes, Priester und Diakone jedoch nur mit Zustimmung des Bischofs der benachbarten Stadt [3]. So verfügt es die Synode von Ancyra, bei der der Name der «Chorbischöfe» zuerst auftritt.

Die Seelsorge und Leitung des ihnen anvertrauten Landgebietes war jedenfalls ganz und gar ihre Sache. Darüber hinaus stand es ihnen, im Gegensatz zu den Land*priestern,* zu, in der Bischofskirche der Stadt in Anwesenheit des Bischofs und des Stadtklerus die Eucharistie zu feiern, Friedensbriefe zu gewähren und bei Synoden mitabzustimmen.

---

[1] A. v. Harnack, Die Mission und Ausbreitung des Christentums in den ersten drei Jahrhunderten. Leipzig 1902, 444 Anm. 6.

[2] «Bischöfe und Presbyter der benachbarten Dörfer und Städte» werden für die Zeit des Paul von Samosata erwähnt bei Eusebius, H. E. VII 30,10: ἐπισκόπους καὶ πρεσβυτέρους. – F. Gillmann, Das Institut der Chorbischöfe im Orient, München 1903; Th. Gottlob, Der abendländische Chorepiskopat, Bonn 1928. Der *Begriffsinhalt* ist auch vorausgesetzt bei Eusebius, H. E., V 16,17, wo er sich auf einen Bericht eines Antimontanisten aus dem 2. Jahrhundert bezieht. Ob der Chorbischof einmal der einzige Bischof in der Chora war oder mit mehreren sein Amt dort teilte, bleibt offen. Vgl. E. Kirsten, RAC II 1107.

[3] Die Synode von Ancyra (314) bestimmt in Kanon 13, daß es den Chorbischöfen nicht gestattet sein solle, Priester und Diakone zu weihen, aber auch nicht den Priestern der Stadt, «ohne die schriftliche Autorisation des Bischofs, in einer andern Diözese».
Der zweite Teil des Kanons bereitet zweifellos Schwierigkeiten, da es den Priestern weder in dem einen noch dem anderen Falle gestattet war, Priester zu weihen. Über die Auslegungsmöglichkeiten vgl. Hefele-Leclercq, Histoire des conciles I 1, 314 f.
Die Synode von Neocäsarea (um 315) erwähnt die Bezeichnung ebenfalls in den cann. 13 f.

Seine Residenz mußte der Chorbischof unter den Augen und der Aufsicht des Bischofs der Stadt in der Stadt nehmen, ohne indessen deren Namen als Bezeichnung zu gebrauchen. Durch Kanon 8 des Konzils von Nizäa wurden übrigens im Sinne einer Ausweglösung konvertierte Häretikerbischöfe als Chorbischöfe vorgesehen [1]. Auffallend ist die Bemerkung des Konzils von Neocäsarea im Kanon 14, die Chorbischöfe seien nicht Nachfolger der Apostel, sondern nur der siebzig Jünger [2].

§ 7. Die außerordentliche Leitung der Teilkirchen

Im Briefe des Ignatius von Antiochien an die Christengemeinde in Rom ist diese letzere in der vielumstrittenen Überschrift als führend im Glauben und in der Liebe gepriesen. Als konkreter, für uns faßbarer Grund wird hinter solchem Lobe das Schreiben der römischen Gemeinde an die Gemeinde von Korinth sichtbar. Dieses Eingreifen Roms in die Wirren von Korinth kennzeichnet Ignatius mit hinreichender Klarheit als ein autoritäres Handeln. Er erwartet eine ähnliche Aufsicht, wie die römische Gemeinde sie über die korinthische ausgeübt hat, auch für seine eigene, die nunmehr ihres Hirten beraubt ist [3].

Ob in dem «Episkopein» mehr als ein Aufsichtsrecht und eine Aufsichtspflicht zu sehen ist, bleibt strittig (9,1).

Der Hauptwert des Ignatiuszeugnisses besteht in der Bezeugung des Primates der römischen Kirche [4]. Ob aus dem Jurisdiktionsprimat auch die autoritative Sorgepflicht für eine durch die Behinderung ihres Bischofs besonders gefährdete Kirche erfließt, kann nicht mit Sicherheit gesagt werden.

Ein erstes direktes Zeugnis für ein kirchenrechtliches Vorgehen bei Behinderung eines Vorstehers findet sich erst im Berichte des Eusebius [5] über Bischof Narzissus von Jerusalem im Jahre 212. Ihm

---

[1] HEFELE-LECLERCQ I 1, 577. Vgl. unten S. 61.

[2] HEFELE-LECLERCQ I 1, 334.

[3] O. PERLER, Ignatius von Antiochien und die römische Christengemeinde, Divus Thomas (Freiburg/Schweiz) 22 (1944), 413–451; H. KITTEL, Die Behinderung des Bischofs und ihre Behebung im Altertum, Diss. Rom 1962, 35 ff.

[4] B. J. KIDD, The Roman Primacy to a. D. 461, London 1936, 12 f. Zur Präzisierung vgl. S. 125 f.

[5] H. E. VI 9,11: «Da Narcissus infolge seines hohen Alters nicht mehr im-

ließ man infolge der altersbedingten Gebrechlichkeit die Ehrenrechte seines Amtes, bestimmte jedoch den Bischof Alexander zu seinem Mitarbeiter und Nachfolger mit der Maßgabe, daß Alexander schon von diesem Zeitpunkt an als der eigentliche Oberhirte galt. Zum Verständnis des Sachverhaltes ist zu beachten, daß noch im 3. und 4. Jahrhundert die Absetzung oder Emeritierung eines Bischofs wegen Alter, Gerechlichkeit oder Unfähigkeit unstatthaft war [1]. Vier Jahrzehnte nach dem erwähnten Geschehen ist dann Cyprian von Karthago wie später Athanasius (in der ersten Hälfte des 4. Jahrhunderts) gezwungen, durch Briefe aus seinem Zufluchtsort seine Gemeinde vollgültig zu leiten. Auch im Verbannungsorte erteilt er Weihen. Unbotmäßige Priester konnten seiner Autorität keinen Eintrag tun [2]. Zwar hatten die römischen Presbyter – übrigens mit auffallenden Direktiven – dem Presbyterium von Karthago in einem Schreiben (Ep. 8) die Sorge für die durch die Flucht Cyprians verwaiste Gemeinde anbefohlen. Auf hinreichende Unterrichtung hin zollten sie jedoch dem Verhalten des Bekennerbischofs, der die Leitung seiner Teilkirche im Rahmen des Möglichen selbst beibehielt, später rückhaltlose Anerkennung [3].

Es war damit klargestellt, daß, solange der Oberhirte die Gewalt über seine Kirche, wenn auch nur brieflich, wirksam ausüben konnte, eine eigentliche Behinderung nicht gesehen wurde.

Das Nizänum bestimmt schließlich im Kanon 8, daß es in jeder Kirche nur einen Bischof geben dürfe [4]. Dies geschieht freilich zunächst im Blick auf die Katharer – mit ihnen sind die Novatianer gemeint –: Den Rückkehrwilligen unter ihnen solle man nämlich die Hände auflegen und sie im Klerus belassen. Doch müßten sie zuvor versprechen, sich in allem an die Normen der katholischen Kirche zu

stande war, das Amt zu verwalten, berief die göttliche Vorsehung den erwähnten **Alex**ander, der Bischof einer andern Diözese war, durch Offenbarung in einem nächtlichen Gesichte dazu, das bischöfliche Amt mit Narcissus zu teilen ... Alexander selbst erwähnt ... seine mit Narcissus geteilte bischöfliche Tätigkeit, in dem er ... wörtlich schreibt: 'Es grüßt euch der 116 Jahre alte Narcissus, der vor mir das hiesige bischöfliche Amt verwaltet hatte und jetzt betend mir zur Seite steht ...'». Es herrscht hier der Gedanke der lebenslänglichen Verwaltung des Amtes. Vgl. hierzu und zum Folgenden KITTEL, a. a. O. 39 ff.

[1] Vgl. P. HINSCHIUS, Das Kirchenrecht der Katholiken und Protestanten II, Berlin 1878, 250.
[2] L. BAYARD, S. Cyprien, Correspondance. Texte et traduction, Paris 1925, 45 ff.
[3] Ep. 30,5. Hierzu G. BARDY, La théologie de l'Eglise 209 f.
[4] HEFELE-LECLERCQ, Conciles I 1, 576 ff.

halten. In Ortschaften oder Städten, an denen ein katholischer Bischof oder Priester sich vorfindet, solle der Bischof der katholischen Kirche selbstverständlich die bischöfliche Würde innehaben, während der bei den Katharern zuvor Bischof Genannte den Rang mit den Priestern haben solle; es sei denn, daß der Bischof es für gut finde, ihm den bischöflichen Titel ohne jegliche Jurisdiktion zu belassen. Sonst solle dieser ihm den Platz als Chorbischof oder Priester zuweisen, eben um der Einheit des Bischofsamtes willen.

Die Tatsache, daß hier unter den Katharern die Novatianer verstanden sind, erinnert an eine Äußerung Cyprians und kann den Schlüssel zum Verständnis der gesamten Fragestellung geben: Der Bischof von Karthago hatte den Novatian einen *Ehebrecher* genannt, weil er unter Papst Kornelius den römischen Bischofsstuhl usurpieren wollte [1]. Diese Äußerung beruhte offenbar auf älterer Anschauung: Das Verhältnis des Ordinierten zu seiner Gemeinde, für die er ordiniert war, wurde schon früh mit einer geistigen Ehe verglichen und darum der eigenmächtige Antritt einer andern Diözese durch einen Bischof als geistiger Ehebruch gebrandmarkt. Die Arianer hielten sich freilich nicht an diese durch das Nizänum gefestigte Norm [2] und wanderten u. a. aus Gründen der Verbreitung ihrer Irrlehre von Bischofssitz zu Bischofssitz. Trotz der Anordnung des Nizänums war zwar kurz danach Maximus zu Lebzeiten des Makarius als Mitbischof in Jerusalem 330 eingesetzt worden, damit eine Behinderung durch die Arianer für die Zukunft vermieden werden könnte [3]. Eusebius von Caesarea indessen schlug den hochangesehenen, ihm angebotenen Sitz von Antiochia aus, wofür er eigens von Kaiser Konstantin gelobt wurde: Er habe die ihm «Dei mandato» von Anfang übergebene Diözese behalten und so die «mandata Dei» und die

---

[1] Zu dieser Frage J. Trummer, Mystisches im alten Kirchenrecht. Die geistige Ehe zwischen Bischof und Diözese, Öst. Arch. f. Kirchenrecht 2 (1951), 62 ff.; Cyprian, Orat. 27.

[2] Vgl. can. 15 von Nizäa; Hefele-Leclercq, a. a. O. 597 ff.

[3] Sozomenos, H. E. II 20; MG 67, 983: «Ecclesiam vero Hierosolymitanam post Macarium Maximus suscepit. Hunc Diospolitanae Ecclesiae episcopum a Macario constitutum esse memorant; sed cives Hierosolymorum eum apud se detinuisse. Nam cum confessionis gloria clarus et omni ex parte egregius esset, plebis iudicio tacite designabatur, ut post obitum Macarii episcopatum ille capesseret. Proinde cum plebs moleste ferret eripi sibi hominem cuius virtutem experta esset, et seditio intentaretur, commodius visum est ut Diospolitanis quidem alius eligeretur episcopus: Maximus vero maneret Hierosolymis et una cum Macario episcopali munere fungeretur, et post eius obitum Ecclesiam gubernaret».

«apostolica atque ecclesiastica regula» eingehalten [1]. Dieser Gedanke der geistigen Ehe zwischen Bischof und Diözese schloß offenbar auch einen «Bischof auf Zeit» aus [2].

§ 8. Kirchenglieder und Amtsträger

Die Vorsteher bilden nicht das «Volk Gottes» allein, sondern in der Einheit mit allen Gliedern der Kirche.

Dennoch gibt es im NT «das 'Amt' inmitten des Charismas und der persönlichen Dienste und oft in Spannung zu ihnen» [3]. Da das Priestertum Christi Ende und Erfüllung jedes bisherigen Priestertums ist, ist Priestertum jetzt nur noch vom Priestertum Christi zu verstehen und dieses setzt sich fort im apostolischen Dienst. Der priesterliche apostolische Dienst ruft das Priestertum des neuen Volkes Gottes hervor. In dessen Mitte gliedert sich der apostolische Priesterdienst in Ämtern aus mit Tendenz zu stufenweiser Ordnung. Ihrer Entstehung nach nicht klar überschaubar, sind sie innerlich nach dem Priesterdienst Christi geformt, erwachsen aus dem apostolischen Dienst in ausdrücklich-formaler Kontinuität mit ihm und an ihn gebunden. Ihr Dienst geschieht durch das Evangelium mit Wort und wirksamen Zeichen, durch die bevollmächtigte Führung, Leitung und Ordnung.

Was die Pastoralbriefe angeht, die nach der Befreiung Pauli aus seiner ersten Gefangenschaft entstanden sind, tritt die Gemeinde als solche hinsichtlich ihrer Teilhabe an der geistlichen Gewalt völlig zurück. «Weder Lehr- noch Regierungs- noch Weihegewalt liegen in den Händen der Gesamtgemeinde und werden auch nicht von Gemeindemitgliedern als von gewählten Vertretern ausgeübt» [4]. Es gibt freilich daneben gegenseitig Belehrung und Ermahnung. Aber «auch die Charismatiker der Gemeinde bleiben völlig im Hintergrund ... Jedenfalls ist von einer auf dem persönlichen Charisma gründenden Leitung und Ordnung der Kirche nicht die Rede.

[1] De vita Constantini III 61.
[2] Vgl. unten S. 75 f.
[3] Hierzu und zum Folgenden H. SCHLIER, Grundelemente des priesterlichen Amtes im Neuen Testament, Theologie und Philosophie 44 (1969), 179 f. Siehe unten S. 74 ff. Zum Amtsbegrif vgl. auch J. BROSCH, a. a. O. 173 ff.
[4] H. SCHLIER, Gogarten-Festschrift 54.

So bestätigt sich durch diesen negativen Befund, daß nach den Pastoralbriefen die Ordnung der Kirche vom 'Amt' her bestimmt wird»[1].

Danach setzt sich die Urkirche aus zwei verschiedenen Bestandteilen zusammen, wenn auch die Ausdrücke «Kleriker» und «Laien» erst später geprägt worden sind[2]. Dabei ist zu bedenken, daß die Binde- und Lösegewalt im Bunde Jesu «die autoritative Verkündigung und Vermittlung des Heils der Gottesherrschaft» bezeichnet[3] und «proklamierendes und lehrendes, verpflichtendes und ordnendes, Gnade und Gericht bewirkendes Handeln, prinzipiell also doch sakrale Lehr- und Rechtsvollmacht» umfaßt[4]. «Die Urform des Vollmachtswortes (Mt 16,19b; 18,18) unterstreicht sowohl den umfassenden Charakter dieser heilsmittlerischen Tätigkeit ..., als auch die absolute Verbindlichkeit und Verantwortlichkeit dieser heilsentscheidenden Auftragstätigkeit... Letzteren Bezug (sc. «die Himmelreichsbeziehungen der einzelnen Personen selbst», Adam 196) bringt besonders die das Binde- und Lösewort spezifizierende Überlieferungsvariante Jo 20,23 und die Verwendung des Logions im Zusammenhang von Mt 18,18 zum Ausdruck»[5][6].

Aus 1 Kor 12,28 29 oder 14,1 ff. allein läßt sich zwar für einen solchen Unterschied nichts ausmachen. Dieser ist schließlich wie aus einer Reihe von Schriftworten, so noch vielmehr aus dem geschichtlichen Aufbau der Urkirche, besonders der Urgemeinde von Jerusalem zu erheben[7]; hier aber tut die Apostelgeschichte dar, daß es führende Amtspersonen und daneben einfache Gemeindemitglieder gab, die sich deren Führung anvertrauten[8].

Der Unterschied zwischen Amtsträgern und Laien war freilich nicht in schroffer Form gegeben. Solches gilt schon deswegen, weil «Kleriker» aus den Charismatikern genommen wurden.

Aus Apg 13,1 ff. erfahren wir, daß aus der Zahl von fünf Männern, die als Propheten und Lehrer bezeichnet sind (vgl. 1 Kor 12,28 und Eph 4,11), Barnabas und Saulus ausgesondert werden.

---

[1] A. a. O. 55.
[2] Hierzu und zum Folgenden J. Brosch, Charismen und Ämter 162 f.
[3] A. Vögtle, LThK II² 482.
[4] A. a. O.
[5] A. a. O.; vgl. K. Adam, ThQ 96 (1914) 49–64 161–197.
[6] Zu Jo 21,15 ff. vgl. R. Schnackenburg, Kirche 32, und unten S. 124.
[7] Vgl. oben S. 26. Zu Eph 4,11 vgl. H. Schlier, Der Brief an die Epheser³, 1962, 190.
[8] Siehe oben S. 28 ff.

Insofern sind die Charismatiker das Bindeglied zwischen den Klerikern und der Gemeinde.

So kann gesagt werden [1], daß sich zwischen Kleriker und Laien, zwischen die ordentliche Lehrverkündigung der hierarchischen Amtsträger und das auf sie hörende Volk eine charismatische Schicht von einfachen, zwar nicht mit der ordentlichen Lehrverkündigung beauftragten, aber dennoch tatsächlich das Wort Gottes auslegenden Christen schob.

Daß es eine Mitwirkung der Gemeinde gab, sehen wir an mehreren Beispielen, wie bei der Wahl des Matthias (Apg 1,15–26) und der Siebenmänner (Apg 6,3–6; vgl. 1 Tim 3,7; 1 Klem 44,3) [2]. Jedoch gibt es vor und über diesen Gemeinden Träger hierarchischer Ämter, wie denn schon durch die Feierlichkeit, mit der Jesus aus der Schar der Jünger die *Zwölf* zu seinen Boten bestimmt und beauftragt [3], der Unterschied zwischen Klerus und Laien für immer grundgelegt ist.

Das Priestertum ist, zumal in der frühesten Zeit, als ein Dienst [4] aufgefaßt, weniger als soziologischer Lebensstand. Diese Tatsache war schon damit gegeben, daß viele das Priesteramt unter dem Zwang der Verhältnisse sozusagen nebenberuflich ausüben mußten. Darauf, daß in den christlichen Gemeinschaften von Anfang an dennoch eine genaue Unterscheidung zwischen Klerikern und Laien statthatte, deuten zunächst die Aussagen über Episkopat und Klerus [5]. Diese Differenzierung stützte sich auf die den Klerikern übertragene kirchliche Gewalt, sei es Weihe- oder Leitungsgewalt. Von der Offenbarung selbst ist das Bild für den Tatbestand der Ecclesia docens-discens geboten: Es ist das Bild vom Hirten und der Herde. Übrigens ist das Recht in der Kirche schon mit dem Kulte gegeben; Kult und Lehre sind überliefert und werden weiter überliefert (vgl. 1 Kor 11, 23). Der Kult und mit ihm die Sakramente sind in «Ordnung» zu vollziehen und im Zusammenhang mit Sukzessionslehre und Ordnung ist im Klemensbrief vom λαϊκὸς ἄνθρωπος die Rede (40,5) [6], der an die für Laien gegebenen Anordnungen gebunden sei.

---

[1] J. BROSCH, a. a. O. 165.
[2] Siehe unten S. 75.
[3] Hierzu H. SCHLIER, a. a. O. 168 Anm. 18.
[4] Vgl. H. SCHLIER, a. a. O. 176 ff. Vgl. unten S. 140 f.
[5] Oben S. 52 ff.; ferner O. HEGGELBACHER, Taufe 156 ff.; I. ZEIGER, Historia Iuris Canonici II, 29 f.
[6] Vgl. die Darlegung über Klemens von Rom S. 37.

Eine auffallend starke Verbindung der kirchlichen Ordnung mit der *Taufe* ist indessen für Tertullian bezeichnend. Hier möchte es scheinen, als ob die Taufe für ihn die Grundlage der priesterlichen Tätigkeit überhaupt sei [1]. Für den *Montanisten* Tertullian ist eben die Amtsgewalt des Klerus nur auf die äußere Ordnung beschränkt. Die geistliche Gewalt im eigentlichen Sinne, vor allem die Sündenvergebungsgewalt, bleibt hier nur Gott und dem sich durch persönliche, sittliche Leistung legitimierenden Pneumatiker zugesprochen, so daß der Todsünder geistlicher Handlungen unfähig ist.

Dennoch ist es nach Obigem nicht angängig zu sagen, daß in der Urkirche kein Unterschied zwischen Laien und Klerikern bestehe [2]. Zwar haben die Laien in der apostolischen Zeit in Unterordnung unter die Apostel selbst an deren Lehramt einschließlich der Predigt gemäß mehreren frühchristlichen Zeugnissen teilgenommen, gleichwohl ist solches kein hinreichender Beweis gegen diesen Unterschied.

Auch Tertullian nennt den Bischof (de baptismo 17) summus sacerdos. Sein Zeitgenosse Hippolyt (Widerlegung der Häresien 1,6) erwähnt das Hohenpriestertum der Apostel [3].

Die Christen allgemein gelten in der Folgezeit als zum *Laienstand* gehörig, dem römischen Rechte entsprechend, worin mit dem Begriff «Stand» eine Gesamtheit von Rechten und Pflichten, die allen Bürgern zustehen, ausgesagt wird. Demgegenüber stellen die Kleriker einen *Ordo* dar. Mit diesem Terminus bezeichnete man im Römerreich einen Privilegiertenstand, dessen Glieder mit besonderen Vorrechten und Pflichten ausgezeichnet wurden.

Wie vom Ordo der Reiter, der Senatoren etc. [4], so sprach man vom Ordo der Kleriker. Der Akt, der einen Getauften einem solchen Ordo zuführte, wurde mit «ordinare» bezeichnet [5], was nichts anderes bedeutet als «dem Ordo der Kleriker zuschreiben», ohne daß zunächst

---

[1] K. ADAM, Der Kirchenbegriff Tertullians. Eine dogmengeschichtliche Studie, Paderborn 1907, 98. Hierzu und zum Folgenden vgl. I. ZEIGER, Historia Iuris Canonici II, 29 f.

[2] Gegen E. WEINZIERL, Die Funktion des Laien in der Kirche, Der Seelsorger 36 (1966), 228. Siehe oben S. 55.

[3] K. H. SCHELKLE, Jüngerschaft und Apostelamt, Freiburg 1965, 122 f.

[4] Vgl. HEUMANN-SECKEL, Handlexikon zu den Quellen des röm. Rechtes [10], Graz 1958, 398; J. SCHEELE, a. a. O. 27 f. mit Literatur.

[5] TERTULLIAN gebraucht zuerst den Terminus ordinatio im Sinne der Bestellung für ein geistliches Amt. De praescr. 41; ed. LABRIOLLE-REFOULÉ 147: «Ordinationes eorum temerariae, leves, inconstantes». Hierzu P. ZMIRE, a. a. O. 10 f.

über die sakramentale oder nichtsakramentale Natur der Ordination etwas ausgesagt würde. Daher wurde auch von Jungfrauen und Witwen, die in der alten Kirche eine privilegierte Stellung innehatten, das «ordinari» ausgesagt, wenn sie durch die Auflegung der Hände oder eine andere Zeremonie aufgenommen wurden. Tertullian berichtet als erster vom «ordo episcoporum»[1]. Ob er der Schöpfer des Ausdruckes war, ist fraglich[2].

Die Ausübung der Autorität hat verschiedene Formen gefunden. So werden im 2. und 3. Jahrhundert verschiedene Klerikerstufen unter dem Bischof geschaffen, zusätzlich zu denen, die schon aufgrund der Einrichtung durch Christus und die Apostel bestehen. Im Briefe des Papstes Kornelius an Fabian aus dem Jahr 251 ist uns ein erstes Zeugnis dafür gegeben[3]. Aus dieser Ordnung werden wiederum zunächst keine Folgerungen für die gesellschaftliche Stellung gezogen.

Bei Cyprian findet sich ein klar differenziertes Bild der konkret soziologischen Struktur dieser Kirche[4].

---

[1] De praescr. haereticorum 32; ed. LABRIOLLE-REFOULÉ 130: «evolvant ordinem episcoporum suorum».

[2] De idolis 7; CSEL 20,36: adleguntur in ordinem ecclesiasticum. De exhort. cast. 7. DEHLER 1, 747 f.: ordo et plebs, ordinis consessus, ecclesiasticus ordo. Vgl. HARNACK, Entstehung 82.

[3] «is ergo, qui evangelium vindicabat, nesciebat in ecclesia catholica unum episcopum esse debere, ubi videbat esse presbyteros quadraginta et sex, diaconos septem, subdiaconos septem, acolythos quadraginta et duos, exorcistas et lectores cum ostiariis quinquaginta et duos, viduas cum indigentibus mille quingentas, quos omnes deus alit in ecclesia». Eusebius, H. E. VI 43,11; GCS 9, 2, 619.

[4] Für Cyprian hat H. v. CAMPENHAUSEN die Sachlage folgendermaßen charakterisiert: «Das Bild dieser heiligen Kirche bei Cyprian ist konkret soziologisch gedacht. Sie ist unbeschadet ihres geistlichen Sinnes wie schon bei Tertullian vor allem sichtbare, menschliche Gemeinschaft, und sie erscheint – über Tertullian hinaus – ausschließlich in dieser Form als die eine, in sich gegliederte und geschichtete, umfassende Organisation des christlichen Volks. Die Kirche ist nicht einfach die Gesamtheit aller Christen, die durch die Teilhabe an Gottes Geist an jedem Orte verbunden sind, sondern sie ist eine klar gebaute und verfaßte Körperschaft mit einer geordneten Stufenfolge ihrer geistlich-gesellschaftlichen Stände: der Brüder und Schwestern insgesamt, der heiligen Jungfrauen und Asketen, der in Verfolgungen bewährten Märtyrer und Bekenner und vor allem der Kleriker verschiedenen Grades, an deren Spitze in jeder Gemeinde der Bischof steht. Kleriker und Laien werden stets scharf geschieden; die Kleriker sind die herausgestellten Beamten der Kirche, und der Bischof ist ihr maßgebender Führer und Regent. Sie haben diese Stellung nach dem Willen Gottes inne und auf Grund einer ausdrücklichen von Christus gegebenen Ordnung, die schon für die Apostel gültig war. Diese Ordnung ist nicht nur praktisch, sondern auch grundsätzlich notwendig, von fundamentaler, den Bestand der Kirche tragender Bedeutung. Jeder Christ muß sich *darüber im klaren sein*, daß nicht nur der Bischof in der

Augustinus spricht in seiner Zeit noch – *nicht ohne Zusammenhang mit der Vorzeit* – von einer Konsekration in Verbindung mit dem Taufcharakter. Am königlichen Priestertum Christi nimmt jeder Christ teil, in dem er bei der Taufe auf geistige Weise gesalbt wird. Dem gläubigen Volk wird ein weites Gebiet des Opferns eingeräumt; die opera misericordiae können die Gläubigen darbringen. Daneben kann der Laie aktiv an den Aufgaben des kirchlichen ministerium mitarbeiten: Doch ist der Kirchenvater vorsichtig und zurückhaltend in der Zuweisung kirchenamtlicher Funktionen an Laien. Billigt er schon die Laientaufe ungern und nur bei plötzlicher Gefahr, so sind die Rechte der Laien noch weniger groß bei der Verwaltung der Buße, wo ihre Funktion lediglich in der Unterstützung des praepositus paenitentiae besteht, insofern sie den vom Bischof gemaßregelten Sünder durch weise und milde coercitio fraterna zur Heilung führen [1].

Die Funktionalität des Laientums ist in dieser Periode also dadurch gezeichnet, daß das Ganze der Kirche als *ein* Lebenskörper angesehen wird. Obschon den Laien die *Gehorsamspflicht* gegenüber der Hierarchie eindeutig zukommt, ist ihnen eine beachtliche Rolle zugewiesen.

In der Väterzeit [2] ist die Trennung von Klerus und Laien somit keineswegs so stark ausgeprägt wie in der Folgezeit. Schon infolge der Bedrohung durch die heidnische Umwelt lebt die Kirche *mehr* als «Corpus Christi», in dem auch der einzelne stärker zurücktrat. Daß es zu einer Entfremdung kommen konnte, ist historisch bzw. soziologisch zu verstehen. Der Laie als mit dem Klerus wirkendes Mit-

Kirche, sondern auch die Kirche im Bischof ist. Das heißt: ohne Bischofsamt, gibt es keine Kirche. Cyprian wird nicht müde, diesen Gedanken im Kampf gegen rebellische Schismatiker, hochfahrende Märtyrer und aufsässige Laien immer aufs neue zu betonen.» Kirchliches Amt und geistliche Vollmacht 296 f.

[1] Ep. 98,5; ML 33, 362: «Christiani baptismi sacramentum etiam apud haereticos valet, et sufficit ad consecrationem, quamvis ad vitae aeternae participationem non sufficiat; quae consecratio reum quidem facit haereticum extra Domini gregem habentem characterem, corrigendum tamen admonet sana doctrina, non iterum similiter consecrandum». F. BROMMER, Die Lehre vom sakramentalen Charakter, Paderborn 1908, 42 deutet die Worte allerdings nicht vom Taufcharakter als Konsekration, sondern sofern das Sakrament heilig ist und bleibt. Vgl. De civ. Dei 17,5; 20,10. ATHANASIUS, Ep. I ad Serap. 23; MG 26, 583 f. GREGOR. NAZ., Or. 40,15; MG 36, 378. JOH. CHRYSOST., In 2. Cor. Hom 3,7; MG 61, 418. Vgl. Quaest. Ev. 2,40; c. Ep. Parmen, 2,13, 29; 3, 2,13. D. ZÄHRINGER, Das kirchliche Priestertum nach dem hl. Augustinus, Paderborn 1931, 203/208; 186.

[2] HEGGELBACHER, Taufe 169 ff.

subjekt in der Einheit der Kirche ist der Urkirche geläufig. Daß er *nur* das Recht habe, die Sakramente zu empfangen, ist der damaligen Zeit ein nicht vollziehbarer Gedanke. Einem Übermaß an «Kirchendemokratie», sofern dieser Begriff überhaupt berechtigt ist, ist gleichwohl nicht das Wort geredet.

Einen Einschnitt bedeutet die Zeit Konstantins, als durch das Einrücken der Bischöfe in die Ränge staatlicher Beamten die Kirchenvorsteher gehoben, aber die Glieder des Kirchenvolkes in ihrer großen Zahl durch die Gleichstellung mit den Bürgern des römischen Reiches in der Gemeindestellung gemindert werden. Eine gewisse Anpassung der Autorität und der Priesterschaft an die dominierenden Schichten ist damit gegeben.

Zu Beginn des 4. Jahrhunderts beginnen auch die Mönche und Kleriker damit, allgemein sich im Gegensatz zu den Laien Geistliche zu nennen [1].

§ 9. Presbyter, Diakone, Subdiakone und niedere Kleriker

Im NT besagt κλῆρος das Los und den Anteil, der durch das Los zugeteilt wird, besonders den Anteil am geistlichen Dienst (Apg 1,17). In diesem engeren Sinne wird es zur festen Bezeichnung der Kirchendiener – im Unterschied vom Laienstand – schon bei Origenes (In Jr 11,3) [2].

Als die Zahl der Gläubigen von Tag zu Tag wuchs und der Aufgabenbereich sich mehrte, wurden dem Bischof Helfer beigegeben, die besonders vorgebildet waren und speziellen Aufträgen sich eigens widmeten. So wurden auch Geistliche niederer Grade aufgestellt und von anderen Gläubigen ausgesondert.

Wie Hieronymus später berichtet (Ep. 52,5), heißen alle diese deswegen Klerus, weil sie das besondere Eigentum des Herrn sind und, wie es im Ordinationsritus der Tonsur heißt, der Herr selbst ihr Erbanteil ist.

---

[1] K. H. SCHELKLE, a. a. O.; hierzu J. P. AUDET, Priester und Laie in der christlichen Gemeinde. Der Weg in die gegenseitige Entfremdung, Der priesterliche Dienst I, Freiburg i. Br. 1970, 158 ff.

[2] Vgl. H. FLATTEN, LThK VI², 337 f. H. E. FEINE, a. a. O. 46 ff. P. A. LEDER, Die Diakonen der Bischöfe und Presbyter und ihre urchristlichen Vorläufer, KRA 23–24, Stuttgart 1905. DERSELBE, Das Problem der Entstehung des Katholizismus, ZSSt Kan 32 (1911), 276–308. – H. ST. THANINAYAGAN, The Carthaginian clergy during the episcopate of Saint Cyprian, Ceylon 1947. Vgl. auch J. G. DAVIES,

In den Apostelbriefen und in der Apostelgeschichte machen manche Stellen deutlich, daß die kirchlichen Amtsträger auf Geistbezeugung hin berufen (Apg 13,2; 20,28) und durch Handauflegung des Apostels und des Presbyteriums eingesetzt wurden (Apg 6,6; 13,3; 14,23; 1 Tim 4,14; 5,22; 2 Tim 1,6). Sie waren mit Charismen ausgestattet (1 Tim 4,14; 2 Tim 1,7; vgl. 1 Kor 12,28), bildeten vielleicht einen besonderen Stand (1 Tim 5,19), besaßen eine gewisse Machtstellung (1 Petr 5,3–5) und konnten ihr Amt nicht ohne weiteres aufgeben (1 Petr 5,2) [1]. Die Anfänge gewisser «Privilegien» sind erkennbar. Die Gemeinden müssen zum Unterhalt beitragen (Gal 6,10; 1 Tim 5, 17 f.; vgl. 1 Kor 9,6 ff.; 2 Thess 3,9; 2 Kor 11,7 f.). Die Presbyter werden gegen leichtfertige Anklagen geschützt: 1 Tim 5,19 f. [2].

Bei Ignatius von Antiochien hat der Klerus eine klare dreistufige Gliederung. Er ist für den *monarchischen Bischof* die «Ratsversammlung» (Philad. 8,1), der «geistliche Kranz des Presbyteriums» (ἀξιοπλόκου) (Magn. 13,1). Unter ihnen stehen die Diakone als «Diener der Kirche Gottes» (Trall. 2,3), als die «Mitknechte» (Eph. 2,1; Magn. 2,1; Philad. 4.1; Smyrn. 12,2). Ohne Zweifel waren die Presbyter demzufolge Mitarbeiter und Mitberater des Bischofs. Die durch die Weihe verliehene priesterliche Gewalt stellt für alle Stufen des Priestertums indessen eine Einheit dar.

Daraus ergibt sich, daß die Teilkirche kollegial geleitet wird. In der Leitung der Gemeinschaft hat der Bischof dennoch die Führung [3]. An seine Gewalt ist die der Presbyter gebunden, sowohl hinsichtlich der Taufe und der Firmung wie der Eucharistie [4]. Bis zum Zeitalter des Decius erscheinen sie als Konzelebranten [5]; die Bischofsweihe ist Bischöfen vorbehalten [6].

Paradosis 39 sieht tägliche Versammlungen der Presbyter und Diakone an dem ihnen vom Bischof bezeichneten Ort vor, also wohl in Gemeinschaft mit ihm [7]. Didascalia 47 erwähnt das gemeinsam

---

Deacons, Deaconesses and the Minor Orders in the Patristic Period, Journal of Eccl. Hist. 14 (1963), 1 ff.

[1] Vgl. L. M. WEBER, Der Priesterrat, Der Seelsorger 38 (1968), 106.

[2] Vgl. H. SCHLIER, Grundelemente des priesterlichen Amtes 178.

[3] IGNATIUS, Philad. 1, 1.

[4] Siehe unten § 23 Abs. c); § 24; oben S. 31

[5] G. D'ERCOLE, Iter storico della formazione della norma costituzionale e della dottrina sui vescovi, presbiteri, laici nella chiesa delle origini, Roma 1963, 84.

[6] EUSEBIUS, H. E. VI 43,9; VII 32, 21.

[7] Ed. BOTTE 86: «Diaconi autem (δέ) et presbyteri congregentur quotidie in locum quem episcopus praecipiet eis».

ausgeübte Richteramt [1]. Cyprian hat von Anfang an grundsätzlich Priester und Volk für wichtige Fragen herangezogen [2]. Die Constitutiones Apostolorum übernehmen dieselbe Vorschrift der Didascalia [3]. Solche Arbeitsteilnahme schließt Teilnahme an der Verantwortung ein.

Die Berufung zum Presbyterat wiederum ist nach Cyprians Zeugnis allein dem Entscheid des Bischofs vorbehalten, der in Gemeinschaft mit dem Klerus und dem Volke darüber berät [4].

Ist die Weihegewalt der Presbyter im Altertum noch mehr als in der Folgezeit an den Willen des Bischofs gebunden [5], so kommt die Jurisdiktionsgewalt allein den Bischöfen zu, sei es, daß sie einzeln oder kollegial wirken. Das besagt, daß sie die Verwaltung maßgebend führen [6], wie auch die richterliche und die Strafgewalt [7].

In den ältesten Zeiten lagen die niederen Kirchendienste teils in den Händen der Diakone, teils in denen von Laien: Solches ist wahrscheinlich und verständlich [8]. Die Tatsache, daß die geringe, durch die Tradition festgelegte Zahl der Diakonen für die wachsenden Dienste in der größeren Kirche nicht mehr genügte, war Anlaß für den Ruf nach ständigen Gehilfen.

Das älteste Zeugnis für das Amt des Lektors glaubt *Harnack* Apok 1,3 in der Seligpreisung des Lesenden zu finden [9]. Daneben sprechen Kol 4,1, und 1 Thess 5,27 von einem Verlesen der Briefe. Auch *E. Lohmeyer* bezieht die Seligpreisung der Apokalypse auf den Vorleser und nennt als Ursprung für diese Einrichtung den synagogalen Brauch [10]. Des weiteren beweist vielleicht 2 Clem 19,1 die Existenz des Lektorenamtes für relativ frühe Zeit [11]. Zuverlässiger Beleg für

---

[1] FUNK, a. a. O. 142: «Ergo assistant omnibus iudiciis presbyteri ac diaconi cum episcopis, iudicantes citra acceptionem personae».

[2] Ep. 15,4.

[3] FUNK, a. a. O. 143.

[4] CYPRIAN, Ep. 14,4.

[5] S. 70 A. 4.

[6] CYPRIAN, Ep. 30,8. Vgl. Ep. 38,1: «In ordinationibus clericis ... solemus vos ante consulere et mores ac merita singulorum communi consilio ponderare ...»

[7] Vgl. CYPRIAN, De lapsis 15,16; Ep. 59,12–13; 52,2.

[8] F. WIELAND, Die genetische Entwicklung der sog. ordines minores in den drei ersten Jahrhunderten, Rom 1897, 175.

[9] TU II 5, 1886, 52 ff. Vgl. H. W. BARTSCH, a. a. O. 85 ff.

[10] Handbuch zum NT 16, Tübingen 1926, zu Apok 1,3. Vgl. Lk 4,16 und Apg 13,27.

[11] Der sog. 2. Klemensbrief ist wohl vor 150 entstanden. Vgl. HERMAS, Vis. 2,4.

die Funktion des Lektors ist jedenfalls Justin, Apol I 67,3. In dem Weihegebet der Apostolischen Konstitutionen VIII, 22[1] wird schließlich mit dem Hinweis auf Esdras der Heilige Geist auf den Lektor herabgerufen: Dieser hat hier unter den Amtsträgern der Gemeindehierarchie den Rang inne. Die Syrische Didaskalie stellt ihn in der Bezahlung den Presbytern gleich [2]. Daß er in letzterer nicht als notwendiges Glied des Klerus angesehen wird, ergibt sich aus der Bemerkung: «Wenn aber auch ein Vorleser vorhanden ist» [3].

Das Lektorat behielt wohl lange Zeit den Charakter eines bloßen Ehrenamtes bei, um etwa im ersten Viertel des dritten Jahrhunderts dem eigentlichen Klerus zugeschlagen zu werden und als Vorstufe des Diakonates zu dienen [4]. Noch Eusebius von Vercelli war zuerst Lektor, ähnlich Basilius und Johannes Chrysostomus. Andernorts freilich führt der Weg zum Diakonat nach probeweisem *Lesedienst* über die Vorstufe des Hypodiakonates [5].

Diakonat, Hypodiakonat und Akoluthat waren vermutlich kurz vor dem Pontifikat des Kornelius in ein systematisches Verhältnis gebracht worden. Von den später geläufigen drei anderen Klassen, nämlich denen des Ostiariates, des Lektorates und des Exorzistates, war, wie oben angedeutet, das *Lektorat* im ersten Viertel des 3. Jahrhunderts dem Ganzen des Klerus als eigenes Glied eingereiht worden.

Es mußte seinen Rang hinter der eben genannten geschlossenen Reihe der Kirchendiener einnehmen. Zusammen mit dem Exorzisten, der bisher noch Laie gewesen, und mit dem Ostiarier, der eine Sonderstellung innehatte, bildete der Lektor sozusagen den Unterbau des geistlichen Dienstes.

Dessenungeachtet hat das Lektorat Spuren seiner Vergangenheit lange bewahrt. Der Orient kannte *mancher*orts, ja *meistens* von den Ordines minores nur ihn. Bis in das vierte Jahrhundert hinein und länger blieb er, in Parallele zum Hypodiakonat, die Vorstufe zum Diakonat. Vielleicht war er als solche noch wichtiger und unerläßlicher als jener. «Die Orientalen scheinen überhaupt als eigentümlichen ordo minor nur den Lektorat für sich beansprucht zu haben, und auch diesen fast bis ins vierte Jahrhundert als Laienofficium» [6].

---

[1] Ed. FUNK I 527.
[2] Ed. Achelis-Flemming S. 46, 18; ed. Funk II 28,5 (S. 108).
[3] Ebda.
[4] WIELAND, a. a. O. 153 f.
[5] CYPRIAN, Ep. 29.
[6] F. WIELAND, a. a. O. 178.

Der Ostiarius war in Rom schließlich am Ende des vierten Jahrhunderts eine Art untergebener Angestellter, zwar Kleriker ohne Zweifel, aber außerhalb der eigentlichen Hierarchie gestellt [1]. Die Dekretalen des Siricius [2], von Innozenz I. [3], von Zosimus [4] und Gelasius [5] lassen ihn in der Aufzählung der Weihen einer kirchlichen Laufbahn aus. Gelasius erwähnt ihn zuvor kurz, aber mit dem Bemerken, daß die für diesen Rang verlangten Eigenschaften für den Eintritt in den geistlichen Stand nicht genügten [6].

Da der liturgische Dienst stark in Anspruch nahm und da zudem Gläubige wie Ungläubige mit den letzten Daseinsfragen und im Verlangen nach einem Gesprächspartner sich an den Priester sollten wenden können, legte die Rechtsordnung Wert auf seine volle Verfügbarkeit [7].

Konstantin erteilt die Immunität, d. h. die Befreiung von den Tributen und der Annona, mit der Motivierung, «die Kleriker sollten von den Gemeindelasten befreit sein, damit sie um so ungestörter dem Dienste Gottes obliegen»; er erweitert den im Jahre 312 erwählten Personenkreis im Jahre 319 und dehnt im Jahre 330 das Privileg auch auf den niederen Klerus aus. Die Häretiker bleiben davon ausgenommen. Zudem kam die steuerliche Begünstigung für Ehelose im Jahre 320 auch dem zölibatären Klerus zugute und so löste das Privileg der Immunität schließlich einen derartigen Zustrom zum Ordo der Kleriker aus, daß sich Konstantin im Jahre 326 genötigt sah, eine Art «numerus clausus» einzuführen [8].

[1] M. ANDRIEU, Les ordres mineurs dans l'ancien rite romain, Revue des sciences religieuses 5 (1925), 253.

[2] Ep. I, 9–10; ML 13, 1142–1143.

[3] Ep. XXVII, 6; ML 20, 604–605.

[4] Ep. IX, 5; ML 20, 672–673.

[5] Ep. ad episc Lucaniae 2; ed. THIEL, Epist. rom. pont. 363.

[6] Papst *Gelasius* bemerkt, daß man zur Bewerbung um die Weihen eine hinreichende Ausbildung besitzen müsse, *mangels* derer man höchstens einen Ostiarius machen könne. Und unmittelbar danach erklärt er ausdrücklich, daß Kandidaten, die diese Vorbedingungen erfüllten, mit dem Lektorat anfangen.

[7] Hierfür sind die Auseinandersetzungen um den Presbyter Geminius Faustinus aufschlußreich, mit dem sich ein Konzil von Numidien (Carthago) ca. 249 befassen mußte. CYPRIAN, Ep. 66; HEFELE-LECLERCQ I 164–165.

[8] Vgl. L. VÖLKL, Die Kirchenstiftungen des Kaisers Konstantin 70 f.; G. LANGGÄRTNER, Münchener Theologische Zeitschrift 14 (1964), 112 f. – Im Brief *Konstantins* an den Prokonsul Anullinus (Februar oder März 313) wurde den katholischen Priestern im Amtsbereich des Prokonsuls ein Privileg der Immunität gewährt, das sie Ärzten, Lehrern und bevorzugten heidnischen Priestern gleichstellte. EUSEBIUS, H. E. X 7, 1, 2. E. L. GRASMÜCK, Coercitio, Bonn 1964, 29 f.

Während also die heidnische Priesterschaft *in ihrer Gesamtheit* in Rom *niemals* das Privileg der Immunität besessen hatte, wird dem christlichen Kult eine bevorzugte Stellung im Reichsgefüge eingeräumt und der Klerus als ein für den Staat in besonderer Weise nützlicher Stand erklärt.

Die Frage der staatsrechtlichen Bedeutung der Ordines im 4. Jahrhundert bedarf im übrigen einer eingehenden Untersuchung [1].

Bischöfe waren im 4. Jahrhundert von der Teilnahme an der Kurie, dem Senat der kleinen Stadt, befreit. Andere Geistliche nur, wenn sie 2/3 ihres Vermögens der Kurie abtraten. So Cod. Theodosianus 12, 1, 49. Sinn der Maßnahme war, daß sich niemand unter dem Deckmantel der Frömmigkeit seinen kurialen Verpflichtungen und Haftungen entziehen sollte.

Andere Privilegien wie die Sklavenfreilassung vor den Geistlichen, Folgepflicht gegenüber der bischöflichen Gerichtsbarkeit, sind nicht eigentlich staatsrechtlich [2].

§ 10. Die Besetzung kirchlicher Ämter

Der Verkündigungsauftrag an die Zwölf beinhaltete auch die Pflicht, hiezu in rechtmäßiger Weise geeignete Personen zu bestellen [3].

Die Apostelgeschichte berichtet demzufolge von der Wahl des Matthias zum Apostel für den abgefallenen Judas (Apg 1,23) wie von der Bestellung von sieben Diakonen (Apg 6,3 ff.). Nach 1 Tim 1,3 und Tit 1,5 übertrugen die Apostel ihren Schülern einen besonderen Dienst [4].

Für die Bischofswahl ergibt sich näherhin nach den *Pastoralbriefen* folgendes Bild: Es erfolgt ein Hinweis auf den Ordinanden durch

---

[1] E. CASPAR, Geschichte des Papsttums 175, behandelt kurz die Frage der zivil- und personenstandrechtlichen Stellung.

[2] J. GAUDEMET, L'Eglise dans l'empire romain, Paris 1958, 114 ff., 145 ff., 176 ff.; B. KÜBLER, Geschichte des römischen Rechts, 1925, 342; O. SEECK, Geschichte des Untergangs der antiken Welt II², Stuttgart 1921, 187 ff.; J. VOGT, Der Niedergang Roms 193, 200.

[3] Vgl. S. 31 ff., ferner E. STAUFFER, ThLZ 77 (1952), 201–206.

[4] Die Pastoralbriefe sind «kein Dokument eines erst beginnenden, sondern eines bereits ziemlich weit entwickelten Kirchenrechts». v. CAMPENHAUSEN, Kirchliches Amt und geistliche Vollmacht 129. Vgl. H. SCHLIER, Die Ordnung der Kirche nach den Pastoralbriefen 46.

prophetische Stimmen; vor dem Presbyterium wird ihm «eine formulierte Zusammenfassung der Lehre» (Dibelius) [1] übergeben. Als «ordinierende» Handlung gilt die Handauflegung des Apostels zusammen mit der Handauflegung des Presbyteriums [2]. Dem Berufenen steht die geistliche Gewalt zu, über die urbildliche Lehre kritisch zu wachen, die Angelegenheiten des Kultes und der Kirchendienste zu ordnen, das Bußgericht an den Gemeindegliedern zu üben und die Amtsgnade an die zu seinem Vertreter designierten Schüler zu vermitteln [3].

Die Frage, in welcher Form die Gemeinde bei der Wahl tatsächlich als ganze beteiligt wurde und wie weit sie die Möglichkeit hatte, ihren Willen auch gegen den Willen der Kleriker praktisch zur Geltung zu bringen, ist schwer zu entscheiden [4]. Von der institutionellen Verankerung eines Rechtes auf die Wahl durch die Gemeinde bzw. das Volk ist nicht die Rede.

In den ersten Jahrhunderten sind die Bischöfe wohl vom Klerus gewählt worden [5]. Von Cyprian wird das Recht des Volkes, bei der Bischofswahl mitzuwirken, grundsätzlich nicht in Abrede gestellt, von Origenes wird es betont [6]. Die Wahl durch die Gemeinde findet sich ausdrücklich in den Ap. Konst. und den Can. Hipp. 29 [7]. Praktisch ist die Entscheidung wohl den Presbytern und den Nachbarbischöfen überlassen [8], während das anwesende Volk Wünsche und Beifall ausdrückt [9]. Dieses bleibt auch bei einer Absetzung nicht völlig passiv. Von einem Amt auf Zeit wird zwar grundsätzlich nicht gesprochen. Indessen ist es Pflicht der Mitbischöfe aus der Provinz und zumal

---

[1] Vgl. E. Käsemann, Das Formular einer neutestamentlichen Ordinationsparänese, in Neutest. Studien für R. Bultmann[2], Berlin 1957, 261–268.

[2] Vgl. H. Schlier, a. a. O. 44.

[3] A. a. O. 45. Siehe auch oben S. 33.

[4] Vgl. H. v. Campenhausen, Anfänge des Priesterbegriffs 277.

[5] *1 Klem 44, 3*: Der Klemensbrief spricht allerdings von einer Zustimmung der ganzen Ekklesia (συνευδοκησάσας τῆς ἐκκλησίας πάσης), ohne daß aber deren Mitwirkungsweise genauer dargelegt wäre. *Didache 15, 1* verlangt, daß die Christen sich würdige Bischöfe und Diakone bestellen mögen (χειροτονήσατε). Deutlicher bei Eusebius, H. E. VI 43, 17. *Traditio Apost.* 2: «ordinetur electus ab omni populo ... consentientibus omnibus».

[6] Ep. 67, 3: «(plebs) ... ipsa maxime habeat potestatem vel eligendi dignos sacerdotes vel indignos recusandi». Vgl. Ep. 67, 5. Ep. 68: «... universae fraternitatis suffragio et de episcoporum iudicio...». Zu Origenes vgl. In Levitic. VI 3. Siehe oben S. 49.

[7] Ap. Konst. VIII 4, 2 f.; ed. Funk 472. Can. Hippolyti 8; ed. Achelis 39.

[8] Ep. 55, 8 24; 67, 5. Chron. Arbel. ed. Sachau 2, p. 43.

[9] Ep. 19, 2; 55, 8; 67, 4 5; «... praesente ... plebe ...».

des führenden Bischofs aus der zuständigen Metropole einzuschreiten bzw. die Amtsenthebung zu verfügen [1].

Zur neuerdings geäußerten Meinung, daß der Diakon in den Pastoralbriefen der mögliche Bischof sei, werden Beispiele aus den Apostelakten als Beweise angeführt [2]. So wird in den Acta Thomae (66, erste Hälfte des 3. Jh.) vom Apostel der Diakon Xenophon an eigener Statt zurückgelassen. In den Petrusakten (vielleicht um 180/190) werde die häufiger begegnende Nebeneinanderordnung von Bischof und Diakon im Sinne der Ersetzung des Bischofs durch den Diakon bezeugt. In den Actus Vercellenses (27) werde die Erweckung eines Jünglings durch Petrus berichtet mit dessen Worten: postea autem mihi nagavis (vacabis) altiis (altius oder nach Usener altariis) ministrans, diaconi ac episcopi sorte.

Daß Diakone zu Bischöfen aufsteigen konnten, ist freilich keine besondere Auffälligkeit. Es geht indessen um den Weg, der von der unteren Stufe zur höheren führte. Wie der Diakon nicht ohne besondere Vorstufe zum Bischof wird, berichtet wenig später u. a. Origenes, der unverblümt die Rivalitäten von Diakonen schildert und ihr Aufsteigen über den Presbyterat [3]. Wenn sie Diakone sind, streiten sie über die ersten Sitze, nämlich diejenigen der Priester; sind sie Priester geworden, geben sie sich nicht zufrieden, sondern wollen Bischöfe werden, ohne zu begreifen, daß der Bischof in allem sich als untadelig zu erweisen hat und viel weniger damit abgeben muß, vor den Menschen Bischof zu sein als vor Gott. Derselbe Origenes brandmarkt auch den erheblichen Stolz mancher, die unter ihren Vorfahren einen aufweisen, der durch den Vorsitz auf dem bischöflichen Thron oder die Ehre des Presbyterates oder des Diakonates ausgezeichnet war [4].

Die Bischöfe stammten verständlicherweise schon aus sprachlichen Gründen meist aus der Gegend, in der sie später ihren Dienst zu vollziehen hatten. Manchmal freilich werden Männer aus weiter Ferne zum Amt gerufen.

Abgesehen von den Nachrichten über den römischen Bischofssitz [5] sind die Daten bruchstückhaft, auch für hervorragende Metropolen wie Jerusalem, Alexandrien.

---

[1] ORIGENES spricht von der Amtsentfernung von Priestern und Diakonen: In EZECHIEL X 1; ed. BAEHRENS III 417. Vgl. G. BARDY, Théologie de l'église 144.

[2] H. W. BARTSCH, a. a. O. 91.

[3] In Matth, comm. series 12; ed. KLOSTERMANN-BENZ 22–23.

[4] In Matth, comm. t. XV, 26; ed. KLOSTERMANN-BENZ 426.

[5] A. v. HARNACK, Die Mission und Ausbreitung des Christentums, Leipzig

So berichtet Hieronymus [1], daß von dem Evangelisten Markus an bis zu den Bischöfen Heraklas und Dionysius alle durch die dortigen Presbyter gewählt wurden.

Aber Origenes verurteilt die Bischöfe, die sich berechtigt glaubten, ihre Nachfolger aus der Zahl der Verwandten zu designieren [2]. Anderseits hatte Polycrates von Ephesus sieben Verwandte in der Familie gezählt, die vor ihm Bischöfe waren [3].

In anderen Fällen ist ein auswärtiger Bischof durch ein Wunder bestimmt oder durch Gläubige namhaft gemacht worden, die auf der Suche nach einem Kandidaten waren, z. B. Alexander von Jerusalem [4], Eusebius von Laodizea [5], Anatolius von Laodizea [6] oder zur Zeit des Konzils von Nizäa Eustathius von Beroia, der auf den Stuhl von Antiocheia geholt wurde [7].

In Ägypten sind indessen von einer bestimmten Zeit an (drittes Jahrhundert) alle Ernennungen durch den Bischof von Alexandrien vollzogen worden [8]. Denn die Osterfestbriefe des Athanasius machen uns mit einer großen Zahl von Namen bekannt, die auf solche Weise berufen worden waren. Darüber hinaus läßt uns der Brief an Dracontius erkennen, daß Athanasius die Leiter der Diözesen gerne aus den Reihen der Mönche holte [9].

Im Altertum sind jedoch offenbar keine Voraussetzungen besonderer örtlicher Bindung für die Weihe zum Priestertum oder den niederen Rängen fixiert gewesen. Noch Hieronymus wird von Paulinus von Antiochien unter der ausdrücklichen Bedingung geweiht, dadurch nicht der Kirche von Antiochien zugeschrieben zu werden, und keine priesterlichen Funktionen ausüben zu müssen [10].

1924, II, 817–832; G. Bardy, Sur la patrie des Evêques dans les premiers siècles, Rech. Hist. eccl. 35 (1939), 218 ff.

[1] Ep. 146; MG 22, 1192.
[2] In Num hom 22; MG 12, 744.
[3] Eusebius, H. E. V 24,6.
[4] Eusebius, H. E. VI 11,1–2, Bischof Dionysius von Alexandrien nennt ihn im Brief an Papst Cornelius den «bewundernswerten Alexandros» (H. E. VI 46,4).
[5] H. E. VII 32, 5.
[6] H. E. VII 32, 21.
[7] Sozomenos, H. E. I, 2 (MG 67, 864 AB).
[8] Vgl. unten S. 101.
[9] Athanasius, Ep. ad Dracont. 7; MG 25, 532.
[10] Contra Joannem Hierosolymitanum 41; ML 23, 393. F. Cavallera, Saint Jérôme, Paris 1922, I, 56.

Die Arianer scheinen die traditionelle Regel der Ortsgebundenheit außer Kraft gesetzt zu haben, um sich Bischöfe von weit her zu holen: Darüber führt gerade Athanasius [1] Klage.

Obwohl das Nizänum dann die Translation von Bischöfen untersagte [2], wurden dennoch weiterhin Bischöfen, die z. B. in ihre angestammte Diözese nicht mehr zurückkehren konnten, andere Kirchen anvertraut [3].

Die Tatsache, daß aus der Ferne stammende Bischöfe gewählt wurden, zeugt von einem echten Gefühl für die Einheit und Zusammengehörigkeit der Kirche.

Von Anfang aber war die Gewohnheit entstanden, den Gemeindevorsteher nur mit *seinem Namen* zu benennen (Ἰγνάτιος, Πολύκαρπος). Allerdings wurde der des Bischofs schnell mit dem Namen der Bürger seiner Stadt verbunden (Πολύκαρπος... Σμυρναίων, Μελίτων Σαρδικῶν) und später mit dem Namen der Stadt selbst [4].

Denn schon im Anfang der frühchristlichen Zeit tritt neben das gemeinkirchliche Apostelamt das mit der Einzelkirche verbundene Vorsteheramt. Innerhalb der Jahre 70–110 sind ca. 45 Bischofssitze gegründet worden. Aus der Übung, den individuellen Namen mit dem Namen der *Bewohner* einer Stadt zu verbinden und schließlich mit dem Namen der *Stadt,* rührt die später unter den Synodalbeschlüssen und bischöflichen Dokumenten üblich werdende Form der Unterschrift [5].

Für Rom ist der Name titulus als kirchlicher Fachausdruck bezeugt. Er bezeichnet Kirchen, an denen römische Presbyter *dauernd* angestellt wurden [6]. Bei der großen Zahl von Gläubigen schon im 3. Jahrhundert wurden je *ein* Priester oder *mehrere* – mit niederen Klerikern – an diesen, in verschiedenen Teilen der Stadt gelegenen Kirchen angestellt und mit Wohnungen versehen. Sie sollten für den nahegelegenen Stadtteil den Gottesdienst abhalten und benannten sich «N. presb. tituli N.» [7].

---

[1] Ep. ad episc. Aegypti et Libyae 7; MG 25, 553. Vgl. G. BARDY, a. a. O. 235 f.

[2] Kan. 15; HEFELE-LECLERCQ I 597 ff.

[3] G. BARDY, a. a. O. 240 f.

[4] G. KONIDARIS, Zur Lösung der Quellenprobleme der Kirchenverfassung des Urchristentums, ZSSt Kan. Abt. 75 (1958), 340.

[5] G. KONIDARIS, a. a. O.

[6] J. P. KIRSCH, Die römischen Titelkirchen im Altertum, Paderborn 1918.

[7] KIRSCH, a. a. O. 176 ff.

Die Anordnung des Nizänums, daß mindestens drei Bischöfe zur Wahl eines Bischofs anwesend sein und die schriftliche Erlaubnis der verhinderten und abwesenden Suffragane haben müßten und daß den Metropoliten die Bestätigung zukomme, hatte die politische Gliederung als Basis der kirchlichen Einteilung bestätigt. Sie bildete auch die Grundlage der später vom Ambrosiaster erwähnten *konziliaren Änderung,* welche die reine Altersnachfolge zugunsten der Würdigkeit des Tüchtigeren aufgegeben hatte. Der Kanon 4 [1], der einen Vorläufer im ersten apostolischen Kanon [2] und im 20. Kanon des Konzils von Arles hatte [3], war seinerseits durch das Konzil von Laodizea (can. 12) [4] und jenes von Antiochia von 341 (can. 19) [5] erneuert worden und hatte zudem verschiedene Auslegungen erfahren. Die griechischen Kommentatoren betonten vor allem, daß der Kanon von Nizäa dem Volke das Stimmrecht bei der Bischofswahl entziehe, und machten diese Wahl von der Entscheidung der Bischöfe abhängig. Demgegenüber interpretierten die Lateiner den Kanon nicht auf die Wahl, sondern auf die Weihe in Gegenwart von *mindestens drei Bischöfen* und das Bestätigungsrecht seitens des Metropoliten. Ambrosius anderseits weist mehr auf die kanonischen Eigenschaften des zukünftigen Bischofs hin, wie sie in der Fassung des Konzils von Laodizea zutage treten. Die *Dreizahl* wird deswegen gefordert, weil der Neuerwählte in das Kollegium geführt wird, außerhalb dessen ihm weder Gewalt noch Würde zustehen.

§ 11. Amt und Charisma

Als bedeutendes Merkmal für die Bestimmung der frühchristlichen Charismen ist der Dienst an der Erbauung der Gemeinde erarbeitet worden [6]. Ihr Charakter bleibt gegenüber der Funktion der wesent-

---

[1] Vgl. HEFELE-LECLERCQ, I 1, 539; Versio lat. Dionysii Erig.; C. H. TURNER, Eccl. occid. mon. iuris antiqu. T. I. fasc. I, p. 2, 262 s.: «... modis omnibus tamen tribus in idipsum convenientibus ... ».
[2] Die 85 Canones Apostolici bilden einen Teil des Synodus Alexandrinus. Enchiridion hist. 692/706.
[3] HEFELE-LECLERCQ, a. a. O. 294.
[4] HEFELE-LECLERCQ, I 2, 1005. Vgl. HEGGELBACHER, Ambrosiaster 121.
[5] HEFELE-LECLERCQ, a. a. O. 720; ferner 703.
[6] Vgl. hierzu und zum Folgenden J. BROSCH, Charismen und Ämter in der Urkirche, Bonn 1951; H. MERKLEIN, Das kirchliche Amt nach dem Epheserbrief, München 1973.

lichen Hierarchie, die eine beständige, regelmäßige und amtliche ist, transitorisch.

Die Aufgabe des mit der Gabe der Auslegung der Sprachen Ausgestatteten ist es, «den ungewöhnlichen, vom üblichen Sprachgebrauch abweichenden Ausdrücken und abgerissenen Sätzen ... eine verständliche Form zu geben, damit auch der Laie sein Amen dazu sprechen kann» [1]. Bei der «Unterscheidung der Geister» kommt es darauf an, den Geistern mit einem überragenden Urteilsvermögen entgegnen zu können [2]. Der vom Heiligen Geist zum «Prophezeien» auserlesene Christ bringt übernatürliche Mitteilungen in ebenfalls vom Geiste Gottes inspirierten Ansprachen oder auch Gebeten zum Ausdruck, wobei er durch die Gemeinde kontrolliert wird. Die moralisch-pädagogische Aufgabe der Prophetie bildet die Brücke zu einigen praktischen, mit der kirchlichen Hierarchie verwandten Charismen, die ebenfalls in einem lebendigen Spannungsverhältnis zur kirchlichen Hierarchie stehen. Zwischen dem Apostelkollegium mit seiner juristisch gefaßten Sendung und dem rein charismatischen Apostolat stehen Gestalten, deren Einfluß nicht so sehr auf ihren Stand als vielmehr auf ihre religiöse Ausstrahlungskraft zurückzuführen ist.

Neben der Weihe- und Iurisdiktionshierarchie stehen also in den urchristlichen Gemeinschaften andere, nämlich «demokratische» und «charismatisch-pneumatische» Elemente [3]. Die Spannung zwischen Amt und Charisma beschäftigt darum zumal die apostolische Zeit.

Die Charismen als außerordentliche und besondere, von Gott den Gläubigen unmittelbar verliehene Gaben sind durch biblisches Zeugnis in den Anfängen der Kirche *nicht selten* dargetan [4].

Im Zusammenhang damit steht die Frage, ob in der Urkirche eine charismatisch-demokratische Organisation geherrscht und eine iuridische Hierarchie gefehlt habe.

R. Sohm, A. v. Harnack wie auch E. Brunner meinten erst dann von Rechtsbildungen sprechen zu können, wenn das institutionell geordnete Amt auftritt. Doch waren weder der Geist noch der Glaube und die Liebe je ohne Begrenzung. Alle Funktionen der Gemeinde sind vielmehr von Anfang an gegen Mißbrauch zu schützen und

---

[1] A. a. O. 75.

[2] Hierzu Rezension von O. HEGGELBACHER zu obigem Werk in Zeitschr. f. Schweiz. Kirchengeschichte 50 (1956), 397/398.

[3] Vgl. I. ZEIGER, Hist. Iuris Can. II 34 ff.

[4] Vgl. auch Apg 1, 15–26; 9,1 ff.; 10,9 ff.; 15,28; 1 Kor 12,7 ff.

erfahren vom Herrn der Gemeinde ihre Begrenzung. Bei aller Scheu, selbständig ordnend dem Charisma zu begegnen, greift sie auf Herrenworte zurück [1].

Die Darlegungen über den Bischof im Blick auf die Zeugnisse der ersten Jahrhunderte hatten hier eine erste Antwort zu geben. Die juridische Form der Kirche im 1. Jahrhundert ist indessen nicht voll ausgebildet und die christlichen Gemeinschaften blieben zunächst wenige und klein, so daß sie mehrere Ämter entbehren konnten, über deren Charakter später Aufschluß zu geben ist. Die soziale Form der jüdischen Synagoge und der hellenistischen Vereinigungen konnte zudem ihren Einfluß ausüben. Dennoch kann hierdurch kein grundsätzlicher Gegensatz zwischen hierarchischer und charismatischer Ordnung konstruiert werden. Die Charismatiker genossen höchstes Ansehen, wurden zu Predigt und Wortverkündung zugelassen und auch zu Leitungsaufgaben herangezogen. Die Apostel selber waren Charismatiker und zugleich Leiter der Kirche. Nichtsdestoweniger bestanden in allen christlichen Gemeinschaften alsbald lokale Autoritäten mit wahrer juridischer Gewalt, deren Amt nicht selten als Charisma bezeichnet wurde [2]. Der Gabe der Leitung (1 Kor 12,28; 1 Kor 14,29; Didache 11,5) war anderseits das Anliegen der Ordnung anvertraut [3].

Die Kirche war auch nicht nur eine Summe von lokalen Vereinigungen ohne universale juristische Einheit. Denn die einzelnen lokalen Gemeinschaften waren in vielfältiger Weise juristisch verbunden [4]. So konnte es geschehen, daß zu Zeiten des Kaisers Nero, d. h. bald nach der Mitte des 1. Jahrhunderts, die universal ausgeprägte Form der Kirche so fest begründet war, daß sie nicht nur als «gefährliche Gemeinschaft» [5] die Verfolgungen seitens der bürgerlichen Autorität herausforderte, sondern sie auch überstehen konnte. Irenäus bezeichnet sie darum bereits als über den ganzen Erdkreis verbreitet [6].

---

[1] H. W. Bartsch, a. a. O. 22. Zum Ganzen G. Hasenhüttl, Charisma Ordnungsprinzip der Kirche 256–263.

[2] Apg 13,15; 20,28; 1 Tim 4,14; 1 Kor 12,28; 1 Kor 12,4; Ignatius, Eph. 6,1.

[3] Vgl. J. Brosch, a. a. O. 126: «Die Inhaber der κυβερνήσεις werden deshalb ... Personen gewesen sein, deren Dienstleistungen darin bestanden, die Liebestätigkeit der Gemeinden zu regeln, und das nicht als Beamte der kirchlichen Vermögensverwaltung, sondern als Seelsorger».

[4] Vgl. hierzu die Einzelheiten in § 22.

[5] Vgl. Tacitus, Ann. XV 44; ed. Preuschen, Analecta I² 7: «Igitur primum correpti qui fatebantur, deinde indicio eorum multitudo ingens haud proinde in crimine incendii quam odio humani generis convicti sunt». Vgl. unten § 32.

[6] Adv. haeres. I 10.

§ 12. Die Ausbildung der « Geistlichen »

Es ist selbstverständlich, daß der Kirche von Anfang an die Sorge um die rechte Ausbildung der Gläubigen angelegen gewesen ist [1]. Wenn am Beginn des 3. Jahrhunderts Irenäus mit der Glaubensglut der Kirchenväter von der «Richtschnur der Wahrheit» spricht (Adv. Haeres. I 9,4), die der Getaufte fürs Leben empfangen hat, und mit ihm Klemens von Alexandrien die Funktion der geistigen «Vaterschaft» betont, die man durch Predigt und Katechese übernimmt, ist der Christus-Auftrag der *Lehre* mit seiner Verantwortung für die Apostelnachfolger ins Licht gerückt: «Der Glaube kommt aus dem Hören» (Röm 10,17). Neben dem Anteil an der Konsekrations- und Absolutionsgewalt ist dem Priester von Beginn an dieses «officium vere episcopale» übertragen gewesen.

Die Kirchengeschichte des Eusebius berichtet demzufolge (VII 326), daß Anatolius, der spätere Bischof von Laodizea in Syrien († 282), in Alexandrien, seiner Heimatstadt und der Stadt der berühmten «Katechetenschule» [2], auf Wunsch der Bürger eine Schule der aristotelischen Philosophie eröffnet habe. Ebenso gründete der Presbyter Pamphilus († 309) eine philosophische und theologische Schule in Cäsarea. Wenig später hatte Eusebius von Vercelli († 371) im Anschluß an eine Reise nach Ägypten um das Jahr 340 mit der Vita communis den Anfang gemacht und die Kleriker zu einer Gemeinschaft zusammengeschlossen, aus deren Schule vielleicht u. a. der berühmte Homilet Maximus von Turin hervorgegangen ist. Es ist also ein relativ breit gefächertes Erziehungsprogramm schon ziemlich früh entwickelt. Freilich sind vor allem Leben und Wirken des Kirchenlehrers Augustinus dann erst eine umfassende Anregung für die Klerikerausbildung geworden.

Wir wissen auch von einer Schola cantorum, die in Rom existierte. Man kann sie ohne Zweifel unseren Seminarien vergleichen und in ihr das Internat sehen, in dem die jungen Leute, die den geistlichen Stand erstrebten, sich auf den Empfang der Weihen vorbereiteten [3].

---

[1] O. HEGGELBACHER, Die kirchlichen Seminarien im Wandel der Geschichte, Festschrift Studienheim St. Konrad, Freiburg i. Br. 1962, 51 ff.

[2] Zur Beurteilung des Anliegens der sog. «Theologischen Schulen» der Alten Kirche vgl. A. KNAUBER, Das Anliegen der Schule des Origenes zu Cäsarea, MThZ 19 (1968), 182–203.

[3] M. ANDRIEU, Les ordres mineurs dans l'ancien rite romain 232.

Wie weit sie schon seit dem Ende des dritten Jahrhunderts bestand, ist indessen nicht klar [1].

Hier ist vor allem aber der Lektoren Erwähnung zu tun, deren Dienst zu den höheren Stufen führte [2].

§ 13. Eignungsbedingungen für Geistliche

Während in anderen Berufen Laufbahn und Leistung den Zugang regelten, galt für den Geistlichen, daß er von Gottes Gnade berufen und auch der ganzen Person nach geeignet sein müsse.

Es bedarf keiner eingehenden Erklärung, daß *nicht von Anfang* sozusagen ein geschlossenes System der Eigenschaften bestand, die man für den Kleriker forderte. Manche ergaben sich erst aus den Verhältnissen und Eignungsmängel wurden dementsprechend mit der Zeit erst klarer gefaßt und statuiert.

1. *Eignungsmängel religiös-sittlicher Art*

a) Da Festigkeit im Glauben und Reinheit der Sitten von Anfang an die Grundforderung darstellte, welche die kirchliche Ordnung an den Klerus erhob, ergab sich in negativer Konsequenz *die Beanstandung wegen eines, wenn auch abgebüßten, Verbrechens* [3]. Der Bewerber um Aufnahme in den klerikalen Stand mußte nach apostolischer (Tit 1,5–7; 1 Tim 3,2 und 10) und frühkirchlicher Auffassung (Origenes, Contra Celsum 3,51) [4] vor allem frei von Verbrechen sein und zwar von dem Zeitpunkte des Empfanges der Taufe an. Priester, die während der Verfolgung gefallen oder als Unzüchtige, Irdischgesinnte und Gottlose gebrandmarkt waren, dürfen nach Cyprians Weisung nicht zum Altare zurückkehren, um ihn damit zu schänden [5]. Wer einer öffentlichen Buße sich hatte unterwerfen müssen, durfte unter keinen Umständen zu den Weihen zugelassen werden oder im Klerus verbleiben. Zwar findet sich dieser Grundsatz

---

[1] L. Duchesne, Origines du culte chrétien[2], 1920, 368–369.

[2] Vgl. oben S. 71 f.

[3] Hierzu und zum Folgenden vgl. C. Richert, Die Anfänge der Irregularitäten bis zum ersten allgemeinen Konzil von Nicäa, Freiburg 1901, 14 f. In der großen Linie wurde seine Gedankenführung übernommen, abgesehen freilich stets von den inzwischen geschichtlich geforderten sprachlichen Veränderungen. Der Name irregularitas begegnet frühestens in der Summa des Rufinus (1157/1159).

[4] Vgl. auch *Didascalia* 2, 3; Hieronymus, Comm. in Ep. ad Titum 1,6; Synode von Elvira, Kan. 30; Synode von Ancyra, Kan. 12; Konzil von Nizäa, Kan. 9.

[5] Cyprian, Ep. 65, n. 3; 72, n. 2.

formal bezeugt erst bei Papst Innozenz I.; dennoch bildete er nach letzterem einen Bestandteil der kirchlichen Disziplin von altersher und reicht in die apostolische Zeit zurück [1].

Dem formell Rekonzilierten wurden zwar Zutritt zur Laienkommunion gewährt, das Tor zum priesterlichen Dienst jedoch verschlossen gehalten. Grund zu solcher Beanstandung war das Vergehen in seiner Sündhaftigkeit – ebenso wie eine gewisse Ehrenminderung in der Öffentlichkeit infolge der Buße als der notwendigen Folge des Verbrechens. Obendrein sollte auf diese Weise eine Buße ausgeschlossen werden, die lediglich zum Zwecke der Bewerbung um kirchliche Ämter übernommen und in Wahrheit unecht gewesen wäre [2].

b) Da nach den Sünden gegen den Glauben die *Unkeuschheitssünden* als größtes Hindernis am Empfang von Weihen bzw. weiterer Verbleiben im geistlichen Stande betrachtet wurden, galt als einer kirchlichen Ehrenstelle für unwürdig, wer nach der Taufe ausschweifend gelebt hatte [3]. Kleriker gingen nach einer solchen Verfehlung ihres Amtes verlustig und verfielen bisweilen der Exkommunikation [4].

Selbst ausschweifende Personen aus der näheren Umgebung des Klerikers konnten für diesen zum Anlaß der Irregularität werden [5]. Hierbei will bedacht sein, daß solch strenge Disziplin vermutlich in die ersten christlichen Zeiten hinaufreicht.

c) Beanstandungen erfolgten auch aus dem Grunde der *Zugehörigkeit zu Häresie oder Schisma:* Während die Synode von Elvira einerseits anordnete, daß den materiellen Häretikern unverzüglich Auf-

---

[1] Brief an die macedonischen Bischöfe und Diakone, cap. 3; ML 20, 530 f.; JAFFÉ, Regesta pontificum romanorum I², Leipzig 1885, 46, n. 303: «Ubi paenitentiae remedium necessarium est, illic ordinationis honorem locum habere non posse ...». Cfr. AUGUSTINUS, Ep. 185, n. 44 u. 45; ML 33, 812.

[2] Ep. 185 n. 4; ML 33, 812: «Ut enim constitueretur in ecclesia, ne quisquam post alicuius criminis poenitentiam clericatum accipiat vel ad clericatum redeat, vel in clericatu maneat, non desperatione indulgentiae, sed rigore factum est disciplinae ... ne forsitan etiam detectis criminibus, spe honoris ecclesiastici animus intumescens superbe ageret paenitentiam, severissime placuit, ut ... nemo sit clericus».

[3] ORIGENES, Contra Celsum 3, 51. Vgl. ferner 1 Tim 3,3 8; Tit. 1,8; DIDASCALIA 2,1.

[4] CYPRIAN, Ep. 65,3; Ep. 4; Ap. Kanones 25 u. 26; Synode von Neocäsarea, Kan. 1, 9,10; Synode von Elvira, Kan. 18; hierzu HEFELE-LECLERCQ I 1, 231 f.; 327; 331 f.

[5] Synode von Neocäsarea, Kan. 8 und Synode von Elvira, Kan. 65; HEFELE-LECLERCQ I 1, 257; 331.

nahme in die Kirchengemeinschaft zu erteilen sei [1], verbot sie wiederum ausdrücklich, einen bekehrten Häretiker in den Klerus aufzunehmen [2]. Grund dafür mochte im Blick auf die (an sich persönlich schuldlosen) materiellen Häretiker einerseits der Mangel an festem Glauben, anderseits eine gewisse Einbuße an gutem Rufe bzw. die Gefahr der Diffamierung sein. Formelle Häretiker waren obendrein wegen der Häresie und dazu noch wegen der von ihnen dafür verlangten Bußleistung ungeeignet [3]. Erst die im Jahre 313 abgehaltene römische Synode unter Vorsitz des Bischofs Melchiades gestattete, donatistische Kleriker im Falle ihrer Rückkehr im Amte zu belassen [4]. Das gleiche Entgegenkommen gewährte wenige Jahre später das Nizänum den meletianischen, novatianischen und paulianistischen Klerikern [5], unter der Voraussetzung freilich, daß keine andern Irregularitätsgründe vorlagen [6]. Solche Ausnahmen waren indessen gegen die alte Ordnung [7] und wurden lediglich aus schwerwiegenden Gründen zugelassen [8].

d) Da der Glaubensabfall als größtes Verbrechen [9] galt, wurde er mit öffentlicher Buße geahndet und schon deswegen als Beanstandungsgrund angesehen[10]. Daß diese Strenge auch um die Mitte des 3. Jahrhunderts verfochten wurde, ergibt sich aus Cyprians Epistula 67. Die hierin erwähnte *Synode von Carthago* [11] beruft sich für die Legitimität derartiger Enthebungen auf einen unter Papst Kornelius «von allen Bischöfen der ganzen Welt» gefaßten Beschluß[12], wonach

---

[1] Kan. 22; HEFELE-LECLERCQ I 1, 233.

[2] Kan. 51; HEFELE-LECLERCQ I 1, 250.

[3] Vgl. IRENÄUS, Adv. haer. 1, 13, 5; TERTULLIAN, De praescr. haeret. 30; CYPRIAN, Ep. 66,9; Ep. 72,2; Synode von Elvira, Kan. 22; siehe oben 1a.

[4] Siehe unten S. 113. Dazu AUGUSTINUS, Ep. 43, 14–16; Ep. 185, 47.

[5] Kan. 8,19. Hierzu HEFELE-LECLERCQ I 1, 576 ff.; I 1, 615; ferner SOCRATES, H. E. 1, 9.

[6] Kan. 9 (HEFELE-LECLERCQ I 1, 587 f.) und Kan. 19.

[7] Papst INNOZENZ I., Ep. 17,9.

[8] AUGUSTINUS, Ep. 185, 45 und 47.

[9] Konzil von Elvira, Kan. 1; HEFELE-LECLERCQ I 1, 221.

[10] Konzil von Elvira, Kan. 3, 46, 59; HEFELE-LECLERCQ I 1, 222, 248, 254 f. Synode von Arles, Kan. 22; Synode von Ancyra, Kan. 4–9, 24; Konzil von Nizäa, Kan. 11; HEFELE-LECLERCQ I 1, 294 f., 306–312, 324, 590.

[11] Es handelt sich um die im Herbst 254 abgehaltene. Vgl. Dizionario dei Concili I 250 f.; HEFELE-LECLERCQ I 171–172; 1106; W. MARSCHALL, a.a.O.93 f.

[12] Gemeint ist das Konzil von Rom vom Mai 251, welches gegen Novatian entschieden hatte. Dizionario dei Concili IV 124; HEFELE-LECLERCQ I 1, 168–169.

solche zwar zur Buße, nicht aber zum klerikalen Stande [1] zugelassen seien.

Wenn der gefallene Bischof Basilides von Papst Stephanus wieder in sein Amt eingesetzt wurde, so nur aufgrund einer listigen Täuschung [2]. Anders war es mit den unter Anwendung von Gewalt zum heidnischen Kult Gezwungenen. Solche konnten sogar den Konfessoren zugerechnet werden, wie aus der Epistula Canonica des Petrus Alexandrinus [3] und den Beschlüssen der Synode von Ancyra zu ersehen ist [4].

2. Beanstandungen aufgrund von zweifelhafter Zuverlässigkeit

a) Um die *Neu*getauften wie die in *Todesgefahr* Getauften mußte man die Besorgnis haben, daß sie, da ihr Glaube sich noch nicht bewährt hatte, bei Belastung mit einem Amte ihr Seelenheil verlieren könnten (vgl. 1 Tim 3,6). Beim neugetauften Cyprian wie auch andern wurden zwar begründete Ausnahmen gemacht: Der Kan. 2 des Nizänums beweist solches dann ebenfalls.

Manche waren *ohne* Schuld erst in gefährlicher Krankheit getauft worden; andere hatten aus *unedlen* Motiven den Empfang des Sakramentes bis zu einer schweren Erkrankung aufgeschoben. Die einen wie die andern (sog. Kliniker) waren von jeglicher Weihe ferngehalten. Um die Mitte des 3. Jahrhunderts konnte man hierin sogar schon von einer *Tradition* sprechen. Auf eine solche berufen sich denn Klerus und Volk gegenüber der Ordinierung Novatians durch Papst Fabian († 250) [5], welcher gebeten hatte, diese eine Ausnahme machen zu dürfen. Auch jenen gegenüber, die ohne ihre Schuld die klinische Taufe empfangen hatten, bestand ein tiefes Mißtrauen aus der Überzeugung, daß sie keine ganzen Christen seien [6].

---

[1] Ep. 67,6: «Frustra tales episcopatum sibi usurpare conantur, cum manifestius sit eiusmodi homines nec ecclesiae Christi posse praeesse nec Deo sacrificia offerre debere maxime cum iam pridem nobiscum et cum omnibus omnino episcopis in toto mundo constitutis etiam Cornelius collega noster, sacerdos pacificus ac iustus, et martyrio quoque dignatione Domini honoratus, decreverit eiusmodi homines ad paenitentiam quidem agendam posse admitti, ab ordinatione autem cleri atque sacerdotali honore prohiberi».

[2] Ep. 67,1.

[3] Kan. 14.

[4] Kan. 3.

[5] EUSEBIUS, H. E. VI 43, 17.

[6] Vgl. HEGGELBACHER, Taufakt 72 ff.; C. RICHERT, Irregularitäten 58 ff.

b) Die apostolische Forderung, daß Bischof, Presbyter und Diakon
(1 Tim 3,2 12; Tit 1,6) «eines Weibes Mann» sein sollen, wird
von der überwiegenden Mehrheit der christlichen Theologen auf
eine nur einmalige Verheiratung interpretiert [1]. Daß diese Disziplin
eine herkömmliche sei, erklärt Tertullian [2], der, entsprechend seiner
montanistischen Anschauung, auf diese Weise zudem das Verbot der
zweiten Ehe für Laien beweisen möchte [3]. Während es bis auf die
Zeit von Hippolyt unerhört war, Bigame zu den Weihen zuzulassen,
begann man danach, sogar Trigame unter die Kleriker aufzunehmen [4].
Die Canones ecclesiastici sanctorum Apostolorum aber verlangen,
daß der Bischof unverheiratet sei, oder sich als Verheirateter zumindest
des Gebrauches der ehelichen Rechte enthalte [5]. Jedenfalls mußten sich
die Bigamen später nach dem Zeugnis der Synoden von Neocäsarea
und Ancyra [6] einer einjährigen Buße unterwerfen und durften nach
Maßgabe des Konzils von Elvira nicht einmal die Taufe spenden [7].
Die Synode von Elvira schreibt für verheiratete Kleriker die Ent-
haltung vom ehelichen Umgang sogar so streng vor, daß eine Über-
tretung dieses Gebotes die Unfähigkeit zur Weiheausübung und damit
die Amtsenthebung nach sich zog [8]. Daß aber einer, der unverheiratet
in den (höheren) Klerus eingetreten war, sich nicht mehr verheiraten

[1] Hierzu B. Kötting, Die Beurteilung der zweiten Ehe i. hd. u. christl. Altert.,
Diss. masch. Bonn 1940. Derselbe, Art. Digamus, RAC 3, 1016/24. Derselbe,
Der Zölibat in der alten Kirche, Münster 1970, 10 ff. Zur Deutung in der Alten
Kirche J. Fischer, Die Bestimmung der Pastoralbriefe: «unius uxoris vir»,
Weidenauer Studien 1. Heft (1906). M. Boelens, Die Klerikerehe in der Gesetz-
gebung der Kirche, Paderborn 1968.

[2] Liber de monogamia 8.

[3] A. a. O. cap. 11 f.

[4] Philosoph. 1,12. Vgl. Origenes, In Luc. hom. 17, MG 13, 1846. Ferner
Comm. in Matth. 14,22; Contra Celsum 3, 48.

[5] J. B. Pitra, Iuris ecclesiastici Graecorum historia et monumenta I, 82:
Καλὸν μὲν εἶναι ἀγύναιος, εἰ δὲ μή, ἀπὸ μιᾶς γυναικός. Dazu F. X. Funk, Doctrina
duod. apostol., Tübingen 1887, 60, Anm. 2.

[6] Die Synode von Ancyra macht das Zugeständnis, daß Kandidaten, die unverheiratet die Diakonatsweihe empfangen hatten, vor der Weihe zum Bischof
die Erlaubnis erwirken konnten, nachher noch zu heiraten. Can. 10 (Bruns I, 68).

[7] Synode von Neocäs., Kan. 7; Synode von Ancyr., Kan. 19; Synode von
Elvir. Kan. 38; Hefele-Leclercq I 330; 321 f.; 242.

[8] A. a. O. 238 f. Kan. 33: «Placuit in totum prohibere episcopis, presbyteris
et diaconibus vel omnibus clericis positis in ministerio abstinere se a coniugibus
suis et non generare filios: quicumque vero fecerit, ab honore clericatus exter-
minetur». Ignatius von Antiochien, Ad Polyc. c. 5, rügte anderseits jungfräu-
lich Lebende, wenn sie sich für besser hielten als einen verheirateten Bischof:
So darf zumindest aus den Schlußworten des Kapitels geschlossen werden.

durfte, war nach dem Zeugnis des Sokrates auf dem Nizänum als althergebrachte Disziplin erwähnt [1]. Die Synode von Neocäsarea (Kan. 1) schließt freilich nur Priester (und Bischof) im Falle der Verehelichung vom Klerus aus, ohne den Diakon zu erwähnen [2], und jene von Ancyra spricht von letzterem im Sinne einer bedingten Erlaubnis [3].

Während es den niederen Kirchendienern *anfänglich* freigestellt war, nach ihrer Weihe zu heiraten, verlangte man von ihnen nach und nach Ehelosigkeit, zumindest in jenen Gegenden, wo die Kanones des Konzils von *Elvira* rezipiert waren [4]. Hippolyt scheint ersteren Sachverhalt zu bestätigen [5].

3. Weihe-Voraussetzungen geistiger Art

Nach der Didaskalia soll ein Bischof womöglich gelehrt sein oder zumindest des Wortes Gottes kundig [6]. Die Prüfung der Kandidaten auf ihre Kenntnisse ist von Cyprian eindeutig bezeugt [7].

Daß wegen Mangels an dem notwendigen Vernunftgebrauch die Energumenen von den kirchlichen Diensten ausgeschlossen waren, wird durch die Kanones 29 und 37 des Konzils von Elvira klar dargetan [8].

Von einem allmählichen Aufsteigen innerhalb der kirchlichen Hierarchie kann in der ersten Zeit nicht die Rede sein. Indessen war es

---

[1] Socrates, H. E. 1,11. – Die Worte des Apostels Paulus im ersten Korintherbrief über das jungfräuliche Leben (1 Kor 7,25 ff.) hatten ihre Wirkung nicht verfehlt. Der Hintergrund der Zeit war außerdem durch sexuelle Entartung gezeichnet und anderseits hatte auch der Dualismus und Gnostizismus seine freilich krankhaften Blüten getrieben.

[2] Hefele-Leclercq I 327: Πρεσβύτερος ἐὰν γάμῃ, τῆς τάξεως αὐτὸν μετατίθεσθαι ...

[3] A. a. O. 312 f., can. 10.

[4] Zu Kan. 33 des Konzils von Elvira vgl. Kan. 3 des Nizänum. Hefele-Leclercq I 238 f., 536 ff. – Origenes führt als inneren Grund für das Verbot, Bigame in den Klerus aufzunehmen, den Symbolcharakter des priesterlichen Lebens im Blick auf die Verbindung Christi mit der Kirche an. Comm. in Matth 14 n. 22; MG 13, 1241 f.

[5] Philosoph. 9,12: Οὗτος ἐδογμάτισεν ... εἰ δὲ καί τις ἐν κλήρῳ ὢν γαμοίη, μένειν τὸν τοιοῦτον ἐν τῷ κλήρῳ ὡς μὴ ἡμαρτηκότα. Hierzu vgl. C. Richert, Irregularitäten 73.

[6] 2,1; Funk, Didascalia 30 f.

[7] Ep. 29.

[8] Hefele-Leclercq I 237, 247 f. Vgl. auch den 79. der Apost. Kanones; Funk I 589.

schon vom 3. Jahrhundert an üblich, nur Priester zu Bischöfen zu weihen [1], und zuvor gab es als die unterste Stufe klerikaler Ämter den Diakonat [2].

Über eine stufenweise Beförderung der Kleriker gibt als erster Cyprian Nachricht, der von Papst Kornelius berichten kann, daß er durch alle kirchlichen Ämter vorgerückt sei [3]. Dieser aber erwähnt die Kirchenämter in der Reihenfolge Ostiariat, Lektorat, Exorzistat, Akolythat, Hypodiakonat, Diakonat und Presbyterat [4].

Bei Cyprian finden wir als erste Vorstufe das Lektorat [5], dem eine Wartezeit vorausging, in welcher die Kandidaten probeweise den Dienst als Lektor zu versehen hatten [6]. Aus den Lektoren nahm Cyprian bald die Akoluthen [7], bald die Hypodiakonen [8]. Daß der Hypodiakonat seinerseits wiederum die Voraussetzung für den Diakonat bildete, ist aus Kan. 30 des Konzils von Elvira ersichtlich [9].

Man wählte bisweilen Diakone zu Bischöfen [10]. Selten und unter ganz besondern Umständen wurden Laien zu Bischöfen bestimmt [11]. Häufiger weihte man Laien ohne Rücksicht auf die Weiheinterstitien zu Priestern: Beispiele hierfür sind Malchion und Origenes [12], Cyprian und Novatian [13].

Was das Alter der Weihekandidaten angeht, verlangte die Synode von Neocäsarea, daß niemand vor dem 30. Jahre zum Priester geweiht werden solle, da auch der Herr erst in diesem Alter getauft wurde und zu lehren begonnen habe [14]. Nach der Didascalia [15] durfte keiner vor

---

[1] CYPRIAN, Ep. 40. EUSEBIUS, H. E. VII 7, 6 und 11, 3.

[2] *Can. eccl.* 22: Οἱ γὰρ καλῶς διακονήσαντες, καὶ ἀμέμπτως, τόπον ἑαυτοῖς προσποιοῦνται τὸν ποιμενικόν.

[3] Ep. 55,8: «Nam quod Cornelium ... laudabili praedicatione commendat, non iste ad episcopatum subito pervenit, sed per omnia ecclesiastica officia promotus et in divinis administrationibus Dominum saepe promeritus ad sacerdotii sublime fastigium cunctis religionis gradibus ascendit». Vgl. TERT., De praescr. haer. 41, 5.

[4] EUSEBIUS, H. E. VI 43, 11; vgl. S. 67 Anm. 3.

[5] Ep. 38, 4 f.; 29. [6] Ep. 29.

[7] Ep. 59,1 mit Ep. 29 und 35.

[8] Ep. 29; vgl. oben S. 71 ff. und S. 67 f.

[9] «Subdiaconos eos ordinari non debere qui in adolescentia sua fuerint moechati, eo quod postmodum per subreptionem ad altiorem gradum promoveantur: vel si qui sunt in praeteritum ordinati, amoveantur»: HEFELE-LECLERCQ I 237.

[10] EUSEBIUS, H. E. VII 11, 26.

[11] So Papst FABIAN: EUSEBIUS, H. E. VI 29, 3 4.

[12] EUSEBIUS, H. E. VII 29 und VI 8, 4.

[13] PONTIUS DIAC., Vita Caecilii Cypriani c. 3; EUSEBIUS, H. E. VI 43,17.

[14] HEFELE-LECLERCQ I 332.

[15] 2,1; FUNK 30.

dem fünfzigsten Jahre zum Bischof geweiht werden; die Priester sollten im Alter vorgerückt sein [1]. Indessen erklärt eben die Didascalia gleichzeitig, daß wenn Mangel an geeigneten älteren Kandidaten sei, ein würdiger jüngerer zum Bischof bestellt werden dürfe [2].

4. Beanstandungen infolge körperlicher Gebrechen

Nach dem 78. (77.) Apostolischen Kanon sind Blinde, Lahme und Verkrüppelte, weil zu kirchlichen Diensten unfähig, vom Klerus fernzuhalten [3]. Dagegen trug man, wie der vorausgehende 77. (76.) Kanon erkennen läßt, keine Bedenken, Männer, die äußerlich verunstaltende Gebrechen tragen, dadurch jedoch in Ausübung des Amtes keineswegs gehindert waren, in den geistlichen Stand einzuführen [4]. Bekenner gar, die während der Verfolgung Wunden empfangen hatten, wurden, wenn sie in den Klerus aufgenommen wurden, als besondere Zierde des geistlichen Standes angesehen. Cyprian glaubte solchen sogar ohne vorausgehende Prüfungen die Weihen erteilen zu dürfen [5].

Die Entmannung wurde nach Kan. 1 des Konzils von Nizäa [6] im Falle eigener Verursachung bei voller Gesundheit als Irregularität angesehen. Diese Anordnung geht mit den Nummern 21–24 der Apostolischen Kanones einig, worauf durch den Ausdruck ὁ κανών vom Nizänum möglicherweise eigens angespielt wird [7]. Im übrigen hatte die Selbstentmannung des Origenes in der ersten Hälfte des dritten Jahrhunderts Synoden und einzelne Amtsträger so sehr zur Stellungnahme herausgefordert, daß sein Fall unmöglich leichtfertig behandelt sein konnte [8]. Daraus ergibt sich anderseits, daß man sich damals in dieser disziplinären Frage nicht einig war. Möglicherweise hatten gerade die Auseinandersetzungen um den großen Alexandriner zu einer Verfestigung der Rechtsbestimmungen geführt [9].

---

[1] CYPRIAN, Ep. 39,5: «... provectis et corroboratis annis suis»; Ep. 38,2. Can. eccl. 18.

[2] 2,3; FUNK 32.

[3] FUNK I 588/9.

[4] FUNK I 589: Siquis fuerit oculo laesus vel crure debilis, dignus autem episcopatu, fiat; non enim vitium corporis polluit, sed animae inquinatio.

[5] CYPRIAN, Ep. 38–40.

[6] HEFELE-LECLERCQ I 529.

[7] FUNK I 571.

[8] Vgl. EUSEBIUS, H. E. VI 8,2/3.

[9] Bei EUSEBIUS, H. E. VII 32,3 wird aus der Zeit des Bischofs Cyrillus von

Nach des Epiphanius Schrift Panarion [1] gab es im 3. Jahrhundert die gnostische Sekte der Valesier, die sich nach ihrem Begründer Valens nannten und Eunuchen zu Priestern, ja zu Bischöfen weihten [2].

5. Voraussetzungen hinsichtlich der bürgerlichen Stellung

Eine Reihe von Anforderungen der Kirche an die Weihekandidaten seit den ersten Jahrhunderten findet im römischen Sakralrecht ein Vorbild. Schon dieses bezeichnete körperliche Fehlerlosigkeit und bürgerliche Unbescholtenheit, den Besitz des Bürgerrechtes und die freie Geburt, in einzelnen Fällen ein gewisses Alter als Vorbedingung der Priesterwürde [3]. Da nach römischer Anschauung auch Militär und Magistratur als Widerspruch zum Priesterstande anzusehen waren, gewährte die Lex coloniae Genetivae Iuliae im Jahre 44 v. Chr. sämtlichen Priestern die «vacatio militiae munerisque publici» [4]. Die schon dem heidnischen Priester untersagte Übernahme öffentlicher Ämter sowie die Leistung von Kriegsdienst blieben ebenso dem Kleriker stets verwehrt, auch wo man bereits im Erwerbsleben stehende Männer weihte.

Nach dem Berichte der Akten des Maximilianus [5] lehnt Maximilian eine Beteiligung an der Musterung unter Berufung darauf ab, daß man nicht in zwei Heeren dienen könne: militia mea ad Dominum meum est; non possum saeculo militare. Solche Konsequenz ent-

---

Antiochien berichtet, daß der Presbyter Dorotheus, ein feingebildeter Mann, von Geburt an «Eunuch» gewesen sei. Cyrillus war Nachfolger des Bischofs Timäus, der zur Zeit der Päpste Gaius und Marcellinus (zwischen 283 und 304) das Bischofsamt führte.

Wenn Melito von Sardes bei Eusebius V 24,5 einfach «Eunuche» genannt wird, so bedeutet es freilich nach der zeitgenössischen christlichen Literatur die Enthaltsamkeit. Vgl. O. PERLER, Méliton de Sardes 8.

[1] Panarion, MG XLI, 1012: Εἰσὶ δὲ πάντες ἀπόκοποι· καὶ αὐτοὶ δὲ περὶ ἀρχῶν καὶ ἐξουσιῶν καὶ ἄλλων οὕτως δοξάζουσι.

[2] C. WILL, Acta et scripta, quae de controversiis ecclesiae graecae et latinae saeculo undecimo composita extant, Leipzig/Marburg 1861, 153–154.

Zum angeblichen Konzil von Achaia um 250 gegen Valens vgl. Dizionario dei Concili I 1. Vielleicht bezieht sich der Kanon 1 des Nizänums auf dieses.

[3] M. MÜLLER, Die Lehre von der Irregularitas ex defectu perfectae lenitatis bei den Glossatoren. Ein Beitrag zur Geschichte der Irregularitäten, Diss. Masch.-Schrift, München 1912; vgl. HEGGELBACHER, ZSSt Kan. Abt. 88 (1971), 444 ff.

[4] G. WISSOWA, Religion und Kultus der Römer 1912, 480, 491, 500. C.G. BRUNS, Fontes iuris Romani antiqui I⁷, 125.

[5] Ed. KNOPF-KRÜGER 86, 87. Vgl. L. HOFMANN, Tr Th Z 63 (1954), 87.

sprach zwar nicht allgemeinem kirchlichem Denken [1] und hat sich nur für den Klerus durchgesetzt.

Was aber mit dem Geist der christlichen Milde in schroffem Widerspruche stand, war für den Beamten und Soldaten die Möglichkeit, in der Berufsausübung töten zu müssen. War schon das Blutvergießen jedem Christen verboten, so erst recht dem Kleriker [2], zumal schon die heidnischen Priester nicht zu Felde gezogen waren: Sie wollten der Gottheit mit reinen Händen dienen [3]. Die Kanones 13 und 14 der Canones Hippolyti [4], die offensichtlich in alte Zeit zurückreichen und auch mit der Ägyptischen Kirchenordnung übereinstimmen, schließen darum jeden Christen von der Teilnahme an den Mysterien bis zur Reinigung von diesem Makel durch Buße aus [5]. Die Apostolischen Kanones [6] verlangen schließlich ausdrücklich, daß der Kleriker, der in der Schlacht getötet hatte, abgesetzt werde [7]. Selbst wenn diese Bestimmung sich für die vorkonstantinische Zeit nicht ausdrücklich nachweisen läßt, muß die Geltung des Weihehindernisses der später so genannten Irregularitas ex defectu perfectae lenitatis auch für diese Periode angenommen werden [8]. Selbst nach der großen abendländischen Synode zu Arles im Jahre 314 [9], die hinsichtlich des Staats- und Militärdienstes Erleichterungen dekretiert hatte, blieb die Ansicht der Kirche über die Stellung der *Kleriker* zu diesen Berufen unverändert [10].

Der zum geistigen Stand Berufene war als Auserwählter von seiner Umgebung abgehoben: Diese Überzeugung bestimmte die Rechtsordnung nachdrücklich. Insofern konnten für ihn nicht die gleichen Maßstäbe gelten wie für die übrigen Berufe.

---

[1] Vgl. § 38: Christ und Wehrdienst. TERTULLIAN, De idolatria 19; ORIGENES, Contra Celsum 4, 82; 7, 26; 8, 70; 8, 73; LACTANTIUS, Instit. 6, 20, 16.

[2] TERTULLIAN, De corona 11.

[3] ORIGENES, Contra Celsum 8,73.

[4] Siehe oben § 1c nr. 8.

[5] Ed. ACHELIS 81.

[6] Siehe oben § 1c nr. 6.

[7] C. 66 (64) ed. FUNK, Didascalia et Constitutiones Apostolorum I 585. – Der Laie soll von der eucharistischen Feier ferngehalten werden.

[8] Vgl. C. RICHERT, Die Anfänge der Irregularitäten bis zum 1. Allgemeinen Konzil von Nicäa, 106–111; 114–116.

[9] Siehe unten § 18.

[10] Synode von Rom 386; MANSI III 670 c. 3; JAFFÉ, Regesta Pont. Rom 258 (68), I. Synode von Toledo; MANSI III 1000; GRATIAN, Decr. C. 4 D. 51.

6. Freiheit von Gewinnsucht

Als wichtige Eignungsbedingung für die Bestellung zum Kleriker wird immer wieder die Freiheit von Gewinnsucht genannt, angefangen von 1 Tim 3,3 und Tit 1,7, sowie Didache 15,1. Insofern wird diese Voraussetzung rechtserheblich, als die frühe Kirchengeschichte von Absetzungen berichtet, die durch Gewinnsucht verursacht waren[1].

§ 14. Diakonissen, Witwen und Jungfrauen

Die für die kirchliche Ordnung wichtige Frage nach einer Bestimmung der Frau zum besondern Priestertum muß für die apostolische, die nachapostolische und auch die folgende Zeit negativ beantwortet werden. Die ausschließliche Berufung des Mannes zum Apostelamt gilt vielmehr als selbstverständlich. Zwar wurde Jesus auch von Frauen begleitet (Lk 8,2–3) – abgesehen von den Aposteln. Doch die Möglichkeit einer Zulassung der Frau zu hierarchischen Ämtern mußte schon durch die zeitbedingte Vorstellung von der geringeren Wertigkeit der Frau ausscheiden. Letztere, heute zweifellos überholte Überzeugung war freilich nicht entscheidend. Als maßgebend erwies sich das Verhalten des Herrn, der nur Männer zum Apostolat berufen hat (Mk 3,13). Die Frage, ob er damit eine bleibende Norm schaffen wollte oder ob das sakramentale Priestertum auf das Priesteramt der Frau angewiesen sei, ist hiermit zwar nicht entschieden. Nach der Schrift des NT (1 Kor 14,34 ff.; 1 Tim 2,11 ff.) und der Praxis der Kirche erhielten indessen nur Männer hierarchische Gewalt.

Vermutlich liegt diesem Tatbestand die Sicht der Frau als der überwiegend passiven Komponente menschlichen Seins zugrunde. Beim Priestertum des Neuen Bundes geht es vorzüglich «um die Auswirkung der persönlichen Religiosität in jener Aktivität nach außen, die den Mann charakterisiert» (Michael Müller). Von daher

---

[1] Vgl. hier den Fall des *Paul von Samosata*. Ferner POLYKARP, Phil. 11. Später betont vor allem Maximus von Turin diesen Umstand in seinen Homilien. O. HEGGELBACHER, Vom Gesetz im Dienste des Evangeliums. Über Bischof Maximus von Turin[2], Bamberg 1966, 22 f.

[2] Hierzu J. RAMING, Der Ausschluß der Frau vom priesterlichen Amt. Gottgewollte Tradition oder Diskriminierung? Eine rechtshistorisch-dogmatische Untersuchung der Grundlagen von Kanon 968 § 1 des Codex Iuris Canonici,

ist die Ausschließung der Frau nicht als eine disziplinäre, sondern als eine Lehrfrage zu sehen [1].

In 1 Tim 5 findet sich eine Ordnung für den Witwenstand, wie für keinen anderen Stand in den Pastoralbriefen. Seine Funktionen sind festgelegt und werden gegen Usurpierungsabsichten durch Mitglieder des Standes geschützt [2].

Neben kirchlichen Matrikeln für Getaufte, Bischöfe, Gemeindemitglieder gab es darum Verzeichnisse der Witwen [3].

Dem Ordo der Kleriker wurden zudem Diakonissen, Witwen und Jungfrauen zugeschrieben, obschon sie weder damals Kleriker im strengen Sinne waren, noch heute es sein können [4]. Welcher Bezug unter diesen drei Klassen bestand, kann historisch nicht ausgemacht werden. Vielleicht ist der Ordo der Diakonissen aus dem Ordo der Witwen und Jungfrauen entstanden, vielleicht versahen dieselben Witwen und Jungfrauen zugleich nicht selten das Amt der Diakonissen. Christliche Witwen erhielten Schutz und standesgemäßes Auskommen und wurden unter Handauflegung und Gebet aufgenommen. Voraussetzungen waren das Alter von 60 Jahren, später von 50 oder wenigstens 40 Jahren [5], Verheiratung mit nur einem Manne [6], Versprechen der Enthaltsamkeit, Beispiel eines ehrbaren und frommen Lebens. In gleicher Weise mußten die Jungfrauen, die wohl schon vom 3. Jahrhundert an mit besonderer Segnung durch den Bischof unter den Schleier genommen und dem Ordo der Jungfrauen zugeführt waren, vollkommene Enthaltsamkeit versprechen. Alle wurden, wo nötig, durch Gaben seitens der kirchlichen Gemeinschaft unterstützt; daß sie ein gemeinsames Leben führten, erscheint für die Zeit vor dem 3. Jahrhundert wenig wahrscheinlich.

Die Diakonissen oder Diakoninnen leisteten verschiedene Dienste [7]

Köln/Wien 1973. Zur ganzen Frage H. VAN DER MEER, Priestertum der Frau, Freiburg/Br. 1969, 34 ff. et passim. Vgl. auch unten S. 150 f.

[2] H. W. BARTSCH, a. a. O. 112–139, vor allem 138.

[3] 1 Tim 5,9; hierzu H. SCHLIER, a. a. O. 53 f.

[4] Röm 16,1; 1 Tim 5,3–9; IGNATIUS M., Ad Smyrn., cap. 12; TERTULLIAN, De virg. cap. 9; TERTULLIAN, Ad uxor. 1,7. Cf. A. KALSBACH, Die altkirchliche Einrichtung der Diakonissen, Freiburg 1926. I. ZEIGER, a. a. O. 47 f. H. VAN DER MEER, a. a. O. 66 f. J. SCHEELE, a. a. O. 22 und 70 mit Literaturangaben.

[5] O. HEGGELBACHER, Vom römischen zum christlichen Recht 130 f.

[6] J. B. FREY, La signification des termes μόνανδρος et univira, Rech Sc Rel 1930, 48/60.

[7] H. ACHELIS und J. FLEMMING, Die syrische Didaskalia 76 ff.; F. X. FUNK, Didascalia 188 ff.; *Traditio Apostolica*, ed. BOTTE, 30. – Konzil von Nizäa can. 19;

durch Unterstützung der Kleriker bei der karitativen Betreuung von Armen und Kranken, bei der Spendung der Taufe an Frauen [1], beim Katechumenenunterricht, bei der Übertragung der Eucharistie in die Privathäuser und außerdem bei der Beaufsichtigung der Oratorien und Kirchen für den Anteil der Frauen. Geistliche Gewalt wurde ihnen nicht übertragen, weswegen sie also geistliche Funktionen nicht vollziehen und das Wort Gottes nicht verkündigen durften, wenn man von einigen Sekten absieht, die solches gestatteten.

§ 15. Das kirchliche Hilfspersonal

Zum kirchlichen Hilfspersonal sind die sogenannten Fossores zu zählen, die zeitweise eine gewisse Rolle spielten. Das erste Dokument über sie sind die «Gesta apud Zenophilum» [2], die sie zusammen mit der kirchlichen Hierarchie als eigenen Stand erwähnen. Die Wahrscheinlichkeit spricht dafür, daß sie zu den Ostiariern gehörten. Doch ergibt sich keine klare Sicht über ihre rechtliche Stellung, zumal sie unter Sammelbegriffen wie copiatae, vespilliones, pollinctores, libitinarii, parabolani und ostiarii aufgeführt werden [3]. Jedenfalls sind sie unter Papst Cornelius (251) in der Klerikerliste nicht genannt. Im Chronicon palatinum (4. Jh.) verschwinden die Akolythen und Exorzisten, und an ihrer Stelle erscheinen die Fossores. Anfangs ein freier Beruf, angewiesen auf die Mildtätigkeit der Auftraggeber, kam im vierten Jahrhundert auch diese Schicht zu Amt und Würden. Besonders durch Grabverkäufe scheinen sie auch zu Geld gekommen zu sein. Nach Cod. Th. 13,1,1 gelangten sie in den Genuß der dem Klerus erteilten Privilegien [4].

HEFELE-LECLERCQ I 1, 615. Konzil von Laodizäa can. 11: HEFELE-LECLERCQ, Conciles I 2, 1003.

[1] O. HEGGELBACHER, Taufe 52; vgl. auch J. G. DAVIES, a. a. O. 1–6.

[2] CSEL 26, 186 ff., besonders 187 und 193. Die «Gesta» stammen aus der Zeit der diokletianischen Verfolgung um das Jahr 303. Vgl. LThK IV² 227.

[3] Hierzu J. WILPERT, Die Malereien der Katakomben Roms, Textband, Freiburg 1903, 521–523. M. E. SAGLIO, Dictionnaire des antiquités grecques et romaines II, Paris 1918, 1333–1334; F. CABROL-H. LECLERCQ, Dictionnaire d'archéologie chrétienne et de liturgie V, Paris 1923, 2065. 2091; *Vocabularium* iurisprudentiae romanae II, Berlin 1933, 914.

[4] A. a. O.: «clericos excipi tantum, qui copiatae appellantur». Vgl. G. GRUPP, Kulturgeschichte der römischen Kaiserzeit II, München 1904, 403–404; DU CANGE, Glossarium III, Venetiis 1738, 625.

III. KIRCHENBEZIRKE
UND SYNODALTÄTIGKEIT

§ 16. Die Kirchenprovinzen; die Metropoliten

Schon früh ergab sich, daß manche Städte und ihre Bischöfe unter sich besondere Beziehungen unterhielten. Solches galt bei äußeren Verfolgungen und inneren Schwierigkeiten noch mehr [1]. Dennoch finden wir im Anfang des 2. Jahrhunderts noch «kein Merkmal regionaler Organisation oder kollektiver Gruppierung» [2].

Tochterkirchen waren oft mit den *Mutter*kirchen enger verbunden [3]. Der Ausdruck «*Metropolit*» kommt im kirchlichen Sinn, nämlich zur Benennung eines Bischofs mit Sitz in einer Provinzhauptstadt, jedoch erstmals auf dem Nizänum des Jahres 325 vor [4]. Er scheint sich überhaupt ziemlich langsam durchgesetzt zu haben. Und nicht alle Kirchen übernahmen die Liturgieordnung der Kirche, von der aus sie gegründet worden waren [5]. Demzufolge konnte auch im dritten Jahrhundert noch keine Rede sein von einer Angleichung der kirchlichen Organisation an die staatliche, im vierten aber bestand zumal im *Osten* eine weitgehende Übereinstimmung [6]. Und aus dem Umstand, daß in den Wiedergutmachungsdekreten der Zeit Konstantins zum ersten Mal von Provinzkirchen die Rede ist, läßt sich schließen, daß *jetzt* organisatorische kirchliche Zusammenfassungen zu existieren begannen [7].

[1] I. ZEIGER, a. a. O. 48 ff.

[2] J. HAJJAR in G. BARAÚNA, De Ecclesia II, Frankfurt/M. 1966, 127.

[3] Eine Übersicht über Bedeutungsgeschichte des Wortes «Metropolis» gibt C. LÜBECK, Reichseinteilung und kirchliche Hierarchie des Orients bis zum Ausgange des vierten Jahrhunderts, Münster 1901, 60, Anm. 1.

[4] G. BARDY, La théologie de l'Eglise de saint Irénée au concile de Nicée, Paris 1947, 308, 310; doch vgl. auch S. 98 und S. 106 ff.

[5] H. GROTZ, a. a. O. 50.

[6] A. a. O. 111 f.

[7] Vgl. LACTANTIUS, De mortibus persecutorum 48. EUSEBIUS, H. E. VIII 17,5; IX 9a, 7 ff.; X 5,1–14.

Die ersten Missionare hatten zwar die Hauptstädte der Provinzen erwählt. Tatsächlich steht fest, daß in vielen Gegenden des römischen Reiches zumindest seit Ausgang des 2. Jahrhunderts die christliche Kirche sich in der den Provinzen entsprechenden Ordnung ausbreitete [1], jedoch ohne daß in *jeder* Provinzhauptstadt ein kirchliches Zentrum gebildet wurde.

Vor dem 2. Toleranzedikt ist keine *Provinzeinteilung* christlicher Art, d. h. das Metropolitansystem, festzustellen, auch wenn man annehmen will, die Entstehung der Metropolitan*verfassung* gehe bis in die apostolische Zeit zurück [2].

In der bürgerlichen Metropole, wo der Prätor der Provinz, der Dux militum und andere Magistrate ihren Sitz hatten, wo jährlich das Provinzialkonzil gefeiert wurde, residierte *von nun an* das kirchliche Haupt der Provinz, nämlich der Bischof der Stadt, der zugleich Metropolit war. Das Amt des Metropoliten wurde nunmehr also mit dem bischöflichen Sitz der Provinzhauptstadt verbunden. Von dieser Regel scheinen dennoch die Provinzen von Nordafrika, nämlich Numidien und Mauretanien abzuweichen. Dort wurde mit Ende des 3. Jahrhunderts der Senior der Bischöfe mit der Metropolitenwürde ausgezeichnet [3]. J. Lebreton hat Zeitlich äquivalent dargetan, daß es in Spanien und Gallien, in Skythia und Thracia eine Übereinstimmung der kirchlichen Gebietseinteilung mit der staatlichen nicht gegeben habe [4].

Woher die auffallende *afrikanische* Ausnahme rührt, ist nicht sicher. Bisweilen wird sie aus der Besonderheit der Afrikaner, dann auch aus der anders gearteten Form der römischen Zivilverwaltung, schließlich aus der Eigenart des römischen Volksrechtes hergeleitet [5].

Die Provinzialorganisation beruht bei alledem nicht nur auf äußeren Gründen, sondern *auch und zumal* auf innerkirchlichen Momenten. Als maßgebend für den Zusammenschluß zu großen und mittelgroßen Verwaltungseinheiten können die missionarische Abkunft, der Zusammenschluß der Bischöfe, die Abhaltung von Synoden wie die

---

[1] Vgl. CYPRIAN, Ep. 67,5: «... per provincias universas tenetur ... episcopi eiusdem provinciae ...».

[2] P. GAECHTER, Petrus und seine Zeit 212.

[3] Vgl. G. BARDY, La théologie de l'Eglise 295 f.

[4] J. LEBRETON, The history of the primitive Church IV, London 1948, 984.

[5] R. HÖSLINGER, Die alte afrikanische Kirche im Lichte der Kirchenrechtsforschung, Wien 1935. Dazu vgl. I. ZEIGER, Rezension in den Stimmen der Zeit 131 (1936), 204 f.; H. GROTZ, Die Hauptkirchen des Ostens. Von den Anfängen bis zum Konzil von Nikaia (325), Rom 1964.

Versammlung von Bischöfen zur Wahl und Ordination eines neuen Bischofs genannt werden. Das ergibt sich aus der Geschichte der ältesten Bischofssitze. Die Kirche von *Jerusalem,* die nach der Zerstörung untergegangen war, wurde erst zur Zeit des Kaisers Konstantin in ihrer alten Bedeutung wiederum hergestellt [1]. Der Bischof von *Cäsarea* galt aber schon um 180 als kirchliches Haupt von Palästina. Zur selben Zeit war Antiochien das *Zentrum* der ersten Glaubensverbreitung und der Provinz Syrien [2]. Zu Beginn des 3. Jahrhunderts steht dasselbe von *Alexandrien* für Ägypten und von *Ephesus* für die Provinz Asien fest. Aus Eusebius (H. E. V 23, 3) wissen wir, daß Palmas, Bischof von *Amastris,* wegen seines Seniorates im dritten Jahrhundert den Bischöfen von Pontus vorgestanden hat.

Augustinus nennt Brevic. coll. III 13,25 und Ep. 43, 5, 14 den Bischof *Secundus von Tigisi,* unter dessen Vorsitz am *5. März 305* [3] eine Bischofskonferenz in *Cirta,* der Hauptstadt von Numidien, sich versammelt hatte, *Primas.* Dem Senior einer Kirchenprovinz, auch Senex geheißen, oblag es offenbar, die Synoden seiner Provinz zu berufen und zu leiten und Fragen der Kirchendisziplin in letzter Instanz zu entscheiden. Der für ganz Afrika als Primas zuständige Bischof von Karthago hatte demgegenüber eine dem Patriarchen vergleichbare Stellung. *Nach ihm* war der Senex von *Numidien* aufgrund der Größe und Bedeutung der numidischen Provinz und der großen Zahl der dortigen Bischofssitze der ranghöchste [4]. Im Falle des Secundus zeigte sich allerdings die Autorität der Synode gegen ihn: Secundus, in der Verfolgungszeit selbst schuldig geworden, folgte dem Rat seines Neffen und der drei Bischöfe Victor, Felix und Nabor, wonach die Schuldigen Gott allein Rechenschaft ablegen sollten: Er verzichtete darauf, Bischof Purpurius von Limata und die anderen Bischöfe, die sich für die in der Verfolgung begangene traditio zu rechtfertigen nicht bereit waren, zur Verantwortung zu

---

[1] Vgl. S. 60 f. und S. 107. Ferner die Nachricht des Eusebius, H. E. VI 20.

[2] Zwischen Antiochia als kirchlicher Metropolis und analogen Gebilden auf profanem Gebiet lassen sich keine Entwicklungslinien ziehen. Der Ausdruck Metropolis fehlt in den frühchristlichen Schriften. Dennoch kann nicht in Abrede gestellt werden, daß die langjährige Stellung Antiochias als Metropolis von Syrien und Sitz eines römischen Legaten einen gewissen Einfluß auf das Denken antiochener Christen ausgeübt haben mag. Vgl. P. Gaechter, Petrus und seine Zeit 200 f.

[3] Hefele-Leclercq, I 209–211.

[4] Hefele-Leclercq, a. a. O. II 85; E. L. Grasmück, Coercitio 17 f.

ziehen. Der Kompetenz des «primae sedis episcopus» war in dieser Weise durch die Kollegialität des Bischofsamtes eine charakteristische Grenze gesetzt. Der Bischofssitz von Rom schließlich war für ganz Mittel- und Norditalien einzige Metropole, woraus sich wiederum ergibt, wie sehr *genuin kirchliche* Erwägungen bei der Ausbildung der Metropolitanorganisation maßgebend waren [1].

Dem Bischof Irenäus von Lyon einerseits hatten schon um 200 hervorragende Kenntnisse und Eigenschaften eine Stellung ähnlich der der Metropoliten folgender Jahrhunderte gesichert. Die Praxis, wonach der Bischof der bürgerlichen Metropole das Recht des Vorsitzes auf der Synode hatte, war aber anderseits in Gallien auch bis zum Ende des 4. Jahrhunderts noch nicht eingeführt [2].

Die Bischöfe übrigens, die zu einer Metropole gehörten, wurden comprovinciales genannt. In solchem Kreise hatte der Metropolit das Vorrecht, der Wahl eines neuen Bischofs zu assistieren, diesen unter Assistenz zweier anderer zu ordinieren, der Provinzialsynode vorzustehen, als Gerichtsherr tätig zu werden und die Diözesanverwaltung zu überwachen [3].

Wie für die *Provinzialsynoden* in Kanon 5, so hatte das Konzil von Nizäa in Kanon 4 für die *Bischofswahlen* eine eindeutige Regelung getroffen [4]. Danach soll der Bischof von den Bischöfen der Eparchie (Provinz) gewählt und vom *Metropoliten* bestätigt werden.

Der Kanon hatte einen Vorgänger im ersten der Apostolischen Kanones und im 20. des Konzils von Arles 314 [5]. Man kann darum auch nicht sagen, daß das Nizänum eine höhere Bischofskategorie neu geschaffen habe [6].

Da in Spanien die Metropolitanverfassung noch nicht eingeführt war, hatte Bischof Felix von Quadix als der Ordination nach ältester [7] dem Konzil von Elvira präsidiert.

Daß Ambrosius von Mailand aus als Metropolit weithin wirkte, ist für später wohl bezeugt [8]. Aquileia, sicher schon 285 Bistum, war

---

[1] I. Zeiger, a. a. O. 50.
[2] Vgl. O. Heggelbacher, Das Gesetz im Dienste des Evangeliums 13.
[3] I. Zeiger, a. a. O. 50.
[4] Hefele-Leclercq, I 539 ff.; 548 ff.
[5] H. Schlier spricht von einem Vergleich der Apostelschüler Timotheus und Titus auch mit Metropoliten: Ordnung der Kirche nach den Pastoralbriefen 46.
[6] H. Grotz, a. a. O. 78.
[7] G. Langgärtner, MThZ 14 (1964), 32.
[8] O. Heggelbacher, a. a. O. 9 f.

aber im 4. Jahrhundert daneben tatsächlich Metropole von Noricum und wurde um die Wende zum 5. Jahrhundert von Rom darin bestätigt.

Die Angleichung der kirchlichen Organisation an den Staat unter Konstantin ist durch mehrere Dokumente beweisbar. Wie schon erwähnt, war die Wiedergutmachung des der Kirche zugefügten materiellen Schadens äußerer Anlaß dafür. Sie hatte zumal durch die staatlichen Provinzbehörden zu erfolgen, welche kirchliche Verhandlungspartner gleicher Ebene brauchten. Eusebius berichtet in der Vita Constantini II 46, daß an die Kirchenvorsteher in jeder Provinz geschrieben und die Befehlshaber in den Provinzen zu Zwecken des Baues von Kirchen angewiesen wurden.

Das Konzil von Nicäa setzt das Bestehen des Metropolitansystems voraus: Das ergibt sich daraus, daß es zu dessen Weiterentwicklung und Sicherung die Sonderrechte der Metropolitansitze umschreiben und diese mit höchster Autorität ausstatten wollte. Den Hauptkirchen, die Gewohnheitsrechte besaßen, sollten indessen auch neben der Metropolitanorganisation diese Vorrechte erhalten bleiben.

Denn solche Hauptkirchen mit Vorrangstellung waren schon längst vor dem Nizänum vorhanden. Das Metropolitansystem als Ausrichtung kirchlicher Einheiten auf der Basis der Reichsprovinzen erfuhr dadurch keine Einbuße, um so weniger, als seine Sanktionierung durch das Nizänum bewußt *im Einklang* mit der Festlegung anderer Schwerpunkte erfolgte.

§ 17. Die Organisation der größeren Kirchen; die Patriarchate

Die alten Ökumenischen Konzilien sprechen von den Patriarchaten auf dem Gebiet des Reiches: Deren älteste sind Alexandrien und Antiochien mit ihrer einzigartigen, durch Gewohnheitsrecht entwickelten [1] und durch den Kanon 6 des Konzils von Nicäa [2] sanktionierten Sonderstellung.

[1] W. DE VRIES, Rom und die Patriarchate des Ostens, Freiburg 1963, 7 ff.; DERSELBE, Das Collegium Patriarcharum, Concilium 1 (1965), 655/663; W. DE VRIES, Die Entstehung der Patriarchate des Ostens und ihr Verhältnis zur päpstlichen Vollgewalt, Scholastik 37 (1962), 341 ff. – E. EID, La figure juridique du Patriarche², Rom (Lateran-Universität) 1962. Diese und die folgenden Darlegungen sind zuvor schon gegeben bei O. HEGGELBACHER, Die Aufgabe der frühchristlichen Patriarchate, Festschrift B. Panzram, Freiburg i. Br. 1972, 393 ff., wo sich die vollen Zitate finden und die Verfolgung des Problems bis in spätere Jahrhunderte.

[2] HEFELE-LECLERCQ, I 552 f.

In Anerkennung solcher Rechte unterstellt dieses dem Bischof von *Alexandrien* alle Metropoliten und Bischöfe Ägyptens, Libyens und der Pentapolis, so daß er einen ähnlichen Vorrang wie der Bischof von Rom einnimmt. Diese Ordnung wird auf Grund der Gewohnheit als zu Recht bestehend anerkannt und zwar im Interesse einer regionalen Zusammenfassung, für welche die Einzelbischöfe offenbar einen Teil ihrer Rechte stillschweigend abgetreten hatten.

Der Bischof von Alexandrien weihte schon im dritten Jahrhundert alle Bischöfe in Ägypten und hatte das Recht, sie abzusetzen. Wie er Synoden in Ägypten und der Pentapolis einberief und leitete, griff er nach Belieben in disziplinäre Angelegenheiten von Einzelbistümern ein [1]: So gibt es in Ägypten offenbar auch später keine Metropolitanbezirke [2].

A. Baumstark sieht die Erklärung dieses Tatbestandes mit guten Gründen in der geographischen Abgeschlossenheit Ägyptens. Diese sei gegeben einerseits in den Grenzen der benachbarten Wüsten und im Lebensnerv des Nilstromes anderseits [3].

G. Bardy weist darüber hinaus auf die Kulmination aller religiösen Macht in der Hand eines einzigen Oberpriesters hin, welche in Ägypten für die jüdischen Glaubensangehörigen im Ethnarchen, für die Heiden im Großpriester von Alexandrien stattgehabt habe. Letzterer habe die Verwaltung des provinziellen Rom- und Kaiserkultes zentral geleitet [4]. Mehr noch mag indessen die günstige Verkehrs- und Handelslage Anlaß dafür gewesen sein, daß *dort* das staatliche Verwaltungszentrum und schließlich der kirchliche Vorort etabliert wurden [5]. Die politischen Verhältnisse wären also höchstens indirekt für den Aufstieg dieser Kirche von Einfluß gewesen, indem sie neben besseren Verkehrsbedingungen etwa auch regelmäßigen Postverkehr im Gefolge hatten [6].

---

[1] Vgl. G. Bardy, Alexandrie, Antioche, Constantinople (325–451), L'Eglise et les Eglises, Chevetogne 1954, I 183 ff.; W. de Vries, Entstehung 386 ff. Vgl. ferner oben S. 77. W. Hagemann, Die rechtliche Stellung der Patriarchen von Alexandrien und Antiochien, Ostkirchliche Studien 13 (1964), 175 ff.

[2] W. Hagemann, a. a. O. 174.

[3] Vom geschichtlichen Werden der Liturgie, Freiburg i. Br. 1923, 38.

[4] G. Bardy, La théologie de l'Eglise de saint Irénée au concile de Nicée, Paris 1947, 296/297.

[5] H. Grotz, a. a. O. 72; Bardy, a. a. O. 289–290; 306.

[6] H. Grotz, a. a. O. 76. – Vgl. R. Sohm, Kirchenrecht I, Leipzig 1892, 368: «Wenngleich natürlich die weltlichen Verbände sich geltend gemacht haben ...

Niemals wird jedoch in den ersten drei Jahrhunderten zur Begründung für eine solche eminente Stellung auf den angeblichen apostolischen Ursprung Alexandriens durch Markus, den Schüler des Apostels Petrus, verwiesen. Eusebius bringt als erster diese Nachricht [1]. Das Konzil von Nizäa nimmt lediglich auf die alte Gewohnheit Bezug. Der These, daß die Errichtung einer Primatstellung des christlichen Ägypten mit Titus und Timotheus in wesentlichen Zusammenhang zu bringen sei, muß man wohl ebenfalls skeptisch begegnen [2].

Die Rechte *Antiochiens* waren zur Zeit des Konzils von Nizäa nicht ebenso klar. Zwar nennt schon Ignatius von Antiochien sich *selbst* Bischof Syriens (Röm 2, 2) [3]. Doch wird dies lediglich von seiner Herkunft gemeint sein: «Ein Bischof gerade aus Syrien, nicht etwa von Rom, ist gewürdigt geworden». Daher denn auch in Röm 3 gesagt wird: «Auf niemanden seid ihr neidisch geworden». Dennoch dürfte das ehrwürdige Alter dieser Kirche und ihre frühe Gründung (Apg 11,19) das Ansehen Antiochiens ein für allemal begründet haben, ganz abgesehen von der Tatsache, daß Petrus nach altchristlicher Überlieferung längere Zeit hier Vorsteher war [4].

Das Jerusalemer Konzil hatte übrigens Antiochia als Metropolis von Syrien-Kilikien bestätigt, indem es sein Dekret «an die aus den

so ist doch noch um die Mitte des dritten Jahrhunderts von einer irgendwie durchgeführten Provinzialverfassung keine Rede. Die führenden Gemeinden haben vielmehr meistens, wie wir sehen können, ein über ihre Provinz hinaus sich erstreckendes Machtgebiet ... Die Provinzialverfassung des Reiches ist als solche für die Kirche nicht maßgebend».

H. Marot, Vornizäische und ökumenische Konzile 41, erinnert an das Konzil von Antiochien von 268, das vor der Unterteilung der Provinzen durch Diokletian (297), und an jenes von Ancyra 314, das unter dem Vorsitz des Bischofs von Antiochia stattfand: Er meint dazu, man stelle eine *gewisse Neigung* fest, die Bischöfe nach Provinzen einzuberufen. – Hierzu auch D. E. Lanne, Eglises locales et patriarcats à l'époque des grands conciles, Irén. 34 (1961), 292–321.

[1] Eusebius, H. E. II 16,1: «Markus soll ... in Alexandrien selbst als erster Kirchen gegründet haben». – Trotz der Tatsache, daß die Nachricht von der Gründung des Patriarchates Alexandriens durch Markus aus so später Zeit stammt und sonst nicht gestützt wird, sprachen im Sommer 1968 Pressemeldungen anläßlich der Wahl des neuen griechisch-orthodoxen Patriarchen wieder von der «Markus-Tiara» und dem «Markus-Thron».

[2] O. Kéramé, Les chaires apostoliques, Unam Sanctam 39 (1962), 270.

[3] Vgl. W. Hagemann, Die rechtliche Stellung der Patriarchen von Alexandrien und Antiochien 181 f.

[4] H. Grotz, a. a. O.

102

Heiden stammenden Brüder in Antiochia, Syrien und Kilikien» (Apg 15,23) richtete [1]. Wenn Paulus das Aposteldekret in Antiochia Pisidiae, Lystra, Derbe wie in Syrien-Kilikien promulgierte, in den später gegründeten Kirchen aber nicht, so betrachtete er wohl die erstgenannten Kirchen als zum gleichen Territorium gehörig, als einheitliches Kirchengebiet, als eine Kirchenprovinz mit Antiochia als ihrer Metropolis [2].

Das Nizänum spricht sich wohl über die Rechte und die alten consuetudines Antiochiens aus, nicht jedoch klar über die Gebietsgrenzen. Dies setzt aber zumindest voraus, daß zur Zeit dieses Konzils die territoriale Entwicklung des Patriarchates Antiochien schon sehr weit gediehen war. Lediglich hinsichtlich der Provinz Isauria mit der Hauptstadt Seleucia wissen wir zusätzlich, daß dort um 200 Bischof Serapion von *Antiochien* gegen häretische Tendenzen in Rhossos einschritt [3].

Wenn der unzweifelhaft apostolische Sitz von Antiochien sich im Laufe des 4. und 5. Jahrhunderts zu einem eigentlichen Patriarchat entwickelte, so war dafür der Kanon 6 von Nizäa dann offenbar eine klare juristische Grundlage. Welche die anderen «Eparchien» sind, wird darin nicht gesagt. Der Bischofssitz von Babel unterstand jedenfalls dem Patriarchen von Antiochien. Dabei ist zu bedenken, daß der Name «Patriarchen» und «Patriarchate» erst durch Justinian im 6. Jahrhundert allgemein wird; in dieser Zeit wird auch die mystische Theorie von den fünf Patriarchaten entwickelt.

In Persien war das Christentum wahrscheinlich schon zu Beginn des zweiten Jahrhunderts eingedrungen. Der Erzbischof von Seleucia-Ctesiphon gewann bereits in der ersten Hälfte des vierten Jahrhunderts – wahrscheinlich mit Hilfe der benachbarten Provinzen des Römischen Reiches – einen Primat über die gesamte persische Kirche [4]. Auf dem Konzil von Nizäa 325 unterzeichnete Johannes, Bischof von Persien und Großindien.

Dem Erzbischof von Jerusalem hatte das Konzil von Nizäa in Kanon 7 lediglich einen reinen Ehrenprimat unter Wahrung der

---

[1] P. GAECHTER, Petrus und seine Zeit. Neutestamentliche Studien 200.
[2] A. a. O.
[3] HAGEMANN, a. a. O. 182; MANSI, I 705–708 weist einen Synodalbrief der westlichen Patriarchen auf, nach welchem dem Patriarchen von Seleucia das «ius patriarchicum» für ganz Asien, Mesopotamien und Persien übertragen worden wäre. Das Nizänum erwähnt von alledem nichts.
[4] W. DE VRIES, Rom und die Patriarchate 9.

Rechte des *Metropoliten* von *Cäsarea in Palästina* zubilligen wollen [1]. Trotz des Wettstreites mit genanntem Cäsarea um den kirchlichen Vorrang konnte Jerusalem also wegen seiner größeren Ehrwürdigkeit und seiner Apostolizität im engeren Sinn seinen ersten Platz halten [2].

Die armenische Kirche war zu Beginn des vierten Jahrhunderts von *Cäsarea in Kappadozien* aus gegründet worden. Aus der Tatsache, daß 315 ihr erstes Oberhaupt, der hl. Gregor der Erleuchter, und auch seine ersten Nachfolger bis 374 ebenda geweiht wurden, ergab sich ein gewisses Abhängigkeitsverhältnis hierhin. Gleichzeitig aber wurde der Einfluß des auf dem ersten Ökumenischen Konzil bestätigten Patriarchates von Antiochien so stark, daß die Liturgie nicht nur in griechischer, also einer wie das Armenische *indogermanischen* Sprache, sondern – und das vor allem in Ostarmenien – seit Ende des 3. Jahrhunderts in syrischer, d. h. einer *semitischen* Sprache gefeiert wurde. Die Beziehungen zu Cäsarea wurden infolge des politischen Gegensatzes zwischen Armenien und dem Römischen Reich schließlich 374 gelöst [3].

Insgesamt kann man annehmen, daß über den einzelnen Bischofskirchen die Thronoi Rom, Alexandrien, Antiochien stehen. Daneben schließen sich im Kanon 6 des Nizänums die Privilegien der Provinzhauptstädte an, die mit mannigfaltigen Rechten über den Bischofskirchen stehen. Als Mindestmaß gilt, daß niemand ohne Zustimmung seines Metropoliten zum Bischof konsekriert werden darf [4].

---

[1] HEFELE-LECLERCQ, a. a. O. 569.

[2] H. GROTZ, a. a. O. 23.

[3] J. MOLITOR, Die Eigennamen in der altgeorgischen Übersetzung der Evangelien und der Apostelgeschichte und ihre textkritische Bedeutung, Bamberg 1962, 3 f.; DERSELBE, Grundbegriffe der Jesusüberlieferung im Lichte ihrer orientalischen Sprachgeschichte, Düsseldorf 1968, 10.
Nach EUSEBIUS, H. E. VI 46,1–3 hatte allerdings Dionysius von Alexandrien († 264/265) «an die Brüder in Armenien, deren Bischof Meruzanes war, geschrieben».
Hierin liegt das älteste Zeugnis für die Existenz der armenischen Kirche vor. Vgl. H. SELZER, Die Anfänge der armenischen Kirche. Berichte über die Verhandlungen der Kgl. Sächs. Gesellschaft der Wiss. zu Leipzig, Philol.- hist. Kl. 1895, 171–174. Offensichtlich handelt es sich hier um das früheste Stadium einer Missionskirche.

[4] E. SCHWARTZ, Der sechste nicaenische Kanon auf der Synode von Chalkedon, Sitzungsberichte der Preuß. Akademie der Wiss., Berlin 1930, 634.

§ 18. Die Bischofsversammlungen

a) *Die Struktur der Synoden*

Die Synodalstruktur der alten Kirche hat aus verschiedenen Gründen in der Gegenwart eine besondere Aufmerksamkeit gefunden und eine Reihe von Fragen geweckt, wie auch Antworten gerufen. Für die Ausbildung der Synodaltätigkeit waren nach verbreiteter Ansicht sowohl kirchlich-religiöse wie profane Gründe maßgebend. Unter den ersteren werden die notwendige innere Einheit der Bischöfe besonders zur Abwehr von Häresien und Schismen und zur einheitlichen Glaubensvorlage und die notwendige Geschlossenheit in disziplinären, liturgischen und karitativen Fragen genannt. Die Form und die Sollemnitäten sollen von den Profankonzilien genommen worden sein [1]. In den einzelnen Provinzen des Reiches wurde in der Tat jährlich ein Konvent gehalten, entweder innerhalb der Metropole oder an einem benachbarten heiligen Ort, an dem die Legaten der Gemeinschaften zusammenkamen, d. h. die decuriones und sacerdotales. Da auf Grund alter Gewohnheit der Kult der Götter und des Imperators das Hauptziel des Konziliums darstellten, war der sacerdos provincialis der Konzilspräses. Nach Opfern, Prozessionen und Spielen behandelten die Legaten Verwaltungs- und Wirtschaftsangelegenheiten der Provinz und bereiteten Petitionen an den Prätor oder den Imperator vor. Die Deputierten konnten solche Petitionen vorlegen und diskutieren. Schließlich wurde darüber abgestimmt.

Auf ähnliche Weise seien, so gehen die Vermutungen mancher, auch die kirchlichen Synoden begangen worden. Die Bischöfe der Provinz *mußten,* die Priester und Diakone *konnten* eingeladen werden. Stimmrecht hätten lediglich die Bischöfe gehabt, während den Priestern und anderen Klerikern, die anwesend waren, bisweilen beratende Stimme gewährt worden sei. Das Volk habe lediglich das ius acclamandi gehabt. Aus der Übung, am Anfang die Empfehlungen und Beschlüsse

---

[1] C. Lübeck, Reichseinteilung und kirchliche Hierarchie bis zum Ausgange des vierten Jahrhunderts, Münster i. W. 1901, 34. – A. v. Harnack, Entstehung der Kirchenverfassung 114 f. – I. Zeiger, a. a. O. 50 ff. – Das Wort Synode hat in diesem Zusammenhang einen andern Sinn als im CIC can. 358 ff. Zwar trifft das Presbyterium der Bischofsstadt sich mit dem Bischof (vgl. Cyprian, Ep. 14,4; ed. Hartel 512; Hieronymus, In Isaiam II, 3; PL 24, 61 A). Doch ist die Ausgestaltung der *Diözesansynode* vor dem 6. Jahrhundert nicht zu finden.

vorhergegangener Versammlungen den Anwesenden vorzulesen, seien wohl die ersten Canones-Sammlungen entstanden [1].

Verhandlungsgegenstände waren ohne Zweifel und regelmäßig Fragen des Glaubens, der Sitte, der Disziplin, der Liturgie, des strafweisen Vorgehens gegen Häretiker und aufsässige Schismatiker u. a. Zu Anfang des zweiten Jahrhunderts existiert zwar dieserhalb noch kein Merkmal regionaler Organisation oder kollektiver Gruppierung [2]. Aber schon vom Jahre 170 an werden in bestimmten Bereichen Provinzialkonzile mit einer gewissen Regelmäßigkeit abgehalten und von der Mitte des 3. Jahrhunderts an – zumindest in Kleinasien – ein- bis zweimal im Jahr. Außerdem waren die Bischöfe auch aus *besonderem* Anlaß zusammen gekommen, z. B. in Phrygien etwa um das Jahr 150 wegen des Montanismus. Auf Befehl des Papstes Viktor wurden schließlich in fast der ganzen damaligen katholischen Welt in Sachen des Osterfeststreites Synoden einberufen.

Als Leiter der Synoden fungierten die jeweiligen Ortsbischöfe oder angesehene Bischöfe von einflußreichen Kirchenzentren [3], wie sich aus den Berichten ersehen läßt.

Als Vorbild für die Bischofsversammlungen des christlichen Altertums wird in späterer Zeit freilich auch das sog. Apostelkonzil (Apg 15) betrachtet [4]. Dennoch ist es nicht erwiesen, daß die ältesten bekannten Bischofsversammlungen des 2. Jhs. an das Apostelkonzil anknüpften [5], ebensowenig, wie die Annahme, daß die römischen Provinzialkonzile ihr Vorbild abgegeben hatten [6].

Die wechselseitigen Besuche von Bischöfen, die Lehrbriefe, die gemeinsame Sorge und Hilfe für das Ganze sind zweifellos eine Vorstufe der Synoden. «Alles drängt, sobald die äußere Möglichkeit dazu besteht, zu Zusammenkünften der Bischöfe. Äußere Möglichkeit bestand aber nicht in drängender Verfolgungszeit. Desgleichen waren weite Reisen damals sehr schwierig. Daher entstehen zunächst

---

[1] I. ZEIGER, a. a. O.

[2] I. HAJJAR in BARAÚNA II 127.

[3] A. a. O. 132.

[4] H. JEDIN, Kleine Konziliengeschichte², Freiburg 1960, 11. Vgl. hierzu auch G. KRETSCHMAR, Die Konzile der alten Kirche, H. J. MARGULL, Die ökumenischen Konzile der Christenheit, Stuttgart 1961, 17 f.

[5] Vgl. hierzu W. PLÖCHL, Geschichte des Kirchenrechts I 55; F. MUSSNER, Die Bedeutung des Apostelkonzils für die Kirche in: Ekklesia. Festschrift für Bischof M. WEHR (Trierer Theol. Studien 15, Trier 1962) 35–46.

[6] H. JEDIN, a. a. O.

bei Abflauen der Verfolgung Provinzsynoden. Diese sind durchaus als Vorstufe ökumenischer Konzilien zu werten» [1]. Alles das, was wir über die Konzilien in der frühen Zeit wissen, genügt jedenfalls zum Beweise dessen, daß man die Kirchen nach staatlichen Provinzen zusammenzufassen vorerst *keine Sorge trug* [2].

Nach dem Apostelkonzil – das bleibt zunächst festzustellen – hat es wahrscheinlich keine andern Kirchenversammlungen im ersten Jahrhundert mehr gegeben. Wir besitzen jedoch gewisse Nachrichten über mehrere, die im zweiten Jahrhundert über den Montanismus [3] abgehalten worden sein sollen.

Nach Eusebius (Hist. Eccl. V 16, 10) fanden in Kleinasien wegen des Montanismus wiederholt Synoden statt, bei denen die Sektierer aus der Kirche hinausgeworfen und aus der Gemeinschaft ausgeschlossen wurden. Offensichtlich nahmen hiernach Laien mit den Bischöfen an den Versammlungen teil [4].

Aus Eusebius (Hist. Eccl. V 23, 24 und 25) erfahren wir dann, daß zur Zeit des Papstes Viktor und des Osterfeststreites [5] eine Synode in Rom abgehalten wurde. Asiatische Bischöfe berieten sich unter dem Vorsitz des Polykrates von Ephesus [6], diejenigen von Pontus unter Palmas von Amastris [7]. Eine Versammlung der Bischöfe von Palästina tagte unter der Leitung der Bischöfe Theophilus von Cäsarea und

---

[1] P. Rusch, a. a. O. 276 f.

[2] L. Duchesne, Origines du culte chrétien[5], Paris 1925, 17. Vgl. hierzu § 16.

[3] Hefele-Leclercq I 1, 127–132. Es handelt sich um Konzilien von Hierapolis in Asia (ca. 172 n. Chr.) und von Anchialos in Thracia (2. Hälfte des 2. Jahrhunderts). Hierzu H. Grotz, Hauptkirchen 133–137. Vgl. ferner Dizionario dei Concili II 110 f.

[4] «So kamen die *Gläubigen* Asiens wiederholt an verschiedenen Orten zusammen». In der syrischen Übersetzung wird der Schreiber dieser Worte Apollinaris genannt. – Vgl. G. Bardy, La théologie de l'Eglise de S. Clément à S. Irénée, Paris 1945, 203 Anm. 4.

Von einem angeblichen Konzil auf Sizilien, das unter Papst Alexander I. etwa um das Jahr 125 gehalten worden sei, berichtet ein Anonymus nach Mansi I 647. Die Notiz findet sich im Dizionario dei Concili V 183 neuerdings wiedergegeben. Ebenda Bd. IV, 119, eine Stellungnahme zum angeblichen Konzil von Rom ca. 125–136; Bd. III, 374, geschieht Erwähnung des zweifelhaften Konzils von Pergamon ca. 152, Bd. IV, 120, eine Darlegung zum Konzil von Rom 154–155; Bd. III, 239, zum Konzil im Orient (160); Bd. III, 289, zum Konzil von Palästina 169; Bd. II, 281, zum angeblichen Konzil von Lyon 177 und Bd. VI, 129, zum Viennense aus dem gleichen Jahr.

[5] Hippolyt berichtet Contra Noet. 1 von einem Konzil von Smyrna (um 190 n. Chr.). Vgl. Bihlmeyer-Tüchle, Kirchengeschichte I[13], Paderborn 1952, 164.

[6] Ende des 2. Jahrhunderts; Hefele-Leclercq I 1, 141; 151.

[7] Hefele-Leclercq, a. a. O. Vgl. Dizionario dei Concili I 99.

Narcissus von Jerusalem. Die südsyrischen Bischöfe waren unter Kassius von Tyrus und Klarus von Ptolemais zusammengetreten [1]. Die Bischöfe von Osrhoëne und der dortigen Städte hatten sich ebenfalls vereint [2]. Besonders erwähnt wird ein Schreiben des Irenäus im Namen der ihm untergebenen gallischen «Brüder» (V 24). Zum ersten Mal hat damit die Einheit der Kirche ihren Ausdruck in einer *Reihe* synodaler Entscheidungen gefunden [3].

In Ägypten erscheinen danach Konzile, die *Origenes* verurteilen [4].

Da die Evangelisation im Orient rascher vorangeschritten war, beschränkten sich die ersten Synoden auf Anatolien und Palästina. Auffallend ist, daß sie in Ägypten [5] verhältnismäßig spät einsetzen. Die Bischöfe historisch gewordener Gruppen von Gemeinden, die sich besonders um Rom und Karthago, Alexandria und Antiochien gebildet hatten, traten aber begreiflicherweise später am intensivsten zu Synoden zusammen [6].

[1] HEFELE-LECLERCQ I 1, 150, 141. Vgl. H. GROTZ, a. a. O. 137 ff.
[2] HEFELE-LECLERCQ I 1, 141; 151. – Zu dem Thema des Osterfeststreites vgl. den Abschnitt «Primat und Gesamtkirche». – H. MAROT, Vornicäische und ökumenische Konzile, Das Konzil und die Konzile, Stuttgart 1962, 23–51, bes. 28 ff. Zum Konzil von Mesopotamien von 197 vgl. MANSI, I 727. Dizionario dei Concili III 95. Zu einer Synode in Griechenland gegen Ende des 2. oder Anfang des 3. Jhs. vgl. TERTULLIAN, De ieiunio 13; HEFELE-LECLERCQ I 159.
[3] H. LIETZMANN, Geschichte der alten Kirche, Berlin 1936, II 207 f.
[4] EUSEBIUS, H. E. VI 8. Zu Konzilien von Alexandria 231 und kurz danach: Vgl. HEFELE-LECLERCQ I 1, 156–158. PHOTIOS, MG 103, 397; 398 BC.
[5] An neueren Forschungen über Ägypten wären zu nennen:
J. M. CREED, Egypt and the Christian Church, und DE LACY O'LEARY, The Coptic Church and Egyptian Monasticism, beide in: Glanville, S. R. K., The Legacy of Egypt, Oxford 1942, 300–331.
A. STEINWENTER, Die Stellung der Bischöfe in der byzantinischen Verwaltung Ägyptens, Studi in onore di PIETRO DE FRANCISCI I, Milano 1956, 77–99.
Koptische datierbare Urkunden darüber gibt es überhaupt nicht:
A. STEINWENTER, Das Recht der koptischen Urkunden, München 1955, 2,5.
L. ANTONINI, Le chiese cristiane nell'Egitto dal IV al IX secolo secondo i documenti dei papiri greci, Aegyptus 20 (1940), 129–208.
O. MONTEVECCHI, Progetto per una serie di ricerche di papirologia cristiana, Aegyptus 36 (1956) 3–13.
P. BARISON, Ricerche sui monasteri dell'Egitto bizantino ed arabo etc., Aegyptus 18 (1938), 29–148.
Das historische Material hierzu ist dürftig, was die ersten Jahrhunderte angeht. G. GHEDINI, Paganesimo e cristianesimo nelle lettere papiracee greche dei primi secoli d. Cr., Atti del IV congresso int. di papirologia, Milano 1936, 333–350, *kennt kaum mehr als ein Dutzend Privatbriefe von Christen vor 300*. Es bliebe zu erforschen, wie weit in den Namen von Kirchenheiligen ein Bischof des 3. Jahrhunderts vorkommt.
[6] Vgl. J. VOGT, Constantin der Große und sein Jahrhundert 191.

Ein Konzil von Ikonium (abgehalten zwischen 230 und 235 n. Chr.) [1], je eines von Synnada (zwischen 230 und 235 n. Chr.) [2], von Bostra (um 244) [3], und von Arabia (zwischen 244 und 249) [4], zwei in Asia (zwischen 244 und 249) [5], eines in Antiochia (251 oder 252) [6] und eines von Arsinoe Teuchira (um 255) [7] gehören zur Liste der Synoden des dritten Jahrhunderts.

Zwischen 218 und 222 [8] hatte unter dem Vorsitz von Bischof Agrippinus ein erstes Konzil von 71 Bischöfen der Africa proconsularis und Numidiens stattgefunden; ein zweites hatte zwischen 236 und 248 sogar 90 versammelt und die gleiche Zahl begegnet im Jahre 252 [9].

Der Brief 71 Cyprians ist an Quintus, den mauretanischen Bischof [10] geschrieben. Ep. 72 aber, die ihn erwähnt (Abschnitt 1), nimmt Bezug auf das wahrscheinlich Frühjahr 256 (Anfang Mai) abgehaltene Konzil der Bischöfe von Africa proconsularis und Numidien (vgl. – Ep. 73,1). Die Sententiae Episcoporum [11] rühren von der dritten karthagischen, wahrscheinlich 256 [12] am 1. September abgehaltenen Kirchenversammlung her, die damit die erste ist, von der wir Protokolle haben [13]. Im Blick hierauf ist zu sagen, daß die Konzile einen Platz ersten Ranges in der Ekklesiologie Cyprians einnehmen, insofern sie als reguläres Verfahren erscheinen, um die Einheit des Episkopates zu sichern [14].

---

[1] CYPRIAN, Ep. 75,7: «Haereticum enim sicut ordinare non licet nec manum imponere, ita nec baptizare nec quicquam sancte et spiritaliter agere, quando alienus sit a spiritali et deifica sanctitate. quod totum nos iam pridem in Iconio qui Phrygiae locus est collecti in unum convenientibus ex Galatia et Cilicia et ceteris proximis regionibus confirmavimus». Ep. 75,19: «Plane, quoniam quidam de eorum baptismo dubitabant qui etsi novos prophetas recipiunt eosdem tamen patrem et filium nosse nobiscum videntur, plurimi simul convenientes in Iconio diligentissime tractavimus ...». HEFELE-LECLERCQ I 1, 159–161, 172.

[2] HEFELE-LECLERCQ I 1, 161–162.

[3] HEFELE-LECLERCQ I 1, 162 ff. An diesem nimmt Origenes als «Konzilstheologe» teil. Vgl. J. HAIJJAR, BARAÚNA II 131.

[4] HEFELE-LECLERCQ I 1, 163–164.   [5] HEFELE-LECLERCQ I 1, 164.

[6] EUSEBIUS, H. E. VI 46, 3–4. Vgl. H. GROTZ, a. a. O. 148–150.

[7] HEFELE-LECLERCQ I 193–194.

[8] HEFELE-LECLERCQ I 156. Vgl. CYPRIAN, Ep. 71,4 und 73,3.
Im Dizionario dei Concili III, 229, auf 198/199 datiert.

[9] Zum Konzil von Karthago des Jahres 252 vgl. CYPRIANS Ep. 57 und 59; ferner HEFELE-LECLERCQ I 169–171.   [10] Vgl. GRÉGOIRE, a. a. O. 31.

[11] ed. HARTEL 435 ff.   [12] Vgl. O. PERLER, L'évêque, représentant du Christ 52.

[13] Von der Synode, die Paul von Samosata absetzte, dürften wir Reste des Protokolls besitzen. Dies ist freilich etwas später. Vgl. H. DE RIEDMATTEN, Les Actes du Procès de Paul de Samosate, Freiburg/Schweiz 1952.

[14] G. BARDY, La théologie de l'Eglise 201 f.

Es ist wohl klar, daß neben theologischen Fragen Erwägungen missionarischer und geographischer Art für Konzilsversammlungen von Ausschlag waren.

Die Kirchengeschichte des 3. Jahrhunderts ist aber vor allem durch den weitgreifenden Ketzertaufstreit geprägt; denn die strenge Auffassung der Kleinasiaten von der Ungültigkeit der Ketzertaufe, welche vielleicht in die erste Hälfte des 2. Jahrhunderts zurückgeht, hatte auch auf den afrikanischen Kontinent übergegriffen.

Um 190 hatte Tertullian in griechischer Sprache an die Kleinasiaten geschrieben, um sich deren Zustimmung zu seiner Haltung zu sichern [1]. Die Schrift De baptismo, die noch in der katholischen Zeit verfaßt wurde, zeigt, daß die *eine* Richtung der afrikanischen Kirche schon in dieser Epoche die durch die Häretiker gespendete Taufe als ungültig ansah. Und der Brief des Dionysius von Alexandrien an Xystus II. spricht vom hohen Alter nochmaliger Taufe [2]. Doch machte erst unter dem vorgenannten Agrippinus ein erstes Konzil, vielleicht beeinflußt durch die Stellungnahme Tertullians, die Wiedertaufe aller Konvertiten aus der Häresie zur Pflicht, und auch dieser Beschluß wurde nur von den Bischöfen der Africa proconsularis und von Numidien gefaßt, während in Mauretanien die aus der Häresie kommenden weiterhin ohne Wiedertaufe in die Kirche aufgenommen wurden [3]. Cyprian und die von ihm im Jahre 256 einberufenen Konzilien stimmten der *Agrippinischen* Reform zu [4].

---

[1] bapt. 15; ed. BORLEFFS 71 Z. 11: «Sed de isto plenius iam nobis in Graeco digestum est». – Bei CYPRIAN, Ep. 75, 19; ed. HARTEL 822 Z. 27/28 argumentiert Firmilian mit dem hohen Alter der kleinasiatischen Übung: «... ab initio hoc tenentes quod a Christo et ab apostolis traditum est». Hier sagt Firmilian auch: «Necessario apud nos fit, ut per singulos annos seniores et praepositi in unum conveniamus ad disponenda ea, quae curae nostrae commissa sunt, ut, si quae graviora sunt, communi consilio dirigantur» (Ep. 75, 4).

[2] EUSEBIUS, H. E. VII 5; 7, 5.

[3] CYPRIAN, Ep. 71,4; ed. HARTEL 774 Z. 12/15: «Quod quiden et Agrippinus bonae memoriae vir cum ceteris coepiscopis suis qui illo tempore in provincia Africa et Numidia ecclesiam Domini gubernabant statuit et librata consilii communis examinatione firmavit». Vgl. 73,3; a. a. O. 780; Ep. 71,1; a. a. O. 771 Z. 8/12: «nescio qua etenim praesumptione ducuntur quidam de collegis nostris ut putent eos qui apud haereticos tincti sunt, quando ad nos venerint, baptizari non oportere, eo quod dicant unum baptisma esse: quod unum scilicet in ecclesia catholica est, quia ecclesia una est et esse baptisma praeter ecclesiam non potest». – Der Brief 71 ist an Quintus, den mauretanischen Bischof (vgl. Ep. 72,1; ed. HARTEL 776 Z. 9/10: «in epistula quae ad Quintum collegam nostrum in Mauretania constitutum ...») geschrieben. Vgl. Dizionario dei Concili I 251 mit Literaturangaben.

[4] Ep. 72 nimmt Bezug auf das wahrscheinlich im Frühjahr 256 abgehaltene

Die Wiedertaufpraxis der Afrikaner wurde zwar einige Jahrzehnte später vom Konzil von Arles 314 (Kan. 8) mit der Einschränkung auf die bei antitrinitarischen Sekten Getauften gestattet [1]. Im Gegenschlag gegen den Donatismus, der den Standpunkt Cyprians sich zu eigen machen und jedes außerhalb der legitimen Kirche gespendete Sakrament als ungültig verwerfen wollte, hatte man sich auf orthodoxer Seite jedoch mehr der römischen und abendländischen Praxis genähert; Augustinus wird schließlich der in Afrika wieder allgemein gewordenen *Nichtwiederholung* einer rechtmäßig gespendeten außerkirchlichen Taufe auch theoretisch zum Sieg verhelfen. Das Ringen der *Synoden* um *diese umfassende Frage* hält also auffallend lange an, bis sie endgültig als erledigt gilt.

Die beiden ersten in Antiochien abgehaltenen Konzile, welche die Gesamtheit der Kirchen vom Schwarzen Meer bis nach Ägypten, von Neocäsarea bis Alexandrien ansprachen, wurden noch von Firmilian von Cäsarea und Helenus von Tarsus, den *Gegnern* des Papstes Stefan eben im *Ketzertaufstreit,* einberufen: das eine 252 freilich wegen des Novatianismus, das andere 264 gegen den Bischof von Antiochien selbst, Paul von Samosata [2]. Eusebius erwähnt für 264 ausdrücklich «Firmilian von Caesarea, Gregor und seinen Bruder Athenodorus, Hirten der Kirchen des Pontus, Helenus, Bischof der Kirche von Tarsus, Nikomas von der Kirche von Ikonium, Hymenäus von Jerusalem, Theoteknus, Bischof von Caesarea, Maximus von Bostra» [3].

Die Synode von Antiochien im Jahre 268 versammelte sich wiederum wegen des Paulus von Samosata; sie vereint die größtmögliche Zahl von Bischöfen (Eusebius, H. E. VII 29). Um diese schwere Belastung der Christenheit seitens des Bischofs einer der größten Diözesen, dessen Einfluß sich weit über die Grenzen seines Sprengels hinaus erstreckte, zu überwinden, mußte man ein Verfahren anwenden, das bisher schon in Übung gewesen und dessen Wirksamkeit durch die Erfahrung erprobt war [4].

Konzil der Bischöfe von Africa proconsularis und Numidien: vgl. auch Ep. 73,1; die Sententiae Episcoporum, ed. HARTEL 435 ff., rühren von dem wahrscheinlich September 256 geschehenen karthagischen Konzil her. – Zum Konzil von Rom (Sommer 256) vgl. Übersicht und Literaturangaben Dizionario dei Concili IV 126 ff.

[1] HEFELE-LECLERCQ I 285 f.

[2] H. MAROT, Vornizäische und ökumenische Konzile 36 ff., H. GROTZ, a. a. O. 148 ff.; V. C. DE CLERCQ, Ossius of Cordova, Washington 1954, 262 f.

[3] EUSEBIUS, H. E. VII 28,1.

[4] Vgl. G. BARDY, Paul de Samosate [2], Löwen 1929, 352. Hierzu auch H. U. INSTINSKY, Römische Quartalschrift 66 (1971), 68–73.

Wenn Paulus von Samosata als der Vorläufer des Arianismus erscheint, ist das Konzil von Antiochien, das ihn seines Amtes enthebt, das Muster für das Konzil von Nizäa. Obwohl es nur eine Partikularsynode der Bischöfe aus dem religiösen Einflußbereich der syrischen Metropole gewesen ist, hat man dennoch von ihm bisweilen wie von einem allgemeinen Konzil gesprochen; man konnte zum Beispiel sagen, daß das Urteil der Bischöfe der katholischen Welt den Bischof von Samosata seines Amtes enthoben habe [1]. So hat bereits Alexander von Alexandrien als erster erklärt, daß Paul von Samosata durch eine Synode (συνόδῳ) und ein Urteil (κρίσει) der Bischöfe von überallher exkommuniziert worden sei [2].

Danach setzt eine über dreißig Jahre währende Pause ein [3]. Am 5. März 305 beginnt erst die Synode von Cirta, die interessante Akzente für die Frage der Kollegialität des Bischofsamtes setzt [4]. Unter dem Vorsitz des Bischofs Petros von Alexandrien fand dann in Alexandrien 306 n. Chr. eine Synode statt, die Meletios, Bischof in Ägypten, absetzte [5].

Die für die Folgezeit bedeutende Nationalsynode von Elvira in Spanien, die zu einer bis jetzt nicht eindeutig bestimmten Zeit stattfand [6], war nach den beiden Teilnehmerlisten [7] von Bischof Felix von Quadix präsidiert, der mangels einer Metropolitanverfassung [8] aufgrund des Ordinationsalters dafür berechtigt war.

Diese Synode gedachte lediglich *innerspanische Verhältnisse* zu ordnen, hat aber als erste eine *kanonische Gesetzgebung* vollzogen und so eine größere Reichweite erlangt. U. a. untersagte sie im Kanon 56 jenen Christen, die das Duumvirat bekleideten, für die Dauer ihres Amtes,

---

[1] Vgl. G. Bardy, a. a. O.

[2] Alexander von Alexandrien bei Theodoret, H. E. I 4 (ed. Parmentier 18, 2; MG 82, 900 D). – Der Text ist zitiert bei Bardy, a. a. O. Zur Synode von Alexandrien um 320 siehe die Darlegung weiter unten Seite 116.

[3] Über ein angebliches Konzil von Aluta im Jahre 304 (Afrika) finden sich keine stichhaltigen Angaben. Vgl. Dizionario dei Concili I 3.

[4] Zum Konzil von Cirta vgl. oben S. 98 f.

[5] Athanasios, Apol. contra Ar. 59; MG 25, 356 D. Hefele-Leclercq I 211 f.

[6] Bisweilen wird sie in die Zeit vor der diokletianischen Verfolgung datiert. V. C. de Clercq, Ossius of Cordova, 132 f. u. Anm. Hefele-Leclercq, I 212, Anm. 3. Vom Gesichtspunkt der Bußgeschichte her hat neuerdings J. Grotz, Die Entwicklung des Bußstufenwesens 426 f., für die Zeit um 324 plädiert.

[7] Mansi, a. a. O. II 5.

[8] G. Langgärtner, Die Gallienpolitik der Päpste im 5. und 6. Jahrhundert, Bonn 1964, 19, Anm. 5. Vgl. oben S. 99.

d. h. für ein Jahr, die Kirche zu betreten [1]. Das ist, wenn man es mit anderen Kanones der Synode vergleicht, eine verhältnismäßig milde Bestimmung.

Für die kostspieligen Ämter gab es in dieser Spätzeit kaum freiwillige Bewerber, weshalb die Übernahme eines solchen Amtes von Staatswegen erzwungen werden konnte und auch erzwungen wurde. Dem trägt dieser Kanon Rechnung, so daß er einen Kompromißcharakter aufweist. Dieser paßt nicht in die Zeit Konstantins, aber auch nicht in jene scharfer Verfolgung oder strikter Feindschaft zwischen Staat und Kirche. Vielmehr scheint er in eine Zeit zu weisen, in der sich von beiden Seiten der Ausgleich anbahnt. Von daher deutet die Situation am besten in die Zeit 305/311, d. h. auf die Zeit nach dem Rücktritt Diokletians und vor dem Sieg Konstantins über Maxentius [2].

Nachdem das Christentum durch die Mailänder Konvention offizielle staatliche Anerkennung erlangt hatte, erfolgte durch die Tätigkeit der Synoden vornehmlich die Auseinandersetzung um die innere Freiheit der Kirche. Noch im Jahre 313, so die eine Ansicht, ordnete Konstantin durch ein Schreiben an den römischen Bischof Miltiades eine Synode zur Beilegung der donatistischen Wirren an [3]. Diese römische Versammlung wird aus guten Gründen anderseits nicht als kirchliche *Synode,* sondern wie ein *Gerichtshof* mit Bischöfen als Richter angesehen [4]. Der Schiedsspruch war im Sinne der staatlichen Gerichtsbarkeit zweifellos gültig; jedoch erbot sich für ein kirchenrechtlich gültiges Urteil wiederum lediglich die bisher schon geübte Form einer Synode. Daß hierzu die Bischöfe des suburbikarischen und oberitalischen Gebietes einberufen wurden und die Einladungen also über den alten römischen Synodalbereich hinaus-

---

[1] Can. 56; HEFELE-LECLERCQ I 252: «Magistratus vero uno anno quo agit duumviratum, prohibendum placet, ut se ab ecclesia cohibeat».

[2] Vgl. hierzu J. VOGT, Constantin der Große und sein Jahrhundert², 1960, 167. Er spricht hier im Blick auf Elvira von «Beschlüssen ..., die den zu staatlichen Ämtern gezwungenen Christen günstig waren und den blinden Drang zum Martyrium verurteilten». Vgl. hierzu S. 228 ff.

[3] E. CASPAR, Geschichte des Papsttums I, Tübingen 1930, 109 f.; J. HERRMANN, Ein Streitgespräch mit verfahrensrechtlichen Argumenten zwischen Kaiser Konstantinus und Bischof Liberius, Festschrift H. LIERMANN, Erlangen 1964, 78 ff.; H. U. INSTINSKY, Zwei Bischofsnamen konstantinischer Zeit, Röm. Quartalschr. 55 (1960), 203.

[4] H. U. INSTINSKY, Bischofsstuhl und Kaiserthron, München 1955, 59 ff.; G. LANGGÄRTNER, MThZ 14 (1964), 118 f.; dazu H. U. INSTINSKY, Röm. Quartalschrift 66 (1971), 73 ff.

reichten [1], ist ob der Wichtigkeit des Gegenstandes schon begreiflich. Jedenfalls war dadurch eine Norm kirchlichen Rechtes geschaffen. Es entbehrte darum nicht der Peinlichkeit, daß dagegen eine Appellation an die staatliche Autorität erging.

Die Donatisten appellierten gegen des Miltiades und seiner Mitbischöfe Synodalurteil an den Kaiser: «Petimus, ut de Gallia nobis iudices dari praecipiat pietas tua» [2]. Möglicherweise waren mit den erbetenen Richtern weltliche Würdenträger vom Range des Anulinus, des früheren Statthalters von Afrika, gemeint [3]. Der Kaiser tadelte die Anrufung des in saeculo iudicium [4].

Wie Konstantin im Schreiben an Chrestus von Syracus darum erklärt, dachte er, durch die einträchtige und einmütige Weisheit der Bischöfe, die da zusammenkommen, möge der Zwist «dem der Religion und dem Glauben geziemenden Zustande und der brüderlichen Eintracht weichen» [5]. Der formalen Ausstellung der Donatisten, die Zahl der Richter sei zu gering gewesen, begegnet er damit, daß er dieses Mal ein zahlenmäßig stärkeres Gericht von Bischöfen berief, das als die Synode von Arles des Jahres 314 in die Geschichte eingegangen ist. «Für Konstantin ... besteht nach seiner inneren Wendung zur Kirche hin eine Spannung zwischen der richterlichen Pflicht des Kaisers und dem Anspruch des kirchlichen Gerichts, in Sachen der Kirche selbst oberste Instanz zu sein ... Ein Phänomen ... ist dabei die Haltung des Trägers der obersten weltlichen Macht, der jetzt für einen bestimmten Bereich den Spruch einer anderen Instanz als übergeordnete Entscheidung anzuerkennen geneigt ist» [6].

Die von Konstantin damit für den 1. August 314 einberufene Versammlung [7] zählte etwa 50 aus allen westlichen Provinzen des Reiches, aus Italien, Afrika, Spanien, Gallien und der Bretagne kommende Synodalen. Daß der Kaiser wieder keine Synode einberufen, sondern eine iudicum datio gewährt habe, besagt neben andern Zeugnissen die Notiz bei Augustinus (Aug., Ep. 105,8): Iterum ... clementissimus

---

[1] Vgl. E. Caspar, Geschichte des Papsttums I 112; E. L. Grasmück, Coercitio 47 f.

[2] Optatus Milev. 1, 22 (pag. 25 Ziwsa).

[3] Instinsky, a. a. O. 70.

[4] «Petitis a me in saeculo iudicium, cum ego ipse Christi iudicium expectem»; Optatus Milev. 1, 23.

[5] Eusebius, H. E. X 5, 23–24.

[6] Instinsky, a. a. O. 81 f.

[7] Eusebius, H. E. X 5, 21–24; G C S 9,2, 888–890; Mansi II 470–477.

imperator alios iudices episcopos dedit apud Arelatum, Galliae civitatem [1]. Obwohl Augustinus sie später plenarium ecclesiae universae concilium nannte [2], konnte sie nicht als ökumenisch gelten, da sie zunächst einmal lediglich den Westen repräsentierte. «Praesente Spiritu Sancto et angelis eius» behauptet die Synode jedoch zu tagen [3]. Geleitet war sie von Marinus, dem Ortsbischof. Papst Silvester war nach Ausweis der Akten [4] durch zwei Priester und zwei Diakone vertreten.

Auch hier nimmt der Bischof von Rom eine besondere, mit der Autorität der Apostelfürsten begründete Stellung ein [5], die mit seiner Stellung als Patriarch des Abendlandes allein nicht zu erklären ist [6]. Es ist übrigens hier wohl zu beachten, was Konstantin im Brief an Chrestus von Syrakus schreibt: Er weist diesen an, zur Synode nach Arles zwei «vom zweiten Thron» und «drei Diener» mitzubringen. Die Presbyter gelten also zivil- und personenstandsrechtlich als ein «zweiter Thron» neben dem Bischof, die Diakone dagegen als «Diener» im sozialen und Rechtssinne [7].

Die 22 Kanones der Synode befassen sich mit dem Donatismus und andern Fragepunkten [8].

In ihrem Schreiben an Papst Silvester erklären die versammelten Bischöfe, daß sie neben den ihnen vom Kaiser auferlegten Traktanden auch andere Punkte zu ihrer eigenen Orientierung beraten hätten [9].

[1] Vgl. GRASMÜCK, Coercitio 50. Vgl. Ep. 43, 7, 20.
[2] Ep. 43, 7, 19; CSEL 34, 2, 101.
[3] MANSI II 469; OPTATUS, CSEL 26, 207. Die Synodalen wandeln in ihren Grundformen das Schema des gottesdienstlichen ἐκκλησία ab. So ist es nicht erstaunlich, daß auch sie von den Engeln sprechen. «Die Kirche ist da, wenn sie zusammentritt, sei es zu Kulthandlungen, sei es zu Konzilsbeschlüssen»: E. PETERSON, Das Buch von den Engeln. Stellung und Bedeutung der heiligen Engel im Kultus, Leipzig 1935, 80; vgl. 132.
[4] MANSI II 469, 476.
[5] Vgl. CSEL 26, 207, Appendix, Nr. 4. MANSI, a. a. O.
[6] LANGGÄRTNER, Das Aufkommen des ökumenischen Konzilgedankens 124.
[7] Vgl. E. CASPAR, Geschichte des Papsttums I 175; H. KOCH, Zeitschrift für Kirchengesch. 44 (1925), 17 ff.
[8] Zur angegebenen Synode von Mailand von 316 vgl. FLICHE-MARTIN, Hist. de l'Eglise III 49.
[9] App. Opt. IV (v. SODER n. 16): «... non tamen haec sola nobis visa sunt tractanda, frater Carissime, ad quae fueramus invitati, sed et consulendum nobismet ipsis censuimus». Eine Übersicht über den Inhalt der Kanones z. B. bei GRASMÜCK, a. a. O. S. 63 f. Zur Anrede «gloriosissime papa» bemerkt P. SALMON, Mitra und Stab 17, der Titel, der höchste unter den fünf Kategorien der «illustres», sei gerade vorher von Konstantin dem römischen Bischof verliehen worden. Doch vgl. dazu S. 138.

Diese Tagungspunkte hatten ihren Grund in den wahrhaft unruhigen Verhältnissen. Frühere Normen entsprachen nicht mehr der Wirklichkeit. So galt es wesentliche Linien für die Zukunft zu ziehen. Da aber Vorbilder aus der Vergangenheit fehlten, mußte den Bischöfen die Verantwortung für das Ganze noch deutlicher vor die Augen treten.

Wie sehr die Zeiten sich geändert hatten, zeigen die Kanones 7 und 3 dieser Synode: Im ersteren wird dem Christen, der Gouverneur geworden ist, die kirchliche Gemeinschaft nicht versagt, sondern die Empfehlung an den Bischof zur Überwachung durch diesen gegeben. Noch die Synode von Elvira hatte in einem solchen Falle mit der Gottesdienstsperre gedroht. Im Kanon 3 werden desertierende militärpflichtige Christen mit der Exkommunikation bestraft [1].

Schließlich behält in der Tauffrage eine mittlere Linie hier wie auch in Nizäa die Oberhand [2].

Wahrscheinlich unter dem Vorsitz des Vitalis von Antiochien [3] fand um 314 n. Chr. in Ankyra ein Konzil statt, dessen Kanones einige Angaben über den Zeitpunkt enthalten. Mit den verschiedenen Ausgaben der Kanones sind zwar Bischofslisten erhalten, die etwas differieren [4]. Und der Zeitpunkt ist nicht genau bekannt. Da aber etwa 20 Bischöfe aus Kleinasien, Syrien und Palästina daran teilgenommen hatten, kann die Synode erst nach den Verfolgungen des Galerius und des Maximinus stattgefunden haben.

Das Konzil von Neocäsarea um 315 [5] wurde wiederum von Vitalis von Antiochien geleitet; seine Kanones betreffen insgesamt Detailfragen und beschränken sich auf genauere Präzisierung von Fällen, die frühere Normen schon ins Auge gefaßt hatten.

Das Konzil von Alexandrien (etwa 320–321) schließlich wurde vom Bischof Alexander von Alexandrien präsidiert: Auf ihm war die ganze unter der Iurisdiktion des Patriarchen von Alexandrien stehende Kirche repräsentiert. Akten hiervon sind nicht erhalten; doch ist bekannt, daß Arius abgesetzt und mit all seinen Anhängern exkommuniziert wurde [6].

---

[1] HEFELE-LECLERCQ, I 284 f. und 282 f.

[2] Vgl. J. HAMER, Le Baptême et l'Eglise, Irenikon 25 (1952), 158–159; 263–264.

[3] HEFELE-LECLERCQ I 1, 298–326.

[4] HEFELE-LECLERCQ I 300–301.

[5] HEFELE-LECLERCQ I 1, 326 ff.; DDC VI 995 ff.

[6] Quellen sind SOCRATES, H. E. 1,6, und THEODORET, H. E. 1,3. HEFELE-LECLERCQ I 1, 363 ff. – Dizionario dei Concili I 21 ff. Zur Synode von Bithynien (322) vgl. HEFELE-LECLERCQ I 378 ff. Zur Synode von Palästina (322) FLICHE-MARTIN III 69.

Ein neues Konzil tagt in Antiochien Ende 324 oder Anfang 325 [1] mit 56 Bischöfen. Eusebius von Isaurien, der es einberufen hatte, führte den Vorsitz. Hier wird ein «großes und priesterliches» Konzil für Ankyra angekündigt. Konstantin ließ es freilich von Ankyra nach Nizäa in Bithynien verlegen.

Hier, in Antiochien, wird Arius verurteilt und der katholische Glaube dargelegt [2].

Die Synodalentscheidungen werden den Bischöfen, zumal dem Bischof von Rom und den ihm unterstellten italischen Bischöfen mitgeteilt. So sind alle Elemente des Nizänums schon enthalten [3]. Die Mitteilung an den Bischof von Rom bringt die Ökumenizität und zugleich die Verbindung mit dem Inhaber des Petrus-Amtes zum Ausdruck [4].

In der vornizänischen Zeit gilt es als Selbstverständlichkeit, daß die Bischöfe für die Lehre, die Disziplin und endlich die Einheit der Kirche verantwortlich sind [5]. Bestimmte Kirchen fühlen sich als hierfür besonders angesprochen – in erster Linie Rom. «Der Raum, in dem die höchste Autorität von einem Zentrum der Einheit ausgeübt werden kann, das übrigens auf jeden Fall als letztes Kriterium einer Kollegialität aufgefaßt wird, mag für viele ungenau bleiben. Auf alle Fälle bleiben die Konzile der bevorzugteste Ort, an dem sich diese Einmütigkeit des Gesamtepiskopats verwirklicht» [6].

Man arbeitete also deutlich darauf hin, daß die Kirchenversammlungen zu einer einheitlichen Überzeugung kommen sollten. Das

[1] E. SCHWARTZ, Zur Geschichte des Athanasius, VI. Nachrichten von der königlichen Gesellschaft der Wissenschaften zu Göttingen (1905), 257–299; G. BARDY, Histoire de l'Eglise (FLICHE-MARTIN) III 79, Anm. 3.

[2] PHILOSTORGIUS, Hist. Eccl. I, 7 und 7 a; MG 65, 464; ed. BIDEZ, S. 8. EPIPHANIUS, Panarion 68, 4,5; MG 42, 189.

[3] P. TH. CAMELOT, Die ökumenischen Konzile des 4. und 5. Jahrhunderts. Das Konzil und die Konzile, Stuttgart 1962, 56.

[4] O. G. OPITZ, Athanasius' Werke, III, 1, Urkunden zur Geschichte des arianischen Streites 36: «Da es nur einen einzigen Leib der katholischen Kirche gibt (verbreitet) an jedem Ort, selbst wenn die Stätten, wo sie sich versammelt, in verschiedenen Orten liegen, wie die Glieder des ganzen Leibes, so folgt daraus, daß wir deiner Liebe mitteilen, was in gemeinsamem Einverständnis von unseren heiligen Brüdern, unseren Kollegen, behandelt und unternommen wurde; damit auch du, im Geiste zugegen, über das, was wir beschlossen haben und richtig und gemäß den Gesetzen der Kirche beschlossen haben, gemeinsam mit uns sprichst und gemeinsam anordnest.» – Übersetzung bei CAMELOT, a.a.O. 57.

[5] Vgl. MAROT, a. a. O. 51.

[6] A. a. O. 51.

bringt auch das früher (S. 9) erwähnte Schreiben der römischen Presbyter nach der Ep. XXX, 5 (Sammlung der Briefe Cyprians) zum Ausdruck, wenn es für eine Entscheidung von Kraft das einmütige Votum einer großen Zahl von Bischöfen verlangt.

Die Tatsache, daß manche Probleme mehrmals behandelt werden mußten, zeigt aber, daß man nicht etwa ohne weiteres immer Einheit erreichen konnte. Paul von Samosatas Verurteilung oder die Bußfrage zur Zeit Cyprians oder die Kontroverse der beiden Dionysius von Alexandrien und Rom geben hierüber Klarheit.

Den Boden für die ökumenischen Konzile hat nicht erst das christliche Kaiserreich bereitet. Dennoch ist Nizäa ein wichtiger Abschnitt in der Konzilsgeschichte, weil es im geeinten Kaiserreiche die Vertreter der ganzen Kirche versammeln wollte. Eusebius [1] schreibt Konstantin die Einberufung des Nizänums zu; doch veranlaßte dieser nach Rufinus [2] es «*ex sacerdotum scientia*».

Konstantin hatte nach der Übereinstimmung aller zeitgenössischen Berichte die Initiative ergriffen, wie *er* auch allein die Autorität und die nötigen materiellen Mittel besaß, um diese Zahl von Bischöfen zusammenzurufen [3]. Es waren indessen auch Bischöfe aus Armenien und Persien da, die nicht zum römischen Kaiserreich gehörten. Papst Silvester, durch zwei römische Priester vertreten, gibt zumindest implizit seine Zustimmung [4]. Nach Eusebius umfaßt die Anwesenheitsliste «Syrier und Kilikier, Phönikier, Araber und Palästinenser, und dazu Ägypter, Thebäer, Libyer sowie Ankömmlinge aus Mesopotamien; ja sogar ein Bischof aus Persien nahm an der Synode teil und nicht fehlte der Skythe in dem Reigen. Pontus und Galatien, Kappadokien und Asien, Phrygien und Pamphylien boten die Auslese der Ihren. Ja sogar Thraker und Makedonier, Achäer und Epiroten und Männer, die noch über diese hinaus wohnten, kamen herbei, selbst von Spanien war jener weit berühmte Mann einer von zahlreichen Teilnehmern an der Versammlung. Von der Kaiserstadt war der Bischof wegen seines Alters nicht gekommen, Priester aber erschienen von ihm, seine Stelle zu vertreten» [5].

---

[1] Vita Const. II 64–72 MG 20, 1037–1048; HEIKEL 67–71.
[2] H. E. I, 1; ML 21, 467.
[3] Hierzu HEFELE-LECLERCQ, a. a. O. I 404.
[4] Vgl. hierzu und zum Folgenden P. TH. CAMELOT, Die ökumenischen Konzile 58 ff.
[5] Vita Const. III 7; BKV 9, 100 f.

118

Athanasius spricht von Bischöfen, die aus Dalmatien, Dardanien, Mazedonien, Epirus, Griechenland ... Ägypten, Libyen, Arabien gekommen sind [1]. Sozomenus betont, daß die Bischöfe der apostolischen Sitze von Jerusalem, Antiochien und Alexandrien anwesend waren [2]. Der Bischof von Rom selbst ist, wie gesagt, wegen seines hohen Alters abwesend [3]. Außer seinen zwei Vertretern sind es jedoch nur 5 Repräsentanten des Westens [4], so daß «materiell und quantitativ» das Abendland kaum vertreten war. Lehrmäßig freilich übt es in der Person des Ossius von Cordoba einen starken Einfluß aus, da man ihm das consubstantialis zu verdanken hat, und die Vertreter Roms bringen mit der Autorität des Apostolischen Stuhles die Zustimmung der römischen Synode, die vorher stattfand.

Nach der Formulierung des Glaubensbekenntnisses beschäftigten das Konzil an kleineren Traktanden der Ostertermin, der Rigorismus des Bischofs Meletius von Lykopolis sowie andere Streitereien und Mißstände. Die dem Leben der Kirche Richtung gebenden Anweisungen (daher *Kanon*) betreffen, wie oben schon dargetan, die Aufnahme von Abgefallenen (Kan. 11), die Verfassung und Liturgie der Kirche (Kan. 4; Kan. 6; Kan. 20), das Nehmen von Wucherzinsen. Die morgenländische Praxis, daß *unverheiratete* Priester nach der Weihe nicht heiraten, bereits *verheiratete* ihre Ehe fortsetzen dürften, wird bestätigt [5].

Am 20. Mai 325 war in Nizäa im großen Saal des kaiserlichen Palastes in Gegenwart Konstantins, der den Ehrenvorsitz führte, die Eröffnungssitzung gehalten worden. Nach Athanasius führte den Vorsitz Ossius [6], der an der Spitze der Unterschriften vor den beiden römischen Priestern erscheint. Nach Aussage des Philostorgius «war der Kaiser inmitten der Bischöfe und wartete ab, was die Versammlung beschließen werde» [7], er zwingt die Gegner zur Unterzeichnung des Glaubensbekenntnisses und spricht das Verbannungsurteil gegen die Widerspenstigen aus [8].

[1] Ad Afr. 1; MG 26, 1029.
[2] H. E. I, 17; MG 67, 912.
[3] Der Name des Papstes Julius ist hier eine Verwechslung.
[4] HEFELE-LECLERCQ, Histoire des Conciles I 411.
[5] Vgl. H. JEDIN, Konziliengeschichte 18 f. Vgl. oben S. 87 f.
[6] Apologia de fuga sua 5: MG 25, 649; OPITZ, Athanasius' Werke II 1, Sp. 71; Sources chrét. 56, 138.
[7] PHILOSTORGIUS, H. E. I 9 a; ed. Bidez 9.
[8] A. a. O. 10. Zu den Beschlüssen des Konzils darf auf die mannigfachen Zitationen im Vorstehenden und Nachfolgenden hingewiesen werden.

Was die Autorität der Konzilsväter angeht [1], haben sie das Bewußtsein, im Auftrag der Apostel zu handeln [2].

Zwar heißt der Kaiser die Entscheidungen des Konzils gut, da sie ja den christlichen Staat betreffen. Aber auch und gerade hier zeigt sich, daß die synodale Institution den Ausdruck des Gemeinschaftsbewußtseins und der kollegialen Verantwortung des Episkopates darstellt [3] und dieser als Fortführung des Apostelkollegiums und Fundament der Einzigkeit der Kirche erscheint [4]. Synodalstruktur und Hierarchie stützen sich gleichzeitig.

b) *Synodalrecht und Gewohnheitsrecht*

Seit dem Bestehen von Synoden gab es geschriebenes Recht, das vom zuständigen Gesetzgeber geschaffen war [5]. Dadurch wurden kirchliche Gesetzessammlungen und juristische Literatur angeregt. Die Kanones der einzelnen Provinzen, die zwar grundsätzlich nur für den Bereich dieser Territorien galten, wurden mit den verschiedenen Provinzen ausgetauscht und oft rezipiert. Wenn die Synode aber gesprochen hat, steht sie als Kollegialorgan über dem einzelnen Bischof, zumal ihre Beschlüsse, wie die Synode von Karthago (252) erklärt [6], unter Eingebung des Heiligen Geistes gefaßt werden.

Den Synodalbeschlüssen eignete demzufolge eine autoritative Kraft.

Ein gegen die Entscheidung einer Synode vorgehender Bischof mußte sich somit vor den andern verantworten und konnte sogar des Amtes enthoben werden, wie der Fall des Paul von Samosata zeigt.

Was solche Beschlüsse zu verpflichtendem Recht machte, war die Tatsache autoritativer Rechtssetzung durch den kirchlichen Amtsträger [7]. Die freudige Unterordnung wurde sehr erleichtert durch

---

[1] P. M. GOEMANS, Het algemeen Concilie in de vierde eeuw, Nimwegen 1945, 182–217; vgl. H. DALLMAYER, Die großen vier Konzilien. Nicaea, Konstantinopel, Ephesus, Chalcedon, München 1961.

[2] ATHANASIUS, De syn. 5, MG 26, 688; Opitz II 1, 234; De syn. 54, MG 26, 789; Opitz 277.

[3] J. HAIJJAR, BARAÚNA II 130.

[4] J. DEJAIFVE, Die bischöfliche Kollegialität in der lateinischen Tradition, BARAÚNA II 149.

[5] I. ZEIGER, a. a. O. 50 ff.

[6] Vgl. CYPRIAN, Ep. 57, 5 (ed. HARTEL 655): «placuit nobis sancto spiritu suggerente et Domino per visiones multas et manifestas admonente ...». P. RUSCH, a. a. O. 279. Vgl. auch oben S. 115 A. 3.

[7] Vgl. hierzu E. RÖSSER, Göttliches und menschliches, unveränderliches und veränderliches Kirchenrecht, Paderborn 1934, 114 f.

den Gedanken, daß die Synode, «im Geiste Gottes», «vom heiligen Geiste erleuchtet» gesprochen habe [1].

«Dreihundert Bischöfe ... und mehr haben bestätigt, daß es nur einen einzigen und gleichen Glauben gab, den einzigen, der den ursprünglichen Wahrheiten des Gesetzes Gottes entspricht ... Nehmen wir also das Urteil an, das der Pantokrator gesprochen hat ... Denn das Urteil von dreihundert Bischöfen ist nichts anderes als das Urteil Gottes, besonders deshalb, weil der Heilige Geist, der dem Geist dieser großen Männer innewohnt, den Willen Gottes ins volle Licht gesetzt hat. Für den Zweifel gibt es keinen Raum mehr ...» So die Worte Konstantins nach dem Konzil von Nicäa [2].

Es erhebt sich hier die Frage nach den rituellen und disziplinären Verschiedenheiten zwischen den Teilkirchen, die schon früh erscheinen. Beim Schisma von 1054 kommen sie – über ein halbes Jahrhundert später – als schroffe Gegensätzlichkeiten zum Ausbruch.

Diese Verschiedenheiten treten besonders kraß hervor, wenn neue Synodalbeschlüsse dem seit alters gepflegten Gewohnheitsrecht widersprachen [3]. So wird 1054 noch dem Patriarchen von Konstantinopel und seinen Gesinnungsgenossen vorgeworfen, daß sie nach dem Brauch bei den Valesiern Eunuchen zu Priestern, ja sogar zu Bischöfen weihten [4].

§ 19. Die Ordnung der Missionstätigkeit

Nach den Erscheinungen des Auferstandenen kam zunächst die innerjüdische Mission und wenig später die Mission gegenüber den Samaritanern und Nichtjuden in Gang: Ein einmaliger Vorgang für die eschatologischen Bewegungen innerhalb des Judentums wie für die antike Welt überhaupt [5]! Auch die aktivste jüdische Propaganda [6] sah

[1] A. a. O. Vgl. CYPRIAN, Ep. 57,5; ed. HARTEL 655. Vgl. MANSI II 469; OPTATUS, CSEL 26, 207. Hierzu und zum Folgenden Y. CONGAR, Konzil als Versammlung und grundsätzliche Konziliarität der Kirche, Gott in Welt II, Freiburg i. Br. 1964, 149–156.

[2] SOKRATES, H. E. I 9, MG 67, 85, Vgl. CONGAR, a. a. O. 151.

[3] Vgl. § 26.

[4] Bei den Valesiern bestand der Brauch, nicht nur ihre Anhänger, sondern auch hospites peregrinos zu kastrieren. C. WILL, a. a. O.

[5] M. HENGEL, Nachfolge und Charisma. Eine exegetische religionsgeschichtliche Studie zu Mt 8, 21 f. und Jesu Ruf in die Nachfolge, Berlin 1968, 98 f.

[6] Hierzu und zum Folgenden M. HENGEL a. a. O.

sich durch den eschatologisch begründeten urchristlichen Missionseifer rasch überflügelt.

Die Treue zum Missionsauftrag des Evangeliums ist weiterhin ein Charakteristikum der ersten nachchristlichen Jahrhunderte. Wie ernst die Mitverantwortung für die Gesamtkirche und die Gesamtmenschheit genommen wurde, ist am leichtesten aus dem Verantwortungsbewußtsein der Märtyrer erkennbar [1].

Irenäus von Lyon erinnert an die einheitliche Menschennatur, deren Not den Sohn Gottes bewegt, ihr zu Hilfe zu eilen. Auch Augustinus äußert die Überzeugung, daß *vor* dem Erscheinen Christi der Glaube an den kommenden Erlöser genüge und keine Zugehörigkeit zu einer bestimmten Religionsgemeinschaft nötig war. Trotzdem gelten in seiner Sicht ganz eindeutig andere Notwendigkeiten für die Zeit *nach* Christi Kommen. Für diese nimmt er den Grundsatz Cyprians auf: «Extra ecclesiam nulla salus. – Non habebit Deum patrem qui ecclesiam noluerit habere matrem». So gibt er dem Akt der Taufe seine besondere Notwendigkeit, weil *sie* erst den guten Katechumenen in die Kirche eingliedere und ins Himmelreich führe: «Dem guten Katechumenen fehlt die Taufe zur Erreichung des Himmelreiches, dem schlechten Getauften fehlt die wahre Bekehrung» (Bapt. 4, 28).

Die erste Ausweitung der Kirche geschieht durch Flüchtlinge aus der ersten größeren Christenverfolgung in *Jerusalem*. Die Zwölf, unter ihnen besonders Jakobus als Bischof von Jerusalem, bestätigen und anerkennen das begonnene Werk. Barnabas und Paulus, der Kirche von *Antiochia* weiterhin verbunden, inaugurieren das missionarische Werk unter den Heidenvölkern [2]. Das Recht zu offiziellen Missionsunternehmungen wurde wohl als integrierender Bestandteil der Vollmacht der eigenen Kirche angesehen [3]. Die eigentliche Missionsarbeit war dennoch den Hauptkirchen überlassen. Die Praxis des kirchlichen Lebens führte ja ohnehin zur Bildung größerer und kleinerer Gruppen von Gemeinden, insofern die Mutterkirche die von ihr gegründeten Zellen immerfort betreute. Solche historisch gewordenen Einheiten stellten *eine Art* von Provinzen dar. Die bedeutendsten dieser Verbände entstanden um Rom und Karthago,

---

[1] Vgl. hierzu die Ausführungen bei O. Heggelbacher, Die Aufgabe der frühchristlichen Patriarchate 398 f.

[2] H. Grotz, a. a. O. 202.

[3] P. Gaechter, Petrus und seine Zeit 175 ff.; Grotz, a. a. O.

Alexandria und Antiochien [1]. Edessa wurde als Metropole der Osrhoëne und Zentrum der syrisch-christlichem Literatur für die Verbreitung des Christentums in Ostsyrien und Persien sehr wichtig [2].

Bezeichnend ist die Tatsache, daß die armenische Kirche zu Beginn
des 4. Jahrhunderts von Cäsarea in Kappodozien aus gegründet worden war. Ihr erstes Oberhaupt war, wie auch dessen erste Nachfolger
bis 374, in Cäsarea geweiht worden. Gleichzeitig aber wurde der
Einfluß des Patriarchates von Antiochien so stark, daß die Liturgie
nicht nur in griechischer, also einer wie das Armenische indogermanischen Sprache, sondern – vor allem in Ostarmenien – seit Ende
des 3. Jahrhunderts in syrischer, d. h. einer *semitischen* Sprache gefeiert
wurde [3].

Daneben ist von Bedeutung, daß am Anfang der sog. «Theologischen Schulen» der Alten Kirche nicht das Bedürfnis nach Pflege
der Spekulation und der reinen Forschung stand, sondern die Missionierung und Verkündigung im geistigen Lebensraum des Bildungs-
wesens der Zeit [4].

Vor allem aber war die Einheit der Kirche entscheidend. Die
Gemeinschaft in der Eucharistie, die brüderliche Aufnahme der
Zugereisten, die Anzeige der Amtsübernahme, die Teilnahme an
Synoden aus größeren Räumen, die Feier des Osterfestes und die
Sendung von Unterstützungen umschlossen die sich ausbreitende
Gemeinschaft. In der Epoche, in der Caracalla das *römische* Bürger-
recht an die Provinzialen verlieh, gab es so etwas wie das Bürgerrecht
in der katholischen Kirche [5].

---

[1] J. Vogt, Constantin der Große und sein Jahrhundert 191.
[2] LThK III[2] 658.
[3] Siehe oben § 17. Dabei ist freilich zu bedenken, daß Antiochien offiziell
mehrheitlich griechisch war. Die Bauinschriften auch des Hinterlandes sind zur
Mehrheit griechisch, wie ebenso die Literatur.
[4] A. Knauber, MThZ 19 (1968), 203. Aus der Schule des Origenes zu Cäsarea
ging bald z. B. der Bischof Gregorios Thaumatourgos hervor, der erfolgreich
für die Mission in Pontus arbeitete.
[5] Hierzu A. v. Harnack, Die Mission und Ausbreitung des Christentums in
den ersten drei Jahrhunderten II[3], Leipzig 1915, 454.

IV. PRIMAT UND GESAMTKIRCHE

§ 20. Der Primat des Bischofs von Rom

Petrus ist «neben Paulus der einzige, von dessen Charakter, Leistungen und Bedeutung wir aus dem Neuen Testament ein plastisches Bild gewinnen» [1].

Von entscheidender Bedeutung wurde seine Auszeichnung durch den Beinamen Kepha [2], durch die Sonderauftragsworte Mt 16,18 f.; Lk 22,31 f.; Jo 21,15 ff. und durch die Ersterscheinung des Auferstandenen [3]. Im Mittelpunkt der Diskussion «steht das alleinig den Petrus-Namen erklärende, nach Herkunft und Sinn jedoch lebhaft umkämpfte Logion Mt 16,18 f.; u. a. auch deshalb, weil es in V. 19 die anderen petrinischen Haupttexte durch eine mehr doktinär-juridische Begrifflichkeit überbietet, nämlich die Kirche als eine mit Lehr- und Rechtsvollmacht ausgestattete 'Institution' avisiert» [4]. Das nachhaltige Interesse an der Sonderstellung des Petrus, gerade auch in den nach dessen Tod verfaßten Schriften ist nur voll verständlich, wenn jene in den Augen des Verfassers lebenslänglich oder gar grundsätzliche Bedeutung hat [5].

Die Frage nach dem in Nachfolgern fortdauernden Amt des Petrus steht im Hintergrund der neutestamentlichen Petrus-Diskussion. Das Logion Mt 16,18 f. verheißt das (auch nach Cullmann) «einer nicht begrenzten Zukunft» angehörende Bauen der Heilsgemeinde auf den als «Fels» erklärten Simon und impliziert «in der Sicht Jesu den Fortbestand dieser Kirche bis zum Ende dieses Äons» [6].

---

[1] J. Schmid, RNT I 254; zitiert bei A. Vögtle, LThK VIII² 334. Vgl. R. Schnackenburg, Kirche im NT, 22, 32 f.

[2] Vgl. H. Rheinfelder, Der übersetzte Eigenname. Philologische Erwägungen zu Matth 16,18, München 1963. Hierzu Bibl. Zeitschrift 24 (1968), 139–163.

[3] A. Vögtle, a. a. O. 335; hier nähere Einzelheiten.

[4] A. a. O. 336. Die Abkürzungen sind hier ausgeschrieben.

[5] A. a. O. 338; P. Gaechter, a. a. O. 11–30.

[6] A. Vögtle, a. a. O. 338 f., hierselbst die Literaturangaben. Ein ausführ-

Die Art der Fortdauer ist verbunden mit dem Aufenthalt Petri in Rom und seinem Tod daselbst [1]. Das Primatsbewußtsein der alten Kirche ist hierzu zu überprüfen.

Was die erste *patristische* Äußerung für den Primat in der Anerkennung der römischen Gemeinde durch den ersten Klemensbrief und den Ignatiusbrief an die Römer angeht, so will bedacht sein, daß im ersten Klemensbrief wohl kein dekretaler Stil zum Ausdruck kommt, aber eine Autorität dahintersteht. Diese erwartet die Wiederherstellung der Ordnung (Kap. 57,58,63) *bestimmt,* wenn sie auch davon, die Pflicht erfüllt zu haben, selbst für den Fall überzeugt ist, daß die Korinther sich nicht fügen. Auch hier besteht kein Anhaltspunkt für die Bindung des Primates etwa an ein Kollegium und nicht an eine physische Person [2].

Der Stil des *Ignatius von Antiochien* ist ein ganz anderer. Die Vermutung ist berechtigt, daß dieser den 1. Klemensbrief gekannt habe [3].

Indessen ist bei Ignatius kein römischer Bischof erwähnt, wie auch Hermas nicht vom monarchischen Episkopat spricht. Sicher aber gebührt nach der Einleitung des Ignatiusbriefes an die Römer Rom ein Primat in Glaube und Liebe[4]. Rom steht auch ein Lehrprimat zu, durch welchen sein Glaube Norm für die andern ist. Ob eben Rom ein juridischer Primat zuerkannt ist? «Ignatius hegt tatsächlich die Zuversicht, die römische Gemeinde werde während seiner Abwesenheit in der Gemeinde von Antiochien zum Rechten sehen – eine Erwar-

---

licher Forschungsbericht von protestantischer Seite bei E. DINKLER, Die Petrus-Rom-Frage: ThRdsch 25 (1959), 189–230. Zu den archäologischen Ergebnissen ebda 289–335.

[1] Zu den neuesten Ausgrabungen unter der Peterskirche M. GUARDUCCI, Hier ist Petrus ΠΕΤΡΟΣ ΕΝΙ, Regensburg 1967; vgl. A. COPPO, Il problema delle reliquie di San Pietro, Rivista di storia e letteratura religiosa 1 (1965), 424–432; E. KIRSCHBAUM, Zu den neuesten Entdeckungen unter der Peterskirche in Rom, Archiv. Hist. Pont. 3 (1965), 309–316; A. v. GERKAN, Weitere Überlegungen zum Petrusgrab. Zu den neuesten Veröffentlichungen von A. PRANDI und M. GUARDUCCI, JbAC 7 (1964) (Münster 1966), 58–66. Dazu E. KIRSCHBAUM, Die Gräber der Apostelfürsten, Frankfurt/Main 1957.

[2] Vgl. EUSEBIUS, H. E. IV 23, 11.

[3] Schon von HARNACK ist diese Anspielung auf den Klemensbrief ins Auge gefaßt worden. Die einzelnen Berührungsstellen dieses Römerbriefes mit dem Klemensbrief hat O. PERLER behandelt: Ignatius von Antiochien und die römische Christengemeinde, Divus Thomas (Freiburg/Schweiz), 22 (1944), 415 f., 421, 433–440, 444 f.

[4] Aus Kap. 9 ist eine Aufsicht und Sorge in Bezug auf Antiochien zu folgern.

tung, die er nur der römischen Gemeinde gegenüber ausspricht» [1]. Das Eingreifen des Klemens in die Wirren von Korinth kennzeichnet Ignatius «den Umständen und seiner Ausdrucksweise entsprechend, mit hinreichender Klarheit als ein *autoritäres* Handeln» [2]. «Ignatius erwartet eine ähnliche Aufsicht, wie sie die römische Gemeinde über die korinthische ausgeübt hat, auch für die Gemeinde von Antiochien, die ihres Hirten beraubt ist» [3].

Darüber hinaus sieht man sich zumindest vom zweiten Jahrhundert an von allen Seiten nach der Haltung des römischen Bischofs in Glaubens- und Disziplinarfragen um. Ausländische Theologen kommen nach Rom, um hier Anhänger zu gewinnen [4]. Der Bischof von Smyrna reist nach Rom, um sich dort Rückhalt zu verschaffen, wird jedoch abgewiesen [5]. Die Kirche von Lyon bittet den römischen Bischof um eine freundliche Stellungnahme gegenüber dem Montanismus [6]. Es will wohl beachtet sein, daß der römische Bischof allen diesen Persönlichkeiten und Strömungen als Richter gegenüber tritt. Eine ganze Reihe von Lehrern falscher Systeme oder Formeln werden exkommuniziert [7]. Auch andere Bischöfe hätten sicherlich in ihrem Bereich ähnliche Jurisdiktionsakte vornehmen können. Aber die Summe der Fälle ist doch derart, daß kein anderer Bischof auch nur entfernt solches getan hat [8].

Der Primat kann nicht nur als Folge der politischen Verhältnisse und der geschichtlichen Stellung Roms angesehen werden [9]. Es ergibt

[1] PERLER, a. a. O. 447.

[2] A. a. O. 451.

[3] A. a. O. Hierzu neuestens O. PERLER, «Universo caritatis coetui praesidens». Zur dogmatischen Konstitution 'Lumen gentium' II/13, Freiburger Zeitschrift für Philosophie und Theologie 17 (1970), 227–238.

[4] Vgl. L. HERTLING, Communio und Primat, Misc. Hist. Pont. VII, Rom 1943, 46 f.

[5] EUSEBIUS, H. E. V 24, 16.

[6] EUSEBIUS, H. E. V 3, 4.

[7] EUSEBIUS, H. E. V 14, 15. Das Bewußtsein, daß der apostolische Stuhl von Rom das Kriterium der Katholizität ist, spricht aus der Äußerung TERTULLIANS, Adv. Praxean. 1, 5: «Nam idem tunc episcopum Romanum, agnoscentem iam prophetias Montani, Priscae, Maximillae et ex ea agnitione pacem ecclesiis Asiae et Phrygiae inferentem, falsa de ipsis prophetis ... adseverando et praecessorum eius auctoritates defendendo coegit et litteras pacis revocare iam emissas et a proposito recipiendorum charismatum concessare». Vgl. J. RATZINGER, a. a. O. 54.

[8] Vgl. L. HERTLING, a. a. O. 46 f.

[9] Vgl. E. BENZ, Römisches Konzil und Weltkirchenkonferenz in evangelisch-theologischer Sicht, Ökumenische Rundschau 11 (1962), 188.

sich dies aus den weiteren Geschehnissen. Die Anerkennung eines faktischen Primates liegt hier darin, daß sowohl Häretiker wie Rechtgläubige auch fernerhin nach Rom gehen, um dort ihre Anerkennung zu erholen [1].

Was im Besondern den Osterfeststreit angeht, so ist – wie oben kurz dargetan (S. 107 f.) – eine Reihe von Konzilien zu nennen, die sich mit ihm befaßten [2]:

a) die Konzilien von Rom unter dem Vorsitz von Papst Viktor;
b) die Konzilien von Palästina unter dem Vorsitz von Theophil von Cäsarea und Narzissus von Jerusalem;
c) das Konzil von Pontus unter der Leitung des Bischofs Palmas von Amastris;
d) ein oder zwei Konzilien von Gallien unter Irenäus;
e) das der Südsyrer unter Kassius von Tyrus und Klarus von Ptolemais;
f) das Konzil von Osrhoëne in Mesopotamien;
g) das Konzil von Ephesus unter dem Vorsitz des Polykrates von Ephesus;

Polykarp und Papst Anizet [3] waren im Frieden auseinandergegangen, ohne eine Einigung über die Feier des Osterfestes erreicht zu haben, die aus verschiedenen Gründen kultischer und mathematisch-astronomischer Art recht uneinheitlich geschah; mancherorts bestanden Abweichungen von acht Wochen: eine rechte Erschwernis im damaligen regen Verkehr.

Daß in dieser Lage nun gerade durch das Verhalten des Papstes Viktor das Bewußtsein von der einzigartigen Stellung der sedes apostolica von Rom sich offenbarte, wurde schon oft bemerkt [4]; denn um 190 brach ein erneuter Streit darum aus. Die Konferenzen aller Bereiche, die auf die Initiative des Bischofs von Rom, Papst Viktors, zusammengetreten, kirchenrechtlich freilich als reine Parti-

---

[1] Eusebius, H. E. IV 11,11; IV 22, 3; IV 23,11; V 28, 6.
   F. Maassen, Der Primat des Bischofs von Rom und die alten Patriarchalkirchen. Ein Beitrag zur Geschichte der Hierarchie, insbesondere zur Erläuterung des sechsten Canons des ersten allgemeinen Conzils von Nicäa, Bonn 1853. – P. Batiffol, Cathedra Petri, Etudes d'Histoire ancienne de l'Eglise, Paris 1938.
[2] Hefele-Leclercq, Histoire des Conciles I 150 f.
[3] Eusebius, H. E. IV 14,1.
[4] Vgl. L. Hertling, a. a. O. 3–48; M. I. Le Guillou, Eglise et communion. Essai d'ecclésiologie comparée, Istina 6 (1959), 39; J. Ratzinger, a. a. O. 54.

kularsynoden anzusehen waren, gaben Nachrichten. «In keinem Augenblick seiner Geschichte ist dieser Vorrang (sc. des Bischofs von Rom) so deutlich wie unter dem Papst Viktor (189–198), als von Gallien bis Osrhoëne (am Euphrat) der Aufforderung des letzteren, Konzile zur Regelung des Osterfeststreites zu versammeln, überall Folge geleistet wird» [1].

Eusebius hatte noch die Antworten dieser Synoden vor sich, unter anderem das Schreiben des Bischofs Bachylus von Korinth. Nach den Synodalberichten war Ostern immer am Sonntag gefeiert worden und nur die Kleinasiaten, welche hiergegen protestierten, hatten eine Ausnahme gemacht [2]. Hier fielen scharfe Worte des Polykrates gegen Viktor, da dieser die Kleinasiaten ausschließen und die Kirchengemeinschaft mit ihnen brechen wollte (V 24,1 ff. und V 24,12 ff.) [3]. Aus dem Vorstehenden ergibt sich, daß Rom nicht bloß einen Lehrvorrang beanspruchte, sondern einen juristischen Primat, welcher Gehorsam und Unterwerfung unter die römische liturgische Sitte forderte.

Hier stand also die kleinasiatische gegen die römische Tradition: Andere Kirchen bezweifeln in keiner Weise das Recht des römischen Vorgehens; *Irenäus* [4] betont lediglich, daß keine Glaubenslehre, sondern eine Frage der Disziplin zur Debatte gestellt sei. Mit der Einräumung eines *Ehren*primates an den Bischof von Rom wollte man die Angelegenheit jedenfalls nicht als erledigt ansehen. Die berühmte Stelle bei Irenäus (Adv. haereses III 3, 2) sagt denn auch, daß der römischen Kirche ein Lehrprimat zukomme, weil sie die Lehre von den Aposteln übernommen und bewahrt habe und der Geist bei der katholischen Kirche sei. Der Grund wird darin gesehen, daß in ihr in einzigartiger Weise das Wahrheitskriterium verwirklicht ist und zwar im einzelnen durch den Rückgang auf Petrus und Paulus und die Überwachung durch Gläubige aus aller Welt [5].

---

[1] B. J. KIDD, The Roman Primacy, London 1936, 18. Vgl. L. DUCHESNE, Autonomies ecclésiastiques, Eglises séparées, Paris 1905, 95, der von der «ökumenischen Autorität der Römischen Kirche» spricht: Zitiert bei H. Marot, a. a. O. 32.

[2] Vgl. HEFELE-LECLERCQ I 145 ff.

[3] A. a. O. 141 f.

[4] Den Wert der römischen Bischofsliste bei IRENÄUS hat E. CASPAR geprüft, sie als älteste und Grundlage für die andern erwiesen, ihre Namen als historisch anerkannt, die ersten als Namen von Presbyteri gedeutet: Die älteste römische Bischofsliste, Berlin 1926, 248 ff. Vgl. unten § 31 und HEGGELBACHER, Taufe 108 f.

[5] Vgl. indessen die Deutung von P. NAUTIN: RHR 151 (1957), 37–78.

In dieser Zeit nun beginnt mit Tertullian die Exegese von Mt 16,18. In De pudicitia 21 ist gegen einen unbekannten Bischof katholischer Richtung Stellung genommen, der unter Berufung auf Mt 16,18 auch Ehebrecher in die Kirche aufnimmt. Seit J. Döllinger wurde in ihm fast allgemein Papst Callistus gesehen, weil die Philosophumena Hippolyts von der milderen Haltung des Papstes Callistus in der Bußdisziplin berichten [1].

Trotz verschiedener Deutungsversuche ist aus genannter Stelle für den Primat wenig zu ersehen; denn dieser ist für Tertullian wenig bedeutungsvoll. Der katholische Tertullian bereits gilt hierin gegenüber Irenäus als Rückschritt; setzt er doch die römische Kirche nicht über, sondern *neben* die andern Apostelkirchen [2]. Doch auch in der darin gelegenen Verschiebung, daß er die «tota doctrina» Roms mit dem besonderen Vorzug verknüpft, auf drei Apostel als Lehrer und Märtyrer hinweisen zu können, lebt das Bewußtsein von der einzigartigen Apostolizität, von der höheren Lehrgewißheit des «glücklichen Rom» [3]. Mit der Proklamation des Paraklet als höchster Autorität in Glaubens- und Sittensachen, welche die montanistische Zeit ihm erbrachte, entkleidet Tertullian indessen den Primat aller machtvollen Tätigkeit. Zwar leugnet er nicht jede bedeutsame Beziehung des Petrus zur Kirche und ihrer Hierarchie. Der Felsenberuf Petri ist ihm jedoch lediglich persönlicher privater Vorzug [4]. Es entgeht ihm freilich nicht, daß nach allgemeiner Anschauung der zeitgenössischen Theologen im Petrusamte die kirchenamtliche Schlüsselgewalt gründe. So mußte er auch ungefähr in der gleichen Zeit, da er über den «apostolischen Herrn» nörgelte (De pud. 21), eben dessen edle Abkunft gegen Marcion festhalten (Adv. Marc IV 5) [5].

Die Sedisvakanz nach dem Tode Fabians 250 zeigt die Sedes Apostolica von Rom im Lichte der Briefe an den Klerus von Karthago. In der Geschichte der Entwicklung des Primates füllen diese Dokumente eine der instruktivsten Seiten [6].

---

[1] A. D'ALÈS, L'édit de Calliste, Paris 1914, 228 ff. Vgl. J. RATZINGER, in: RAHNER/RATZINGER, Episkopat 53. Ferner ALTANER, Patrologie², 130.

[2] K. ADAM, Der Kirchenbegriff Tertullians, Paderborn 1907, 45.

[3] De praescr. haeret. 36. Vgl. ADAM, a. a. O. 46.

[4] De pud. 21; vgl. ADAM, a. a. O. 165 ff.

[5] Vgl. K. ADAM, a. a. O. 168; hierzu W. MARSCHALL, Karthago und Rom. Die Stellung der nordafrikanischen Kirche zum Apostolischen Stuhl in Rom, Stuttgart 1971, 22–28.

[6] Vgl. hierzu A. V. HARNACK, Die Briefe des römischen Klerus aus der Zeit der Sedisvakanz im Jahre 250, Theologische Abhandlungen CARL VON WEIZ-

Nichtsdestoweniger ist aufschlußreicher die Haltung Roms gegen den *Novatianismus* [1]. Als nach der Wahl des Papstes Kornelius im Frühjahr 251 der hochbegabte und äußerst gebildete Novatian an der Spitze der Gegner ein Schisma bewerkstelligt hatte, berief jener ein nach den Worten des Eusebius «mächtiges» Konzil. Seine Beschlüsse gegen Novatian wurden nicht nur von den aus Italien *anwesenden* Synodalen unterzeichnet, sondern den abwesenden Bischöfen dieses Landes ebenfalls zur Gutheißung zugeleitet [2]. Darüber hinaus teilte Kornelius sie allen Bischöfen der Christenheit mit, darunter Fabius von Antiochien, der der Partei des Novatian zuneigte [3]. Roms Briefe gehen also zu den entferntesten Kirchen, zwar wohl deswegen, weil beide Rivalen die größtmögliche Zahl von Stimmen gewinnen wollten, aber auch, weil die römische Kirche nie das Gesamt der Christenheit vergißt [4].

In dieser Zeit ist *Cyprians* Auffassung episkopalistisch. Zwar war nach ihm Petrus einziger Inhaber der Amtsgewalt. Später wurden die Apostel dazu gewählt und deren Nachfolger haben die Amtsgewalt in solidum, so zwar, daß in der einzelnen Gemeinde nur einer zuständig ist [5]. Diese Lehrmeinung ruht auf Tertullian, den Cyprian als seinen eigentlichen Lehrer ansieht.

Für vorige Feststellungen ist zwar die Frage nach der Textgestalt der Schrift De catholicae ecclesiae Unitate cap. 4–5 mit dem sog. Primat-Texte von Gewicht. Seine Authentizität ist jedoch nahezu unbestreitbar. Der Grund hierfür liegt sowohl in der handschriftlichen Überlieferung wie in den Ergebnissen der Stilforschung und in der Tatsache, daß sein Inhalt genau auf die Briefe aus der Kontrovers-Zeit paßt [6].

---

säcker gewidmet, Freiburg/Br. 1892, 36. Der Bischof hat allerdings in Wahrheit mehr Platz als HARNACK ihm zugesteht. Hierzu G. BARDY, Théologie de l'Eglise p. 212.

[1] Hierzu die Konzilien von Rom, die Mai 251 und im Sommer 251 stattfanden: CYPRIAN, Ep. 55,6; 67,6 und 68,5; EUSEBIUS, H. E. VI 43,2; CYPRIAN, Ep. 49; Dizionario dei Concili IV 124 ff. – Im Jahre 258 wurde vom Patriarchen von Alexandrien dieserhalb ein Konzil nach Alexandrien einberufen. Vgl. SOCRATES, H. E. IV 28; Dizionario dei Conc. I. 19.

[2] EUSEBIUS, H. E. VI 43, 22.

[3] EUSEBIUS, H. E. VI 42, 5 ff., a. a. O. 312 f.

[4] G. BARDY, a. a. O. 213. Die Zustellung von Synodalbeschlüssen ist allerdings noch kein Beweis für den Primat, da sie auch bei andern Kirchen üblich war.

[5] Siehe oben S. 44–47. Vgl. hierzu W. MARSCHALL, a. a. O. 29–41.

[6] Hierzu O. PERLER, De catholicae ecclesiae Unitate Cap. 4–5. Die ursprüng-

Je klarer sich aber die Einheitstheorie Cyprians von der durch den Heiligen Geist gewirkten Liebe und Eintracht der Bischöfe untereinander als unzulänglich gegenüber der Gefahr von Spaltungen erwies, desto mehr kämpfte Papst Stephan aus seinem Primatbewußtsein heraus für Roms Forderungen [1].

Um diese Zeit spricht der größte damals lebende Theologe Origenes nicht weiter vom Primat der römischen Kirche. Doch wissen wir sicher, daß er im Bestreben, die uralte Kirche von Rom zu sehen, zur Zeit des Papstes Zephyrin selbst nach Rom gegangen war [2]. Wir wissen ferner, daß er gegen Ende seines Lebens zur Verteidigung seiner Orthodoxie Briefe an eine große Zahl von Bischöfen geschrieben hat, im besonderen an Fabian, den Bischof von Rom [3].

Auch *Dionysius der Große von Alexandrien,* der Inhaber des nach Rom bedeutendsten Bischofsstuhles, sollte einen Beweis dafür liefern, daß der Bischof von Rom ebensosehr über die theologische Lehre wie über die Lebensregel wachte und sich das Recht auf Intervention als oberster Richter wahrte. Wegen der Anwendung suspekter Formeln in Sachen des Sabellianismus bei Papst Dionys angezeigt, erfährt er den einstimmigen Widerspruch seitens des römischen Konzils, das der Papst um sich versammelt hat [4].

Nach Eusebius H. E. V hatte *Dionysius von Alexandrien* [5] an Papst Sixtus einen Brief über die Taufstreitigkeiten geschrieben. Eben darin

---

lichen Texte, ihre Überlieferung, ihre Datierung, Römische Quartalschrift 44 (1936), 1–44; 151–168. Sein Ergebnis (S. 43): «Die Untersuchung der formellen und inhaltlichen Verschiedenheiten der beiden Fassungen des vierten Kapitels der Einheitsschrift führt zum Schluß, daß der sogenannte 'interpolierte' Text der ursprüngliche, der 'authentische' der überarbeitete ist. Die Übereinstimmung äußerst zahlreicher und verschiedenartiger Einzelheiten ist fast lückenlos. Es dürfte daher schwer sein, das Gegenteil zu beweisen».

Die Stellungnahme von E. Caspar, Geschichte des Papsttums I 72 ff., ist jedenfalls unzutreffend. – Hierzu M. Bévenot, St. Cyprians De Unitate Chap. 4 in the Light of the Mss., Rom 1937. Anderer Meinung U. Wickert, Zum Kirchenbegriff Cyprians, Theologische Literaturzeitung 92 (1967), 257 ff.; vgl. U. Wickert, Paulus, der erste Klemens und Stephan von Rom, Zeitschrift für Kirchengeschichte 79 (1968), 156; schließlich neuestens U. Wickert, Sacramentum Unitatis. Ein Beitrag zum Verständnis der Kirche bei Cyprian, Berlin-New York 1971.

[1] B. Altaner, Patrologie², Freiburg 1950, 150.

[2] Eusebius, H. E. VI 14, 10.

[3] Eusebius, H. E. VI 36. Hieronymus, Ep. 84,10; G. Bardy, a. a. O. 164.

[4] Basilius, De Spiritu Sancto 29. Athanasius, De sententia Dionysii 3; MG 25, 500. De decr. Nicaenae syn. 26; MG 25, 461–465; G. Bardy, a. a. O. 222 ff.

[5] Eusebius sagt H. E. VII, Proemium: «Der große Bischof Dionysius von

berichtet er um 257 in Sachen des Sabellianismus, den er als Schüler des Origenes unter Ablehnung des Homoousios bekämpfte [1].

Um 260 wurden von ihm über denselben Lehrpunkt an Bischöfe seines Sprengels, nämlich an Ammon von Berenice, an Telesphorus, an Ammon und Euporus [2], Briefe gesandt, die wegen seiner gewagten Argumente zu Zweifeln an seiner Orthodoxie Anlaß gaben. So kam es, daß er durch ägyptische Bischöfe als des Tritheismus verdächtig in Rom verklagt wurde.

Eine *römische Synode* [3] erließ demzufolge ein Synodalschreiben gegen den Sabellianismus. In einem rücksichtsvollen Brief teilte Papst Dionysius nach Alexandrien die Anklagen mit, worauf Bischof Dionysius sich rechtfertigte [4]: Wie es scheint, geschah dies zur Zufriedenheit des Papstes.

Aus dem Angeführten ist ersichtlich, daß Dionysius und die ägyptischen Bischöfe nach Rom berichten, der römische Bischof aber die Überwachung ausführte.

Der spanische Bischof Basilides appelliert in dieser Zeit seiner Sache wegen an den römischen Bischof [5], worauf dieser autoritativ und wirksam eingreift.

Während die Spanien-Angelegenheit Papst Stephan teilweise im Halbdunkel läßt, rückt die Kontroverse um die Ketzertaufe ihn ins volle Licht und gibt seiner mächtigen Physiognomie ein fesselndes Relief [6]. Der Ketzertaufstreit, der im Jahre 255 ausbricht, folgt auf

---

Alexandrien wird mit seinen eigenen Worten auch im siebenten Buch unserer Kirchengeschichte mitwirken. Denn er erwähnt der Reihe nach alle Ereignisse seiner Zeit in den Briefen, die er hinterlassen».

[1] Vgl. LThK III², 401.

[2] EUSEBIUS, H. E. VII 26,1.

[3] Übersicht in Diz. dei Concili IV 128 ff.

[4] EUSEBIUS, H. E. VII 26,1; ATHANASIOS, Ep. de decr. Nic. Synod. c. 25 f.; Ep. de sent. Dionysii c. 13 ff. Vgl. Dizionario dei Concili I 19 f. zu zwei Konzilien von Alexandrien um 260.

[5] CYPRIAN, Ep. 67,5; ed. HARTEL 739: «nec rescindere ordinationem iure perfectam potest quod Basilides post crimina sua detecta et conscientiae etiam propriae confessione nudata Romam pergens Stephanum collegam nostrum longe positum et gestae rei ac veritatis ignarum fefellit, ut exambiret reponi se iniuste in episcopatum de quo fuerat iure depositus. hoc eo pertinet ut Basilidis non tam abolita sint quam cumulata delicta, ut ad superiora peccata eius etiam fallaciae et circumventionis crimen accesserit». Vgl. L. HERTLING, a. a. O. 47 f.; G. BARDY, a. a. O. 242, 214; W. MARSCHALL, a. a. O. 93–99.

[6] Hierzu und zum Folgenden G. BARDY, a. a. O. 217; ferner W. MARSCHALL, a. a. O. 85–93.

eine Periode der Koexistenz zweier verschiedener Anschauungen zur Frage der Gültigkeit der in der Häresie empfangenen Taufe. Die Kirche von Afrika ebenso wie die Kirche von Antiochien mit den in deren Kraftfeld liegenden kirchlichen Bereichen sprechen sich für die Ungültigkeit aus, wobei sie sich auf schwerwiegende theologische Gründe und nicht minder auf frühere Konzilsentscheidungen stützen. In Rom, in Alexandrien und in Palästina dagegen betrachtet man die Häretikertaufe nach unvordenklicher Tradition als gültig. Das Schisma des Novatian erst hatte dem Problem eine besonders drängende Aktualität verliehn. Im Jahre 255 wenden sich etliche Bischöfe, beeindruckt von der römischen Praxis, an Cyprian um genaue Direktiven. Persönlich verwirft Cyprian ohne Zögern die Häretikertaufe. Die von ihm einberufenen Konzile [1] sprechen sich zugunsten der einheimischen Haltung aus.

Papst Stephanus seinerseits verteidigt auf möglicherweise an ihn ergangene Anfrage den römischen Gebrauch. Darüber hinaus verurteilt er mit Entschiedenheit alle entgegengesetzten Gebräuche. Sicher drohte er auch die Exkommunikation an. Ob sie von ihm vollzogen worden ist, bleibt unklar.

Maßgebend zum Verständnis des Ganzen ist die Unterscheidung zwischen denen, die, von der katholischen Kirche einmal schon abgefallen, wieder zurückkehren – ihnen gewährt auch Cyprian nur die Handauflegung [2] – und denen, die die Einweihung im Irrtum der Häresie empfingen, jetzt aber zur großen christlichen Gemeinschaft kommen: Diesen wird die impositio manuum erneuert, in Rom wie in Cäsarea und in Carthago: Darin sind sich die Partner des Streites einig. Während jedoch Papst Stephan eine Trennung der Einweihungsriten für möglich hält und unter Umständen als gegeben ansieht, ist für Cyprian die Reihe der liturgischen Handlungen unlösbar verkettet. Da bei den Häretikern eine wirksame «impositio manuum» nicht möglich war, ist mit ihr auch die Taufe nochmals vorzunehmen [3].

---

[1] Siehe oben S. 110.

[2] Ep. 71, 2; ed. Hartel 772 Z. 20–773 Z. 2: «quod nos quoque hodie observamus, ut quos constet hic baptizatos esse et a nobis ad haereticos transisse, si postmodum peccato suo cognito et errore digesto ad veritatem et matricem redeant, satis sit in paenitentiam manum imponere».

[3] Ep. 71,2; a. a. O. 773 Z. 2/5: «si autem qui ab haereticis venit... baptizandus est ut ovis fiat, quia una est aqua in ecclesia sancta quae oves faciat». Vgl. F. DE SAINT-PALAIS D'AUSSAC, La réconciliation des hérétiques dans l'église latine.

Eine grundsätzliche Meinungsverschiedenheit über den Sinn der christlichen Initiation und die Tragweite der sie konstituierenden Einzel-Riten verbirgt sich also hinter der von Seiten Cyprians mit ungewohnter Schärfe des Wortes geführten Kontroverse: Diese offenbart freilich zugleich den rechtlichen Sinngehalt der Taufe als der Einführung in die christliche Ekklesia: Ohne sie ist nicht das geringste Recht in der Kirche verleihbar [1].

In einem großen, vielleicht dem größeren Teile der asiatischen Kirchen hielt man über Papst Stephanus hinaus an der Wiedertaufe der um die Aufnahme in die Kirche bittenden Novatianer bzw. Schismatiker fest [2].

Da noch Basilius die cyprianische Beweisführung würdigt [3], ist die innere Begründung bedeutungsvoll, welche die Parteigänger Cyprians zur Stützung ihrer Ansicht beiziehen [4]. Eine solche Beweisführung, die durchaus dogmatisch ist, strebt jedenfalls über die Ebene einer disziplinären Nebenfrage hinaus [5]: Cyprian sieht die Kirche als ver-

---

Contribution à la théologie de l'initiation chrétienne, Paris 1943, 111 und 115. Ep. 70,3; a. a. O. 769 Z. 14/15: «neque enim potest pars illic inanis esse et pars praevalere».

[1] Der Autor des *Liber de rebaptismate* vervollständigt schließlich das Bild, indem er zur Begründung seiner These auf die religiöse Praxis seiner Zeit hinweist, in der viele (plerique) nach der Taufe ohne Handauflegung des Bischofs sterben und doch für volle Christen gelten. Auch die Taufe der Häretiker ist als gültig anzusehen. Da ihnen jedoch das Anrecht auf die Gabe des Geistes außerhalb der Kirche, in der allein der Geist wirkt, nicht erfüllt werden kann, ist diese Gabe ihnen in der impositio manuum zu verleihen, die dann die Vollendung des Glaubens als der geistigen Tat des Christen wirkt. De rebaptismate 4; ed. HARTEL CSEL 3, 74: «Hodierna ... die non potest dubitari esse usitatum et evenire solitum, ut plerique post baptisma sine impositione manus episcopi de saeculo exeant et tamen pro perfectis fidelibus habentur». A. a. O. 74: «Nec necesse sit quaeri quale illud baptisma fuerit quod in nomine Jesu Christi sunt consecuti». A a. O. 77 Z. 31/32: «qui cum aqua baptizarentur in nomine Domini aliquando scabram habuissent fidem».

[2] MG 32, 668 f. Zur Auffassung des *Basilius* und seiner Berufung auf den «Kanon der Alten» vgl. MG 32, 665 und 663.

[3] Ad Amphil.; MG 32, 668 f.

[4] CYPRIAN, Ep. 75,7; ed. HARTEL 814, 27–815, 4: «haeretici, si se ab ecclesia Dei sciderint, nihil habere aut gratiae possunt, quando omnis potestas et gratia in ecclesia constituta sit, ubi praesident maiores natu qui et baptizandi et manum imponendi et ordinandi potestatem; haereticum enim sicut ordinare non licet nec manum imponere, ita nec baptizare nec quicquam sancte et spiritaliter agere, quando alienus sit a spiritali et deifica sanctitate».

[5] Die Gegner des Rebaptismus werden als «Verwüster der Wahrheit» beschimpft (Ep. 69,10; ed. HARTEL 759 Z. 3/4): «preavaricatores fidei atque pro-

loren an für den Fall, daß Papst Stephanus siegt [1]. Er betont, daß der Bibelbeweis zu führen sei [2]. Außer der Kirche kein Heil [3], und folglich auch keine Sündenvergebung: Dies die Grundthese des Bischofs von Carthago.

In der Kirche allein finden sich die Gnade und die Mittel, sie mitzuteilen oder zu empfangen, so daß die Häretiker und Schismatiker, die außer der Kirche sind, weder die Taufgnade geben, noch die Seelen reinigen können [4]. Darum besteht nach seiner Überzeugung allein die Möglichkeit, bei ihrer Rückkehr die ganze Einweihung, d. h. Taufe, postbaptismale Salbung und Handauflegung, zu wiederholen. In dem Maße, wie diese *Tatsache einhellig* feststeht, herrscht in der Forschung freilich *Uneinigkeit* der *Auslegung* nach: Für die einen ist die Logik seines persönlichen Systems als Grund seiner Stellungnahme gegen die Häretikertaufe ausschlaggebend. Für andere sind nicht erst Cyprians ekklesiologische Prämissen, sondern die herrschende Praxis und der römische Gebrauch der zweiten Handauflegung hinreichender Erklärungsgrund [5].

Der das Verständnis des Ganzen erschwerende knappe Zusatz der päpstlichen Anweisung «in paenitentiam» [6] gab Anlaß zu verschiedener Deutung: In der ebenfalls dem 3. Jahrhundert angehörenden Didascalia [7] gestattet der Text keine einhellige Entscheidung darüber,

---

ditores ecclesiae». Man wirft ihnen vor, mit dem Male eines «Judas an der Braut Christi» behaftet zu sein (Sent. 61; a. a. O. 455): «... quid aliud quam sponsae Christi Judas extitit?»

[1] Ep. 73, 3; a. a. O. 787 Z. 8: «qui ratione vincuntur». Ep. 71, 3; a. a. O. 773. Z. 10/11: «non est autem de consuetudine praescribendum, sed ratione vincendum». J. Tixeront, Histoire des dogmes dans l'antiquité chrétienne, I⁹, Paris 1924, 379 urteilt also zu harmlos, wie neuestens auch F. de Saint-Palais d'Aussac betont: Réconciliation 108, Anm. 2.

[2] Ep. 4, 4; a. a. O. 477 Z. 4/5: «cum domus Dei una sit nemini salus esse nisi in ecclesia possit». Siehe oben S. 52.

[3] Ep. 69,4; a. a. O. 752 Z. 2/4: «... quomodo qui in ecclesia non est aut diligi a Christo aut ablui et purgari lavacro eius potest?» Ep. 70,1 a. a. O. 768 Z. 4/5: «quomodo baptizans dare alteri peccatorum potest qui ipse sua peccata deponere extra ecclesiam non potest? Ep. 73, 10/12; a. a. O. 785 Z. 21/786 Z. 2; Ep. 74,11; a. a. O. 808 Z. 23/809 Z. 4.

[4] A. d'Alès, De baptismo et confirmatione, Paris 1927, 218.

[5] P. Pourrat, La théologie sacramentaire³, Paris 1908, 23.

[6] Cyprian, Ep. 74,1; a. a. O. 799 Z. 16/17: «... ut manus illis imponatur in paenitentiam ...».

[7] II, 41, 2: «aut per manus impositionem aut per baptismum accipiunt participationem spiritus sancti».

ob nicht gemeint sei, daß es sich um die (materiell oder formell) gleiche Handauflegung handle.

Die Umformung des parallelen Textes der Constitutiones Apostolorum [1] ist jedenfalls ein Niederschlag eines fortschreitenden Identifizierungsprozesses. Trotzdem kann die angezogene Stelle der Didascalia synekdochisch in dem Sinne verstanden werden, daß die Handauflegung ein Gebet des Bischofs sei, das die Sündenreinigung des Büßers unterstützt, und ein Bußritus beim Abschluß des mit dem wiedererlangten Geistbesitz endenden Bußverfahrens [2]. In gleicher Weise ist die im Taufstreit bei Cyprian erwähnte manuum impositio im Sinne einer oratio super hominem auslegbar: Die oratio super hominem kann, so ist Cyprian überzeugt, von solchen, die nicht in der Gnade sind, nicht vollzogen werden. Daß Cyprian die impositio manuum in paenitentiam, die Papst Stephanus meinte, mit dem Ritus zur Übertragung des Geistes verwechselt habe, wie J. Coppens meinte [3], ist nicht anzunehmen. Tiefer dringend wird er sich vielmehr der Doppelheit der Geistmitteilung bei der Einweihung bewußt [4].

Die Nachwelt entscheidet sich für die von Papst Stephanus aufgezeigte Linie [5].

Nach Eusebius, Kirchengeschichte VII 27, 30, wurde nicht viel später der verweltlichte Paul von Samosata durch eine Synode abgesetzt. Der Synodalbeschluß ging zunächst nach Rom, dann nach Alexandrien. Als Paul von Samosata nicht weichen will, gibt Kaiser Aurelian die Entscheidung zugunsten derjenigen, mit denen die Bischöfe Roms und Italiens in Beziehung stehen [6].

---

[1] II, 41,2: ed. Funk 131 Z. 9 f.: καὶ γὰρ διὰ τῆς ἐπιθέσεως τῶν ἡμετέρων χειρῶν ἐδίδοτο τὸ πνεῦμα τὸ ἅγιον τοῖς πιστεύουσιν.

[2] K. Rahner, Bußlehre und Bußpraxis der Didascalia Apostolorum, ZkTh 72 (1950), 272.

[3] L'imposition des mains 389: «En posant mal les termes du problème, Cyprien se trompa sur la vraie nature du rite de réconciliation».

[4] O. Casel, Besprechung zu J. Coppens, Theol. Rev. 1928, 100. F. de Saint-Palais d'Aussac, a. a. O. 152.

[5] Siehe oben S. 119; hierzu W. Marschall, a. a. O. 85–93, 100.

[6] Eusebius, H. E. VII 30; G. Bardy, Paul de Samosate 363. Da diese Eusebiusstelle auch für andere Aspekte von Bedeutung ist, wird sie hier ausführlicher wiedergegeben (ed. Kraft, S. 347 ff.): «Die versammelten Hirten verfaßten nach gemeinsamem Beschluß einen Brief an die Adresse des Dionysius, des Bischofs von Rom, und des Maximus, des Bischofs von Alexandrien, und sandten ihn an alle Provinzen. Sie geben darin aller Welt Kenntnis von ihrer Tätigkeit und erstatten Bericht über die verkehrte und falsche Lehre des Paulus, über die Beweise,

Man hat dagegen eingewendet, daß Rom lediglich als dem Konfliktsherd fernestehend und vollkommen desinteressiert um eine schiedsrichterliche Entscheidung angegangen worden sei; so wie später Konstantin noch als Heide den Bischöfen Galliens und italienischen Bischöfen das Schiedsgericht über die Streitigkeiten zwischen den Donatisten und der offiziellen Kirche Afrikas übertragen habe. Ähnlich sei Ossius von Cordoba später herangezogen worden [1]. Indessen ist demgegenüber an die starke Christenheit in Afrika zu erinnern, die zweifellos doch eher eine Orientierung nach den afrikanischen Bischöfen empfohlen hätte [2] als nach Italien.

Konstantin bestimmte dann auf Petition der Donatisten die Bischöfe Maternus von Köln, Reticius von Autun, Marinus von Arles und Miltiades von Rom zu iudices datos und übertrug letzterem den Vorsitz, was nicht schon als Anerkennung des päpstlichen Primates durch Konstantin ausgelegt werden kann. Die Tatsache, daß das Gericht in Rom tagte, erklärt die Wahl des Vorsitzenden als selbstverständlich [3].

Aber Augustinus tadelte später, daß die Donatisten gegen Bischöfe von so großem Ansehen bei dem weltlichen Herrscher vorstießen: Der Satz bezog sich vor allem auf den Bischof von Rom, dessen Vorrang Augustinus (Epist. 43) betont.

Auf der am 1. August 314 folgenden Synode von Arles reden die Synodalen in ihrem gemeinsamen Schreiben den Bischof von Rom

die sie geführt, und die Fragen, die sie an ihn gerichtet, und über das ganze Leben und den Charakter des Mannes ... Als so Paulus zugleich mit dem wahren Glauben die bischöfliche Würde verloren hatte, übernahm ... Domnus den Dienst an der Kirche in Antiochien. Doch da Paulus um keinen Preis das Haus der Kirche räumen wollte, wandte man sich an Kaiser Aurelian, der durchaus billig in der Sache entschied, indem er befahl, denjenigen das Haus zu übergeben, mit welchen die christlichen Bischöfe Italiens und Roms in schriftlichem Verkehre stünden. Somit wurde der erwähnte Mann zu seiner großen Schande von der weltlichen Macht aus der Kirche vertrieben. So stellte sich um jene Zeit Aurelianus zu uns. Doch im weiteren Verlaufe seiner Regierung änderte er seine Gesinnung gegen uns und ließ sich jetzt durch gewisse Berater zu einer Verfolgung gegen uns bewegen. Allenthalben wurde viel darüber gesprochen. Als er aber eben im Begriffe war und – wie man fast sagen könnte – die Unterschrift unter das gegen uns gerichtete Dekret setzte, ereilte ihn die göttliche Gerechtigkeit ... und hielt ihn von seinem Vorhaben zurück ... Nachdem Aurelianus sechs Jahre regiert hatte, folgte ihm Probus und diesem ... Karus ...»

[1] GRÉGOIRE, a. a. O. 59.
[2] Zur Stärke der afrikanischen Christenheit vgl. GRÉGOIRE, a. a. O. 31.
[3] H. U. INSTINSKY, Bischofsstuhl und Kaiserthron, München 1955, 59–82;

mit «gloriosissime papa» an. Das klingt im Munde von Bischöfen des frühen 4. Jahrhunderts zweifellos eigenartig [1]. «Es wäre durchaus begreiflich, daß Konstantin die 'gloriosissimus'- Stufe als höchste Rangstufe nach der der Prinzen gleich nach 313 für den römischen Bischof als den ersten Bischof der Gesamtkirche geschaffen hätte und daß diese Rangstufe längere Zeit ausschließlich für den römischen Bischof reserviert geblieben wäre» [2].

Demgegenüber wird freilich zu erwägen gegeben, daß von einer Übernahme weltlichen Zeremoniells in den Verkehr der Bischöfe untereinander in diesem Fall nicht die Rede sein könne [3]. Außerdem wird auf ein erheblich älteres Beispiel hingewiesen, die Tatsache nämlich, daß im Jahre 250 n. Chr. ein Schreiben des römischen Klerus an Cyprian, den Bischof von Carthago, mit den Worten «beatissime ac *gloriosissime* papa» schließt [4] und dabei auf die «*gloria*» des Märtyrers abhebt. So könnte also Silvester mit der Anrede «gloriosissime papa» von den Bischöfen als Confessor aus der Zeit der Verfolgung geehrt werden [5]. Immer ist richtig erfühlt worden, daß die Synodalen von Arles dem römischen Bischof ihren Respekt erweisen wollten; über das Problem des Jurisdiktionsprimates ist damit noch keine Aussage gemacht, wenn auch die Person des Confessors für die Mehrung des Ansehens des römischen Stuhles nicht ohne Bedeutung ist [6].

Die bürgerliche Vorzugsstellung der Stadt Rom war nicht von Einfluß auf die Ausbildung des Primates des römischen Bischofs innerhalb der Kirche: Das ist gerade darin bewiesen, daß in seiner Tätigkeit von Anfang an das administrative Element nicht im Vordergrund stand. Vielmehr haben sich die römischen Bischöfe «als Zentrum und Haupt der sakramentalen Communio gefühlt, aber nicht als Spitze eines Beamtenapparats» [7].

vgl. W. MARSCHALL, a. a. O. 103–106. Zum Konzil von Carthago 312 siehe Dizionario dei Concili I 252 ff.

[1] P. SALMON, Mitra und Stab 17. Siehe oben S. 115.

[2] TH. KLAUSER, Der Ursprung der bischöflichen Insignien und Ehrenrechte, Krefeld 1949, 13 f.

[3] H. U. INSTINSKY, a. a. O. 88.

[4] A. a. O. mit Bezug auf Ep. 30,8; ed. HARTEL 556.

[5] A. a. O. 100.

[6] A. a. O. 100 f.; ferner H. U. INSTINSKY, Röm. Quartalschrift 66 (1971), 75 ff.; vgl. W. MARSCHALL, a. a. O. 106–107. Zur Aussage des Konzils von Nizäa in dieser Beziehung vgl. ebenda 107–110 und oben 118 ff.

[7] L. HERTLING, Communio und Primat, Rom 1943, 36–38. Vgl. ferner oben S. 115.

Auch das persönliche Element hat bei der Entwicklung des römischen Primates höchstens eine ganz untergeordnete Rolle gespielt. Denn bis Leo dem Großen findet sich bei den Päpsten keine die gleichzeitigen Bischöfe eigentlich überragende Figur [1].

Die Art der Ausübung päpstlicher Autorität hat freilich in den verschiedenen Zeiten und Zonen spürbar differenzierte Formen angenommen.

Die ersten Jahrhunderte der Kirche bieten aber keinen Anhaltspunkt für die *Allein*bestimmung durch den Papst (W. de Vries) [2].

Man hat mit P. Batiffol von den drei Zonen der «potestas» in den ersten Jahrhunderten gesprochen [3]. Danach hat der Sitz von Rom innerhalb dieser Zonen seine Tätigkeit auf sehr verschiedene Weise entfaltet.

In den suburbikarischen Gebieten, die nur eine Kirchenprovinz bildeten, übte der Papst eine sehr enge Jurisdiktion über die ihm unterstellten Suffragane aus: Die erste Zone. Dieser Jurisdiktionsbereich, der in der zweiten Hälfte des 4. Jahrhunderts praktisch Italien repräsentiert, kennt keine Metropoliten.

Im ganzen übrigen Westen waren die Bischöfe seit der konstantinischen Zeit in Kirchenprovinzen gruppiert, wobei jede ihren Metropoliten und ihr eigenes Provinzialkonzil hatte. Der Bischof von Rom nahm die Rolle des Supermetropoliten wahr, der jedoch nur in den causae maiores intervenierte: Die zweite Zone.

Afrika wird im dritten Jahrhundert fester an Rom gebunden. Dennoch genoß es eine besondere Stellung, die es der dritten Zone näherte. Diese, der Orient, war durch eine viel flexiblere Herrschaft gekennzeichnet: Der Vorrang des Glaubens der Römischen Kirche war anerkannt: dennoch behielt der Orient seine volle kanonische Autorität und es gab mehrere, die Metropoliten übersteigende Jurisdiktionen: die erstarkenden Patriarchate.

---

[1] Vgl. HERTLING, a. a. O. 38.
[2] Vgl. Unitas 109 (1969) Dez., 47.
[3] Cathedra Petri, Paris 1938, 42–79. H. MAROT, Concilium 1 (1965), 548–555. Erwähnt sei P. ZMIRE, Recherches sur la collégialité épiscopale dans l'Eglise d'Afrique, Recherches Augustiniennes 7 (1971), 3–72, mit reicher Bibliographie.

§ 21. Die geistliche Gewalt als Dienst

In der griechischen Sprache des Neuen Testamentes entspricht dem deutschen Wort «Amt» am ehesten der Terminus «διακονία». Nicht stets das beinhaltend, was mit dem deutschen Worte «Amt» gemeint ist, hat er offenkundig diese Bedeutung in Apg 1,17; Röm 11,13; 2 Kor 6,3. Zumal aber in den Pastoralbriefen, etwa 1 Tim 1,21; 3,10, 13; 2 Tim 4,5 [1]. Diese διακονία führt von der διακονία Christi über die des Apostels bis zu den voramtlichen und amtlichen Funktionen in der Gemeinde und verleiht diesen ihre eigentümliche Qualität als Dienst im mannigfachen und doch einheitlichen Sinn: Dienst für Gott (vgl. 2 Kor 6,4; 1 Thess 3,2); Dienst für Christus (vgl. 2 Kor 11, 23; Kol 1,7); Dienst für das Evangelium oder am Evangelium (vgl. Eph 3,7; Kol 1,23; 1 Thess 3,2); Dienst für Gottes neuen Bund (vgl. 2 Kor 3,6); Dienst für die Gläubigen und ihr Heil (vgl. 1 Kor 3, 5); in allem aber ist er «Dienst im Herrn» (vgl. Eph 6,21; Kol 4,17) [2]. Die zum Amt gewordenen Dienste lassen den Dienstcharakter noch deutlicher erkennen. Der vom Amt her objektiv und subjektiv verpflichtete Dienstträger begegnet der Gemeinde mit größerer Unabhängigkeit von seinen persönlichen Besonderheiten und Schwächen: Das recht verstandene Amt, das nie ein Privileg des Amtsträgers, sondern Gabe an die Gemeinde ist, läßt – durchaus zu deren Nutzen – absehen von der Person und der persönlichen Begabung dessen, der ihr dient [3].

Diesem Amt eignet, wie dem apostolischen, Autorität und Würde (vgl. z. B. 1 Kor 4,21; 5,3 ff.; 11,17. 33 f.). Diese gründen im Auftrag und seiner Verantwortung, nicht primär in Person oder Charisma.

Timotheus und Titus sollen diese Autorität darum der Gemeinde gegenüber geltend machen (Tit 2,15; vgl. 1 Tim 6,17) und gerade den Irrlehrern gegenüber (1 Tim 1,3. 5; 4,11 f.; 5,7; Tit 1,13; 3,8; vgl. 1 Thess 5,22 ff. Röm 16,1. 3). Dieser Sachverhalt verlangt besondere Liebe und Anerkennung sowie Gehorsam für sie (1 Kor 16,16; 2 Kor 7,15; Phil 2,29 f.; Hebr 13,17) [4].

---

[1] Hierzu H. SCHLIER, Grundelemente des priesterlichen Amtes 176–179, mit der Darlegung der biblischen neutestamentlichen Auffassung im einzelnen. Ferner H. v. CAMPENHAUSEN, Die Anfänge des Priesterbegriffes in der Alten Kirche 272–289; 282 f. Vgl. O. HEGGELBACHER, Die Aufgabe der frühchristlichen Patriarchate 403 ff.

[2] H. SCHLIER, a. a. O. 177.

[3] Vgl. H. SCHLIER, a. a. O. 176 Anm. 35.

[4] A. a. O. 178. Vgl. den *Barnabasbrief:* «Was mich angeht, so werde ich euch

Das kirchliche Amt ist also nach dem neutestamentlichen Verständnis ein Dienst *zum Heil aller Menschen*. Diese Sendung zum Heil der Menschen und die Liebe zum Heilsdienst in der Kraft des Heiligen Geistes lassen das Tiefste der Apostelkirche erkennen. Der Obrigkeitsbegriff wird demzufolge hier besonders geprägt [1]. Der Vorgesetzte hat eine echte Autoritätsstellung, jedoch in der brüderlichen Gemeinschaft des Dienens [2]. Es wäre ebenso falsch anzunehmen, daß das Ideal des Dienens in der Liebe jede Macht ausschließen müsse, wie, daß diese Autorität wie eine zeitliche Macht zu definieren sei [3].

Diese Grundlegung erfährt ihre Ausgestaltung während der Patristik im Bischofsamt und den andern Zweigen des kirchlichen Dienstes [4].

§ 22. Die rechtliche Bedeutung und Auswirkung der christlichen Gemeinschaft; das Recht auf Gleichheit und Freiheit

Apostelgeschichte 2,42 werden die Lehre der Apostel, die «Gemeinschaft», das Brechen des Brotes und die Gebete aufgezählt: Dies deswegen, weil der Verfasser darin die besonderen Kennzeichen des Lebens der jungen Christengemeinde sieht.

Die Einheit der jungen Pfingstgemeinde und das Bewußtsein des steten Beieinanderseins in Christus, das sich im tatsächlichen örtlichen Zusammensein äußert, werden überaus stark betont. Darum ist Koinonia ein Lieblingswort der jungchristlichen Sprache [5]. Der Vergleich

die wenigen Lehren, die euch unter den gegenwärtigen Umständen erfreuen können, nicht als Lehrer, sondern als einer von euch darbieten» (1, 8); «Ich flehe euch noch einmal an, ich, der ich einer von euch bin und euch alle mit besonderer Liebe mehr als mein Leben liebe ...» (4,6); «Da ich die Absicht hatte, euch viele Dinge zu schreiben, nicht als Lehrer, sondern wie es sich für einen Menschen schickt, der euch liebt ... ich, euer armseliger Diener ...» (4,9). Übersetzung bei Y. Congar, Die Hierarchie als Dienst nach dem Neuen Testament und den Dokumenten der Überlieferung; Das Bischofsamt und die Weltkirche, Stuttgart 1964, 87. Zur nachfolgenden Patristik vgl. oben S. 38, 41, 49, 52, 53.

[1] Vgl. P. Rusch, Die kollegiale Struktur des Bischofsamtes 268.

[2] Y. Congar, a. a. O. 101.

[3] A. a. O. 107.

[4] Siehe die Paragraphen 4 bis 20.

[5] J. M. Nielen, Gebet und Gottesdienst im Neuen Testament, Freiburg 1937, 145 ff. Die Arbeit von H. Seesemann, Der Begriff κοινωνία im Neuen Testament, Gießen 1933, stellt drei Bedeutungen von Koinonia für die Paulinischen Schriften fest. Vgl. O. Heggelbacher, Taufe 127 Anm. 2, und die Besprechung von H. J. Vogels, Theol. Revue 33 (1934), 14/15).

verschiedener Stellen (Apg 1,13; 2,1; 2,44) mit Apg 2,42 macht klar, daß Koinonia nicht nur ein örtliches Beisammensein einschließt, sondern «als eine Genossenschaft gleichen (neuen) Glaubens und Lebens erfaßt wird»[1]. Diese äußerte sich in gottesdienstlichen Handlungen, im gemeinsamen Gebet, und zumal in der Tischgemeinschaft, und ihr werden die Getauften durch die Predigt der Apostel zugeführt[2]: Eine Deutung, der die alte Vulgata-Übersetzung zu Apg 2,42 günstig ist[3].

In dem Maße aber, in dem die Tischgemeinschaft eine geordnete, streng abgegrenzte ist (vgl. 1 Kor 1,17 ff.; Hebr 13,10), geht Koinonia (Apg 2,42) über die mehr abstrakt gefaßte «geistige Gemeinschaft des brüderlichen Zusammenhaltens»[4] entschieden hinaus und nähert sich der konkreten Gemeinde bzw. Genossenschaft der Christen.

Der Ausdruck Koinonia nimmt schließlich einen kirchenrechtlich-technischen Sinn an[5] und kommt so bei Eusebius[6] und den späteren vor. Im Bereich der lateinischen Welt wird er durch communicatio wiedergegeben. Dieser ist in der nichtchristlichen Literatur an sich sehr selten gebraucht, tritt aber bei den christlichen Schriftstellern häufiger auf. Bei Tertullian begegnet er sehr häufig und besagt, mehr zum Konkreten gewendet, dasselbe, was auch das Wort pax ausdrücken will[7]. Dessen Inhalt wird von ihm Apol 39,4 als «communicatio orationis et conventus et omnis sancti commercii» näher umschrieben. Unter «oratio» sind dabei die öffentlichen Gebete mit Eucharistie und Kommunion, unter «conventus» die Versammlung der Christen gemeinhin zu verstehen. «Commercium» bezieht sich z. T. auf sehr greifbare Dinge, nämlich das Anrecht auf die kirchliche Unterstützung.

Die damit verbundenen christlichen Gemeinschaftsbriefe hatten angesichts der Mobilität der damaligen Gesellschaft einen besonderen

---

[1] Nielen, a. a. O. 146. O. Heggelbacher, Taufe 128 Anm. 3.
[2] Nielen, a. a. O. 146.
[3] «Erant autem perseverantes in doctrina apostolorum et communicatione panis et orationibus».
[4] ThWb III 810.
[5] O. Heggelbacher, Taufe 129, Anm. 8.
[6] Vgl. a. a. O. 129 Anm. 9; Eusebius, H. E. V 24, 17.
[7] St. W. J. Teeuwen, Sprachlicher Bedeutungswandel bei Tertullian. Ein Beitrag zum Studium der christlichen Sondersprache (Studien zur Geschichte und Kultur des Altertums XIV, 1), Paderborn 1926, 60. Auf die einzelnen Stellen geht die ausgedehnte Arbeit von C. Chartier, L'excommunication ecclésiastique d'après les écrits de Tertullien, Antonianum 10 (1935), 301/344; 499/536 ein. Heggelbacher, Taufe 129 f.

Wert: In der Fremde hatten reisende Christen dadurch Anspruch auf Aufnahme und Hilfe.

Dieselbe Bedeutung wie bei Tertullian hat communicatio bei dem von Tertullian stark abhängigen Bischof Cyprian von Karthago [1].

Wie schon angeführt, entspricht der Terminus communicatio dem anderen, in etwa gleichwertigen christlichen Losungswort pax, das in den ersten Jahrhunderten freilich einen noch reicheren Inhalt hatte [2].

«Pax» erinnerte zunächst an die Friedenszeit, sozusagen den internationalen Frieden, der nach langjährigem Kriege erst einkehrte, und war darüber hinaus für die Christen im Sinne der Eintracht zwischen Kirche und Staatsgewalt noch wertvoller, da die Verfolgungen die christlichen Gemeinden solange in Furcht und Entsetzen gehalten hatten [3].

Mit dem Worte persecutio verband sich für den Christen unwillkürlich die Erinnerung an diese Schreckenstage: Demgegenüber entwickelte sich der Begriff pax in mehr religiöser Richtung. Sein christianisierter Begriffsinhalt erschöpfte sich nicht in der Gegenüberstellung zu persecutio, sondern bedeutete in zusammenfassendem Sinn die Versöhnung für die gesamte Menschheit [4]: Pax dei in Christo.

Darüber hinaus bezeichnet er für den Christen die in der Taufe erlangten Heilsgüter. Wer aber so zum Mitglied der Familie Christi geworden ist, hat die Kirche zur Mutter und genießt das einträchtige Entgegenkommen der christlichen Gemeinschaft: «Nur unter Christen – Stammverwandten galt die Pax» [5]. Als durch Irrlehren ein Teil der Christen sich von der Kirche abtrennte, wurde ihnen die pax genommen, die sich – nachdem sie zuvor etwa soviel wie Christengemeinschaft bedeutet hatte – zur *Kirchen*gemeinschaft derjenigen verengte, die als Getaufte auch den wahren Glauben festhielten.

Da durch das einzig und allein von den Aposteln überkommene Glaubensdepositum alle Kirchengemeinden miteinander und mit

---

[1] C. GOETZ, Die Bußlehre Cyprians. Eine Studie zur Geschichte des Bußsakramentes, Königsberg 1895, 44 ff., hat eine größere Zahl von Wendungen aufgeführt, die in Verbindung mit communicatio bei Cyprian gebraucht werden oder ihm gleichwertig sind, leider aber nur bei wenigen die Fundorte angegeben.

[2] Vgl. zu Folgendem ST. W. J. TEEUWEN, a. a. O. 49 ff. Ferner H. FUCHS, Augustin und der antike Friedensgedanke, Berlin 1926, 220 ff.; W. NESTLE, Der Friedensgedanke in der antiken Welt, Leipzig 1938.

[3] CYPRIAN, De lapsis 1: «Pax ecce ... ecclesiae reddita est».

[4] Vgl. HEGGELBACHER, Taufe 130 Anm. 16 u. 17 und S. 131 Anm. 18–20.

[5] TEEUWEN, a. a. O. 55.

Rom verbunden sind, ist mit der Kirchengemeinschaft die Kirchen-einheit gegeben, mit der Tertullian noch in der montanistischen Zeit argumentiert [1].

Der Begriff pax verengt sich hernach über die Bedeutung Kirchen-gemeinschaft schließlich auf die einzelnen Kirchengemeinden und besagt so viel wie Kultgemeinschaft [2].

Gerade aus dem Begriff der christlichen Gemeinschaft in ihrer viel-fachen Differenzierung ergibt sich, daß die übernatürlich-christliche Offenbarung einen über die natürliche Sozialethik hinausgehenden *inhaltlichen Überschuß* an sozial bedeutsamen Zielsetzungen hatte und zwar als wesentlichen Bestandteil christlichen Denkens [3].

So können darum neuerdings die apostolischen Kirchen von Jeru-salem und Antiochia, die Kirchen des Paulus und andere im Blick auf die Gemeinschaftsfunktion behandelt werden [4], wie auch die zwischen-kirchliche Gemeinschaft und der Primat [5]. Es lassen sich die Com-munio und die Funktionen des Lehrens, der Heiligung und der Lei-tung in ihrem Zusammenwirken dartun. Besonders der Gesetzge-bungs- und der richterlichen Gewalt mit den Sonderfunktionen des Entzugs und der Wiederaufnahme der Communio kommt hierbei eine aufmerksame Betrachtung zu.

Es ist bekannt, daß seitens der einzelnen Bischöfe dem neuerwähl-ten Mitbischof *Briefe* zum Ausdruck der gegenseitigen Gemeinschaft übersandt wurden.

---

[1] Vgl. HEGGELBACHER, Taufe 132; TERTULLIAN, De praescr. haer. 36.

[2] J. GROTZ, Die Entwicklung des Bußstufenwesens in der vornizänischen Kirche, Freiburg 1955, 163: «Pax kann ... gelegentlich mit communicatio iden-tisch sein oder wenigstens dessen Bedeutung sehr nahe kommen. Steht es aber im bußtechnischen Sinn für sich allein, so ist es immer von communicatio zu unterscheiden».

[3] Vgl. V. MONZEL, Was ist Christliche Gesellschaftslehre, München 1956, 8, 15 f.

[4] G. D'ERCOLE, Communio – Collegialità. Primato e Sollicitudo omnium Ecclesiarum dei Vangeli a Constantino, Rom 1964, 78 ff.

[5] A. a. O. 157 ff. – Durch die Konstitution «De Ecclesia» des Vaticanums II. ist der frühchristliche Begriff der 'communio' erneut in das Blickfeld gerückt worden. In der Nummer 2 der 'Nota praevia explicativa' wird neben der 'con-secratio' die 'communio cum Collegii Capite atque membris' als konstitutiv für die Zugehörigkeit zum Kollegium erkannt. Communio ist hier «Ausdruck für die sakramentsbestimmte Rechtsstruktur der alten Kirche und deutet den ur-sprünglichen Grund und Zusammenhang des kirchlichen Rechtsbegriffs an».

AAS 57 (1965), 73; J. RATZINGER in: Das Zweite Vatikanische Konzil I, Freiburg-Basel-Wien 1966, 353.

Andere aber wurden von den örtlichen Kirchen den Brüdern zur Reise in andere Gegenden gegeben. Sie empfahlen die Inhaber jeweils der Gemeinschaft der Christen an den Zielorten, enthielten auch oft Mitteilungen über Häretiker, Schismatiker und Exkommunizierte [1]. Das rührt an die Frage der allgemeinen kirchlichen Rechtsfähigkeit. Diese, durch die Taufe verliehen, ist unmittelbar verbunden mit der dem Getauften gegebenen Freiheit.

Der römische Freiheitsbegriff hatte in sich geschlossen, daß der Freie den andern nur soviel Gewalt über sich einräumte, als sie ihm ihrerseits über sich gestatteten [2]. Der Freie nahm teil an der Ämterbesetzung und an der Gesetzgebung [3]. Jeder Freie hatte in der späten römischen Republik und im Kaiserreich das gleiche subjektive Recht, die gleiche öffentliche und private Rechtsfähigkeit. Dieser römische Freiheitsbegriff ist den späteren Kirchenvätern, Ambrosius und Gregor etwa, geläufig [4].

Der Sprachgebrauch des Neuen Testamentes für den der Rechtsfähigkeit baren, also den nach römischem Denken mit der capitis deminutio maxima geschlagenen Menschen, bleibt durchaus im Rahmen des Zeitgenössischen. Δοῦλος und die verwandten Wortformen umschreiben ein absolutes Abhängigkeitsverhältnis mit der totalen Hingabe des Sklaven an den totalen Anspruch des Herrn, dies lediglich auf Grund juristischer Begründung, ohne Rücksicht auf religiössittliche Gegebenheiten. Der δοῦλος ist für das Neue Testament das «klassische Bild der Unfreiheit und Beschränkung» [5]. Doch wird nirgends in der herabsetzenden und verächtlichen Art wie im Hellenismus und Griechentum oder auch wie im Judentum von ihm gesprochen [6]. Für letzteres ist in der Zeit Jesu, wie in der griechischen Welt, der Sklave ein Mensch zweiter Klasse, auf gleicher Stufe wie die Immobilien, ohne Rechtsfähigkeit und darum ohne eigenen Besitz,

---

[1] Vgl. EUSEBIUS, H. E. V 4, 1–3; Synode von Elvira Kann. 25, 58; Synode von Arles 314, Kan. 9.

[2] G. TELLENBACH, Libertas. Kirche und Weltordnung im Zeitalter des Investiturstreites, Forschungen zur Kirchen- und Geistesgeschichte, Bd. 7, Stuttgart 1936, 15.

[3] CICERO, De re publica I, 47 und De lege agr. II, 102: «Vos quorum gratia in suffragiis consistit, libertas in legibus, ius in iudiciis et aequitate magistratuum».

[4] G. TELLENBACH, a. a. O. 17. – ThWb II 273 unter Hinweis auf Mt 8,9; Lk 7,2 ff. neben Mt 26,51; Mk 14,47; Lk 22,50; Jo 18,10.

[5] A. a. O. unter Hinweis auf Gal 4,1 f.

[6] ThWb a. a. O. Einen Überblick über die Arbeiten von J. Vogt und andern hierzu gibt J. SCHEELE, a. a. O. 13 ff.

ohne eigene Familie und sogar in der Wahl der Ehepartnerin dem Herrn unterworfen; in kultischer Beziehung nur beschränkt an Pflichten gebunden, hierin den Frauen gleichgeachtet und darum kultisch um so minderwertiger taxiert [1].

Demgegenüber bedeutete die Art, wie die Sklaven in die christliche Gemeinde eingeordnet wurden, eine grundstürzende Umwälzung: Sie beruhte in der bedingungslosen Anerkennung der faktischen Gleichheit aller Menschen vor Gott und untereinander aufgrund der Taufe (1 Kor 12,13; Gal 3,28; Kol 3,11; Apg 10,34 f.; Jo 10,16).

Nach der Taufe, die primär nicht einen neuen Zivilstand schafft, sondern in der Schöpfung eines neuen Menschen ihren Zielpunkt hat, werden die Sklaven als vollberechtigte Mitglieder in die Kirche aufgenommen, längst bevor die Sklaverei im bürgerlichen Leben beseitigt wird. Die neutestamentlichen Schriften zeigen, daß der Unterschied zwischen Freien und Sklaven nur noch relative Bedeutung in der christlichen Gemeinschaft hat, insofern als Herr und Sklave in gleicher Weise ihren Anteil an Christus besitzen: Fürderhin ordnet der Name Bruder das Verhältnis zwischen Herr und Sklave (Phm. 16). So ist der Sklave ein Bruder auf Grund der erneuernden Tat der Wiedergeburt, ganz anders als in der stoisch-kynischen Philosophie [2].

Die Sklaverei wird als rechtliches Institut des öffentlichen Lebens nicht abgeschafft (Tit. 2,9; vgl. 1 Kor 7,21; vgl. 2 Kor 5,15; Röm 14, 7 ff.), weil das Ziel dem für Christus gewonnenen Sklaven wie jedem andern, dem Christi Tod zugeeignet worden ist, das «Dem-Herrnleben» bleibt [3].

Im Gegenteil, noch langehin wurde bei der Aufnahme in das Katechumenat gefragt, ob der Ankömmling Freier oder Sklave ist [4], und war er Sklave, so mußte er die Erlaubnis seines Herrn beibringen.

---

[1] STRACK-BILLERBECK, Kommentar zum NT aus Talmud und Midrasch, München 1922–28, IV 719; IV 720, 722; I 803; IV 721; IV 727. Vgl. ThWb II 274; J. SCHEELE, a. a. O. 125 ff.

[2] ThWb II 275/276.

[3] A. a. O. 275. Vgl. hierzu H. W. BARTSCH, a. a. O. 144–159, Abschnitt «Die Sklavenregel».

[4] *Apost. Konst.* VIII 32; ed. FUNK 535 Z. 10/15: «Atque si quis servus est, interrogetur, cuius domini; et si fidelis est servus, interrogetur dominus eius, utrum ei testimonium perhibeat; si non perhibet, reiciatur, donec domino probaverit dignum se esse; si vero ei perhibet testimonium, admittatur; sin autem ethnici est famulus, doceatur placere domino, ut non blasphemetur verbum». Die *Apost. Konst.* beziehen sich in ihrer Anordnung auf die oben erwähnte Stelle des Titus-Briefes.

Ein Sklave, dessen Herr sich weigerte, für ihn Zeugnis abzulegen, wird bis zum Erweise dessen zurückgewiesen, daß er der Taufe würdig ist [1]. Aus Haß gegen den Herrn den Christusglauben annehmen zu wollen, ist ein Grund, weswegen der Herr seinem Sklaven das Zeugnis verweigern kann [2]. In seiner Kirchenordnung bestimmt Hippolyt, daß der Sklave nach der Erlaubnis des Herrn gefragt werde, wenn dieser noch Heide sei, damit kein Ärgernis entstehe [3]. Man solle den Herrn auch um die Zustimmung dazu bitten, daß der Sklave Christ werde [4], wie dieser andererseits belehrt werden soll [5], dem Herrn zu gefallen, damit er sich bewähre. Doch wenn ein Sklave eines heidnischen Herrn, der ihm die Zustimmung zur Taufe verweigert hat, stirbt, ohne diese Gabe empfangen zu haben, so wird er trotzdem nicht von der Herde getrennt, weil er die Begierde-Taufe empfangen hat [6].

Obwohl die frühen Kirchenväter die Sklaverei als ein zu gegenwartsverbundenes und für die Wirtschaft der Zeit notwendiges Faktum nicht abschaffen wollten [7], empfahlen sie die Freilassung dennoch als verdienstliches Werk, insofern es die Gleichheit aller Gläubigen vor Gott und der Kirche bezeugte und das Band der christlichen Brüderschaft festigte [8]. So darf mit gutem Grund angenommen werden, daß die Manumissio in Ecclesia von den Christen schon geraume Zeit vor Konstantins Bestimmungen [9] über sie geübt wurde, zwar ohne öffentliche juristische Anerkennung, aber schlechthin unter

---

[1] *Test DNJChr.* II 1; ed. RAHMANI 113 Z. 14/15: «Servus, in cuius gratiam dominus christianus testimonium non perhibet, repellatur».

[2] A. a. O. Z. 10/13: «Si vero dominus veraciter dicat servum velle christianum fieri ex odio in dominos suos, repellatur talis servus. Si tamen nullatenus probari possit in dominum servi odium, et ille servus velit christianum fieri, admittatur ad audiendum».

[3] K. O. 16a; ed. JUNGKLAUS 131 Z. 14 ff.: «... und wenn sein Herr ein Götzendiener ist, so soll man ihn hören und (daraus) wissen, ob seines Herrn Erlaubnis vorliegt, damit kein Ärgernis entstünde». ed. BOTTE S. 34: «Si paganus (ἐθνικός) est dominus eius, doce eum placere domino suo, ne blasphemia (βλασφημία) fiat».

[4] *Test DNJChr.* II 1; ed. RAHMANI 113 Z. 9 f.: «Si vero dominus non sit fidelis, neque illum sinat (audire), supplicetur, ut sinet».

[5] *Apost. Konst.* VIII 32; ed. FUNK 535 Z. 15; siehe oben S. 146 A. 4.

[6] *Can. Hippolyti* 10; ed. RIEDEL 205.

[7] Vgl. A. STEINMANN, Sklavenlos und alte Kirche[4], M.-Gladbach 1922.

[8] C. FERRINI, Manuale di Pandette, Milano 1908, 71 n. 2.

[9] Man erinnere sich hier der Gestalt des Papstes Callistus I., eines ehemaligen Sklaven, und übersehe nicht, welche einschneidenden Folgerungen unter ihm aus der lehrmäßigen Tilgung des Unterschiedes zwischen Freien und Sklaven für das kirchliche Eherecht gezogen wurden.

dem Schutze des göttlichen Gesetzes und der Autorität der Kirche, als Vertrag zwischen den Parteien [1]: Der Getaufte blieb Sklave vor dem bürgerlichen Gesetz, wurde aber frei dem früheren Herrn gegenüber und auch vor der Gemeinschaft der Christen. Trotz aller Vorbehalte den Acta Sanctorum gegenüber ist vielleicht anzunehmen, daß solche Großzügigkeit von Praxedes, Pudentiana und Timotheus in dem in ihrem Haus bereiteten Gottesdienstraum (Titulus) – heute Basilika S. Prassede – um die Hälfte des zweiten Jahrhunderts auf den Rat Pius' I. geübt wurde. Schon aus der Gegensätzlichkeit passiven Widerstandes gegenüber der staatlichen Autorität nach den ersten Verfolgungen ist sie erklärbar [2]. Es wurde also eine nicht unbedeutende Entwicklung abgeschlossen, als Konstantin dann die drei Spezialgesetze erließ, das erste zwischen 313 und 316, das zweite vor 316 und das dritte 321 [3].

Die Entscheidung war darin gelegen, daß sich innerhalb der christlichen Gemeinde die Dinge änderten: Die eschatologische Blickrichtung der Taufe [4] gab Aussicht auf einen Äon, in dem der Mensch als Inhaber geistigen, in den Banden irdischer Leiblichkeit schon grundgelegten und dort entfalteten Lebens, befreit von den Banden diesseitiger Menschlichkeit, daheim sein darf bei Gott [5].

[1] C. G. Mor, La Manumissio in Ecclesia, Estratto dalla Rivista di storia del diritto italiano. Anno I Vol. 1. Fasc. I (Roma 1928), 16. Hierzu neuerdings ferner F. Fabbrini, La manumissio in ecclesia, Mailand 1965.
[2] P. de Francisci, Intorno alle origini délla Manumissio in ecclesia, Rend. Ist. Lomb. 1911, ser. II, vol. XLIII, 619. Vgl. die dort zitierte Bibliographie.
[3] Sozomenos, H. E. I 8. Vgl. C. G. Mor, a. a. O. 20 ff.; E. Schwartz, Kaiser Konstantin und die christliche Kirche, 1913, 77 ff. Man hat die Manumissio in ecclesia neuerdings mit den Heroldsrufen der griechischen Freilassungsakte in Verbindung bringen wollen: Die versammelte Gemeinde in der Kirche erscheint dann wie die hellenische Volksversammlung. Vgl. J. Partsch, Mitt. aus der Freiburger Papyrussammlung, 2. Sitzber. Heidelberger Akademie d. Wiss. 1916, 10. Abh. 44 f.
[4] Gal 3, 29 in Verbindung mit 3, 27; Eph 1, 18 f. in Verbindung mit 2, 5 f.; Kol 3, 1/4 in Verbindung mit 2, 12.
[5] Den Einfluß und die Wirksamkeit dieser Gedanken vermehrten Rechtsbegriffe wie Erben, Adoption, Loskauf (vgl. O. Eger, Rechtswörter und Rechtsbilder in den Paulinischen Briefen, ZntW. XVIII (1918), 84 ff.; 95 f.), die wohl als Bilder übernommen, aber als solche schon keine geringe Einprägsamkeit besaßen. Vielleicht wies die Taufsymbolik durch das Auftauchen aus dem Wasser schon auf die Befreiung hin. Vgl. den Kommentar des Grammatikers Servius zu Aeneis VIII 564, der von einer Inschrift im Tempel zu Terracina berichtet: «bene meriti servi sedeant, surgant liberi». C. G. Mor, a. a. O. 14 Anm. 1. Ferner steckt in dem Wort δικαιοσύνη das δίκαιος als sprachlich notwendiger Teil, aber auch als sachlich unersetzbarer Bestandteil seines Begriffes (E. Wolf, Rechtsgedanke

Die wenigen Bischöfe stellten zwar eine verschwindende Macht dar, die staatspolitisch kaum ins Gewicht fiel und keine Veränderungen soziologischer Art erzwingen konnte. Aber die Tatsache, daß in der gottesdienstlichen Versammlung der Senator neben dem numidischen Sklaven, die vornehme Matrone neben der verachteten Magd Platz zu nehmen sich nicht scheuten und sich den Friedenskuß gaben, kehrte geheiligte Gewohnheit und petrefakte Sitte um[1]. Darum preist noch Niceta von Remesiana den Segen der Taufe, welche die Unterschiede zwischen Freiem und Sklaven, Mann und Frau, Reich und Arm, Römer und Unterworfenem aufhebt, indem sie allen die übernatürlichen Gaben in gleicher Weise spendet[2].

So wurde der Boden dafür bereitet, daß die Taufe in die Geltung als zivilrechtlich relevante Handlung bzw. als Rechtshandlung im bürgerlichrechtlichen Sinn hineinwuchs und zu einem geschichtsbildenden Faktor erstarkte. B. Biondi[3] hat auf eine bisher zu wenig gewertete Bestimmung Justinians hingewiesen, durch welche die Sklaverei praktisch abgeschafft wurde: Darin verbietet der Kaiser, daß künftighin Juden, Heiden und Häretiker christliche Sklaven besäßen, und setzt fest, daß der Sklave, der in einem solchen Falle Christ wird, ohne weiteres die Freiheit erlange. Fortan sollten also Sklaven nur von rechtgläubigen Christen innegehabt werden können, die ihrer Pflichten bewußt sind (und darauf hin vom Staat kontrolliert werden). Die Sklaven sollten auf diese Weise geschützt werden gegen jedwede Beengung in der Ausübung ihres Glaubens durch Ungläu-

und bibl. Weisung 34): Welche Veränderung in der römischen Kulturwelt, die nur von iustitia sprach und sie den Auserwählten vorenthielt!

[1] Die soziale Kraft der Eucharistie behandeln H. Lietzmann, Messe und Herrenmahl, Bonn/Berlin 1926; O. Cullmann, Urchristentum und Gottesdienst[4], Zürich 1962.

[2] Libellus I, Fragm. I; ed. A. E. Burn, Niceta of Remesiana, Cambridge 1905, 6 Z. 12/13 – 7 Z. 1/6: «Quid autem potest esse melius hoc consilio, cum homo ex infideli efficitur fidelis, de peccatore fit iustus, de servo liber, de extraneo domesticus, de inimico amicus Dei constituitur, postremo ad similitudinem Dei reformatur, atque heres regni caelestis inscribitur? Hoc praestat fides, hoc praestat baptisma omni homini, tam libero quam servo, tam viro quam feminae, tam diviti quam pauperi, tam Romano quam servo». Die ganze Tragweite dieser Entwicklung läßt sich an der modernen christlichen Geschichte Indiens vergleichsweise ablesen; A. J. Otto, Mission und Kaste in Indien, Missionswissenschaft und Religionswissenschaft 4 (1941), 111/119, wo die Entwicklung der sozialen Stellung christlicher Parias zu den Kastenchristen dargestellt ist.

[3] B. Biondi, Giustiniano Primo principe e legislatore cattolico, Milano 1936, 22: c. 2 C. 1, 10.

bige oder Irrgläubige [1]. Eine ähnliche Entwicklung nimmt die Rechtsstellung der Frau in der christlichen Gemeinde.

Die hebräische Frau des Alten Testamentes steht während ihres ganzen Lebens in der Vormundschaft, zuerst in der des Vaters, bzw. bei dessen Tod in der des nächsten männlichen Anverwandten; später in der des Gatten. So ist sie in hohem Maße Sache, nicht Person [2]. Nicht rechtsfähig und ihrem Manne mit der Anrede mein Herr begegnend, gilt sie auch nicht als kultfähig (1 Sm. 1,4). Der persönliche Einfluß, den sie sich zu verschaffen wußte, ist indessen trotz der rechtlichen Beschränkungen groß.

War die Stellung der Frau bei den Römern von Hause aus verhältnismäßig hoch [3], so bei den griechischen Stämmen ungleichmäßig und verschieden [4].

Von Anfang an aber ist die volle Zugehörigkeit der Frauen zur christlichen Gemeinde eine Selbstverständlichkeit (Apg 1,14; 12,12). Die christliche Mission gewinnt von Anfang an auch sie (Apg 16,13 f.; 17,4; 12, 14; 18,18) und so wie dem getauften Manne der Name Bruder, gilt ihnen der Name Schwester (Röm 16, 1; 1 Kor 9,5 u. ö.).

Das Christentum bringt als Neues die Gleichsstellung der Geschlechter vor Gott (Gal. 3,28; 1 Petr 3,7), freilich unter Wahrung der Unterordnung seitens der Ehefrau unter den Mann (1 Kor 11,10; Kol 3,18; Eph 5,21 f.).

Entsprechend der rechtlichen Stellung als Schwester in Christo darf die Frau gewisse gemeindliche Funktionen wahrnehmen. Wie Jesus selbst von Jüngerinnen umgeben war, die mit ihrem Vermögen und ihrer Arbeit ihm dienten (Lk 8,2 f.), erscheinen in der urchristlichen Gemeinde von Anfang an Frauen als Trägerinnen der christlichen Liebestätigkeit (Apg 9,36 ff.; 16,16; Röm 16,6,12 f.). Nicht

---

[1] Im CIC spielt die bürgerliche Freiheit noch eine Rolle in den cc. 1083, 987 n. 4 und 2354 § 1. Die Bestimmung des c. 1083 § 2,2, daß Unkenntnis über den Sklavenstand des Kontrahenten die Ehe nicht zustandekommen läßt, möglicherweise ein historisches Überbleibsel, möglicherweise hinsichtlich der Haussklaven in Nordafrika von Bedeutung, ist sinnvoll im Hinblick darauf, daß Sklaven keine bürgerlichen Rechte ausüben können, was für den Ehepartner eine wesentliche Veränderung der ganzen Lebensverhältnisse bedeutete, aber keine offizielle Anerkennung der Einrichtung der Sklavenschaft.

[2] RGG² II 718.

[3] Vgl. hierzu ThWb I 779 f. mit den angeführten Belegen.

[4] A. a. O. 777 ff.; nach J. KAERST, Geschichte des Hellenismus II², Leipzig 1926, 285 f. war die Stellung der Frau in der hellenistischen Welt eine im allgemeinen bedrückte.

nur das Recht des Betens wird ihnen 1 Kor 11,13 zugestanden: Darüber hinaus organisatorischer oder seelsorgerlicher Dienst (1 Tim 3,11). Sie sind im übrigen absolut gleichberechtigt und manche erreichen eine starke Position in der Gemeinschaft.

Spätere Zeiten und Zeugnisse wissen von Hilfsdiensten bei dem für die Gemeindebildung grundlegenden Taufsakrament zu berichten: von Hilfeleistung an weibliche Katechumenen und zumal von einem Lehrauftrag diesen gegenüber [1].

---

[1] *Apost. Konst.* III 16,4; ed. FUNK 211 Z. 14 ff. *Didaskalie* III 12,3; ed. FUNK 210. *Test DNJChr.* II 8; ed. RAHMANI 129 Z. 26 ff. THEODOR V. MOPSVEST., Sermon. catech. IV (XIV); ed. RÜCKER 16.

V. DIE ORDNUNG DER GNADENMITTEL

§ 23. Die Taufe

Die biblisch neutestamentlichen Schriften unterscheiden «zwischen dem Menschengeschlecht und seiner Verbindung zu Christus auf der einen und dem 'neuen Volk Gottes', dem wahren Israel und 'qehal Jahve', der Kirche 'Gottes' und dem 'Leib Christi' und ihrem Verhältnis zu Christus auf der anderen Seite» [1]. Trotz der Erinnerung der Väter an die einheitliche Menschennatur, deren Not den Sohn erbarmt, ist die historische Ausprägung des Christentums von ihnen nicht verflüchtigt worden. Augustinus prägt für die Zeit nach Christus den Grundsatz: «Dem guten Katechumenen fehlt die Taufe zur Erreichung des Himmelreiches, dem schlechten Getauften fehlt die wahre Bekehrung» [2]. Die «Temperatur», in der die Taufe der frühen Christenheit beheimatet war, war schon darum ohne Zweifel eine andere, als neuerdings im Angriff gegen die altkirchliche Tauflehre dargetan wurde. Wenn etwa die Säuglingstaufe für unbiblisch gehalten wird, ist jedenfalls nicht zu übersehen, daß dem Kinde die Gnade Gottes nach frühchristlicher Überzeugung nicht vorenthalten werden dürfe [3]. Die Voraussetzung für die Spendung der Taufe ist ihr nicht die Begründung des Glaubens, sondern die Übermittlung

---

[1] Vgl. hierzu O. HEGGELBACHER, Die Taufe als rechtserheblicher sakramentaler Akt in der christlichen Frühzeit. Österr. Archiv f. Kirchenrecht 20 (1969), 257–269. M. D. KOSTER, Ekklesiologie im Werden, Paderborn 1940, 39/40.

[2] Bapt. 4,28; ed. PETSCHENIG 256: «sicut autem bono catechumeno baptismus deest ad capessendum regnum caelorum, sic malo baptizato vera conversio».

[3] Vgl. hierzu die berühmte Antwort CYPRIANS an Fidus anläßlich des Konzils von Karthago (Herbst 253) Ep. 64,5, ed. HARTEL 720: Propter quod neminem putamus a gratia consequenda inpediendum esse ea lege quae iam statuta est ... sed omnem omnino admittendum esse ad gratiam Christi ... quanto magis prohiberi non debet infans qui recens natus nihil peccavit, nisi quod secundum Adam carnaliter natus contagium mortis antiquae ... contraxit ... IRENÄUS, Adv. haeres. II 22,4: «Omnes enim venit per semetipsum salvare ... infantes, et parvulos et pueros et iuvenes et seniores».

der Heilswirklichkeit an den Täufling. Mit um so größerer Sorgfalt ging man früh daran, die rechtliche Ordnung für den sakramentalen Vorgang festzulegen und auszugestalten. Die Vorschriften über Taufwasser und Taufformel, über den Spender, den Empfänger und die Paten dienen diesem Ziel.

a) Hinreichend oft ist das *Wasser* in den neutestamentlichen Schriften als *Taufelement* bezeugt: So in der Erzählung von Philippus und dem äthiopischen Kämmerer (Apg 8,36/38); bei der Taufe des Cornelius (Apg 10,47 f.); durch die Umschreibung als «Bad der Wiedergeburt» (Tit 3,5; Eph 5,26; Hebr 10,22). Dasselbe geschieht durch die Verbindung der Begriffe «taufen» und «abwaschen» (Apg 22,16; 1 Kor 6,11), ferner in den Vergleichen mit der Rettung Israels durch das Schilfmeer (1 Kor 10,2) und Noes durch die Sintflut (1 Petr 3,20 f.); desgleichen durch den Zusammenhang mit der Johannestaufe, die im Wasser des Jordan (Mk 1,15; Mt 3,6; Lk 3,3, 7,21) an tiefer Stelle gespendet wurde (Jo 3,23). Johannes bezeichnete sie als «Taufe im Wasser» (Mk 1,8; Mt 3,11; Lk 3,16; Jo 1,26/33), und der Herr selbst ließ es so gelten (Apg 1,5); nach deren Empfang stieg Jesus von Nazareth selbst «vom Wasser» herauf (Mt 1,10; Mt 3,16).

Wie es scheint, wurde die Taufe Jesu durch Johannes darin für die Jünger Christi vorbildlich, daß man auch gewisse äußere Gepflogenheiten wie das Taufen in fließendem Wasser von ihr ablas. Gleichwohl schweigt die Apostelgeschichte in ihrem Bericht von der Massentaufe am Pfingstfest über den Zustand des dort benutzten Naturelementes, wie in ähnlicher Weise bei späteren Gelegenheiten [1].

Die sicher vor 150 entstandene Didache bringt die ersten genaueren Vorschriften über den Zustand des bei der Taufe gebrauchten Naturelementes (Didache 7,1/3). Danach soll diese mit «lebendigem» und in natürlicher Temperatur belassenem, kaltem Wasser in der Regel gespendet werden. Stehendes oder geschöpftes und gewärmtes Wasser soll nur in Ausnahmefällen gebraucht werden, wenn anderes nicht zur Verfügung steht. In die gleiche Richtung weisen Hippolyts Kirchenordnung (n. 21), die Pseudoklementinen (Recogn. 4,32), Tertullian (Bapt. 4), die Thomas-Akten (121,5), die Actus Vercellenses

---

[1] Vgl. O. HEGGELBACHER, Taufe 34 f. Zu den exegetischen Grundlagen vgl. R. SCHNACKENBURG, LThK IX² 1311 ff.; R. SCHNACKENBURG, Das Heilsgeschehen bei der Taufe nach dem Apostel Paulus, München 1950.

(5) und spätere Zeugnisse [1]. Wie die Didache zeigt (7,1/3), hatte sich schon um den Beginn oder die Mitte des 2. Jahrhunderts die Infusionstaufe gefunden; dennoch hielt das Mißtrauen gegen sie noch lange an. Tertullian scheint ihre Möglichkeit nicht auszuschließen, Cyprian wagt nicht, sie als minderwertig zu bezeichnen. Sein Urteil spiegelt die Unsicherheit der Zeitanschauung wider. Er selbst hält dafür, daß die Gnade nicht stückweise gegeben werde, und so könne nicht etwa die Immersionstaufe einen vollkommenen und die Infusionstaufe einen minder vollkommenen Christen machen (Ep. 69,12). Da die Infusionstaufe regelmäßig den «Klinikern», d. h. den Kranken gespendet wurde (durch Übergießen des Kopfes; bisweilen nur als Aspersionstaufe, d. h. durch bloße Besprengung), ist es verständlich, daß die Bedenken gegen die klinische Taufe mit denen gegen die Infusions- (Aspersions-) Taufe gleichgesetzt wurden.

Das Taufbad, das nicht als Vorzug einzelner Mysten, sondern als das grundlegende Erlebnis aller Christen betrachtet wurde, verlangte also ein ordnungsgemäßes Anwenden des dinglichen Taufelementes und ist als solches ein unveräußerlicher Bestandteil des urapostolischen Kerygmas.

b) Von Anfang an spielt sich die Taufe auch unter *begleitenden Worten* ab. Eph 5,26 spricht einfach von einer Reinigung «durch das Wasserbad mit dem Wort»: Diese Vokabel «Wort» wird am besten von den die Handlung begleitenden Worten verstanden. Näher Bezug genommen ist hierauf Mt 28,19; Apg 2,38; 8,16; 10,48; 19,3; 19,5; Röm 6,3; 1 Kor 1,13; 1,15; 10,2; 12,13 sowie Gal 3,27 [2].

Die «Taufe im Namen Jesu» bzw. «auf den Namen Jesu (Christi)», wovon Apg 2,38; 8,16; 10,48; 19,5 die Rede ist (vgl. Röm 6,3; 1 Kor 1,13; 10,2; Gal 3,27), soll – so darf mit Grund angenommen werden – in erster Linie die *christliche* Taufe von allen andern unterscheiden (vgl. Apg 19,3/6). Somit wäre keine bestimmte Taufformel in direktem Stil ausgedrückt, wie auch Mt 28,19 keine durch Jesus auferlegte liturgische, in direktem Stil angegebene Formel zu sehen wäre, sondern eine «juridische» Anweisung, die deutlich die drei göttlichen Personen bezeichnet, denen der Täufling geweiht wird [3].

---

[1] O. Heggelbacher, a. a. O. 35 f. Vgl. zum Ganzen G. Kretschmar, Die Geschichte des Taufgottesdienstes in der alten Kirche, Leiturgia V, Kassel 1970, 1–144.

[2] Vgl. O. Heggelbacher, a. a. O. 38 f.

[3] Die Beweisführung ist im einzelnen bei M. de Jonghe, Le Baptême au nom

Dabei werden die Worte nicht etwa getrennt vom Wasser, in das der Täufling getaucht ist, ausgesprochen, so daß jede Komponente eine eigene Wirkung hätte, sondern im Zusammenhang mit dem Akte[1].

Die Didache gibt die Anweisung (7,1/3), die Taufe «auf den Namen des Vaters und des Sohnes und des Heiligen Geistes» zu erteilen, wie sie auch später im zweiten und dritten Jahrhundert nach den Worten Justins (1 Apol. 61), Tertullians (Bapt. 13), des Irenäus (Epid. 7), Cyprians (Ep. 73,5, 14,16) und des Origenes (De princ. 1,3, 2) gegolten haben muß. Hermas spricht vom «Wort des allmächtigen und erhabenen Namens» bei dem die kirchliche Gliedschaft begründenden Taufakt (Vis. III 3,5). Bischof Abraham I. (um 150) tauft «im Namen des Vaters und des Sohnes und des Heiligen Geistes» (Chronik von Arbela, ed. Zorell 156). Die Thomas-Akten (49) kennen die dreigliederige Taufformel, während die Acta Pauli et Theclae (34) die Taufe «im Namen Christi Jesu» nennen [2].

Hippolyts Traditio Apostolica bezeugt uns hernach ein eingehendes *Taufformular,* das durch die entsprechenden Partien aus den arabischen Canones Hippolyti ergänzt werden kann. Von da aus sind Stellen bei Tertullian zu beurteilen (Ad. Prax. 26; pud. 9; cor. 3; bapt. 2), desgleichen ein entsprechender Passus im Testamentum Domini Nostri Jesu Christi (II; ed. Rahmani 129) [3]. Die trinitarische Taufbefragung ist im Martyrium Sancti Calixti Papae et sociorum eius für die Zeit um 220 und in den Acta Sancti Stephani Papae et Martyris für das Jahr 259 bezeugt und von Dionysius von Alexandrien angedeutet [4].

Im Gelasianum (ed. Wilson 86) ist schließlich die alte römische Praxis erhalten; sie zeigt bemerkenswerte Treue zur Vorzeit [5].

c) Jesus hatte zu seinen Lebzeiten Taufen durch seine eigenen Jünger als *Spender* ausführen lassen (Jo 3,22–26; 4,1). Daß später der Missionsbefehl Christi an die Apostel zugleich als Befehl zur Spen-

de Jésus d'après les Actes des Apôtres, Eph. theol. Lovan. 10 (1933), 647/653, gegeben.

[1] Vgl. H. Schlier, Th LZ 72 (1947), 328 A. 1, in Erwiderung auf K. Barths etwas seltsame Äußerung: «Es heißt 1 Kor 6,11 nun einmal nicht, daß wir in der Taufe, sondern daß wir 'im Namen des Herrn Jesus Christus und im Geiste unseres Gottes' abgewaschen, geheiligt und gerechtfertigt sind».

[2] Nähere Angaben bei Heggelbacher, a. a. O. 39 ff.

[3] A. a. O. 41 ff.

[4] Näheres a. a. O. 43 f.

[5] A. a. O. 44.

dung der Taufe verstanden wurde, läßt sich aus der Tatsache und der Bedeutung des Apostolates schließen: Hierin besteht auch kein wesentlicher Unterschied zwischen Paulus und den übrigen Aposteln. Dies gilt trotz der Äußerung Pauli in 1 Kor 1,17, die exegetisch mit seiner überstarken Beanspruchung oder der gesundheitlichen Lage erklärt wird [1]. Der in der Mitte der Botschaft stehende Erlösertod Christi und die von berufener Seite gespendete Taufe haben den Korinthern die Christuszugehörigkeit vermittelt, wie wenige Verse zuvor (1 Kor 1,13) gesagt worden ist. In derselben Gewalt, in der Jesus die Sünden nachgelassen hat, sollen die Jünger nach seinem Weggang das Heil durch die Taufe vermitteln (Mt 28,18).

Alle neutestamentlichen Schriften kennen *ausschließlich* nur diejenige Taufe, die durch eine zweite Person vorgenommen wird (vgl. Apg 9,18; 10,27; 10,47; 10,48; 1 Kor 1,14, 16; ferner Apg 8,36–38).

Ignatius von Antiochien trifft die ausdrückliche Anordnung, daß das Taufen ohne den Bischof nicht erlaubt sei (Smyrn. 8, 1–2). Nach Tertullians Ansicht wurzelt indessen das Taufrecht in dem persönlichen Tauftitel (Bapt. 17, 1–2). Aber, obschon aus der Vollebenbürtigkeit der Laienchristen deren Taufbefugnis erfließt, sollen sie der Kirchenordnung und des Kirchenfriedens halber auf dieses Recht zugunsten der Kleriker verzichten.

Die verschiedenen Kirchenordnungen weisen die *neu* sich anmeldenden Taufbewerber zusammen mit den Zeugen teils an den Priester, an manchen Orten an den Diakon, an einen einfachen Kleriker oder einen Laien oder auch an den Bischof. Dieser nimmt jedenfalls die Prüfung vor dem Eintritt ins *Photizomenat* vor, dem – im Gegensatz zum Katechumenat – die schon zum zweiten Mal geprüften Bewerber angehören. Dieses bischöfliche Vorrecht erhellt für Rom daraus, daß der Bischof jeden Kandidaten exorziert, «damit er wisse, ob er rein sei» (Trad. Apost. 20) [2]. An Ostern nimmt er ebenso den Exorzismus vor. Für Jerusalem ist dieses später ausdrücklich durch die Peregrinatio Aetheriae um 393/394 bezeugt (45,2). Im Verhinderungsfalle wird er durch einen Presbyter vertreten. Nach dem Zeugnis eben des Itinerarium der Aetheria beschließt der Bischof nicht allein, sondern – in besonderer Feierlichkeit des Aktes – im Verein mit den Priestern, jedoch ohne die Diakone, die am Rat nicht teilnehmen. Die

---

[1] Vgl. E. B. ALLO, Première Epître aux Corinthiens, Paris 1935, 12.
[2] B. BOTTE, La Tradition Apostolique de Saint Hippolyte[2] 42.

Entscheidung darüber, ob die Spendung der Taufe angebracht sei, obliegt demzufolge nicht dem Priester allein. Dasselbe gilt für die Spendung der Eucharistie.

In Hippolyts Kirchenordnung ist der Bischof der Leiter der eigentlichen Taufhandlung. Hier behält er die höchsten und feierlichsten Handlungen, nämlich die Segnung des Öles, die Salbung der Neugetauften in der Kirche und die Spendung der Eucharistie, sich selber vor: Die Taufe selbst vollzog entweder der Bischof oder Presbyter. Verschieden davon freilich sind in einigen Zügen die Anordnungen des TestDNJChr (ed. Rahmani 127/9).

Für das Konzil von Elvira ist der Bischof und der Priester schließlich der eigentliche Taufspender, wie aus dem Kanon 77 hervorgeht [1].

So ist die Taufe nach der ungebrochenen Überzeugung der christlichen Frühzeit eine Handlung nicht in sich jurisdiktioneller, sondern sakramentaler Art, die nicht innerlich an einen durch ordinatorische Handauflegung vorbestimmten Spender gebunden ist. Selbst die hippolytische Kirchenordnung und ihre Nachfahren, die sich doch als liturgische Darstellung der paulinischen Gedanken über die Ordination erweisen [2], machen diese nicht zur Voraussetzung. Weil aber unlösbar mit der Glaubens- und Rechtseinheit der Kirche verbunden, darf sie nur in Ausnahmefällen von solchen gespendet werden, die nicht im Besitze eines kirchlichen Amtes sind.

d) So klar vom Erfordernis eines *Spenders* in den frühesten Quellen gesprochen wird, so wenig Sicheres läßt sich aus ihnen über die *Taufpaten* bzw. *-Zeugen* entnehmen.

R. Sohm bezeichnete die Taufpatenschaft als «aus der Ordnung der Ekklesia» stammend und dem Ursprunge nach unaufgeklärt und legte sie als eine längst nicht mehr verstandene Nachwirkung des Prophetentums der urchristlichen Gemeinde aus, die sich bis auf den heutigen Tag erhalten habe. Insofern die Taufe nach urchristlicher Ordnung nur an *dem* habe vorgenommen werden dürfen, den der Geist Gottes zu taufen befohlen habe und dem dies durch die Propheten bezeugt gewesen sei, hätten die Taufpaten als diese Propheten zu gelten, deren Aussage die Handlung der Ekklesia bestimmte [3].

---

[1] HEFELE-LECLERCQ I 261 f. Nähere Angaben zu Vorstehendem bei HEGGELBACHER, Taufe als Rechtsakt 44–48.

[2] V. FUCHS, Ordinationstitel 39.

[3] Kirchenrecht II, München/Leipzig 1923, 313, Anm. 3.

O. Cullmann glaubte neuerdings, auf Spuren einer Art von Patenschaft in ältester frühchristlicher Zeit hinweisen zu können; dies im Anschluß an Apg 8,36; 10,47; 11,17 sowie Mt 3,14, in Verbindung mit einer Stelle aus dem Ebioniter-Evangelium (Epiphanius, Pan. 30,13) [1]. Demgegenüber fällt auf, daß dem Bericht der Didache, die im siebten Kapitel genaue Vorschriften über die Spendung der Taufe enthält, keine Spur von einer dritten Person anhaftet, die bei der Spendung der Taufe neben dem Täufling und dem Taufenden anwesend sein sollte. Die Apostelgeschichte zeigt außerdem eine für eine solche Tätigkeit von Paten *keinen* Raum gewährende Methode: Denn Paulus suchte Heiden und Juden, die er bekehren wollte, selbst auf und Apg 19,5 verrät nichts von einer Beiziehung dritter Personen.

Allem Anschein nach ist die Sitte, bei der Aufnahme in das Katechumenat Zeugen beizuziehen, in der Zeit von 100 bis 150 in der Kirche entstanden, somit also in der gleichen Zeit wie das Katechumenat, jedenfalls nicht nach 150 n. Chr. Noch Justinus Martyr gibt keine Nachricht darüber; doch sieht man schon die künftigen Erfordernisse sich abzeichnen, da die Kirche angesichts der sich mehrenden Bekehrungen Garantien braucht und sie zu verlangen beginnt [2].

Die ursprünglichste für uns greifbare Form der Patenschaft in der alten Kirche ist demzufolge die des *Katechumenatszeugen*. Nur von solchen zuverlässigen und mutvollen Christen wurde diese Zeugenschaft übernommen, die neue Anhänger zu werben wagten, solange und wo den berufsmäßigen Missionaren der Weg überaus erschwert oder unmöglich gemacht war. Später, im konstantinischen Staate, wurden dann bei oberflächlichen Massenbekehrungen Bedingungen gestellt, wie sie uns aus dem TestDNJChr (ed. Rahmani 111), aus dem pseudoaugustinischen Commonitorium (ed. Zycha CSEL 25,979) und aus der Peregrinatio Aetheriae (45) bezeugt sind.

Das Amt des *Katechumenatszeugen* ist also wohl keine von der Kirche planmäßig geschaffene Einrichtung, sondern ergab sich aus der Missionstätigkeit der Christen von selber, wie die meisten der-

---

[1] Tauflehre des Neuen Testamentes, 1948, 66/67. Die Wiedergabe der entsprechenden Stellen in der Vulgata-Übersetzung lautet:
Apg 8,36: ... *quid prohibet* me baptizari?
   10,47: ... *numquid* aquam *quis prohibere potest,* ut non baptizentur hi ...
   11,17: ... ego quis eram, *qui possem prohibere* Deum?
[2] Vgl. B. Capelle, L'introduction du catéchuménat à Rome, Recherches de Théologie ancienne et médiévale 5 (1933), 133.

artigen kirchenrechtlichen Einrichtungen. Die Zeugen waren es, die bei der ersten Prüfung zur Aufnahme in das Katechumenat, aber auch bei derjenigen zum Photizomenat über den Taufbewerber zu antworten hatten. Ging es bei der ersten um die Bereitschaft, allen heidnischen Lastern zu entsagen, so bei der zweiten um die Feststellung, daß die Lebensführung während des Katechumenates der eines echten Christen entsprochen hatte [1].

Auf einen weiteren Dienst, der mit dem des Katechumenatszeugen ursprünglich nichts zu tun hatte, weist die Rolle des *Taufgehilfen* hin, der mit dem Täufling zum Wasser zu steigen und ihm behilflich zu sein hatte. Die Bestätigung des Taufgehilfen erfährt sinngemäß eine Erweiterung zu dem in den Anweisungen der Didaskalie und in den Apostolischen Konstitutionen genannten *suscipere* (Didasc. III 12,3; Const. Ap. III 16,4; ed. Funk 210/1). Danach nimmt der zu diesem Amte Bestimmte den aus dem Wasser Steigenden gleichsam in seinen Schutz und unterrichtet ihn über Wahrheiten und Aufgaben christlichen Lebens. Daher rührt eine Beziehung zwischen Lehrer und Schüler, die Justinian als geistliche Verwandtschaft zwischen Täufling und Paten gelten läßt (L 26 Cod. Iust. 5,4).

Eine weitere Bereicherung erfuhr das Taufpateninstitut aus der Praxis der Kindertaufe [2], die etwa seit der Mitte des 2. Jahrhunderts nach dem Ritus der Erwachsenentaufe vollzogen wurde. Zwar waren die Unmündigen erst am Tage vor der feierlichen Taufe vermutlich dem Exorzismus unterworfen worden, also ohne vorausgegangenes Katechumenat und Photizomenat. Dennoch mußten die Eltern oder ein anderer Angehöriger der Familie (Trad. Apost. 21; Test DNJChr II,8) die Abschwörung des Teufels (Canones Hippolyti 19,9; Test DNJChr II,8) und die Hinwendung zu Christus mit den Antworten auf die Tauffragen sprechen [3].

So wurden die Eltern und Angehörigen, wie später auch fremde Personen, zu *Treubürgen*. Sie sind offensichtlich identisch mit den

---

[1] Vgl. Theodor v. Mopsveste, Sermones catechetici, sermo II (XII), ed. A. Mingana, Woodbroke Studies VI 25, Anm. 3 (Ritus baptismi et Missae) ed. Rücker 10; Peregrinatio Aetheriae 46; E. Jungklaus, Die Gemeinde Hippolyts 103. Zum Ganzen E. Dick, Das Pateninstitut im altchristlichen Katechumenat, ZkTh 63 (1939), 1/49.

[2] Zur Frage der Kindertaufe Heggelbacher, a. a. O. 69–70. Sie war mit dem Übertritt ganzer Familien in die Ekklesia schon früh gegeben.

[3] B. Busch, De initiatione christiana secundum sanctum Augustinum, Ephemerides liturgicae 52 (1938), 478.

«sponsores», von denen Tertullian spricht (Bapt. 18). Von hier aus führen die Verbindungslinien zu den später genannten «fidedictores» und «fidei iussores». Selbst Augustinus kennt den Namen «patrini» noch nicht. Die die Unmündigen bei der Taufe vertreten, heißt er vielmehr «parentes maiores» oder einfach «gestantes», bisweilen auch, weil sie für *das* gutstehen müssen, was die «infantes» später in Glaube und Sitte zu beobachten haben werden, eben «fide dictores» [1].

e) Wer als Erwachsener in den Verfolgungszeiten trotz drohender Gefahr sich für den Eintritt in die Gemeinschaft der Gläubigen entschloß, hatte dies ohne seine freie persönliche Entscheidung nicht zu tun vermocht. Mit der Frage der die Glaubensentscheidung enthaltenden *Intention* befaßt sich die theologische Reflexion des frühen christlichen Altertums daher nicht. Trotzdem scheinen die Fälle nicht selten gewesen zu sein, die wegen der Taufspendung in der höchsten Gefahr eines hochgradigen Fiebers oder in der Bewußtlosigkeit zum Nachdenken anregten. Aus solchen und verwandten kirchenrechtlichen Erwägungen scheint die Anklage gegen Novatian wegen seiner klinischen Taufe beruht zu haben (Eusebius, H. E. VI 43,14). Dieselben Überlegungen sprechen aus der Satzung der Synode von Neocäsarea um das Jahr 315 (can. 12), wie aus der späteren kirchlichen Gesetzgebung [2].

Wegen der innigen Verbindung der Taufe mit der missionarischen Verkündigung des Evangeliums (Mk 16,16; Mt 28,18/20) ging bei Erwachsenen ihrer Spendung stets die Predigt des Evangeliums oder die private *Belehrung* über Jesus als den Christus voraus, wie die neutestamentlichen Taufberichte dartun (Apg 2,37 ff.; 8,12 ff.; 8,35 ff.; 10,44 ff.; 16,14 f.; 16,32 f.; 18,8; 22,15; 26,6 ff.; 1 Kor 1,17; ferner Eph 1,13; 1 Petr 3,21). Mit der der Taufe vorangehenden Belehrung war der Grund eben für eine oben schon genannte Institution, für das altchristliche Katechumenat gelegt, das im 2. Jahrhundert entstanden ist [3]. Die Didache setzt einen eigenen, wenn auch sehr ein-

---

[1] Näheres zum Vorstehenden bei HEGGELBACHER, a. a. O. 49/55. Die ersten Zeugnisse für den christlichen Rufnamen fallen in die Zeit um 250. Hierzu a. a. O. 117 nähere Ausführungen.

[2] Näheres bei HEGGELBACHER, a. a. O. 55–57. Zur sog. Klinikertaufe a. a. O. 70–72. Vor allem auch F. J. DÖLGER, Die Taufe des Novatian. Die Beurteilung der klinischen Taufe im Fieber nach Kirchenrecht und Pastoral des christlichen Altertums, AChr II (1930), 258–267.

[3] Näheres bei HEGGELBACHER, a. a. O. 58 f.

fachen und kurzen, der Taufe vorangehenden Unterricht voraus (Kap. 1–6; 7,1). Die von Justinus Martyr für die Katechumenen ausgesprochenen Bedingungen enthalten u. a. das Fürwahrhalten des kirchlichen Unterrichtes, der nach Dauer und Form den jeweiligen Umständen angepaßt sein konnte (1 Apol. 61,2; 66,1).

Der Glaube ist für die Taufe *dispositiv-integrierend,* aber *nicht konstitutiv,* wie die langen Auseinandersetzungen um die Ketzertaufe zeigen sollten. Die geringe Wirksamkeit des späteren Glaubens hat deswegen auch nie dazu geführt, «die Realität des Geschehens des Taufaugenblicks» in Frage zu stellen [1].

Soweit der Glaube die Hauptbedingung vor Empfang der Taufe ist [2], sind die moralischen Vorbedingungen darin meist mitverstanden: Die *vorgängige Reue* ist als selbstverständlich angesehen (vgl. Apg 19,18; Röm 8,15; Gal 4,6; Hebr 10,22 f.).

Die Anweisungen der Didache (7,4), im Barnabasbrief (16,9), bei Justinus (1 Apol 61), durch den Pastor des Hermas (Vis. 3, 7, 3; Mand. 4,3,1), bei Clemens Alexandrinus (Strom. 2,56, 1) und bei Tertullian (Paen. 6.; Bapt. 20) sind hierfür eindeutig. Im Zusammenhang mit diesen Mitteilungen gewinnt die Bestimmung in Hippolyts Kirchenordnung Farbe, die den Bischof entscheiden lassen will, ob der Taufbewerber «rein sei» (20). Während diese Vorschrift, die auch im Test DNJChr (2,6) zu finden ist, ein regelrechtes Sündenbekenntnis nicht ausdrücklich verlangt, sagen die Canones Hippolyti, daß es vor dem Bischof allein abgelegt werden solle (Can. Hipp. 19) [3].

Im Einklang mit Vorstehendem berichtet Eusebius von dem Bekenntnis Kaiser Konstantins: Er bekannte seine Sünden und wurde dann einige Tage darauf getauft (Vita Constantini 4,61). Die zu Beginn der Fastenzeit stattfindende Exomologese hatte also mehr den Charakter einer Prüfung als den einer Beichte [4]. Das ohne Anwesenheit auch des Taufzeugen abgelegte Sündenbekenntnis ging danach der Taufe unmittelbar voraus.

---

[1] Vgl. O. Cullmann, a. a. O. 41.

[2] Vgl. Tertullian, Bapt. 14; ed. Borleffs 70,70: «Prius est praedicare, posterius tingere».

[3] Die sog. *Canones Hippolyti* gehören erst dem vierten Jahrhundert an: Sie entfallen als Hauptzeugnis für die frühere Zeit.

[4] J. A. Jungmann, Die lateinischen Bußriten in ihrer geschichtlichen Entwicklung, Innsbruck 1932, 52/53. Vgl. E. Dick, a. a. O. 32.

f) Die Taufe hat in den ersten 3 Jahrhunderten ohne Unterbrechung ihre Geltung als *Initiationsakt* inne. Ihre gemeindebildende Wirkung nimmt, wenn auch eindeutig mit Gnadenvermittlung und Sündennachlassung verbunden, in keiner Weise ab.

Für die Taufe ist nicht der subjektive, sondern der objektive Vorgang konstitutiv. Sie ist der Ritus, durch den der Neugetaufte in den Sozialverband der Ecclesia aufgenommen wird.

Da sie die Gliedschaft an der Ecclesia gewährt, haben die Erfordernisse, die zur Gültigkeit des sündentilgenden und gnadenspendenden Sakramentes gehören, zugleich rechtliche Bedeutung: Sind die sakramentalen Erfordernisse nicht erfüllt, so kann ebensowenig die rechtliche Wirkung, d. h. die Gliedschaft an der Kirche, eintreten.

Darum werden die Erfordernisse im einzelnen frühzeitig umschrieben. So wird gleichzeitig die Taufe und ihr geistlich-rechtliches Wesen umrissen.

Dieses eine Sakrament der Taufe entläßt aus sich eine Rechtsordnung unter wirklichen Personen, und läßt Geltungspunkte und Geltungslinien tatsächlicher Art entstehen. Sie ergibt den Ansatzpunkt für die Ordnung des kirchlichen Lebens. Was dabei über zwingendes göttliches Gesetz hinausgeht, ist freilich sekundärer Natur und oft historisch begründetes Ordnungsprinzip.

Die aus der Taufe erfließende Ordnung hebt an mit dem Katechumenat [1]. Zunächst geschieht die Zulassung in einfacher Form (vgl. Apg 2,41; 8,26–40). Das Zwei-Wege-Schema der Didache geht zwar schon auf jüdische Unterrichtspraxis zurück, und die Essener von Qumram hatten schon ein ausgebildetes Vorbereitungswesen [2]. Wie die Kirche sich aber immer deutlicher von dem jüdischen Mutterboden absetzte, so mußte sie die Zugänge zu ihr gegenüber allen unkontrollierten Einflüssen absichern. Das Katechumenat wird darum unter ihre offizielle Leitung genommen. Dies war auch nach der Anerkenung als Staatskirche nötig, um die Motive der Neuzukommenden zu überprüfen. Die mit der Fastenzeit zusammenfallende zweite Phase, die wahrscheinlich auch zu der Ausdehnung der Quadragesima Anlaß gegeben hat [3], enthält schließlich die nötigen Prüfungen.

---

[1] HEGGELBACHER, Taufe 49 ff.
[2] A. STENZEL, Zeitgebundenes und Überzeitliches in der Geschichte des Katechumenates und der Taufe, Concilium 3 (1967), 96 ff.
[3] Solches ergibt sich zum Beispiel aus den Sermonen des Maximus von Turin.

Die Taufordnung beschränkt sich nicht auf das Sakrament als solches und ist nicht ausschließlich Sakramentenrecht im engen Sinne des Wortes. Dieses verlangt übrigens selbst schon eine über das äußere, die Gnade versinnbildende und bewirkende Zeichen hinausgehende Ordnung. So bedürfen z. B. Ort, Zeit, Gestaltung der liturgischen Feier und Ausübung der Vollmacht einer Ordnung. Aus einem solchen in die ganze Breite des bürgerlichen Lebens hineinwirkenden Taufrecht [1] ergibt sich eine enge Verbindung der sakralen Rechtspflege mit dem Kult. Die kirchliche Ordnung ist gewissermaßen in der Taufe begründet, bzw. in ihr verankert, ohne indessen des personalen Bindegliedes der Hierarchie zu entbehren.

Seit apostolischer Zeit ist eine dem Getauften in kirchlichem Bereich verliehene allgemeine Rechtsfähigkeit nachweisbar, wie der Begriff der christlichen Gemeinschaft dartut [2]. Darüber hinaus werden ihm gewisse Einzelbefähigungen aktiver und passiver Art von der kirchlichen Ordnung zuerkannt wie das Recht auf das Wort Gottes, die Teilnahme am Kult und an der Eucharistie [3], sei es im Augenblick des Gliedwerdens, sei es mit Erreichung einer bestimmten Altersgrenze oder aufgrund rechtserheblichen Handelns. Es liegt indessen keine bloß rechtsgesetzliche Konstituierung kirchlicher Personalität vor. Soviel ergibt sich aus der inneren Verknüpfung der liturgischen Akte mit einem «Etwas von bleibendem Bestand» [4], das seit der Taufe im Menschen ist und eine seinsmäßige Umschaffung der Seele des Getauften bewirkt. Dieses Ruhende und Zuständliche ersetzt nicht nur den alten Zivilstand durch einen neuen, sondern bestimmt das Sein des Menschen und zeitigt normative Auswirkungen für Tätigkeit und Geltung innerhalb der kirchlichen Gesamtordnung.

Die sakramentale Ordnung begründet den im kirchlichen Recht wirksamen Positivitätsfaktor. Dieser bewirkt, daß die Taufauffassung im Ganzen durch den Heilskollektivismus bestimmt ist.

Sie ist die Grundlage für die zwischen den Gliedern der Ekklesia

---

Bei ihm fällt schon obenhin einerseits sein Eifer für eine genaue Beobachtung der Fastenzeit und anderseits seine Begeisterung für die Fülle der Taufgnade auf. M. Dujarier, Le parrainage des adultes aux trois premiers siècles de l'Eglise, Paris 1962.

[1] A. Chavasse, Signification baptismale du Carême et de l'octave pascale, La Maison-Dieu 58 (1959), 27–38.

[2] Vgl. Heggelbacher, a. a. O. 127 ff.

[3] A. a. O. 133 ff.

[4] Vgl. E. Wolf, Rechtsgedanke und biblische Weisung 88.

bestehende eigentümliche Gemeinschaftsbeziehung, welche die Kirche gerade als diese und nur diese Gemeinschaft faßbar macht. Auf dem Grunde dieser Sozialverbindung der einzelnen Glieder untereinander wird die Kirche zur Gemeinschaft mit eigenem Gemeinwohl und eigener, echter Gemeintätigkeit. Die Frage nach der Ordnung des Seins, in die das sie verknüpfende Band gehört, wird allerdings noch von keinem der Väter, nicht einmal von Augustinus, audrücklich gestellt. Der ganze Ketzertaufstreit freilich wird bei der Annahme eines *nicht* der Natur des Täuflings anhaftenden Charakter indelebilis *nicht deutbar*.

Das Prinzip der Kirchlichkeit liegt demzufolge in einem seinsmäßig begründeten, von der Leib-Christi-Lehre vorausgesetzten Christusgepräge, in dem die Mitgliedschaft an der Kirche begründet ist. Dieses ist die Grundlage für die Nichtwiederholung der Taufe, die im Prinzip von allen christlichen Kirchen festgehalten wird.

Die Rechtserheblichkeit des Taufaktes ist durch seine Gemeinschaftsbezogenheit, durch seine Bindung an eine objektive Handlung, durch seine typische Ausprägung in der Liturgie, durch schützende Sanktionen und den Anspruch auf Verpflichtungskraft hinreichend zum Ausdruck gebracht. Sie wird jedoch unterstrichen durch die im Altertum dazutretende Sinngebung als Weiheakt bzw. Eid [1] und als Vertrag [2].

Dombois hat im Blick auf das altkirchliche Verständnis der Taufe als Initiationsritus der Meinung Ausdruck verliehen, daß das Verhältnis von mystischer Kirche und Rechtskirche weithin unausgetragen sei [3]. Die von der altkirchlichen Anschauung vertretene Auffassung der Taufe als Vertrag wurde von ihm als «die am wenigsten angemessene bezeichnet» [4], obwohl sie sehr verbreitet war und mit der biblischen Zeit anhebt. Tiefer setze die Tauflehre mit dem Gedanken der Weihe an Gott und des Eides ein [5].

Die altchristliche Vorliebe entschied sich jedenfalls für die ethischrechtliche Akzentuierung des Begriffes «sacramentum» gegenüber dem «mystisch-spekulativen» Zuge des Begriffes «mysterion» [6].

---

[1] Vgl. HEGGELBACHER, Taufe 90 ff.
[2] A. a. O. 96 ff.
[3] H. DOMBOIS, Das Recht der Gnade, Witten 1961, 308.
[4] A. a. O. 301.
[5] A. a. O. 304 f.
[6] A. KOLPING, Sacramentum Tertullianeum, Münster 1948, 106. Das gilt wohl nur für die afrikanisch-lateinische Kirche.

§ 24. Die Firmung im kirchlichen Recht

Wie Apg 8,15–17 und 19,5 zeigen, dachte man, auch wenn die Handauflegung der Wassertaufe bald folgte, nicht daran, die beiden Handlungen miteinander zu vermengen oder ihre eigentümliche Wirkung wechselweise aufeinander zu übertragen [1]. «... die Taufe wird immer verbunden mit Sündenvergebung, Erlösung, Gnade der Kindschaft, des neuen Lebens als Teilnahme an Tod und Auferstehung Christi, die dem Getauften zukommen vom Vater, aber auch vom Geist ... Die messianische Gabe des Geistes aber (Joh 7,37 ff.), das erneute Pfingstereignis (Apg 10,47; 11,15 17) oder die «Taufe des Geistes» (Apg 1,5; 11,16) weisen, besonders in der Apostelgeschichte, eine eigene Terminologie auf ... Nur in diesem Zusammenhang erhalten die Texte Apg 8,12–17 und 19,1–7 (Hebr 6,2?) ihren Sinn ... Der Sondergabe entspricht ein besonderer, von der Taufe unterschiedener *Ritus*: die Handauflegung, die zwar nicht absolut freie Charismen verleihen kann, wohl aber grundlegende Teilnahme an jenem charismatisch sich bezeugenden Geist, der zum Wesen der Kirche gehört» [2].

In der Ostkirche ist der Ritus der Salbung mit Chrisam, wenn auch von der Taufe noch nicht deutlich getrennt, frühzeitig bezeugt [3].

Im Westen zeigen frühe Zeugnisse nach der Taufabwaschung und vor der Eucharistiefeier Salbung, Handauflegung und Besiegelung [4]. Die die Handlung begleitenden Worte enthalten im Orient vom vierten und fünften Jahrhundert an die Worte vom «Siegel der Gabe des Geistes» [5].

---

[1] Vgl. G. Kittel, Die Wirkungen der christlichen Wassertaufe nach dem Neuen Testament, Theol. Studien und Kritiken 87 (1914), 36.

[2] P. Fransen, LThK IV² 146 f. Hierzu ferner B. Neunheuser, Handbuch der Dogmengeschichte IV 2, Freiburg i. Br. 1956, 19 ff., 24 ff.

[3] Vgl. Origenes, De Principiis I 3, 2; GCS 22, 49 ff.; Comm. in Ep. ad Rom V 8; MG 14,103 8; AAS 63 (1971), 660 ff.

[4] Vgl. Tertullian, De baptismo VII–VIII; CCL I 282 ff.; Traditio Apostolica (ed. B. Botte) 52–54; ferner Tertullian, De resurrectione mortuorum VIII 3; CCL 2, 931: «Caro abluitur, ut anima emaculetur; caro ungitur, ut anima consecretur; caro signatur, ut et anima muniatur; caro manus impositione adumbratur, ut anima spiritu inluminetur; caro corpore et sanguine Christi vescitur, ut et anima de Deo saginetur».

[5] Cyrill von Jerusalem, Catech. XVIII 33; MG 33, 1056. Vgl. die neueste Konstitution Pauls VI. zur Firmspendung: «Sacramentum Confirmationis confertur per unctionem chrismatis in fronte, quae fit manus impositione atque per verba: 'Accipe Signaculum Doni Spiritus Sancti'»; AAS 63 (1971), 663.

Trotz des innigen Zusammenhangs mit der Taufe läßt sich auch in der Zeit der Undifferenziertheit (bis zum 3. Jh.) folgende Ausprägung hinsichtlich des Spenders feststellen:

Die «Sieben Männer» (Apg 6,6), welche die hellenistische Gemeindegruppe ausgewählt hatte, und die von den Aposteln zu amtlichem Dienst bestellt worden waren, waren die den Aposteln verantwortlichen Leiter und Verkündiger der Frohbotschaft und dazu mit der notwendigen geistigen Befähigung, der Weihegewalt, ausgestattet. Hinsichtlich der Leitungsgewalt waren sie Mitarbeiter und Amtsbrüder der «Zwölf» [1]. Philippus, der eine von ihnen, der wohl das besaß, was wir heute Weihegewalt nennen, hatte dennoch nicht die Vollmacht der Apostel, die neugewonnene Gemeinde in das Ganze der Kirche einzugliedern [2]. Die Tatsache, daß erst Petrus und Johannes in Samaria den Geist mitteilen konnten, wurde die Ursache des späteren Vorbehaltes, daß niemand anders als die «Zwölf» den Geist geben konnten. Insofern ist hierin keimhaft die heute geübte Unterscheidung in den Begriffen Weihegewalt und Hirtengewalt angelegt [3].

Der Bericht über Paulus (Apg 19,1–7) tut dar, daß die Getauften erst durch die Handauflegung Pauli den Heiligen Geist empfingen und so als dem Herrn zugehörend bestätigt werden. In Samaria wie in Ephesus empfangen die Neugetauften durch die Auflegung der Hände den Heiligen Geist; aber die Handauflegungen des Petrus und Johannes in Samaria wie jene des Paulus in Ephesus erweisen sich *auch als Ausdruck der* Gemeinschaft und als Zeichen für die Anerkennung der neuen Gemeinde [4]. «Die Handauflegung durch die Apostel ist ein Tun, durch das 'Kirche wird' ... Weil die Kraft des Heiligen Geistes nicht allein und nicht zuerst dem Heil des Einzelnen dient, sondern bedeutsam für die ganze Gemeinde, für die Kirche ist, war die Austeilung der Gabe des Geistes fragloses Recht der Apostel» [5]. Aber hierin wurde tatsächlich ein «reales, geistliches Zuordnungs- und Zugehörigkeitsverhältnis» geschaffen [6].

---

[1] Hierzu und zum Folgenden J. NEUMANN, Der Spender der Firmung in der Kirche des Abendlandes bis zum Ende des kirchlichen Altertums. Eine rechtsgeschichtliche Untersuchung, Meitingen 1963, 15 ff. (Vgl. die Rezension O. HEGGELBACHER, Archiv für kath. Kirchenrecht 133 (1964), 258 f.)

[2] A. a. O. 18.

[3] A. a. O. 21.

[4] A. a. O. 24, 30, 34.

[5] A. a. O. 35.

[6] A. a. O. 37.

Die Apostolischen Väter schweigen über die Handauflegung als geistverleihenden Initiationsritus.

Nach den abendländischen Vätern des 2. und 3. Jahrhunderts (Tertullian, Cyprian [1], Liber De Rebaptismate) vollendet erst die Handauflegung des Bischofs die Initiation. Sie nimmt kraft göttlicher Vollmacht in die christliche Gemeinde, die Kirche, auf und gibt dadurch den Heiligen Geist, den man nur in der rechten Kirche haben kann. Der Bischof, der selbstverständlich als der einzig Beauftragte Repräsentant der Gemeinde angesehen wird und der Garant der Einheit ist, kann allein im Namen der Kirche die Neugetauften in die Gemeinschaft der Gläubigen aufnehmen [2].

Die gottesdienstlichen Anweisungen der altchristlichen Kirchenordnungen (Didache, Didaskalia, Apostolische Kirchenordnung, Apostolische Konstitutionen) setzen voraus, daß in den Gemeinden eine gewisse Tradition besteht [3]. Danach ist der Bischof der ordentliche Spender der Taufe wie überhaupt der ganzen Initiation. Indessen breitet sich immer mehr der Brauch aus, daß die Täuflinge nach der Taufe durch Presbyter und Diakone vor den Vorsteher zur Handauflegung geführt werden. Während der Taufort zunehmend in ein eigenes Baptisterium verlegt wird, werden die Täuflinge zur Handauflegung durch den Bischof in die Hauptkirche geführt [4].

Nachdem wegen des immer größer werdenden Zustroms zum Christentum die Bischöfe in den Bischofsstädten nicht mehr alle Täuflinge selber taufen konnten, und endlich die Gemeinde der Bischofsstadt aufgeteilt und auch auf den Landgebieten außerhalb der Bischofskirche die Taufe gespendet werden mußte, bekamen Priester das Taufrecht. Das Recht zur geistverleihenden Handauflegung aber verblieb beim Bischof, von dem auch die außerhalb Getauften nachträglich, wenigstens im Abendland, die Hände aufgelegt erhalten mußten.

Insofern bei der in der Todesgefahr gespendeten sog. Klinikertaufe, die vor allem in der Mitte des 4. Jahrhunderts sehr verbreitet war, in der Regel die bischöfliche Handauflegung fehlte, galt sie als

---

[1] Hierzu H. ELFERS, Die Kirchenordnung Hippolyts von Rom, Paderborn 1938, 104; J. COPPENS, L'imposition des mains et les rites connexes dans le Nouveau Testament et dans l'Eglise Ancienne, Wetteren/Paris 1925, 388 f.

[2] J. NEUMANN, a. a. O. 54.

[3] Siehe oben S. 161 ff.

[4] Der Firmort war auch im Consignatorium, oft im Baptisterium an gesondertem Ort. Hierzu RAC III 303/6.

eine nicht vollwertige Eingliederung in die Gemeinde und der so Getaufte war gewissen Beschränkungen unterworfen [1]. Sie bedurfte der Vollendung durch den Bischof, wenn der Getaufte am Leben blieb und vollen Anteil am Leben der Kirche haben sollte [2]. Von Bedeutung ist hierfür die Bestimmung des Konzils von Elvira (cc. 38 und 77), daß im Falle einer Klinikertaufe durch Diakon oder Presbyter der Bischof durch die Handauflegung die Taufe vollenden müsse. Bei einem Hinscheiden vor diesem Akte werde der Getaufte so als gerechtfertigt gelten [3].

§ 25. Die Eucharistie

Das Paschamysterium ist für die frühe Christenheit Höhepunkt des Gemeindelebens. Wie für Paulus (1 Kor 10,17) und für die Didache (9,4), ist für Ignatius das «eine Brot», das gebrochen wird, Unterpfand für die Einheit der Gemeinde. Als von der Kirche getrennt und der Auferstehung verlustig zeigt sich der, der von der Eucharistia sich fern hält [4], wie aber andererseits auch der des Brotes Gottes verlustig geht, der nicht innerhalb des Altarbezirkes ist [5]. Dennoch ist zu keiner Zeit eine Gefahr des Abgleitens ins Magische im Zusammenhang mit der Eucharistie gegeben.

Nach Justinus' Überlieferung ist es niemandem erlaubt, an der Eucharistie teilzunehmen, bevor er den Glaubensunterricht für wahr hält, das Bad zur Nachlassung der Sünden und zur Wiedergeburt empfangen hat und ein christliches Leben führt [6]. Wer aber getauft wurde, wird im Anschluß an den Taufakt zur Gemeinschaft der Brüder geführt, wo er am eucharistischen Gottesdienst teilnehmen darf [7].

Wenn De pud. 9 von Tertullian an den Frevel erinnert wird, daß ein Apostat Kleid und Ring wieder zugesprochen bekommen könnte und für ihn Christus wieder geschlachtet werden könnte, so ist das

---

[1] Siehe auch oben S. 154, 160e.
[2] J. NEUMANN, a. a. O. 61 ff.
[3] MANSI, II 12 u. 18. J. NEUMANN, Das Zusammenspiel von Weihegewalt und Hirtengewalt bei der Firmung, Archiv f. kath. Kirchenrecht 130 (1961), 388–435, 131 (1962), 66–102.
[4] IGNATIUS, Smyrn. 6,2–7,2.
[5] IGNATIUS, Eph. 5,2.
[6] JUSTINUS, 1 Apol. 66,1.
[7] JUSTINUS, 1 Apol. 65,4 und 1.

Letztere von der Eucharistie zu verstehen. Dies gilt besonders im Blick auf die später folgenden Worte, wo unter den durch die Taufe erlangten Gnaden, die Fähigkeit genannt wird, den Leib des Herrn zu empfangen und sich davon zu nähren [1].

Wie diese Fähigkeit zu verstehen war, ergibt sich aus einem, bei Eusebius berichteten Vorgang [2]: Die Teilnahme an der Eucharistie und am Amen wird in engen Zusammenhang mit der Taufe gebracht und allgemein zusammenfassend wird von den «Proseuchai» gesprochen, zu denen jener zweifelhaft Getaufte wegen der Unsicherheit der Taufe kaum hinzuzutreten wagte. Als besondere Vorrechte des christlichen Volkes werden in einem Atemzuge aufgezählt: das Eucharistiegebet anzuhören, das Amen mitzurufen, am Tische zu stehen und die Hände zum Empfang des Heiligen Brotes auszustrecken. Der religiösen Spontaneität sind also im gottesdienstlichen Bereich gewisse Grenzen gesetzt.

Über die *mehr* als juristische Begründung obiger Vorrechte gibt das Verhalten des Geplagten Auskunft, dessen *psychische* Einstellung für die Aufnahme des Gnadenhaften überaus geeignet und derentwegen die Gewalt des zuständigen Bischofs – juristisch gesehen – ohne weiteres in der Lage gewesen wäre, rein ordnend einzugreifen. Anders wird die Beurteilung, wenn eine ontisch begründete, kultische Gewalt vorliegt, die eine Deputation zum göttlichen Kult verleiht und sich im «conferre» und «recipere» auswirkt. Aus dem von Dionysius berichteten Ereignis geht jedenfalls hervor, daß es für den Christen ein Anteilnehmen an der Eucharistie gibt, das über die in der Geschöpflichkeit des Menschen gegründete Vollmacht hinausgeht, sich Gott gegenüber in Handlungen wie Darbringung, Anbetung, Lob, Bitte zu betätigen. Jede Regellosigkeit und Verweltlichung ist ausgeschlossen. Der Kult des Getauften ist also nicht der Kult des gerechten Heiden, aber auch nicht der Kult des geweihten Priesters. Die gottesdienstliche Gemeinde ist vielmehr gegliedert. Über die diesen Ordnungsvorschriften zu Grunde liegende Eucharistielehre

---

[1] Vgl. ORIGENES, In Ps. 37 II 6 «... quid est communicare Ecclesiae, vel quid est accedere ad tanta et tam eximia sacramenta». – Communio im Vollsinn schließt also das Recht auf die Eucharistie mit ein, nicht nur das Recht auf Teilnahme am Gebetsgottesdienst.

[2] EUSEBIUS, H. E. VII, 9. Der Vorgang spielt sich im Leben des Bischofs Dionysius von Alexandrien ab und dürfte auf die Jahre 257 oder 258 anzusetzen sein.

der ersten drei Jahrhunderte ist besonders aus der Kirchenordnung Hippolyts Aufschluß zu gewinnen [1].

Es ist nicht zu übersehen, daß Predigt und Gebet wesentliche Trägerteile im Gottesdienst sind. Der eucharistische Kult ist dennoch die Kulmination. In diesem Sinn ist es zu verstehen, wenn von der Kultlosigkeit des urchristlichen Gottesdienstes gesprochen wird [2]. Der Tanz dagegen – sosehr er im Kult mancher Völker und Religionen einen Platz hatte – war durch den frühchristlichen Kult weder als möglich noch als im kirchlichen Raum fruchtbar angesehen [3].

Die Befugnis zur Eucharistiefeier setzt eine Amtsübertragung sakramentaler Art voraus [4].

Ein Zusammenhang des Presbyter- oder Episkopenamtes mit der Eucharistie wird im NT zwar nicht ausdrücklich hervorgehoben [5]. Doch ist Apg 20,7 ff. von einer gottesdienstlichen Versammlung berichtet, in der Paulus als Vorsteher das Brot bricht, wie er allein predigt. Offenbar war für Lukas diese Zusammengehörigkeit von Predigt und Brotbrechen selbstverständlich und so liegt es nahe, daß die Vorsteher der Gemeinden 1 Tim 5,17 auch den Vorsitz bei der Eucharistie innehatten. Schon 1 Clem 43,1–6 und 44,2–4 kennt die von den Episkopoi geleitete Gemeindeliturgie. Circa 100 n. Chr. ist bei Ignatius, Eph 5,1 f.; Magn. 7,1; Smyrn. 8,1 f. – sicher nicht ohne apostolische und nachapostolische Vorbereitung – die Situation zugunsten der Amtsträger geklärt. Did. 13 ff. zeigt denselben Befund, ohne die Entwicklung bis dahin zu erhellen.

---

[1] H. ELFERS, Die Kirchenordnung Hippolyts von Rom: 5. Kap., Die Eucharistia der KO, 194/304.

[2] H. SCHÜRMANN, Neutestamentliche Marginalien zur Frage der «Entsakralisierung», Der Seelsorger 38 (1968), 38–48; 89–104.

[3] Hierzu J. A. JUNGMANN, Missarum sollemnia I³, Wien 1952, 9–42. Bei F. LEITNER, Der gottesdienstliche Volksgesang im jüdischen und christlichen Altertum, Freiburg i. Br. 1906, 258, wird gesagt: «Da die Kirchen des Morgen- und Abendlandes schon ursprünglich hierin (sc. in der *Ablehnung der Instrumentalmusik*) übereinstimmten, während z. B. die Praxis im Gesange wenigstens bis gegen Ende des 4. Jahrhunderts eine verschiedene war, müssen prinzipielle Gründe hierfür bestimmend gewesen sein». E. PETERSON, Das Buch von den Engeln, Leipzig 1935, 123, hält dafür, daß diese prinzipiellen Gründe von den Aposteln gemacht worden seien, die sich vom Tempel in Jerusalem mit seiner Musik losgelöst hätten, um sich dem himmlischen Tempel zuzuwenden, in dem es allein den Gesang der Engel gebe.

[4] Vgl. oben S. 33, 45, 50 ff.

[5] H. SCHLIER, Grundelemente 175; hierzu und zum Folgenden.

Aus dem Plinius-Brief an Kaiser Trajan ist ersichtlich, welche Rolle die Feier der Eucharistie «an einem bestimmten Tag» (stato die) spielte [1]. Plinius bezeugt den Brauch, indem er berichtet, was u. a. zwei christliche Sklavinnen, die probeweise gefoltert worden waren, ausgesagt hatten: Nach vorhergegangenem Christusdienst mit Verpflichtung zum christlichen Leben sei man zusammengekommen, um eine «Mahlzeit» zu halten [2].

Eng verkoppelt mit der Eucharistie waren die Agapen, zu denen nach der ersten sicheren Kunde bei Tertullian [3] und den Ausführungen des Clemens Alexandrinus [4] die verschiedenen Kirchenordnungen mit der Auffassung der leitenden kirchlichen Kreise Stellung nehmen. Hier offenbaren sich die Wesenszüge der Agapen: Von einzelnen wohlhabenden Gemeindemitgliedern in Privathäusern zu Gunsten anderer veranstaltet, verfolgen sie das Ziel christlicher Geselligkeit, caritativer Hilfeleistung an die Unbemittelten und der Erbauung [5], bilden einen Teil der privaten Wohlfahrtspflege, die den bemittelten Gemeindemitgliedern allerdings nicht pflichtig ist, und sind kultischen Bindungen unterworfen, insofern die Anwesenheit eines das Zusammensein leitenden Geistlichen gefordert wird, der den Segen spricht.

Dem Katechumenen ist die Teilnahme an der Agape, in der die Gemeinschaft der Gläubigen zum Ausdruck kommt, untersagt. Wenngleich die Bestimmungen der Paradosis des Hippolyt keine volle Klarheit geben: einerseits soll eine Katechumene «nicht mit am Tisch des Herrn liegen» [6]; andererseits soll den Katechumenen «exorciertes Brot gegeben werden und einzelne sollen den Kelch anbeten» [7]. So kommt hier wiederum die eigenartige rechtliche Zwischenstellung der Katechumenen zum Ausdruck.

---

[1] Die Annahme, es handle sich um den Sonntag, ist wohl zutreffend. Hierzu R. FREUDENBERGER, a. a. O. 165.

[2] PLINIUS, Epistularum liber 10, 96; ed. G. G. W. MÜLLER (Lipsiae 1903, BT) 291 sq. Vgl. unten S. 200 f. Hierzu auch W. RORDORF, Der Sonntag (= Abh. zur Theologie des AT und NT 43), Zürich 1962, 190–233; A. KNAUBER, Oberrheinisches Pastoralblatt 67 (1966), 194; J. SCHEELE, a. a. O. 22 ff.

[3] TERTULLIAN, Apol. 39.

[4] Päd. II 1, 3.

[5] Siehe K. VÖLKER, Mysterium und Agape, Gotha 1927, 179.

[6] Ed. JUNGKLAUS, 140 Z. 4/5. Vgl. *Test DNJChr* II, 13; ed. RAHMANI 135: «catechumenus autem non recipiat (benedictionem)».

[7] Ed. JUNGKLAUS, 140 Z. 2/4.

§ 26. Die Eheschließung

Die Kirche hatte zunächst kein geschlossenes eigenes Eherecht geschaffen [1]. Im Blick auf die Festigkeit der Ehe nahm sie die Weisungen des Herrn (Mt 5,31 f.; Lk 16,18) und des Völkerapostels Paulus zur Richtschnur (1 Kor 7; Eph 5,21–33). Die Lehren der Apostolischen Väter, die Apostolischen Kanones und die Normen der Synoden boten weitere Orientierung. Die Normen in diesem Bereich entspringen, wie in andern Lebensbereichen, nicht einer selbstsüchtigen Enge, sondern der ehrlichen Sorge, am geistlichen Tod auch nur eines einzigen sich Schuld zuzuziehen.

Die Neubekehrten waren in apostolischer Zeit und noch lange danach der Normalfall der Berufung zur Kirche. Aus nichtchristlichen Familien stammend, mußten sie sich selbst dafür verantwortlich fühlen, nach den Grundsätzen des freigewählten Bekenntnisses bei der Gattenwahl zu verfahren. Von einer Mitwirkung der Vorsteher bei der Eheschließung ist in den neutestamentlichen Schriften nicht die Rede. Anderseits zeigen die Pastoralbriefe die Verantwortlichkeit der Hausväter und Familienmütter: Nur wer seinem eigenen Hauswesen gut vorstand und seine Kinder zu verläßlichen Christen erzogen hat, darf zum Bischof, Presbyter oder zur Witwe bestellt werden (1 Tim 3,4 f.; 12 f.; 5,4 10; Tit 1,6; 2,3–5) [2].

Eine Beziehung der Eheschließung zur Taufe ist von Paulus 1 Kor 7,12/13, ausgesprochen: Der Apostel handelt von solchen ehelichen Verbindungen, deren beide Partner ursprünglich heidnisch waren und die dann durch den Übertritt eines Ehegatten zu Mischehen wurden. Solche christlich gewordenen Ehegatten sollten das eheliche Band nicht brechen. Der Apostel gibt ihnen vielmehr den Rat, in der ehelichen Gemeinschaft zu bleiben, wenn der andere Ehegatte sich verpflichtet, sich in allen Dingen, die Bezug auf das eheliche Zusammenleben haben, an die Gesetze des Evangeliums zu halten. Nur

---

[1] Vgl. J. Freisen, Geschichte des Canonischen Eherechtes, Aalen-Paderborn 1963; A. Esmein, Le mariage en droit canonique I[2], Paris 1929; P. Daudet, Etudes sur l'histoire de la juridiction matrimoniale I, Paris 1933, II, Paris 1941; G. H. Joyce, Die christliche Ehe, Leipzig 1934; H. Baltensweiler, Die Ehe im Neuen Testament. Exegetische Untersuchung über Ehe, Ehelosigkeit und Ehescheidung, Zürich-Stuttgart 1967.

[2] K. Ritzer, Formen, Riten und religiöses Brauchtum der Eheschließung in den christlichen Kirchen des ersten Jahrtausends, Münster 1962, 31.

wenn er sich weigert, diese Bedingungen anzunehmen, würde der Befehl des Apostels statthaben, sich zu trennen [1].

Unbeschadet der grundlegenden Regelungen, die durch Christus selbst (Mt 5,32; 19,3 ff.) und Paulus (1 Kor 7,10 ff.) getroffen waren, zeigt die folgende Zeit einen wechselnden Einfluß der Ekklesia auf die Eheschließungsform. Die Ehe der Getauften, die in die Sphäre einer stärkeren Festigkeit erhoben ist, erfährt hinsichtlich der für die Trauung gültigen Normen verschiedene Ausprägungen. Es kann dennoch nicht zutreffen, daß das Sakrament der Ehe nicht biblisch, sondern kirchengeschichtlich begründet sei. Im Briefe an Polykarp erklärt der Bischof Ignatius von Antiochien, daß die Brautleute μετὰ γνώμης τοῦ ἐπισκόπου die Ehelichung vollziehen sollten, «damit die Ehe im Herrn sei und nicht von Leidenschaft beherrscht». Die Ehe «im Herrn» hat die religiöse Bedeutung ehelicher Verbindung erfaßt, die für die Getauften eine neue Wirklichkeit ist. Zufolge der Verbindung des Eheschließungsaktes mit der Kirche soll er aus der bloß religiösen in die kultische Sphäre gerückt werden [2]. Daß die im römischen Volke festgewurzelte Sitte, zur Trauung den Priester beizuziehen, hier mitgesprochen habe, ist wenig wahrscheinlich. Denn die Confarreatio, d. h. die sakrale Form der römischen Eheschließung, wurde in klassischer Zeit nur noch in einem sehr begrenzten Personenkreis geübt, nämlich dem der Aspiranten zur Priesterlaufbahn des höheren Flamines und des Rex sacrorum. Für Peregrini kam sie sowieso nicht in Betracht [3].

Die geistige Anregung brauchte Ignatius nicht von dort her zu entnehmen, da die Einbeziehung der kirchlichen Autorität in der Linie der paulinischen Ehegesetze lag: Zudem ist die Einheit von Wort, Sakrament und Hierarchie für ihn eine Selbstverständlichkeit [4]. Diese Einbeziehung eher aus den Kräften zu erklären, die das Neuheitserlebnis des christlichen Glaubens entband, als aus dem Wiederauflebenlassen eines in Abgang gekommenen Brauches des römischen Kultes, liegt schließlich näher, da dieser offenbar nicht mehr eindruck-

---

[1] Hierzu O. Heggelbacher, Taufe 145 ff. Daselbst Literaturangaben. Ferner K. Ritzer, Formen, Riten und religiöses Brauchtum der Eheschließung 29 ff.

[2] H. Preisker, Christentum und Ehe in den ersten drei Jahrhunderten, Berlin 1927, 169; Pol. 5, 2.

[3] V. Arrangio-Ruiz, Istituzioni di diritto Romano⁹, Napoli 1947, 435/436.

[4] J. Klevinghaus, Die theologische Stellung der Apostolischen Väter zur alttestamentlichen Offenbarung, Gütersloh 1948, 83 ff.

sam genug war [1]. Ein frühestes Einsegnungsformular ist uns vielleicht in den apokryphen Thomasakten erhalten [2], die selbst aus der ersten Hälfte des 3. Jahrhunderts stammen, aber ältere Elemente enthalten können. Justinus berichtet von einem Fall, der zeigt, wie die nach apostolischer Anweisung im Sinne von 1 Kor 7,12 ff. mögliche Eheauflösung nach den Normen staatlicher Gesetzgebung vollzogen wurde (2 Apol 2). Dagegen führen die Jahre der Regierungszeit des Papstes Callistus in eine neue Epoche des kirchlichen Eherechtes bzw. seines Verhältnisses zum staatlichen Eherechte. Das Überwiegen des weiblichen Elementes in den Christengemeinden und die Gefahr der gemischten Ehen bewogen diesen Papst (217–222), die Schranken der römischen Gesetzgebung zu durchbrechen, indem er den freien und vornehmen Frauen die Ehe mit einem Sklaven oder Freigelassenen erlaubte, d. h. derartige Ehen im Gegensatz zur staatlichen Ordnung als gültig bezeichnete (Hippolyt, Ref. 9,12, 24). Zwar erhob Hippolyt seine gewissermaßen berechtigten Vorwürfe, weil der Staat diese Ehen nicht als gültig anerkannte und die bürgerlichen Nachteile der Illegitimität solcher Kinder und des Rang- und Vermögensverlustes unbeachtet blieben (Hippolyt, Ref. 9,12, 24) [3]. Dennoch entsprach das Vorgehen des Papstes einer Notwendigkeit: Sein Ehegesetz gestaltete bestehende Konkubinate zu gültigen Ehen um und beugte den Nachteilen vor, die in der Perversion der Nachkommen gemischter Ehen drohten. Zudem mußte das Christentum aus der lehrmäßigen Tilgung des Unterschiedes zwischen Freien und Sklaven praktische Folgerungen ziehen, die ein Sichhinwegsetzen über das staatliche Ehegesetz bedeuteten. Während also Hippolyt die eherechtliche Materie weiterhin nach dem römischen Rechte geordnet wissen wollte, traf Callistus eine Neuordnung, indem er in gewisser Weise das

---

[1] Es bleibt indessen hier anzufügen, daß für den Bereich des griechischrömischen Rechtes die Ehe durch ein auf Vertrag basierendes Personenrecht charakterisiert ist. Hiezu M. KASER, Das römische Privatrecht I², München 1971, 73; O. HEGGELBACHER, Vom römischen zum christlichen Recht 122 (in der Beziehung zum Ambrosiaster, der als erster die Worte des Apostels Paulus zum sog. Privilegium Paulinum angemessen auseinandersetzt). Demgegenüber stellt die Ehe für das jüdische Recht einen sachenrechtlichen Begriff dar. Hierzu etwa die Darlegungen von R. WEIGAND, Die bedingte Eheschließung im kanonischen Recht, München 1963, 64 ff. (zum Fragenkreis der bedingten Eheschließung im jüdischen Recht), u. a. S. 68 Anm. 19.

[2] LIPSIUS-BONNET, Acta Apostolorum apocrypha, Neudruck Darmstadt 1959, II 2, 114 f.

[3] Deutsche Übersetzung BKV² Bd. 40, 250 f.

Eherecht aus der Wurzel des Taufsakramentes folgerichtig entwickelte[1]. Gegenüber dem Akt der Brautleute, der ein Sakrament mit rechtserheblicher Folge in die Wirklichkeit setzt, statuiert er ein eigentümliches Bestimmungsrecht der autoritativen kirchlichen Instanz.

Da durch den Taufcharakter die Willenseinigung der Nupturienten zum Sakramente wird, erscheint die Abhängigkeit des Ehesakramentes von der Taufe schon den ersten christlichen Jahrhunderten klarer als bei jedem andern Sakrament. Im Wesentlichen ist das eheliche Leben durch die Aufnahme in die Kirche und der Teilnahme an der Liturgie geordnet.

Die kirchliche Praxis und die theologische Diskussion der ersten Jahrhunderte beschäftigte zuzeiten die Frage der zweiten Ehe. In den neutestamentlichen Schriften findet sich keine Äußerung dazu, mit Ausnahme dessen, daß 1 Tim 5, 9 von den Witwen unter anderem verlangt, sie dürften nur eines Mannes Frau gewesen sein.

Der Pastor des Hermas kennt wohl die Unlöslichkeit der Ehe, sagt jedoch nichts über ein generelles Verbot der zweiten Ehe. Ob die eschatologische Erwartung ihn überhaupt nicht an eine zweite Ehe denken ließ, ist ungewiß; eher spräche die Gesamthaltung des Hermas für die Möglichkeit der zweiten Ehe (Mand. IV 1, 8). Scharf nimmt Athenagoras dagegen Stellung, der übrigens in der Schutzschrift von der Eheschließung gemäß den staatlichen Gesetzen zu sprechen scheint (Suppl. 33). Aus Tertullians montanistischer Zeit liegt eine Äußerung über die Eheschließung vor (Mon. 9): Er sieht den heidnisch geschlossenen Bund als durch den Empfang der Taufe wenigstens eines der Ehegatten zur christlichen Ehe geworden an. Die zweite Ehe betrachtet er als Abscheu, jedoch ohne eine Begründung vom Sakramente her zu geben.

Der Gesamteindruck besagt, daß ein gewisses Verbot einer zweiten Ehe zu Zeiten bestanden haben wird und zwar im Sinne einer lex minus perfecta, d. h. eines zwar mit Androhung einer Strafe, jedoch nicht der Nichtigkeit sanktionierten Gesetzes[2].

Zur Frage religionsverschiedener Ehen hat, wie oben berichtet, der Apostel Paulus mit der Entscheidung im Sinne des sog. Privilegium Paulinum Stellung genommen.

---

[1] Das Verbot der klandestinen Ehen und damit ein eigenes Eherecht wird freilich erst auf dem IV. Lateranense 1215 ausgesprochen.

[2] Vgl. B. Kötting, Die Beurteilung der zweiten Ehe 173 ff.

An eine Regelung *konfessions*verschiedener Ehen konnte damit nicht gedacht sein. Tertullian berührt allerdings später diese Problematik [1], wie man sich denn allgemein über die Schwere eines glaubensmäßigen Gegensatzes klar ist.

Aber selbst Ambrosius, der die Ehen von Christen mit Ungläubigen später ausdrücklich behandelt, hat für Ehen mit Häretikern keine Weisungen behandelt oder erst aufgestellt [2].

Die Regelung von Ehehindernissen, die aus Blutsverwandtschaft und Schwägerschaft entspringen, wurde dem römischen Gesetz und Gewohnheitsrecht anheimgestellt.

Die Kirche überließ auch die Regelung der Form und der rein sozialen Aspekte von Ehen dem Staate. – Die sakramentale Anlage, die absolute Unauflöslichkeit des Sakramentes, Hindernisse, die aus religiösen Momenten hervorgehen, die Lösung einer Naturehe, die der Bekehrung zur christlichen Kirche entgegensteht, natürliche Eigenschaften der Ehe, die im geoffenbarten Begriff von der Ehe enthalten sind, hat sie jedoch der eigenen und ausschließlichen Kompetenz vorbehalten.

Von gelegentlicher Duldung des monogamischen Konkubinates und der ehegleichen Verbindungen der Unfreien abgesehen erlaubte die Kirche also nur die nach weltlichem Recht als gültig anerkannte Verbindung [3]. So erklärt denn der Diognetbrief: «Die Christen heiraten wie andere Leute auch» [4]. Gleichfalls betont Arnobius, daß sich die Christen an das Recht halten [5]. Das Gleiche geht aus dem Kanon 1 der Synode von Laodikeia hervor [6]. Angebliche päpstliche Dekretalen aus dem zweiten und dritten Jahrhundert mit Verpflichtung zu öffentlicher Eheschließung und zum Empfang des priesterlichen Ehesegens können nicht als echt gelten [7].

---

[1] J. Köhne, Die kirchliche Eheschließungsform in der Zeit Tertullians, Theol. Gl. 23 (1931), 333–350.

[2] E. Brauss, Quellenstudien zum Mischehenrecht unter besonderer Berücksichtigung der spanischen und deutschen Naturrechtsdoktrin, Jur. Diss. Freiburg 1964, 4.

[3] K. Ritzer, a. a. O. 38.

[4] Ed. Bihlmeyer 144.

[5] Adv. nat. I 2: «ipsi homines denique ... non matrimonia copulant nuptiarum sollemnibus iustis?» (CSEL 4,5).

[6] Mansi II 363 A; vgl. Hefele I² 750.

[7] Vgl. K. Ritzer, a. a. O. 39.

§ 27. Die Frage der Ehescheidung

Der Apostel Paulus beruft sich auf Jesus, der die Ehescheidung verboten hat (1 Kor 7,10 f.). Denn Jesus hatte die Ehe «in ihrem ursprünglichen Sinn einer unauflöslichen, gottgewirkten Einheit von einem Mann mit einer Frau» [1] hergestellt (Mk 10,6–9; Mt 19,4 ff.; Lk 16,18). Die im Alten Bund unter Umständen mögliche Scheidung sieht er nur als ein Zugeständnis an die «Herzenshärte» der Juden an (Mk 10,5; Mt 19,8). Zwar nennt er nach Mt 5,32; 19,9 als Ausnahme vom Scheidungsverbot «Unzucht» der Frau. Die traditionelle Auslegung versteht darunter Unzucht als eheliche Untreue und erklärt die Möglichkeit der Trennung des unschuldigen Teiles vom ehebrecherischen Gatten, so zwar, daß keiner von beiden eine neue Ehe eingehen kann [2]. In diesem Sinne sprechen Hermas (Mand. IV 1,4 ff.), Klemens von Alexandrien (Strom. II 145,3; 146,2 f.), Tertullian (Adv. Marc. IV 34; De monogamia 10) wie auch die späteren mit Hieronymus und Augustinus [3]. Kompromißlösungen auf pastoralem Gebiet werden in der frühen Patristik nicht sichtbar. Ambrosiaster, der Verfasser des ersten lateinischen Gesamtkommentars zu den Paulusbriefen, steht dann mit seiner Sondermeinung allein [4].

§ 28. Die Ordnung der Liturgie

Grundsätzlich gilt, daß jede der großen Teilkirchen ihre Angelegenheiten autonom ordnet und jedes Ereignis auch zunächst nur für die Kirchenprovinz gilt, der es entstammt. Trotzdem bildet sich früh ein fester Bestand heraus, so daß man z. B. von einem im ältesten Christentum allgemein anerkannten Taufritus sprechen kann [5]. Die Taufe, die neben der Eucharistie die bedeutendste rituelle Handlung der Kirche bleibt und als solche mit besonderem Öffentlichkeitscharakter ausgestattet und ausnehmend geschützt ist, wird so sehr

[1] J. MICHL, LThK III², 677.
[2] A. a. O. 679. Hier auch die Literaturangaben.
[3] Zum Ganzen G. MAY, Die Stellung des deutschen Protestantismus zu Ehescheidung, Wiederverheiratung und kirchlicher Trauung Geschiedener, Paderborn 1965.
[4] Zu seiner Deutung vgl. O. HEGGELBACHER, Ambrosiaster 127 f.
[5] Siehe A. VON STROMBERG, Studien zur Theorie und Praxis der Taufe in der christlichen Kirche der ersten zwei Jahrhunderte, Berlin 1913, 17.

durch das Herkommen eingefaßt, daß dieser Begriff als Schibboleth in den Dokumenten des Taufstreites begegnet [1]. Von Hebr 6,2/5 mit dem ganzen Programm (Aufeinanderfolge von Taufe, – mehrere Untertauchungen – Handauflegung zur Geistesmitteilung und Teilnahme an der Eucharistie) [2] über die kurzen Angaben der Didache mit den allernotwendigsten Vorschriften zum Taufritus (Taufe im oder mit Wasser, Taufformel, Tauffasten) [3], über Ignatius von Antiochien mit seiner Erwähnung des durch Christus geheiligten Taufwassers [4], über die symbolischen Ausdeutungen des Barnabasbriefes [5] – geleitet der rote Faden eines allen zugrundeliegenden Rituals zu Justinus: Dieser führt den ihm bekannten Ritus auf apostolische Anweisung zurück, als Glied der παράδοσις ἀποστολική [6]. Tertullian verteidigt den durch altehrwürdigen Gebrauch gefestigten Taufritus zumindest gegen Marcion [7]. Beim Vergleich mit den heidnischen Mysterien, auf die eine Überfülle von Beiwerk aufgehäuft ist, nennt er ihn «einfach, ohne Pomp und neuartige Zurüstung» [8]. Rituseinzelheiten, die aus judenchristlich-gnostischen Kreisen bezeugt sind, besagen eine bestehende gleichförmige Übung in der Kirche (Großkirche) des zweiten Jahrhunderts.

Die herannahende Friedenszeit mit ihren neuen Fragen theologischer Natur und ihrem neuen Stilgefühl, mit größerem Andrang von Taufkandidaten führt zu eigenen Versuchen von Bischöfen in Neubildungen, Vermehrungen, Abänderungen von Gebeten und Handlungen. Um 200 findet die KO. Hippolyts ihre Festlegung und zeigt liturgische und disziplinäre Bestimmungen, die im wesentlichen Formen des religiösen Lebens in der römischen Gemeinde wieder-

---

[1] Vgl. O. HEGGELBACHER, Taufe als Rechtsakt 75 f. Ferner G. KRETSCHMAR, Die Geschichte des Taufgottesdienstes in der alten Kirche 1–144.

[2] Vgl. TH. SCHERMANN, Die allgemeine Kirchenordnung 332.

[3] Siehe oben S. 153 ff., 161.

[4] IGNATIUS, Eph. 18, 2.

[5] Kap. 11.

[6] 1. Apol. 61, 3.

[7] Adv. Marc. 1 14 (und 3, 22); ed. KROYMANN 308 Z. 20 ff. (und 414/416). H. KAYSER, Zur marzionitischen Taufformel, Theologische Studien und Kritiken, 108. Jahrg., Neue Folge 3 (1937/38), 370/386, versuchte in Auseinandersetzung mit A. v. HARNACK den Nachweis zu führen, daß die Marzioniten zur Zeit Cyprians nicht die trinitarische, sondern die einfache Taufformel «im Namen Jesu» hatten.

[8] «... simplicem sine pompa et apparatu novo ...». bapt. 2,1; ed. BORLEFFS 1931, S. 16 Z. 1/5; «... tanta simplicitate, sine pompa sine apparatu novo, aliquando denique sine sumptu ...». – ed. BORLEFFS 50 Z. 6/5.

geben. Sie enthält aber auch Elemente alexandrinischer Herkunft (Exorzismus, Salbung, Ritus des Wassertrinkens in der Taufeucharistie). Bei all dieser späteren Mannigfaltigkeit beweist jedoch die Schärfe des Taufstreites – in dem es um eine grundsätzliche Meinungsverschiedenheit über den Sinn der christlichen Initiation und die Tragweite der sie konstituierenden Riten geht – die konstitutive Bedeutung eines Grundbestandes von Riten.

Was im besondern die sprachliche Form angeht, so wurden in den ersten Jahrhunderten in den Liturgien der Landeskirchen deren offizielle Sprachen verwandt.

Die Ambrosiasterforschung erbrachte die Erkenntnis, daß in der Zeit zwischen 360 und 382 in Rom die lateinische Liturgiesprache durch den römischen Bischof verbindlich eingeführt worden ist. Damit war also die griechische Form offiziell aufgegeben [1], die bislang dort benützt war.

Festzuhalten ist, daß das einzige liturgische Buch der Frühzeit die Bibel war [2]. Für die Gebete des Zelebranten und für die liturgischen Formeln gab es noch keine feststehenden Texte. Dies gilt auch für wesentliche Bestandteile. Es gab weder volle Einheitlichkeit bei den Einsetzungsworten, noch in den Taufriten. Eine einheitliche apostolische Liturgie, die sich später verändert hätte, zu suchen, ist daher müßig. Die mündliche Überlieferung, die bei den einzelnen Kirchen bestand, entließ aus sich eine große Mannigfaltigkeit in disziplinären und liturgischen Gebräuchen. Justin erklärt, daß der Zelebrant «danksagt, wie er es vermag» (1 Apol. 67,5), also aus dem Stegreif.

Das Überwiegen der Improvisation wird durch die Apostolische Überlieferung klar bezeugt: Der Verfasser, der Texte für Eucharistiefeier und Weihen bietet, bemerkt ausdrücklich, daß es nicht notwendig sei, *dieselben* Worte zu gebrauchen, sondern es solle jeder nach seinem Können beten. Wenn einer imstande sei, treffend und feierlich zu beten, sei es gut. Wenn einer ein weniger langes und einfacheres Gebet spreche, solle man ihn nicht hindern, vorausgesetzt, daß es gesunden Glaubens sei [3].

Geschriebene Entwürfe erscheinen dann in den verschiedenen Sammlungen, besonders in der Epitome und in den Apostolischen

---

[1] O. Heggelbacher, Vom römischen zum christlichen Recht 131 ff.
[2] Hierzu und zum Folgenden A. G. Martimort, Handbuch der Liturgiewissenschaft I, Freiburg i. Br. 1963, 37 ff.
[3] Ed. Botte 28.

Konstitutionen [1], im Testamentum Domini NJChr [2] und in den Canones Hippolyti [3].

§ 29. Die Bußdisziplin

Nach dem Zeugnis der neutestamentlichen Schriften ist die Taufe die große Hilfe zur Rettung von den Sünden [4].

Wie der mystische Tod mit Christus eine wirkliche Umformung mit Nachlaß der Sünden und dem Ende der Sündenherrschaft bringt (Röm 6,3 ff.; 8, 1; Kol 2,13), so neutralisiert Christus, indem er seinem Tode beigesellt, das Wirkprinzip der Sünde (ἡ ἁμαρτία) [5] und bewirkt, daß die Christen ein neues Gesetz haben, das nicht auf steinerne Tafeln, sondern ins Herz geschrieben ist: Die Christen haben ein Gesetz, aber sind nicht mehr unter dem Gesetz [6].

Auf dem Glauben an die durch die Taufe vermittelte vollgültige Sündenvergebung beruht das von den altkirchlichen Quellen in die Zeit vor, jedoch nie nach der Spendung des Sakramentes verlegte Fasten. So verlangt die Didache, daß der Taufende und der Täufling wie auch andere fasten [7]. In Justinus' Bericht wird von einem Fasten der Täuflinge im Verein mit den Gemeindemitgliedern gesprochen [8].

Trotzdem ist sie nicht nur und nicht allein das Mittel zur Rettung von den Sünden: Die in der Frühzeit gebräuchlichen Namen für die Taufe σφραγίς und φωτισμός sind hierfür aufschlußreich, insofern sie keine direkte Beziehung auf die Sündenvergebung als Wirkung der Taufe verraten und wenigstens ganz allgemein an ein Aussonderungsmysterium erinnern [9].

Zudem steht in der Taufvorbereitung nicht die sündentilgende

[1] Didascalia et Constitutiones Apostolorum, ed. FUNK I 474 ff.; II 78 ff.
[2] Ed. RAHMANI 39 ff.; 49; 51 ff.; 69 f.; 77 f.; 93; 99; 119; 121 ff.; 131.
[3] Ed. RIEDEL 201 f.; 203.
[4] 1 Kor 6,11; Eph 5,26; Kol 2,13; Hebr 10,22 (vgl. R. SCHNACKENBURG, Das Heilsgeschehen bei der Taufe nach Paulus 1 ff.); 1 Petr 3,21; Apg 2,38; 22,16; 1 Jo 5,6 ff.; 18 ff.
[5] Kol 2,10, 11, 14, 19; Röm 6,3.
[6] Röm 6,14. Vgl. V. IACONO, Battesimo 108/109.
[7] 7,4; ed. BIHLMEYER 5, Z. 14/16: Gegen A. SEEBERG, Taufe im NT 20/21, ist in Erinnerung zu bringen, daß der Hinweis auf das Fasten Jesu Mt 4,2 f., zu wenig besagt, als daß er als für ein Fasten nach der Taufe schlüssig ernsthaft in Erwägung gezogen werden könnte.
[8] 1 Apol. 61; ed. GOODSPEED 70 Z. 8/10.
[9] A. v. HARNACK, Dogmengeschichte I 229/230.

Kraft im Augenblick des Taufaktes, sondern die Heilsökonomie der Kirche im Vordergrund, was schon die Taufskrutinien und die Arkandisziplin beweisen.

Für den Hirten des Hermas ist die menschliche Heilsvermittlung zum ersten Mal bei der Taufe und zwar auch im Sinne der Sündenvergebung durch menschliche Mittler ins klare Licht getreten: «da wir ins Wasser hinabsteigen und Vergebung unserer früheren Sünden empfingen» [1]. Die alttestamentlichen Gerechten müssen im Hades noch getauft und gesiegelt werden [2]. Und «die Lehrer, die (dem) Hermas sagten, es gebe nur eine Taufbuße, haben Nachfolger gefunden langehin» [3].

Der Barnabasbrief weiß davon, daß der Mensch durch die Taufe gereinigt und geheiligt wird [4]. Ebenso die Epistola apostolorum [5], nach der die alttestamentlichen Frommen von Christus bei seinem Abstieg getauft worden sind [6].

Wenn die Autoren die Stelle bei Jo 20, 21/23 für die Taufgewalt der Kirche verwerteten [7], dachten sie jedoch nicht daran, die von Christus übertragene Vollmacht als in jener erschöpft zu betrachten [8]. Die von der sog. Tauftheorie vertretene Auffassung, wonach für die Möglichkeit der Sündenvergebung nach der Taufe kein Platz bleibe, ist denn auch hinreichend entkräftet worden [9].

Es ist indes nicht daran zu zweifeln, daß der Gedanke der *Taufverpflichtung* schwere Krisen im Leben der Gemeinden schaffte, eher als der nichtbewiesene, angebliche Glaube, daß nur die Taufe volle und

---

[1] Mand. IV 3,1; ed. FUNK 478 Z. 15/16: Vgl. J. HOH, Die kirchliche Buße im 2. Jahrhundert. Eine Untersuchung der patristischen Bußzeugnisse von Clemens Romanus bis Clemens Alexandrinus, Breslauer Studien zur historischen Theologie XXII, Breslau 1932, 34.

[2] Sim. IX, 16; ed. FUNK 609.

[3] J. HOH, a. a. O. 130.

[4] 5,1; 8,3; 9,1; ed. BIHLMEYER 14 Z. 23/24; 20 Z. 5; 20 Z. 17.

[5] Äthiop. Text 134, 1 = Kopt. Text XXXIII 3/2; ed. C. SCHMIDT, Gespräche Jesu mit seinen Jüngern (Texte und Untersuchungen 43), Leipzig 1919.

[6] Äthiop. 86,3 ff. Vgl. dazu HERMAS IX 16; wie oben zitiert.

[7] z. B. CYPRIAN, um zu zeigen, daß der häretischen Gemeinschaft die Taufgewalt fehle: Ep. 69,11; ed. HARTEL 759 Z. 14 ff.; Ep. 73,7; a. a. O. 783 Z. 17 ff.

[8] Bei ORIGENES findet sich die Anwendung auf die Sündenvergebung bei der Buße De orat. 28, 9; ed. KOETSCHAU 380 Z. 9. Vgl. B. POSCHMANN, Paenitentia sec., 10. Ferner IGNATIUS, Philad. 8,1; ed. BIHLMEYER 104 Z. 11/13. Hier ist von einer Sündennachlassung nach der Taufe die Rede und wahrscheinlich auf Mt 18, 18 bzw. Jo 20, 23 hingewiesen. Zum Gedanken der excommunicatio latae sententiae bei Origenes vgl. W. M. PLÖCHL, a. a. O. 79.

[9] Hierzu B. POSCHMANN, Paenitentia sec., 4 et passim.

ganze Sündenvergebung gewähre. Da die Taufe die Urbekehrung war, bei der Christus aus Finsternis und Blindheit uns berufen hat (2. Clem 1,4 6), aus Irrtum und Verderben (2. Clem II,7; V, 1), bei der die Christen versiegelt wurden mit einem Siegel, das unbefleckt bewahrt werden muß (2. Clem VII, 7; VIII, 6) [1], bewahrt sie sich eine Einprägsamkeit und Eindruckskraft ohnegleichen! Wie sehr aber die Bußfrage mit der Frage der Taufverpflichtung zusammenhängt, deutet Hermas dadurch an, daß er die Buße nach der Taufe ein «zweites Siegel» nennt. Die Buße muß also den aus der Seele geschiedenen Geist der Taufverpflichtung wiederbringen [2]. Sie ist eine Wiederholung der Taufverpflichtung und aus deren Geist ergibt sich sowohl die *Hemmung* der Rekonziliationpraxis, wie die *Lösung* ihrer Schwierigkeit [3]. Ohne die *Taufverpflichtung* ist die Unterscheidung von vollendeter und unvollendeter Buße nicht zu begreifen [4].

Der *Wirkung* nach ist auch für Hermas die Sündentilgung wie die seelische Belebung bei der zweiten Buße ebenbürtig derjenigen bei der Taufe [5]. Trotzdem gilt die Sündenvergebung bei der Taufe als ἄφεσις ἁμαρτιῶν, während die spätere συγγνώμη durch die μετάνοια erreicht ist. Diese Gegenüberstellung von ἄφεσις und μετάνοια findet Widerhall im christlichen Altertum: Clemens Alexandrinus (Strom. 2,55, 6) beruft sich auf den Hermastext und damit auf die Auffassung der Buße als Zurückführung zur Taufverpflichtung [6]. Die Unterscheidung wird mehrmals angewendet. A. d'Alès macht darauf auf-

---

[1] 2. Clem. VI, 9; ed. Bihlmeyer 74 Z. 5 ff.: «Wenn wir die Taufe nicht rein und unbefleckt bewahren, mit welcher Zuversicht wollen wir in das Reich Gottes eingehen?» 2. Clem. VIII, 6; ed. Bihlmeyer 75 Z. 4/5: «Bewahret das Fleisch rein und das Siegel unbefleckt, damit wir das Leben empfangen». Vgl. Heggelbacher, Taufe als Rechtsakt 101 f.

[2] F. J. Dölger, Sphragis 140.

[3] Vgl. B. Poschmann, a. a. O. 183 zu Hermas, Mand. IV.: «Der Wesenskern der Buße liegt also in dem vollständigen Bruch mit der Sünde und einem fortan tugendhaften Leben, wie es sich für den Christen aus der Taufverpflichtung ergibt». Vgl. O. Perler, Sünde, Frühkirche und Seelsorge, Anima 1952, 17/26.

[4] Poschmann verweist a. a. O. 189 Anm. 2, auf die Erklärung Innozenz' I., wonach die alte Kirche bis zur Beendigung der Christenverfolgungen solchen, die sich angesichts des Todes bekehrten, nur die Buße, nicht die Gemeinschaft gewährt habe: Ep. 3,2 ad Exsuperium; Mansi III 1039. Ferner auf die paenitentia momentanea und die Wiederaufnahme der Gefallenen zu Cyprians Zeit.

[5] Vgl. Poschmann, a. a. O. 188, wo alle Stellen aufgereiht sind.

[6] Strom. 2, 55,6; ed. Stählin I 143 Z. 13/14: ἄφεσις τοίνυν ἁμαρτιῶν μετανοίας διαφέρει, ἄμφω δὲ δείκνυσι τὰ ἐφ' ἡμῖν'. Ebenso heben diesen Unterschied Irenäus, Origenes, Cyprian, Basilius, Chrysostomus. Ambrosius, Pacian, Augustinus hervor. Vgl. P. Galtier, De paenitentia², Paris 1931, 160 Anm. 1; 160 Anm. 2.

merksam, daß Klemens dabei keinen Schulkonflikt, sondern die Erklärung der allgemeinen Disziplin im Auge habe [1].

Die Buße führte demzufolge über die Tauf*verpflichtung* zur Taufe zurück. Die Rückverweisung auf sie geschah durch die Buße, dennoch nicht weniger über die Taufrechte. Dies erfolgte in engstem Zusammenhang mit dem Begriff der christlichen Gemeinschaft.

Nach der Didascalia besteht der Rekonziliationsritus in einem Empfang des Büßers durch den Bischof, durch Handauflegung des Bischofs unter dem Gebet der ganzen Gemeinde und Wiedereinweisung des Büßers an den alten Kirchenplatz, damit er fernerhin an dem Eucharistiegottesdienst mit der Gemeinde und dem Bischof teilnehme [2]. Die Didascalia ist sich hierbei einer Parallelität dieses Ritus mit dem Initiationsritus der Taufe bewußt: Quemadmodum gentilem baptizas ac postea recipis, ita et huic manum impones ... ac deinde introduces et participem facies ecclesiae ... ad orationem eum admitte sicut gentilem [3]. Augenscheinlich liegt eine Übereinstimmung der Taufe einer- und der Rekonziliation anderseits vor hinsichtlich der Einführung des Getauften bzw. des Rekonziliierten in den eigentlichen Gottesdienstraum zur Teilnahme an dem folgenden Eucharistiegottesdienst: «Es handelt sich in beiden Fällen um genau denselben Vorgang, der beidemale in der Tatsache seine Berechtigung hat, daß der vorausgehende Ritus einen vollberechtigten Teilnehmer am Kultgottesdienst geschaffen hat» [4].

Die These, daß nach Tertullians Ansicht die Taufe die Aufnahme in die kirchliche Gemeinschaft verleihe, während die Buße die Sünde nur vor Gott tilge, ohne den Büßer mit der Kirche auszusöhnen, ist wohl längst ihrer Überzeugungskraft verlustig gegangen [5]. Es besteht vielmehr bei Tertullian ein enger Parallelismus zwischen Taufe und paenitentia secunda. Ohne Unterschied spricht er von der Buße, die auf die Taufe vorbereitet, und jener nach der Taufe [6]. Anderswo

---

[1] L'Edit de Calliste, Paris 1914, 75 Anm. 1.

[2] II 18,7; ed. Funk 66 Z. 19/21: «... recipe eum et tota ecclesia pro eo orante ei manus impone ac deinde permitte, ut in ecclesia sit»; dazu II 38,4; a. a. O. 126 Z. 4/5: «ne talem ... in ecclesiam recipiatis ut Christianum neque communicatis cum eo»: Die Unterscheidung des recipere und communicare hebt wohl auf die Eucharistie ab. Vgl. K. Rahner, Didascalia 267 Anm. 25.

[3] II 41, 2; ed. Funk 130 Z. 1/2; II 41,1; a. a. O. 128 Z. 22.

[4] K. Rahner, a. a. O. 268.

[5] Vgl. J. Stufler, Die verschiedenen Wirkungen der Taufe und Buße nach Tertullian, ZkTh 31 (1907), 372/376.

[6] In der Schrift De paenitentia.

unterscheidet er sie, aber hält den Parallelismus zwischen den Wirkungen aufrecht [1].

Hätte die Buße nicht die Macht, die Versöhnung mit der Kirche zu bringen, könnte sie nicht «noch größer» als die Taufe genannt werden [2]. Wie der Heide durch die Taufe in die Kirche eingeführt wurde, so erlangt der sündige Christ durch die paenitentia secunda die kirchliche Gemeinschaft [3]. Zwar schränkt Tertullian die Reichweite und Wirksamkeit des Bußinstituts in der Schrift De pudicitia ein, insofern die Kapitalsünder nicht mehr zur kirchlichen Gemeinschaft und auch nicht zur öffentlichen Buße zugelassen werden [4]. Da er aber ausdrücklich erklärt, jetzt seine ehemalige Lehre (-moecho et fornicatori secundam paenitentiam promissam ab apostolis-) angreifen zu wollen (- nunquam ... norat), ist klar, daß er die Ansichten der Katholiken bekämpft, die sich das Recht zuerkennen, allen, auch den schwersten Sündern, die kirchliche Gemeinschaft zu gewähren. Selbst diese hatten vielleicht, wie es scheint, eine strengere Disziplin aufgenommen, welche die paenitentia secunda und die kirchliche Gemeinschaft den Götzendienern und Mördern, wenn nicht grundsätzlich, so doch tatsächlich verweigerte [5].

Über Tertullian weit hinausgehend und das ganze patristische Mate-

[1] De paen. 12, 9; ed. BORLEFFS 112 Z. 14/15: Quid ego ultra de istis duabus humanae salutis quasi plancis? Vgl. C. CHARTIER, L'Excommunication 511.

[2] De paen. 7,11; ed. BORLEFFS 103 Z. 9–13: «non enim et hoc semel satis est? ... maius enim restituere quam dare ...».

[3] De paen. 7,11; ed. BORLEFFS 103 Z. 6/7: «conlocavit in vestibulo paenitentiam secundam quae pulsantibus patefaciat».

[4] De pud. 20; ed. REIFFERSCHEID-WISSOWA 266 Z. 24–267 Z. 6: «Impossibile est enim eos, qui semel inluminati sunt ... cum exciderint, rursus revocari in paenitentiam, refigentes cruci in semetipsos filium dei et dedecorantes, terra enim quae bibit saepius devenientem in se humorem et peperit herbam aptam his propter quos et colitur, benedictionem dei consequitur; proferens autem spinas reproba et maledictioni proxima, cuius finis in exustionem, hoc qui ab apostolis didicit et cum apostolis docuit, numquam moecho et fornicatori secundum paenitentiam promissam ab apostolis norat».

[5] Allgemein wird anerkannt daß in De paenitentia alle, auch die schwersten Sünden, zur kanonischen Buße zugelassen sind. Vgl. C. CHARTIER, La discipline pénitentielle d'après les écrits de saint Cyprien, Antonianum 14 (1939), 19. Gegen CHARTIERS Annahme, L'excommunication 506 ff., daß zur Zeit von De pudicitia auch bei den Katholiken die Verweigerung der Exkommunikation gegenüber Götzendienern und Mördern festes Gesetz gewesen sei, macht POSCHMANN geltend, daß entsprechend der von Tertullian auch in der Zeit von De pudicitia bezeugten Allgemeinheit der kirchlichen Vergebung der Rigorismus keinesfalls in der ganzen Kirche zur Herrschaft gelangt sein könne, selbst wenn er in gewissen Kreisen Eingang gefunden haben sollte. A. a. O. 332 Anm. 1.

rial der ersten drei Jahrhunderte einbeziehend, rollte B. Poschmann nach jahrzehntelangen Studien die Bußfrage in seinem grundlegenden Werke Paenitentia secunda neu auf. Im Anschluß an die Arbeit des Karmelitertheologen Fr. B. Xiberta [1] und dessen Deutung von Mt 18, 18 und Jo 20,23 führte er die neuerdings [2] nochmals kurz umrissene Grundthese folgenden Inhaltes durch: Die nächste Wirkung des Bußsakramentes ist die Versöhnung mit der Kirche, was durch die altchristliche Buße in helles Licht gerückt wurde, indem dort der Bischof, als der zuständige Richter über die Gläubigen seiner Gemeinde, in einem ordentlichen Gerichtsverfahren den Todsünder, der sich nicht nur gegen Gott, sondern auch gegen die kirchliche Gemeinschaft vergangen hatte, zur Verantwortung zog. Die angemessene Strafe für die Schuld des in der Selbstanklage geständigen oder überführten Sünders bestand in der Exkommunikation und persönlichen Bußleistungen. Das «unmittelbare Ziel des Bußverfahrens», das mit einer Schlußsentenz und der Wiederaufnahme in die Kirche endete, «blieb die Versöhnung mit der Kirche», durch welche er in seine alten Gemeinschaftsrechte wieder eingesetzt wurde: Die rechtliche Regelung und die Wiederherstellung des ordnungsgemäßen rechtlichen Verhältnisses des Sünders zur Kirche erschöpfte allerdings keineswegs den Sinn des altkirchlichen Bußverfahrens: Die jurisdiktionelle Gewährung des «Friedens» mit der Kirche, als Abschluß der «kanonischen» d. h. nach den Rechtskanones geregelten Buße, blieb die «Instrumentalursache für die Gnadenwirkung».

Diese Auffassung von der Versöhnung mit der Kirche, welche die rechtliche Bedeutung der Taufe für das Bußinstitut hervorhebt, ist nicht ohne Schwierigkeiten und hat ihren Widerspruch gefunden [3]. O. Perler [4] hatte die Frage gestellt, warum dann noch die potestas ordinis als unerläßlich verlangt werde und was ihr für eine Bedeutung bleibe, worauf Poschmann erwiderte, daß das Bußgericht, insofern

---

[1] Clavis ecclesiae, Romae 1922, 13 ff.

[2] Die innere Struktur des Bußsakramentes, Münchener Theologische Zeitschrift, 1 (1950), 3. Heft, 13, 27 et passim.

[3] M. SCHMAUS, Katholische Dogmatik III 2, München 1941, 387. – Da die Bußauffassung Poschmanns die rechtliche Bedeutung der Taufe für das Bußinstitut hervorhebt, insofern die Zulassung zu dem durch die Taufe verliehenen Rechte der Gemeinschaft im Vordergrund steht, konnte hier von einer kurzen Erörterung der Fragestellung nicht abgesehen werden. Taufe und Buße sind im christlichen Altertum sowieso nicht zu trennen.

[4] Divus Thomas (Freiburg i. d. Schweiz) 19 (1941) in der kritischen Würdigung der «Paenitentia secunda».

es zugleich eine sakramentale Funktion sei, von seinem minister mit dem gleichen Grund wie andere Sakramente den priesterlichen Charakter verlange [1]. Die Antwort Poschmanns genügt streng genommen dem gemachten Einwand.

Gegen Poschmanns Erklärung spricht jedoch der natürliche Sinn der Schrifttexte Mt 16,18 und Jo 20,22, wie selbst viele Väterschriften, zu welchen ohne Zweifel die Didascalia zu zählen ist, ihn verstehen. Wie K. Rahner in seiner Studie [2] gezeigt hat, erscheint in der Didascalia die Aufnahme in die Kirche eher als eine Folge der lösenden Sündenvergebung als deren vermittelnde Ursache.

Wenn es auch möglich ist, daß gewisse Autoren wie Cyprian eine unklare Ansicht bzw. irrige Auffassung von der Wirkung der Rekonziliation vortrugen, so legt doch andererseits die häufige Parallelsetzung von Taufe und Buße schon wenigstens nahe, daß die Natur des Verzeihens im Bußsakramente eine direkte, freilich im Namen Gottes vollzogene Absolution von der Schuld ist. Eine klare Unterscheidung von jurisdiktionellem Bereich und dem sakramentalen wird in der alten Kirche jedoch vergebens und zu Unrecht gesucht [3].

Der Begriff einer von der Weihegewalt im gewissen Sinne unabhängigen Jurisdiktion zur Verwaltung des Bußsakramentes hat sich erst in der Wissenschaft des hohen Mittelalters entwickelt. Zusätzlich ist darauf zu verweisen, daß die Rekonziliation wie die Exkommunikation der Büßer in der Hand des Bischofs lag, der jedenfalls ordentlicherweise allein für die Rekonziliation zuständig war [4]. Deren spätere Beschränkung auf den Gründonnerstag [5] zielt wohl auch «auf die Wahrung des Bischofsrechtes» ab [6]. Die Presbyter durften «nur im Auftrag des Bischofs und im Notfall» die Rekonziliation vornehmen, wozu ihnen die mehr und mehr zur Übung gewordene Krankenbuße Gelegenheit bot [7]. Da die richterliche Vollmacht bei den Trägern der obersten kirchlichen Autorität für ihre «portio gregis» (Cyprian,

---

[1] Die innere Struktur des Bußsakramentes 27.

[2] Bußlehre und Bußpraxis der Didascalia Apostolorum 272 ff.

[3] Über die in enger Beziehung zur Buße stehende *Letzte Ölung* – auf deren Empfang der Getaufte ein Recht hat –, über die treffende Stelle Jak 5,14–16 sowie über die Bezeugung in der alten Kirche hat B. Poschmann gehandelt: Buße und Letzte Ölung, Freiburg i. Br. 1951, 125 ff.

[4] B. Poschmann, a. a. O. 23, 25 f.; H. E. Fischer, in Ius Sacrum, Paderborn 1969, 235.

[5] So nach Innozenz I., Ep. ad Decent., cap. 7: ML 56, 517.

[6] B. Poschmann, a. a. O. 51.

[7] A. a. O.

Ep. 59,4) lag, durfte nicht jedweder Bischof oder gar Priester jedwedem gegenüber, sondern nur der episcopus proprius oder der von diesen Delegierten den subditi gegenüber die Bußgewalt ausüben [1]. Vermutlich hatten die Presbyter die erforderliche Gewalt ausdrücklich oder einschlußweise, allgemein mit der Weihe für Notfälle oder besondere Aufträge erhalten [2].

J. Grotz hatte inzwischen in einer Arbeit über die Entwicklung des Bußstufenwesens in der vornizänischen Kirche [3] dargelegt, daß bei Hermas, der noch keine Bußstufen kenne, sich in allen Teilen Hinweise auf die Existenz einer kirchlichen Buße entdecken lassen, die mit Exkommunikation innerlich nichts zu tun hätten. Bei Klemens von Alexandrien entspreche die Exkommunikation im Wesentlichen noch der vorläufigen Exkommunikation bei Hermas [4]. Der Montanist Tertullian stelle die Exkommunikation positiv neben die Kirchenbuße; die Beziehungen zwischen diesen beiden Sachverhalten blieben indessen negativer Art. Der Montanismus sei es gewesen, der die katholische Kirche dazu gebracht habe, die Exkommunikation positiv zu sehen: Zunächst als Vorbereitungszeit für die Sünder, die noch nicht den rechten Bußgeist hatten, darnach in zunehmendem Maße als normale Vorbuße für alle besonders schweren Sünden.

Die These von Grotz fand scharfen Widerspruch: K. Rahner wandte sich in einer ausführlichen Darlegung [5] gegen den Versuch zu bestreiten, daß die altkirchliche Buße als solche selbst eine Exkommunikationsbuße gewesen sei. Demgegenüber stellte er fest, daß Buße als kirchlich-sakramentaler Vorgang und Exkommunikationsbuße bei Hermas dasselbe sei. Es lasse sich bei ihm nicht beobachten, daß es eine andere kirchliche Bußart gebe, die, als sakramentale, sich nicht auf einen Sünder beziehe, der als von der Kirche distanziert betrachtet werde. Das Bußbuch des Hermas sei also nicht der geschichtliche Punkt, an dem sich beobachten ließe, daß *vor* die eigentliche kirchliche Buße, und zwar nur in bestimmten Fällen, eine Exkommunikationsphase vorgelagert worden wäre [6]. Als wesentliche

---

[1] B. POSCHMANN, Die innere Struktur des Bußsakraments, MThZ 1 (1950), 18.

[2] A. a. O.; H. E. FISCHER, a. a. O. 236. Zu den Anfängen der Privatbuße vgl. B. POSCHMANN, Buße und Letzte Ölung 38.

[3] Die Entwicklung des Bußstufenwesens in der vornizänischen Kirche, Freiburg/Br. 1955, 69. Allenthalben daselbst Darlegungen über die Hörenden, Mitstehenden, Niederfallenden, Weinenden.

[4] A. a. O. 342.

[5] ZkTh 77 (1955), 385/431.   [6] A. a. O. 428.

Tatsache ist festzuhalten, daß die kirchliche Buße nach Hermas immer einen Ausschluß mit sich brachte. Das Bild vom Turm und den außerhalb des Turmes liegenden oder geworfenen Steinen ist eindeutig genug, wenn auch der Turm wohl in erster Linie die ideelle oder besser heilige Kirche versinnbildet. Die Schwierigkeit liegt in der Bestimmung dieser Exkommunikation, bei der beide Elemente, das dogmatische und das kirchenrechtliche, nicht klar unterschieden sind. Wenn Grotz mit Recht die verschiedenen Grade hervorgehoben hat, so hat er offenbar zu Unrecht die vollständige Exkommunikation, den vollständigen Abfall, mit der späteren Exkommunikation als einem Teil der Buße gleichgestellt, anderseits nicht beachtet, daß jede kirchliche Buße (für schwere Sünden) bei Hermas eine Exkommunikation, d. h. wenigstens Verweigerung der Eucharistie, in schweren Fällen mehr, einschließt. Darüber hinaus wäre beizufügen, daß Hermas vom Neuen Testament (1 Kor 5,1 ff.) und auch von seiner jüdischen Herkunft und Beeinflussung her interpretiert werden muß. Dieser jüdische Fond des Hermas ist in den letzten Jahren klarer erkannt worden, so von E. Peterson [1]. J. P. Audet hat [2] die Beziehungen zur Disziplinrolle von Kumran behandelt. Damit sind neue Wege für die methodische Erklärung des Hermas gegeben, die nicht ohne Bedeutung für die Exkommunikationsbewertung sein dürften.

Nach neuestens geäußerter Auffassung nahm der Ausschluß aus der kirchlichen Gemeinschaft in den Anfängen der Kirche zwei grundsätzlich verschiedene Formen an, die des Bußweges und die des Schutzes der verletzten Disziplin und Ordnung [3].

Voraussetzung für *erstere* sei eine vom Gottesreich ausschließende schwere Sünde gewesen. Sie hatte den Ausschluß aus dem Reich Gottes zur Folge und hat im Strafgericht über Ananias und Saphira (Apg 5,1–11) und Simon den Magier (Apg 8,18–24), im Ausschluß des Blutschänders von Korinth (1 Kor 5) und in der Übergabe des Hymenäus und Alexander an den Satan (1 Tim 1,18–20) statt. Dieser Ausschluß aus der Gemeinde bzw. diese Übergabe an den Satan erfolgte kraft einer Vollmacht, die mit der den Aposteln nach

---

[1] Orientalia Christ. Periodica 13 (1947), 624/635; Vigiliae Christianae 8 (1954) S. 52/71; 9, 1955, S. 17/20.

[2] Rev. Bibl. 60 (1953) S. 41/82.

[3] Vgl. hierzu B. Löbmann, Die Reform der Struktur des kirchlichen Strafrechtes; Ecclesia et Ius, München-Paderborn-Wien 1968, 708 ff.

Joh 20,21–30 verliehenen Gewalt, Sünden zu vergeben, identisch zu sein schiene.

Dem *andern* Typ der neutestamentlichen Bußdisziplin sei die brüderliche Zurechtweisung nach Mt 18,15–17 und das Vorgehen gegen Häretiker nach Tit 3,9–11 zuzuweisen. Diese zweite Art beruhte wohl auf der den Aposteln verliehenen Binde- und Lösegewalt nach Mt 18,18.

Daneben findet sich im Neuen Testament eine zur Wahrung der gemeindlichen Ordnung geübte Strafdisziplin, die 2 Kor 2,5–11 und 2 Thess 3,11–15 sowie 3 Joh 1,9–10 berührt werde.

Hier erheben sich nun gewisse Fragen: Wenn von der im NT vorherrschenden Bußdisziplin gesprochen wird, die sich – auf der Grundlage von Jo 20,21–30 – in der Übergabe an den Satan vollzogen habe[1], so ist festzustellen, daß Jo 20,21–23 in der alten Kirche vornehmlich von der Taufe verstanden worden ist (vgl. die Kontroversen um die Häretikertaufe bei Cyprian). Natürlich ist die Buße eine wiederholte Taufe und Mt 18,18 scheint eher die Bußdisziplin im Auge zu haben. – Außerdem wird von dem Wandel in der Bußdisziplin (zur Gegenüberstellung von Kirche auf Erden und zukünftigem Himmelreich) gesagt, daß die neue Form erstmals im «Hirten des Hermas» sichtbar wurde. Sollte der Autor erst mit Hermas die Entwicklung abgeschlossen sehen wollen, – was nicht völlig klar ist –, so erhebt sich der Einwand, warum nicht eine frühere Zeit dafür gelten sollte, wenn dies wirklich die Entwicklung gewesen ist.

Ein Problem, das sich zum Schluß stellt, ist dieses:

Die Bußdisziplin griff notgedrungen zu Rechtsregeln und Präsumptionen. Dem war ein starkes Empfinden für die christlichen Wertbereiche von Buße und Selbstverleugnung günstig.

Gregor der Wundertäter († um 270) erklärte im Blick auf die Frauen, die Vergewaltigung vorschützten, βία und ἀνάγκη sei nur dann anzunehmen, wenn das Vorleben einer Betroffenen makellos gewesen war[2].

In ähnlicher Weise wird die Art der Lebensführung von der Synode von Ankyra herangezogen, um die Schuld bei angeblich erzwungener Teilnahme an Götzenopfern festzustellen[3].

«Wie das jüdische und römische Recht zur Unterscheidung von

---

[1] A. a. O. 711.
[2] Ep. can. c. 1; MG 10, 1021. Vgl. M. Müller, Ethik und Recht in der Lehre von der Verantwortlichkeit 36 f.
[3] c. 5; Mansi II 516. Hefele-Leclercq I 1, 307.

Mord und Totschlag auf die begleitenden Tatumstände schaute und aus dem Gebrauch eines Schwertes oder Speeres auf den Willen zu töten schloß, so nahm auch die Bußdisziplin absichtliche Tötung an, wenn der Täter 'ein Schwert oder etwas Ähnliches gebraucht' oder gar das Beil geschleudert hatte» [1].

In dieser Abstellung auf die Gemeindedisziplin ist die der Bußdisziplin innewohnende *Abschreckungstendenz* begründet. Hieraus ist die rigoristische Forderung der *einzigen* Buße verständlich.

Wenn die kleinasiatische Bußdisziplin den Verkehr eines verheirateten Mannes mit einem Mädchen als fornicatio brandmarkt, kommt ebenfalls eine Anlehnung an das weltliche Strafrecht zum Ausdruck. Denn das Wort Christi von der Unauflöslichkeit der Ehe bindet beide Geschlechter in gleicher Weise. Dennoch wird der Geschlechtsverkehr eines Ehemannes mit einem unverheirateten Mädchen noch von Basilius nur als schwere fornicatio klassifiziert und mit der bedeutend leichteren Buße von 7 Jahren belegt. Solches geschieht unter Berufung auf das Gewohnheitsrecht [2]. Letzteres muß zumindest in den Anfang des 4. Jahrhunderts zurückreichen, wenn nicht eher in das 3. Jahrhundert.

Daß diese Gewohnheit gerade in Kleinasien besteht, wirft die Frage auf, welches Recht dort gültig war [3].

Laktanz, von dem wir wissen, daß er in hohem Alter um 317 von Kaiser Konstantin an den Hof in Trier berufen war, urteilt strenger [4]. Aber noch Hieronymus bemerkt in seiner Epistula 77,3, daß anders der Cäsar lehre und anders Christus, anders Papinian († 213) und anders der Völkerapostel Paulus [5].

---

[1] M. Müller, a. a. O. 37.

[2] Epist. can., c. 21: «Wir haben keinen Kanon, um diesen Mann des Verbrechens des Ehebruchs schuldig zu sprechen, wenn die Sünde mit einer ledigen Person geschah ... Der Grund hierfür ist zwar nicht leicht einzusehen; aber das Gewohnheitsrecht hat so bestimmt». Ob ein altes Weistum vorliegt, ist schwer zu sagen.

[3] Da Kappadozien zu dieser Zeit nach kurzer Unterbrechung von 260–273 wieder Provinz war, galt das römische Recht als Reichsrecht gemäß der Constitutio Antoniniana des Kaisers Caracalla vom Jahre 212. Von andern östlichen Provinzen ist bekannt, daß sich die einheimischen Volksrechte zumal auf personenrechtlichem Gebiete, um Familien- und Erbrecht zäh behauptet haben. Es ist anzunehmen, daß daneben hellenistische Einflüsse überall wirksam waren. Vgl. L. Mitteis, Reichsrecht und Volksrecht in den östlichen Provinzen des Kaiserreiches, Neudruck, Hildesheim 1963.

[4] Ep. div. inst. 61; CSEL 19, 748.

[5] Ep. 77,3; CSEL 55, 39.

VI. DIE BINDUNG
AN KIRCHLICHE GLAUBENS- UND SITTENNORMEN

§ 30. Das « Gesetz des Glaubens »
und die normative Kraft der Glaubensvorlage

Die Überzeugung, daß die Neophyten durch die vorgängige Glau-
bensunterweisung schon in relativ vollkommene Geistesgemeinschaft
mit Christus versetzt worden wären, ist mit biblischer Auffassung
nicht vereinbar, weil sie ja nach Mt 28,20 durch das Lehren dazu
angehalten werden müssen, die Gebote Christi fernerhin zu erfüllen [1].

Zufolge Mt 28,19 entsteht aus der Taufe, zu der eine der Evan-
geliumsverkündigung folgende gewisse Zustimmung geführt hat,
eine Gemeinschaft mit den Aposteln, in der *immerfort* das Lehren
seine Stelle hat [2].

Zufolge dem Zeugnis der Paulinischen Schriften aber muß jeder,
der getauft ist, sich in die Einheit der Kirche, welche eine Einheit des
Glaubens und der Lehre ist, einfügen: Er darf die von den Aposteln
verkündete Lehre nicht verlassen, sondern muß sie bewahren gegen
alle Versuche irriger Lehre, sie zu fälschen [3].

Die Glaubensbindung der Getauften ist also nicht in Zweifel zu
ziehen. Es erhebt sich die Frage, *auf welche Art* in der ersten Zeit die
Verpflichtung auf christliche Lehre und Gebote und die (feierliche)
Absage mit der Taufe verknüpft wurden.

---

[1] Vgl. G. KITTEL, Die Wirkungen der christlichen Wassertaufe nach dem
Neuen Testament, Theol. Studien und Kritiken 87 (1914), 31 f. Zum Ganzen
vgl. E. STAUFFER, Die Theologie des Neuen Testamentes, Stuttgart und Berlin
1941, 212 ff., und die daselbst verzeichnete wichtigste Literatur. – In Vorliegen-
dem sollen nur die Grundlinien des berührten Problemkreises skizziert werden.

[2] A. SCHLATTER, Der Evangelist Matthäus. Seine Sprache, sein Ziel, seine
Selbständigkeit, Stuttgart 1929, 798/799.

[3] Vgl. A. WIKENHAUSER, Die Kirche als der mystische Leib Christi, Münster
1937, 63, mit dem Hinweis auf Gal 1,6 ff.; 2 Kor 11,4; 1 Kor 5,11; Gal 2,1 ff.;
Eph 4,5; 1 Kor 3,16 f.; Röm 16,17 f.; 1 Tim 1,3–11; 4,1–3; 2 Tim 2,14–3,9;
Tit 1,10–16; 3,8–11; 1 Kor 15,2; Gal 5,2 ff.; 1 Kor 16,13; 2 Thess 2,15.

Wenn zwar ein festgeprägtes «Glaubensbekenntnis» sich für die apostolische Zeit nicht beweisen läßt, ist es gleichwohl nicht unwahrscheinlich, daß der Täufling im Urchristentum sich auf eine bestimmte, zumindest kurze Glaubensformel hat verpflichten müssen [1].

F. Kattenbusch vermutete, daß das altrömische Taufsymbol R bis an die Wende des ersten zum zweiten Jahrhundert, vielleicht vor sie zurückreiche [2]. Seinen Optimismus für diese frühe Datierung dürften allerdings nur wenige mit ihm heute teilen [3].

Die «Lex credendi» (Tertullian) schloß die Summe der Glaubensartikel und Christusgebote ein, die von der «ruhmvollen und heiligen Regel der uns übergebenen Lehre» (1 Clem 7,2) bewahrt wurden und denen die «eitlen und leeren» Deutungen des Individuums gegenüberstanden [4]. Die in Lehrform vorgetragene «regula» (= κανών) duldet keine Veränderungen. «Übertritt nicht die Gebote des Herrn, bewahre, was du übernommen, tu nichts dazu und nimm nichts weg» (Didache 4,13). Daher das große Lob für die Epheser im Briefe des Ignatius, weil sie alle «nach der Wahrheit» lebten und in Verwerfung jeder Häresie nur das Wort Jesu Christi hörten (Eph 6,2). Unter der Wahrheit ist das «Gesetz» im angegebenen Sinn zu verstehen, wofür auch die Ausdrücke κανὼν ἀληθείας, regula fidei oder absolut κανών, regula geprägt wurden [5].

Daß die Taufspendung an Erwachsene nicht denkbar ist ohne Bindung an die dogmatischen Sätze der geschichtlich vorhandenen kirchlichen Gemeinschaft, ist aus dem 61. Kapitel der ersten Apologie Justins zu ersehen [6].

---

[1] W. Koch, Die Taufe im Neuen Testament, Münster 1910, 9–10. A. Seeberg, Die Taufe im Neuen Testament, Groß Lichterfelde-Berlin 1905, 13/14.

[2] Der Quellort der Kirchenidee, Festgabe Harnack, 1921, 146.

[3] Vgl. Scholastik 29 (1954), 310.

[4] Vgl. J. Wilpert, I sarcofagi cristiani antichi I, Rom 1929, 47.

[5] Zur Bedeutung von Kanon: G. Bardy, DDC I 589 über das Konzil von Antiochien (wahrscheinlich von 332); VI 995 f. über das Konzil von Neocäsarea (circa 315); H. Hess, The canons of the Council of Sardica A. D. 343, Oxford 1958; L. Wenger, Canon in den römischen Rechtsquellen und in den Papyri, Wien-Leipzig 1942; Derselbe, Die Quellen des Römischen Rechts, Wien 1953, 9, 308, 634, 675, 692, 322, 298, 307; A. Christophilopoulos, Ἑλληνικὸν Ἐκκλησιαστικὸν Δίκαινον, 2. Aufl., Athen 1965, 37 ff.

[6] Ed. Goodspeed 70: «Alle diejenigen, die zur Überzeugung gekommen sind und glauben, daß das wahr ist, was von uns gelehrt und gesagt wird, und die angeloben, daß sie es vermögen so zu leben ... werden von uns dahin geführt, wo Wasser ist, und ... wiedergeboren». Hiergegen vermag P. Pantaleo, Dogma e Disciplina, Religio 11 (1935), 231–238, nicht zu überzeugen.

Am Beginn des 3. Jahrhunderts spricht Irenäus von der Richtschnur der Wahrheit, die der Christ in der Taufe empfangen hat (Adv. haeres. I 9,4; ed. Stieren I, 116 Z. 6/9) [1]. Es geht hier um die christliche Lehre, die der Neophyt in der vorbereitenden Katechese oder gar im Akt der Taufe selbst überkommen hat [2]. Wenn indessen der Ausdruck κανὼν τῆς ἀληθείας auch nicht die technische Bezeichnung des Taufsymbols ist, muß Irenäus dennoch ein Taufbekenntnis vor Augen gehabt haben. Solches ergibt sich aus der Aufreihung der bei der Taufe empfangenen Lehren und ihrer Analogie zum römischen Symbol [3]. Diese Regel des Glaubens ist im Hinblick auf die Lehre im eigentlichen Sinn verstanden: Indem Irenäus (und mit ihm auch Hippolyt) [4] dartun, daß der Kanon der Wahrheit in der Taufe empfangen wurde und der alte Glaube ist, lassen sie erkennen, daß sie an die lebendige Lehre der Kirche denken, wenn sie von der «regula veritatis» oder «regula fidei» sprechen. Diese wird den Neophyten durch jene mitgeteilt, die sie – dank ihrer Sendung – dem Ganzen der Gläubigen anzugliedern vermögen [5].

«Epideixis» verweist übrigens beständig auf das Symbol, d. h. den Taufglauben: Sie will den allgemeinen Glauben der Kirche, so wie diese ihn den Neophyten bei der Taufe lehrte, nach Art eines Kommentars zum Taufglauben darstellen [6].

Auch Clemens von Alexandrien erwähnt die Gesamtheit der Lehren, zu deren treuer Bewahrung man sich verpflichtet hat: «Wenn einer

---

[1] Zum Ganzen vgl. D. VAN DEN EYNDE, Les normes de l'enseignement chrétien dans la littérature patristique des trois premiers siècles, Gembloux et Paris 1933. Es ist allerdings geradezu auffallend, wie sehr D. VAN DEN EYNDE die Beziehungen zwischen Liturgie und Glauben (erstere als Glaubensnorm) vernachlässigt hat. Vgl. K. FEDERER, Liturgie und Glaube, Paradosis IV, Fribourg 1950, 6. F. KATTENBUSCH, Das apostolische Symbol, Leipzig 1894/1900.

[2] D. VAN DEN EYNDE, a. a. O. 286.

[3] A. a. O 287.

[4] Vgl. ThWb III 604 f. W. BAUER, Wörterbuch zum Neuen Testament², Gießen 1928, 628 und die daselbst angeführte Literatur.

[5] D. VAN DEN EYNDE, a. a. O. 291. Vgl. hierzu Epid. 100; ed. TER-MEKERTTSCHIAN, TU 31, 1, 1907, S. 52. «So ist die Irrlehre inbetreff dieser drei Sätze unseres (Tauf- bzw. Glaubens-) Siegels von der Wahrheit weit abgewichen». Epid. 3; ed. TER-MEKERTTSCHIAN S. 3: «Der Glaube ist nun, der dies in uns veranlaßt, wie die Ältesten, die Schüler der Apostel, uns überliefert haben. Vor allem unterweist er uns zu gedenken, daß wir die Taufe empfangen haben zur Vergebung der Sünden im Namen des Vaters etc.».

[6] J. LEBRETON, Dogme de la Trinité II⁴, Paris 1928, 154.

nicht die Verpflichtungen hält und das Gelöbnis verletzt, das er uns gegenüber eingegangen hat, werden dann etwa auch wir die Wahrheit dessentwegen verlassen, der sein Gelöbnis verleugnet hat?» (Stromata VII 15, 90). Indem die von den Bischöfen dargebotene Lehre allein die apostolische, erweckende Wahrheit ist, wird die Unterwerfung unter den Episkopat zur Heilsbedingung [1]. Im Blick auf die Tragweite der apostolischen Sukzession hat E. Caspar von neuem den Wert der Bischofsliste bei Irenäus geprüft [2], sie als älteste und als Grundlage für die andern erwiesen [3], ihre Namen als historisch anerkannt, jedoch als Namen von Presbyteroi ausgedeutet [4]. H. von Campenhausen hat herausgearbeitet, daß der Begriff der Sukzession in der antignostischen Polemik des 2. Jahrhunderts seine deutlichen Umrisse gewonnen hat [5].

Der von Irenäus in seiner Bischofsliste neben τάξις regelmäßig gebrauchte Ausdruck διαδοχή, διαδέχεσθαι [6] ist wohl nicht voll geklärt; doch kann die überlieferte *Wahrheit* nicht von der *Sukzession* getrennt werden. Ihr wesentlicher Zusammenhang ist Adv. haeres. III 1–4 eindeutig. Schon vorher erscheint er bei Hegesipp und nachher bei Hippolyt; grundgelegt ist er bei Paulus: 2 Tim 2,2 wie 2 Thess 2,15; 1 Kor 15,3; 1 Tim 1,3 ff.; 3,14–4,16; 6,20. Die reine Überlieferung der Lehre ist an das bischöfliche Lehramt gebunden und dieses

---

[1] R. Seeberg, Lehrbuch der Dogmengeschichte I³, Leipzig 1920, 387. Vgl. Irenäus, adv. haeres. IV 33,7, ed. Rousseau 816: «... qui sunt extra veritatem, hoc est qui sunt extra Ecclesiam».

[2] Die älteste römische Bischofsliste, Berlin 1926. J. B. Lightfoot, The Apostolic Fathers I, (1)², London 1890, 340 erkennt ihre Daten für die Angaben seit Linus als geschichtlich an; R. Sohm, Kirchenrecht I 164 ff., für die Zeit nach dem ersten Clemensbrief und als Folge desselben. A. v. Harnack setzt mit dem Jahre 150 bzw. nach der Mitte des 2. Jahrhunderts an: Entstehung und Entwicklung der Kirchenverfassung und des Kirchenrechts in den ersten zwei Jahrhunderten, Leipzig 1910, 63.

[3] A. a. O. 256.

[4] A. a. O. 248, 256.

[5] Kirchliches Amt 163–194.

[6] Adv. haeres. III 3,3; ed. Stieren I 431 ff. Von Hegesipp wird bei Eusebius, H. E. IV, 22, 3; ed. Schwarz I, 370, über eine Reise nach dem Westen berichtet, wobei er sich in Rom eine διαδοχή aufstellte: διαδοχὴν ἐποιησάμην. Aus dem Zusammenhang ergibt sich, daß διαδοχή nicht mit «Aufenthalt» wiederzugeben ist, da es sich um die Feststellung der überlieferten Lehre, der «Überlieferung», handelt. Zu den von E. Caspar namhaft gemachten διαδοχαί weist J. K. Stirnimann, Die praescriptio Tertullians im Lichte des römischen Rechts und der Theologie, Freiburg i. d. Schweiz 1949, 164 ff., die juristischen Parallelen nach.

an die rechtmäßige Sukzession [1]. Der Ansicht E. Caspars [2], daß die Diadoche (διαδοχή) als Korrelat der Paradosis (παράδοσις) ursprünglich rein lehrmäßig gemeint gewesen sei und erst später zur Bedeutung der Bischofsliste gekommen sei, stehen indessen verschiedene Beobachtungen entgegen: In Jerusalem ist zweifellos Jakobus autoritärer Leiter der Gemeinde, nicht bloß Lehrüberlieferer [3]. Den Bischöfen der Didache (c. 13 und 14) ist die Sicherung des sonntäglichen Gottesdienstes anvertraut und der erste Klemensbrief betraut die Vorsteher mit dem Kult in ausdrücklicher Parallele zum AT: 40,5; 41,2. Klar erscheint bei Hegesipp die Lehrfragestellung [4]. Die Taufpraxis, der wichtigste Quellort dogmatischer Formelbildung in der frühen Kirche [5], weist nicht in die Richtung des glaubensmäßig erfahrenen, aber normfreien Gottesrufes, sondern entscheidet im Sinne der dogmatischen Tradition [6]. Zugleich tritt das personale Bindeglied kirchlicher Gemeinschaft, das traditionstragende Vorsteheramt, in den Vordergrund. Auch die grundlegende Taufe gestattet nicht, ohne dieses Bindeglied das Kirchenrecht zu begründen. Aufgrund ihrer Lehrverantwortung sah die kirchliche Hierarchie sich vielmehr berechtigt, selbst gegen die Meinung vieler Gläubigen eine Entscheidung zu treffen und Gehorsam zu verlangen. Wenig kam dagegen der Versuch auf, solche Entscheidungen als nicht unfehlbar zu quali-

---

[1] Vgl. hierzu die Darlegungen über KLEMENS VON ROM, IRENÄUS, TERTULLIAN, CYPRIAN, die TRADITIO AP. und das Sakramentar des SERAPION oben § 4 sowie S. 52 ff.; A. M. JAVIERRE, Unam Sanctam 39, 171–221.

[2] Die älteste römische Bischofsliste 236 ff.

[3] Vgl. K. HOLL, Gesammelte Aufsätze II 49: «... Jakobus rückt an die Spitze der Apostel; er erscheint als ihr Haupt und als der eigentliche Leiter der Gemeinde».

[4] Vgl. Anm. 1 und E. CASPAR, a. a. O. 233 f.; sie ist freilich auch schon bei Ignatius und Irenäus vorhanden.

[5] E. STAUFFER, Theologie des NT 214. Bezeichnend ist, daß CYPRIAN die lex symboli geradezu als ein Aktelement der Taufe darstellt, wenn er schreibt: «si aliquis illud opponit, ut dicat eandem Novatianum legem tenere quam catholica ecclesia teneat, eodem symbolo quo et nos baptizare, eundem nosse Deum patrem, eundem filium Christum, eundum spiritum sanctum, ac propter hoc usurpare eum potestatem baptizandi posse, quod videatur interrogatione baptismi a nobis non discrepare: sciat quisque hoc opponendum primum non esse unam nobis et schismaticis symboli legem neque eandem interrogationem». Ep. 69,7; ed. HARTEL 756 Z. 6/13. Zur Auffassung Tertullians, seines Lehrers, von der regula fidei vgl. A. BECK, Römisches Recht bei Tertullian und Cyprian 30 und öfter.

[6] Hierzu vgl. den Briefwechsel von E. PETERSON und A. v. HARNACK, abgedruckt in E. PETERSON, Theol. Traktate, München 1951, 295 ff., worin die Gesamtproblematik der Glaubensverpflichtung zutage tritt.

fizieren. Im Grunde handelte es sich höchstens um die Grenzen der kirchlichen Lehrautorität.

Eine «Demokratisierung» konnte also vor allem den Bereich des Glaubens nicht berühren. Das klärende Wort zu sprechen war Sache der Bischöfe und dies der Gesamtstruktur der Kirche wegen. So wurde gerade in diesem Bereich ein eindeutiges Ja zu Autorität und Tradition gesagt [1].

Es ist freilich demgegenüber ein wesentlicher Bestandteil der von den Vätern verkündeten Glaubenslehre, daß der Mensch freiwillig auf den Anruf zum Glauben antworten soll [2]. Das hindert aber keineswegs, daß sowohl die Glaubensvorlage wie die Lehraufsicht autoritativ bestimmt sind. Letztere zeigt sich früh (bei Hippolyt in der Einleitung zu den Philosophumena, bei Cyprian, bei der Verurteilung des Paul von Samosata und bei Dionysius von Alex.), wird aber am Ende der Verfolgungszeit in der Arius-Kontroverse besonders wirksam.

§ 31. Das « Gesetz der Disziplin »; sein Anspruch auf Unterwerfung unter die Kirchenordnung

Wer getauft ist, muß sich in die Einheit der Kirche einfügen, welche sich auch in der Einheitlichkeit der gottesdienstlichen Sitten und Gewohnheiten auswirkt [3]. Gegenüber der korinthischen Gemeinde, die sich zu den Gewohnheiten der übrigen Kirchen in Widerspruch setzte, verlangt Paulus die Einhaltung der überkommenen Gebräuche und Sitten (1 Kor 11,16): «Der Anfang eines allgemeinen Kirchenrechts» [4]. Mit Nachdruck macht er objektive Normen für das Leben der Christengemeinde geltend [5].

[1] Vgl. SERAPION von Antiochien bei EUSEBIUS, H. E. V 19, 1–2, über den Montanismus: «Damit ihr aber wißt, daß das Treiben dieser lügenhaften Genossenschaft, welche sich als neue Prophetie bezeichnet, von allen Brüdern der Erde verabscheut ist, übersende ich euch Briefe des Claudius Apollinarius, des seligen Bischofs von Hierapolis in Asien». IRENÄUS, Adv. haeres. III 24,1; TERTULLIAN, Praescr. 20 und 27–28; ORIGENES, De princ. I praef. 8; ATHANASIUS, Epist. de decretis Nicaenae synodi 4; PG 25, 429.

[2] LACTANTIUS, Div.-Institutionum V 19; CSEL 19, 19, 463 f., 465; AMBROSIUS ad Valentinianum Imp., Ep. 21, ML 16, 1005; AUGUSTINUS, Contra litt. Petiliani II, cap. 83, CSEL 52, 112 (vgl. C. 23 q. 5 c. 33; FRIEDBERG 939); DERS., Ep. 23, PL 33, 98; DERS., Ep. 34, PL 33, 132; DERS., Ep. 35, PL 33, 135.

[3] 1 Kor 14,34; 14,36; 1 Kor 7,12 ff. Vgl. A. WIKENHAUSER, Die Kirche als der mystische Leib Christi 63 ff.

Dieses Vorgehen liegt in der Linie der Mt 28,20 getroffenen Verfügung, wonach der Taufe eine praktische Unterweisung folgen soll, die sich auf das von Christus Gebotene bezieht. Die Unterweisung in dem von Christus Gebotenen soll der wesentliche Inhalt der Missionsarbeit sein, zu der sie der vor ihnen gegenwärtige Christus ermächtigt. Daß solches den Getauften als Pflicht obliegt, besagt einen über das Hören hinausgehenden, unbedingt verpflichtenden, mit der Zugehörigkeit zur christlichen Gemeinschaft verbundenen Gehorsam [6].

Eine Sittenformel, auf die der Täufling sich hätte verpflichten müssen [7], ist aus 1 Kor 6,9 ff. nicht mit Sicherheit zu entnehmen. Die Betrachtung neutestamentlicher Schriften führt hierin über «Möglichkeiten, höchstens Wahrscheinlichkeiten nicht hinaus» [8].

Da die Taufe als Gelöbnis eines «guten Gewissens» eine allgemein gültige, unbeschränkte Angelobung ist, erlaubt sie der kirchlichen

---

[4] J. Weiss zu 1 Kor 11,16; zitiert bei A. Wikenhauser, a. a. O. 66, Anm. 1.

[5] 1 Thess 4,1,12; 2 Thess 3,10; 1 Kor 4,17; 1 Kor 11,18; 1 Kor 7,10; 9,14; 1 Kor 7,12, 25; 1 Kor 7,40; 1 Kor 15,1 f., 10; 11,23; Gal 1,9. Vgl. A. Wikenhauser, a. a. O. 73 ff.; 55 ff.

[6] Vgl. ThWb II 541. Mit Mt 28,19 berührt sich Mk 16,15; der Vers ist, wie sonst selten bei Mk, eine äußerste Abkürzung. Vgl. M. J. Lagrange, Evangile selon Saint Marc⁴, Paris 1929, 452. Die im Dogma formulierte Glaubenswahrheit existiert nicht «in einem gleichsam selbständigen Reich von Begriffen» (F. Pilgram, Physiologie der Kirche [Mainz 1860], Neudruck Mainz 1931, 445). So ist G. Schrenk beizustimmen: Er betont, daß «dies τηρεῖν des Gebotenen, abgesehen von der Gemeinschaft mit dem wirksam in der Glaubensschar der Seinen waltenden Christus, etwa als eine freischwebende Gesetzlichkeit zu fassen», unmöglich sei: ThWb II a. a. O. Mit der fides qua creditur ist ein verpflichtendes Gesetz im Praktischen verbunden. Eine geistliche Rechtsordnung ist indessen nur möglich unter der Voraussetzung einer objektiv verpflichtenden indispensablen sittlichen Schöpfungsordnung. Zur Frage, wie weit dies mit protestantischer Auffassung vereinbar ist, vgl. E. Wolf, Rechtsgedanke und biblische Weisung 91.

[7] Alle vorgegebenen religiös-ethischen Gesetze können in die Rechtsordnung erhoben werden und dann von der kirchlichen Gemeinschaft her eine neue Verpflichtungskraft erhalten. Im altchristlichen Kult, der sich hierdurch trotz aller Gemeinsamkeiten vom antiken Kult unterscheidet und der eine zuvor nie gekannte innige Verbindung mit dem gesamten Leben eingeht, finden «Lehre, Sittlichkeit, mystische Gottverbundenheit, Liebestätigkeit, Verwaltung, Wohlfahrtspflege» (O. Casel, Altchristlicher Kult und Antike, Jahrb. Liturg. Wiss. 3 [1923] 3) ihren Mittelpunkt und die sämtlichen Christenpflichten ihre Erhebung in die geistliche Rechtsordnung. Durch die These von B. Xiberta, Clavis Ecclesiae, Romae 1922, wonach die Sündenvergebung zuerst den Anschluß an die kirchliche Gemeinschaft wieder bringen sollte, erhielte diese Tatsache eine neue Beleuchtung.

[8] W. Koch, Die Taufe im NT 10.

Gemeinschaft, den Getauften je nach den Umständen und den sich aufdrängenden Präsumptionen durch genaue, ins Einzelne gehende Grenzziehungen auf bestimmte Aufgaben zu verpflichten. «Sie war der feierliche Eid, mit dem sich die Neophyten verpflichteten gegen Diebstahl, Raub, Ehebruch, Treubruch und alle die Laster, die man als heidnische zu kennzeichnen pflegte» [1]. So lassen die Worte des Plinius-Briefes, «ne furta, ne latrocinia, ne adulteria committerent, ne fidem fallerent, ne depositum appellati abnegarent» [2], jene in ihr besiegelten Verpflichtungen eines Christen der ersten Jahrhunderte durchscheinen, die Gegenstand einer öffentlichen Buße sein konnten [3].

Wie stark dieses ethisch-rechtliche religiöse Moment war, zeigt die Taufrede der Didache, Kap. 1–6, mit den darin eingeschärften Verpflichtungen [4].

Für Justinus ist «sündlos leben» darum das selbstverständliche Programm des Getauften [5] und von dem Taufpostulat ist sein Bericht stark beherrscht [6]. Insofern der Täufling die Angelobung an die von der kirchlichen Gemeinschaft vorgelegte Lehre (τὰ ὑφ' ἡμῶν διδ.) vollziehen muß, ist er neben den Gottesgesetzen an die besonderen Anordnungen mitgebunden, die die legitime Autorität in der Kirche für die Zeit seines diesseitigen Aufenthaltes gesetzt hat, und die im allgemeinen nur besondere Ausformungen der von Gott selbst begründeten Gesetze sind.

Die ganze Homilie des zweiten Klemensbriefes legt den Ton auf die Taufverpflichtung, durch die der Christ gehalten ist, Christi Geist unbefleckt in sich zu bewahren [7]. Die Epistola apostolorum hebt deren Ernst heraus und betrachtet die Taufe als den entscheidenden Einschnitt im Christenleben und läßt alles, was Sünde und Gottesvergessenheit heißt, prinzipiell vor dem Taufakt liegen, in dem der Christ der Sünde entsagt hat: So ist also wiederum nicht an eine freischwebende Gesetzlichkeit gedacht, sondern an die Bindung, die in

---

[1] F. J. Dölger, Sphragis 127. Zum ganzen Fragenkreis 'Taufsiegel und Taufverpflichtung' vgl. a. a. O. 126/140.

[2] Plinius X, 96, 7; ed. E. Preuschen 13.

[3] Vgl. K. Mohlberg, Carmen Christo quasi deo 108. F. J. Dölger, Sol salutis, 103 ff.; Did. 10,5; ed. Bihlmeyer 6, Z. 20/22: ...ρύσασθαι αὐτὴν ἀπὸ παντὸς πονηροῦ ..., τὴν ἁγιασθεῖσαν ...

[4] Did.; ed. Bihlmeyer 1/5.

[5] Dial. 44, 4; ed. Goodspeed 141 Z. 31/34.

[6] 1 Apol. 61; ed. Goodspeed 70 Z. 6 ff.

[7] 2. Klem. 8, 6; ed. Bihlmeyer 75 Z. 4/5: ... σφραγῖδα ἄσπιλον ... 2. Klem. 6, 9; ed. Bihlmeyer 74 Z. 5/6: ... τηρήσωμεν τὸ βάπτισμα ... ἀμίαντον·

der (durch die Neuschaffung grundgelegten) Relation zur christlichen Gemeinschaft beschlossen ist [1].

Tertullian unterscheidet demzufolge genau und bereits seit Anfang seines literarischen Schaffens die regula fidei und die regula disciplinae. Während die erste die unverrückbar feststehenden Dogmen der Dreifaltigkeit, der Menschwerdung und der Kirche besagt und die regula principalis und unveränderlich ist, betrifft die zweite die Gebräuche und der Veränderung unterworfenen praktischen kirchlichen Satzungen [2], die aus der Tatsache der inkarnierten Liebe Christi erfließen.

Der in solcher Weise mächtige Gedanke der Taufverpflichtung ist dafür maßgebend geworden, daß nicht «mysterium», sondern «sacramentum» einen beherrschenden Platz in der Geschichte christlicher Liturgie und christlichen Lebens bekam [3].

Dasselbe wird in der Taufliturgie zum Ausdruck gebracht, wenn die «instrumenta sacrosanctae legis» an den Initianden übergeben werden. Diese Zeremonie, bei der in Rom nicht nur das Symbol, sondern das Gesamt der Titel des christlichen Gesetzes übergeben wird, trägt den ausdrucksfähigen Namen «Apertio aurium» und mußte, so einfach und doch bedeutsam, auf die Neophyten einen nachhaltigen Eindruck machen. Den künstlerischen Ausdruck fand sie nach L. Duchesne in den später häufig wiederkehrenden Dar-

---

[1] Vgl. J. HOH, Die kirchliche Buße im zweiten Jahrhundert, 1932, 65/68, wo die Belegstellen angegeben sind. Wie weit die Taufverpflichtung als rigoros gehandhabt wurde und ob die – neben der Forderung des radikalen Bruchs mit der Sünde – ebenso bezeugte Vergebungsmöglichkeit für die Sünden nach der Taufe als eine von der Wirklichkeit des Lebens abgenötigte Inkonsequenz anzusehen ist, wird eingehend behandelt bei B. POSCHMANN, Paenitentia secunda. Die kirchliche Buße im ältesten Christentum bis Cyprian und Origines, Bonn 1940, 4 und öfters. – Nach dem Bericht des KLEMENS VON ALEXANDRIEN wurde die Taufverpflichtung zweifellos sehr ernst genommen, auch wenn er von einem Unterschied zwischen Ideal und Wirklichkeit im Christenleben zu berichten weiß: Paed. III 11.

[2] Mon. 2 (ed. OEHLER 763): «Adversarius enim spiritus ex diversitate praedicationis appareret, primo *regulam* adulterans *fidei*, et ita *ordinem* adulterans *disciplinae* ... Paracletus autem ... ipsum primo Christum contestabitur, qualem credimus, cum toto ordine dei creatoris ... et sic de principali regula agnitus illa multa quae sunt disciplinarum revelabit». – v. v. 1 (ed. OEHLER 883): *« Regula* quidem *fidei* una omnino est, sola immobilis et irreformabilis». – v. v. 1 (ed. OEHLER 884): «Hac *lege fidei* manente cetera iam disciplinae et conversationis admittunt novitatem correctionis».

[3] Vgl. APULEIUS, Metam. XI, 15. Dazu A. KOLPING, Sacramentum Tertullianeum 39 ff.; 79 ff. K. PRÜMM, Christentum als Neuheitserlebnis 171.

stellungen der Gesetzübergabe: Die auf Gemälden, Sarkophagen, Vasen und Apsismosaiken zu den Gläubigen sprechenden Bilder des Erlösers mit dem durch die Aufschrift «Dominus legem dat» als Symbol des christlichen Gesetzes gezeichneten Buche erinnerten sie an einen der schönsten Teile des Einweihungsritus [1].

Das in dieser Weise in der frühchristlichen Zeit in Verbindung mit der Taufe entwickelte geistliche Recht schützt das Sakrament; es dringt aber auch über den engen Bereich des eigentlichen Sakramentenrechtes hinaus und wirkt in die ganze Breite des beruflich-bürgerlichen Lebens hinein. Diesen Sachverhalt bringen die Katechumenats-Prüfungen über die beruflichen und sozialen Verhältnisse zum Ausdruck. Berufe und Gewerbe, die mit dem Götzendienst zusammenhängen, die sittlich oder religiös nicht einwandfrei schienen oder zu Handlungen nötigten, welche gegen die Grundsätze des Christentums verstießen, waren dem Neuchristen als verwehrt gekennzeichnet. In der Annahme, daß voraussehbare Folgen tatsächlich vorausgesehen werden, griff man zu derartigen dem Rechte eigenen Präsumptionen [2]. Die kirchlichen Vorsteher aber waren gehalten, die ihnen aufgebürdete Autorität in Anspruch zu nehmen.

Was im besondern die gottesdienstliche Pflicht angeht, läßt der Gebrauch der Worte «stato die» durch Plinius die Verpflichtung zur Teilnahme am Sonntagsgottesdienst deutlich als Rechtsgebot erscheinen [3], wie es dem Bericht der Apostelgeschichte 20,7, der Didache 14,1 und der Angabe bei Justinus, Apol. 67, entspricht. Die bei Plinius besonders erwähnte Feier der Eucharistie in der Morgenfrühe (ante lucem) ist kaum denkbar *ohne* die Erinnerung an Christi Auferstehung (als geschehen vor Sonnenaufgang) [4]. Die weitere Zu-

---

[1] L. DUCHESNE, Origines du culte chrétien, Paris 1898, 289/290; 291/292. Vgl. O. HEGGELBACHER, Taufe als Rechtsakt 113 Anm. 533.

[2] Bestimmungen dieser Art finden sich in der Kirchenordnung HIPPOLYTS, im *TestDNJChr.*, in den *Constitutiones Apostolorum, in* den *Canones Hippolyti.* Vgl. hierzu E. DICK, Das Pateninstitut 19/24. Die einschlägigen Stellen der Kirchenordnung HIPPOLYTS finden sich ed. JUNGKLAUS 131/133; vgl. ed. R. H. CONNOLLY, The so-called Egyptian Church Order and Derived Documents (Text and Studies VIII, 4), Cambridge 1916, 181/182; ed. BOTTE 34/39.

[3] TH. MAYER-MALY, Der rechtsgeschichtliche Gehalt der Christenbriefe von Plinius und Trajan, Studia et Documenta Historiae et Iuris 22 (1956), 322 f.; R. FREUDENBERGER, Verhalten der römischen Behörden 165 f. Vgl. oben S. 171.

[4] O. CASEL, Jahrbuch für Liturgiewissenschaft 14 (1938), 23 f.; F. DÖLGER, Sol salutis², Münster 1925, 118 ff. Vgl. CYPRIAN, Ep. 63, 15 f.

sammenkunft (rursusque coeundi) dürfte der abendlichen Agape (ad capiendum cibum) gegolten haben, die jedoch für das Gemeindeleben weniger von Bedeutung war und bei ungünstigen Rechtsverhältnissen unterlassen wurde [1]. Der Gottesdienst am Herrentag wird schließlich als Selbstverständlichkeit vorausgesetzt in den Schriften des Hippolyt (Trad. 22), bei Tertullian (Apol. 39, 3–4; De orat. 23), bei Origenes (In Num. hom. 23, 4), bei Cyprian (De dom. or. 8; Epist. 63, 16) und in der Syrischen Didaskalie (II 59, 1–60, 1). Die Märtyrer von Abitinae geben im Verhör vom 12. Februar 304 Christus und das Christsein als ausschlaggebenden Beweggrund für die Sonntagsfeier an [2].

Einzelaspekte

a) *Der Name des Christen*

Durch den Empfang der Taufe wurde der Initiand Glied der Kirche Christi und unterstand jetzt den für alle Getauften geltenden Normen. Auf Grund dieser Tatsache wurde er Christ genannt. Joh 4,1 werden jene, die sich dem Johannes angeschlossen hatten und von ihm getauft worden waren, Schüler des Johannes genannt [3] und den Schülern Christi gegenüber gestellt, die zwar nicht von Jesus selbst, jedoch von seinen Jüngern getauft waren.

Vom Christennamen, den die Glieder der Gemeinschaft tragen, spricht Apk 2,13 und nicht wenige Stellen des christlichen Schrifttums der ersten zwei Jahrhunderte [4]. Den Namen «Christ» erhält man bei der Taufe [5]. Das nomen christianum ist der wahre Grund für die Verfolgungen gewesen [6].

---

[1] Siehe oben S. 171.

[2] Hierzu G. Troxler,, Das Kirchengebot der Sonntagsmeßpflicht als moraltheologisches Problem in Geschichte und Gegenwart, Freiburg/Schweiz 1971, 17–68; P. Franchi de Cavalieri, Studi e Testi 65, 3–71; A. Knauber, Ius et salus animarum, Freiburg i. Br. 1972, 239–242.

[3] Vgl. G. Kittel, Die Wirkungen der christlichen Wassertaufe 28.

[4] Vgl. Hermas, Sim. IX, 12, 4, 8; IX, 13, 2a 7: λαμβάνειν τὸ ὄνομα τοῦ υἱοῦ αὐτοῦ. Sim. VIII, 10, 3; vgl. IX, 5b: τὸ ὄνομα ἡδέως βαστάζειν. Sim. IX, 13, 3; IX, 14, 5 f.; IX, 15, 2; vgl. IX, 13, 2b: τὸ ὄνομα τοῦ υἱοῦ τοῦ θεοῦ φορεῖν.

[5] Sim. IX, 16, 3: πρὶν φορέσαι τὸν ἄνθρωπον τὸ ὄνομα τοῦ υἱοῦ νεκρός ἐστιν. Vgl. IX, 19, 2. Heuchler und schlechte Lehrer führen zwar den Christennamen, sind aber bar des Glaubens: Sim. IX, 19, 2. Scheinchristen tragen in Heuchelei den Namen des Herrn; Polykarp 6, 3. Wanderprediger tragen in schlimmer Arglist den Namen umher: Ignatius, Eph. 7, 1. Sich des Namens des Herrn schämen: Hermas, Sim. IX, 21, 3; IX, 14, 6.

[6] A. W. Ziegler, a. a. O. 91.

Noch ein anderes ist zu beachten: Wo die Bezeichnung und die Vorstellung der Taufe als Siegel auftritt, stellt sich gern die Beziehhung auf den Namen Jesu Christi und die Taufformel ein: Diese mußte – als Anrufen oder Ausrufen des einfachen Namens Jesu bzw. des dreifaltigen in und durch Jesus geoffenbarten Namens [1] – für antike Vorstellung als Versiegeln erscheinen. Damit war die Erinnerung an die mannigfaltigen Signierungen und Tätowierungen profaner und kultischer Art gegeben: Eine der Brücken für das Entstehen der Taufbezeichnung «Siegel» war geboten: Die Taufformel stempelte so auf dem Wege über den Namen Jesu Christi «zum Eigentum, Verehrer, Schützling Jesu Christi» [2]. Eine Deutung von σφραγίς in diesem Sinne der allgemeinen Zugehörigkeit zu Christus und seinem Namen legen Hermas Sim. IX 16,7 [3] und die Oden Salomons 42,25 f. und 39,6 nahe [4].

Der Name, der über den Getauften angerufen ist, ist derselbe, wie jener, unter dem die verfolgten Christen litten [5] und der darum in eminenter Weise zu ihrer sozialen Repräsentation werden sollte.

Wenn in der Notiz über die Entstehung des Christennamens Apg 11,26 [6] der Terminus χρηματίζειν [7] gebraucht wird, so ist der juristische Charakter [8] dieses Wortes bei der Deutung des Satzes nicht außer Acht zu lassen. Er wird durch das danebenstehende πρώτως, das in den zeitgenössischen Rechtsurkunden ebenfalls einen prägnant juristischen Sinn zu eigen hat [9], noch unterstrichen. Der einfache philologische Tatbestand mit den öffentlich-rechtlichen Akzenten weist so in die Richtung von Behörden.

[1] Siehe oben S. 154 f.

[2] W. HEITMÜLLER, Σφραγίς 58.

[3] Ed. FUNK 610 Z. 5/9: ἐπέγνωσαν τὸ ὄνομα τοῦ υἱοῦ τοῦ θεοῦ ... μόνον δὲ τὴν σφαγῖδα ταύτην οὐκ εἶχεν.

[4] Ed. UNGNAD-STAERK, Die Oden Salomons (Kleine Texte. Herausgegeben von H. LIETZMANN) 64, S. 37, 39, 6: «Und das Zeichen ist der Pfad derer, die im Namen des Herrn hinübergehen», 42, 25 (a. a. O. 40): «Ich aber hörte ihre Stimme und zeichnete auf ihr Haupt meinen Namen». Vgl. A. v. HARNACK, Dogmengesch. I⁵ 230, Anm. 1: «Zum Siegel gehört das ὄνομα».

[5] Apg 5, 41; 9,16; 15, 26; 21,13. Vgl. Apg 5, 28.

[6] Zum Ganzen vgl. E. PETERSON, Christianus, Miscellanea. Mercati I – Studi e testi, Bd. 121, Roma 1946, 355/372. Vgl. Apg 26, 28; 1 Petr 4,16.

[7] Χρηματίσαι τε πρώτως ἐν Ἀντιοχείᾳ τοὺς μαθητὰς Χριστιανούς. Der «westliche» Text (Dsy h mg, gig p): Καὶ τότε πρῶτον ἐχρημάτισεν ἐν Ἀντιοχείᾳ οἱ μαθηταὶ Χριστιανοί.

[8] Die Belege aus der Literatur bei E. PETERSON, a. a. O. 357, dessen Grundgedanken im Folgenden wiedergegeben werden.

[9] Die Belege bei E. PETERSON, a. a. O. 357/358.

Aus den Erörterungen von E. Bikermann[1], P. Jüon[2] und E. Peterson[3], ergibt sich, daß man den lateinischen und griechischen Sprachgebrauch von Ἡρωδιανός und Herodianus auseinanderzuhalten und auch zwischen Ἡρωδιανός und Ἡρώδειος zu unterscheiden hat. Ἡρώδειος bezeichnet den Parteianhänger des Herodes und Ἡρωδιανός eine Art des Klientelverhältnisses. Für die Entstehung des Wortes Χριστιανός scheint die soziologische Beziehung eines Klientelverhältnisses nicht in Betracht zu kommen, da die Heiden, die den Namen gegeben haben, nur Parteianhänger, nicht Klienten Christi konstatieren konnten. Wenn die Jünger Jesu dennoch Χριστιανοί (und nicht etwa οἱ τοῦ Χριστοῦ) genannt wurden, so konnte es nur von seiten solcher geschehen, die lateinisch sprachen und für welche Χριστιανός im Sinne des lateinischen Christianus ein Verhältnis der Parteizugehörigkeit besagte. Daß daneben der Spott für die «Klienten» des am Kreuze geendeten Christus im Sinne des griechischen Χριστιανός in gegensätzlicher Beziehung zu Herodes mitschwang, war um so willkommener.

So sind allem Anscheine nach die Römer in Antiochien die Urheber des Namens Χριστιανός geworden[4]. Wenn aber die Römer die Jünger Jesu zu einer Zeit als «Christianer» identifizierten, als diese durch den Gegensatz zu Herodes Antipas bereits dem Anschein einer politischen Bewegung anheimgegeben waren[5], ist es begreiflich, daß das «Christianum esse» auch fürderhin der Verurteilung unterlag und somit schon das «nomen» bestraft wurde. Die einfache Erklärung des Χριστιανός εἰμι genügte deswegen zur Verurteilung[6] und so konnte nur Märtyrergesinnung dem Wort in den christlichen Sprachgebrauch Eingang verschaffen. Zugleich traf sich aber die tatsächliche Benennung mit dem eingangs erwähnten Gezeichnetsein durch Christi Namen auf Grund des Taufaktes: Durch die Umstände erfuhr dieses also nur noch eine Verschärfung.

---

[1] Les «Hérodiens», Revue biblique 47 (1938), 184/197.
[2] Les «Hérodiens» de l'Evangile, Recherches de science religieuse 28 (1938), 585/588.
[3] A. a. O. 359/361.
[4] R. PARIBENI, Atti R. Accademia dei Lincei 1927, 685, führt ihn näherhin auf das «ufficio di governo del legato di Siria» zurück.
[5] Apg 11 und 12.
[6] Vgl. PLINIUS, Epist. X, 96, 2; ed. PREUSCHEN, Analecta I 12 Z. 9/10: Nomen ipsum, si flagitiis careat, an flagitia cohaerentia nomini puniantur. – Ferner ATHENAGORAS, Apol. 1; ed. J. GEFFCKEN, Zwei griechische Apologeten, Leipzig-Berlin 1907, 120 Z. 23–121 Z. 2.

Tertullian schildert später in beredten Worten, was der Name «Christ» für seinen Träger im Gefolge hatte [1].

In den Homilien der späteren Kirchenväter häufen sich zu Beginn der Quadragesima die Einladungen an die Katechumenen zum dare nomina, scribi. Denn zu Beginn der Quadragesima finden die Prüfungen zur Aufnahme ins Photizomenat statt [2]. Sind die competentes untadelig befunden worden, so notiert der Bischof selbst den Namen des Einzelnen und, wie Theodor von Mopsveste bezeugt [3], daneben den Namen des Katechumenatszeugen [4].

Das nomen dare ist technischer Ausdruck für die Anmeldung zum Kriegsdienst [5]. Auch in der Katechumenatspraxis findet er sich. Hier besagt er das Sichverpflichten. So erklärt der Soldat Maximilian, um auszudrücken, daß er bereits verpflichtet sei: Nomen meum iam ad Dominum meum est. Darauf läßt Dion den Namen des Maximilian ausstreichen [6].

Schon als Katechumene, erst recht auf Grund der Taufe, hatte also jeder einen zweiten und bleibenden Namen empfangen, den Namen «Christ», den der Gläubige wie einen Eigennamen führte [7].

A. v. Harnack glaubte, daß man dann um die Zeit, da der Geist der Welt in die Reihen der Christen einzudringen drohte, mit dem *christlichen Rufnamen* eine Schutzeinrichtung habe schaffen wollen, um festzuhalten, was zu schwinden drohte [8].

[1] Apol. 3, 1, 4.
[2] Vgl. oben S. 156 f.
[3] Sermo II (XII); ed. RÜCKER, Ritus baptismi et Missae 10.
[4] Vgl. zum Ganzen SILVIAE PEREGRINATIO 45; ed. HERAEUS 49 Z. 1 ff. Ferner AUGUSTINUS, Sermo 132, 1; ML 38, 735, Sermo 302; 4; ML 38, 1936. Ep. 258, 2; ed. A. GOLDBACHER, CSEL 57, S. 610 Z. 6/7. W. ROETZER, Des hl. Augustinus Schriften als liturgiegeschichtliche Quelle. Eine liturgiegeschichtliche Studie, München 1930, 143.
[5] Militiae Pap. 326, 34; Ulp. 895, 36; 912, 25; Paul. 897, 13; in aliam militiam Men. (Imp.) 894, 16; in coloniam Latinam Gai I, 131. Vgl. Vocabularium iurisprudentiae romanae, Berlin 1894 ff., IV 177.
[6] Maximiliansakten; ed. R. KNOPF, Ausgewählte Märtyrerakten³, Tübingen 1929, 77 Z. 3: «Nomen meum iam ad Dominum meum est: non possum militare». Vgl. A. KOLPING, Sacram. Tertull., 39 und 85, Anm. 34.
[7] Die Annahme von H. LECLERCQ, DACL 12, II, S. 1487/1490, Noms propres, daß ein ungeschriebenes Gesetz die Christen dazu hielt, wenn sie auf den Epitaphien im Westen aus Ehrfurcht vor dem Christennamen und eingedenk seiner Verpflichtung den Cursus honorum im Gegensatz zu den Heiden verschwiegen, ist archäologisch nicht zu belegen.
[8] Mission und Ausbreitung des Christentums² 357. In der vierten Auflage ist nicht mehr davon die Rede. — Die ersten Zeugnisse für den christlichen Rufnamen fallen in die Zeit um 250.

Nichts spricht gegen die Annahme, daß die Tatsache, seit der Taufe allgemein mit dem schützenden Namen Christi verbunden zu sein, in einer speziellen, den jeweiligen Verhältnissen angepaßten Ausprägung nach außen geoffenbart werden sollte [1]. Da Götternamen ohnehin einer Verleugnung gleichkamen, war der Weg für den christlichen Rufnamen frei. Der in heutiger Zeit maßgebende Gedanke des Schutzheiligen und Vorbildes tritt erst in der Zeit des Dionysius von Alexandrien auf [2].

b) *Der Bruch mit familiären Bedingungen*

Der Übertritt zum christlichen Glauben verlangt mitunter den Bruch selbst der zartesten Familienbande.

Hatte das Evangelium [3] von der Herrennachfolge und dem Verzicht, den sie auferlegt, gesprochen, so berichten die Acta martyrum von der Natur der tatsächlich auferlegten Opfer: sei es der erschütternde Bericht in der Passio Perpetuae [4] oder Ausschnitte aus andern Märtyrerakten [5], das bei Justin verbürgte Vorkommnis [6] oder was in den Schmähreden Tertullians durchscheint [7].

---

[1] In der Zeit des Decius (im Jahre 250) nennt sich eine Sabina vor Gericht Theodota: *Acta Pionii* IX; R. Knopf, Ausgewählte Märtyrerakten[3], 62 Z. 18. – Aufschlußreich ist das von Eusebius erzählte Martyrium der fünf ägyptischen Christen während der diokletianischen Verfolgung, die sich statt mit dem eigenen mit dem Namen eines alttestamentlichen Propheten nannten: *Mart. Pal.* XI 7 f.; ed. Schwartz II, 936 Z. 15 – 937 Z. 5; ins Deutsche übertragen: «Das aber geschah bei allen, da sie statt der von den Eltern ihnen beigelegten, wahrscheinlich von den Götzen entlehnten Namen diese Namen angenommen hatten. Daher konnte man dann hören, wie sie sich Elias, Jeremias, Isaias, Samuel und Daniel nannten und sich so nicht allein durch Werke, sondern schon durch ihre Namensbezeichnungen als Juden im Geiste und als echte, wahre Israeliten Gottes kundgaben». Siehe die Bemerkung von Athanasius über einen gewissen Gelous Hierakammon: «Er nannte sich selbst aus Scham über seinen Namen Eulogius». Festbriefe; ed. F. Larsow, Leipzig und Göttingen 1852, 80.

[2] Eusebius, H. E. VII 25, 14; ed. Schwartz II 696 Z. 8 f.

[3] Mt 10, 19/22; Mt 10, 34/38; Lk 14, 26.

[4] *Passio ss. Perpetuae et Felicitatis* 5 und 6; ed. Knopf.

[5] *Acta Pauli* 10; ed. L. Vouaux, Les Actes de Paul et ses lettres apocr., Paris 1913, 164 ff. Acta Agapes, Chioniae et Irenes 5/6; ed. Knopf-Krüger 86/92. Acta Agathonices 42/44; ed. Knopf 13. Acta Irenaei 3, 103. Vgl. Acta Saturnini et Dativi; Acta Mariani et Nicandri.

[6] 2 Apol. 1 ff.; ed. Goodspeed 78 ff.: Der Präfekt Urbikus wird hier wegen dreier ungerechter Verfahren gegen Christen gerügt.

[7] Apol. 3, 4; ed. Hoppe, CSEL 69, 10; ad. ux. 2, 4/6; ed. Kroymann, CSEL 70, 117 ff.

Das Vorstehende wird durch den in seinen Zusammenhängen gesehenen Bericht des Tacitus Ann. XV, 44 in besonderes Licht gesetzt: Keine christliche Quelle teilt davon mit, daß die neronische Christenverfolgung sich wegen des Verdachtes und der Anklage der Brandstiftung erhoben habe. Die Tacitus-Stelle [1] will anderseits das Hauptaugenmerk offensichtlich weniger auf die Brandstiftung als auf das «odium humani generis» richten. Die Anklage traf alle. Plinius macht in seinem Bericht an den Kaiser Trajan [2] den Christen «flagitia» und «super-stitio» zum Vorwurf. An welche «flagitia» dabei gedacht war, zeigt sich bei der Aussage der abtrünnigen Christen [3]: Damals wie im zweiten Jahrhundert ist die Anklage auf thyesteische Mahlzeiten, verbunden mit sexuellen Ausschweifungen, verbreitet. Diese meinte Tacitus – der übrigens in freundschaftlichem Verhältnis zu Plinius stand – wahr-scheinlich, als er von den «per flagitia» verhaßten Christiani schrieb [4].

Die Wortverbindung «odio humani generis» ist als «Haß gegen das Menschengeschlecht» zu übersetzen. M. Dibelius hält dies für erwiesen [5]. Die Juden hatten für die Römer als Gottlose und Men-schenfeinde gegolten [6], weil sie mit andern Menschen «weder Mahl-zeiten noch Verträge, weder Gebete noch Opfer» zu teilen beschuldigt wurden [7]. Diese Vorwürfe hatten für das Judentum als eine religio licita keine rechtlichen Folgen; sie trafen dafür um so mehr die Christen, die wegen der Bildlosigkeit [8] ihres Kultes und dem Fehlen eines wirklichen Tempels in den Augen der Römer als Atheisten galten und so sich das allgemeine Mißtrauen zuzogen. Dazu hatte die christliche Bruderschaft, – auf Grund der gemeinsamen Wiedergeburt

---

[1] Ann. XV, 44; ed. PREUSCHEN, Analecta I² 7: «Igitur primum correpti qui fatebantur, deinde indicio eorum multitudo ingens haud proinde in crimine incendii, quam odio humani generis convicti sunt». Im Folgenden werden eine Strecke weit die Gedanken von M. DIBELIUS, Rom und die Christen im ersten Jahrhundert, Sitzungsber. der Heidelberger Akad. der Wiss. Phil.-hist. Klasse, Jahrg. 1941/42, 2. Abt., Heidelberg 1942, wiedergegeben, jedoch mit gewissem Vorbehalt.

[2] Ep. X 96, 7; a. a. O. 13: «ad capiendum cibum, promiscuum tamen et in-noxium».

[3] Ep. X, 96, 2; ed. PREUSCHEN, Analecta I²12 und X 96, 8/9; a. a. O. 13.

[4] Ann. XV, 44; ed. PREUSCHEN, Analecta I² 7: «per flagitia invisos vulgus Christianos appellabat».

[5] M. DIBELIUS, a. a. O. 35, gibt Belege und Begründung.

[6] Apollonius Melon bei JOSEPHUS, Contra Apionem II 148; ed. H. ST. J. THACKERAY, London 1926, 350.

[7] PHILOSTRATUS, Vita Apollonii V 33; ed. F. C. CONYBARE, London 1927, 540.

[8] Die frühchristlichen Kulträume bedingen eine gewisse Einschränkung dieser Aussage. Vgl. hierzu unten § 34.

in der Taufe nach innen eng verbunden und nach außen streng abgeschlossen, wie sie war –, den Verdacht des Menschenhasses in besonderer Weise erweckt. Ihre Exklusivität nach außen und ihre Hilfsbereitschaft nach innen schien sich um so weniger dem Geist der Zeit beiordnen zu können, als der Hellenismus das Weltbürgertum begründete und die Philanthropie als Kennzeichen wahrhaften Menschentums ausgab [1]. So hatten die römischen Magistraten von vornherein die öffentliche Meinung auf ihrer Seite, wenn sie Christen den Prozeß machten. Obwohl eine bestimmte Rechtsauffassung gegen sie noch nicht zur Geltung gekommen war, sind Exzesse des feindseligen Pöbels für das erste Jahrhundert schon als wahrscheinlich anzunehmen: Für das zweite sind sie durch Tertullian bezeugt [2]. Die Schicht der Gebildeten im römischen Volke hatte sich von den Christen eine bestimmte, durchaus negativ wertende Vorstellung gemacht: Diejenige einer zumeist den untersten Schichten des Volkes entstammenden Gesellschaft [3], eines Bundes von Männern und Frauen, einander erkenntlich an geheimen Zeichen [4], im Bruder-Schwester-Verhältnis, sich liebend, fast bevor sie sich kennen [5]. M. Dibelius macht auf die an die moderne Psychoanalyse erinnernde Weise aufmerksam, mit der das Bruder-Schwester-Verhältnis durch Caecilius Natalis, den Sprecher des Heidentums, im Dialog Octavius beurteilt wird [6].

Die mit dem Soldateneid verbundene Verwünschung jeder anderen Bindung als derjenigen, die der Soldat eben eingeht, bezog auch die Verwünschung verwandtschaftlicher Bindungen ein [7]. So sehr zwar der Christ durch das Gebot der Nächstenliebe gehalten war, die verwandtschaftlichen Bindungen zu ehren, und so wenig eine die Eltern- und Nächstenliebe verfluchende Bindung mit dem vorher eingegangenen Taufeid sich verträgt, dennoch ist Christus allein vor-

---

[1] M. DIBELIUS, a. a. O. 36/37. Zur Arkandisziplin vgl. O. PERLER, LThKI[2] 863.
[2] TERTULLIAN, apol. 37, 2; ed. HOPPE, CSEL 69, 88 Z. 6/7: «Quotiens etiam praeteritis vobis suo iure nos inimicum vulgus invadit lapidibus et incendiis». Vgl. oben S. 15 ff.
[3] MINUCIUS FELIX, Octavius 8, 4; ed. RAUSCHEN, Floril. Patristicum 8, S. 12 Z. 11.
[4] OCTAVIUS 9, 2; ed. RAUSCHEN 13 Z. 4.
[5] A. a. O.   [6] M. DIBELIUS, a. a. O.
[7] Vgl. hierzu LIVIUS X, 38; ed. WALTERS-CONVAY, Oxford 1919, II: «Iurare cogebant diro quodam carmine in exsecrationem capitis familiaeque et stirpis composito, nisi isset in proelium, quo imperatores duxissent ...». Sueton, Calig. 15; ed. IHM, Leipzig 1907, 170: «De sororibus auctor fuit, ut omnibus sacramentis adicerentur: Neque me liberosque meos cariores habebo quam Gaium habeo et sorores eius». EPIKTET, Dissertationes ab Ariano digestae I 14, § 15, 17; ed. H. SCHENKL, Leipzig 1916, 58.

zuziehen. Darauf vergißt Tertullian selbst an der berühmten Stelle Cor 11 nicht [1]! Die Annahme, daß die christlichen Tauffeierlichkeiten Anklänge (in christlicher Deutung) an jene eiuratio des Soldateneides enthielten, legt sich freilich nahe [2].

Ob ausdrücklich ausgesprochen oder als ungeschriebenes Gesetz tatsächlich in Kraft – die Forderung exklusiver Hingabe im Sinne der Taufverpflichtung hat nicht selten zu Gewissenskollisionen geführt und zarte Bande der Familiengemeinschaft zerstört [3].

c) *Der Bruch mit sozialen Bindungen*

Ein Punkt, der den Christen vereinzelt Achtung, noch mehr Ablehnung einbrachte, war ihre Todesbereitschaft. Epiktet [4] führt die Furchtlosigkeit der «Galiläer», worunter die Christen zu verstehen sind, auf Gewöhnung zurück. Was er mit ὑπὸ ἔθους meint, ihm aber unbekannt bleibt, und was wie eine «ansteckende Krankheit» [5] alle ergreift, ist der Glaube, daß Gott sie bereits der irdischen Ordnung der Dinge entnommen und einer anderen Welt zugeeignet habe. Der Christ ist Bürger des Gottesreiches und kann so auf irdische Bürgerrechte verzichten, auch irdischer Bürgerpflichten sich entschlagen, wenn sie dem Gottesreiche widerstreiten. Die Aussicht auf ein anderes Reich, dem sie schon angehören, verleiht ihnen diese überlegene Haltung [6], die – durch eine von der Taufe ausgehende normative Form verstärkt – sich gegenüber dem Beamten- und Soldatenstand eigenen Ausdruck gibt [7].

[1] ed. KROYMANN, CSEL 70, Seite 175 Z. 4/9: «Credimusne humanum sacramentum divino superduci licere, et in alium dominum respondere post Christum, et eierare patrem ac matrem et omnem proximum, quos et lex honorari et post deum diligi praecepit, quos et evangelium solum Christum pluris faciens, sic quoque honoravit».

[2] Vgl. HIERONYMUS, ep. 14; ed. J. HILBERG, CSEL 54, 46 Z. 14 ff.: «Recordare tirocinii tui diem, quo Christo in baptismate consepultus in sacramenti verba iurasti; pro nomine eius non te matri parciturum esse, non patri».

[3] Vgl. A. KOLPING, a. a. O. 82/83.

[4] Diss. IV 7, 6; ed. H. SCHENKL. Zum Passus vgl. M. DIBELIUS, Rom und die ersten Christen 39/41.

[5] *Epiktet*, diss. IV 7, 6.

[6] *Brief an Diognet* 5 und 6; ed. J. GEFFCKEN, Der Brief an Diognetos, Heidelberg 1928, 4/6. Die Arbeit von F. OGARA, Aristidis et epistolae ad Diognetum cum Theophilo Antiocheno cognatio, Gregorianum 25 (1944), 72/102, deckt die Zusammenhänge zwischen Diognetbrief und Theophilus von Antiochien auf, so daß diesem die Urheberschaft zukommen könnte: Dann wäre der berühmte Dialog in die Zeit vor 200 anzusetzen.

[7] Näheres hierzu unten §§ 37 und 38.

VII. DAS KIRCHENVERMÖGEN

§ 32. Die Vermögensfähigkeit

Th. Mommsen hatte seinerzeit dafür gehalten, daß die ersten christlichen Kollegien rechtlich von den piae causae her zu verstehen waren. J. B. de Rossi nahm sodann an, daß die lokale, christliche Kirche die äußere Form einer Begräbnis-Genossenschaft angenommen habe. Diese Genossenschaften konnten, da sie vom Gesetze der Approbation durch die öffentliche Autorität befreit waren, frei handeln, Vermögen besitzen und sich versammeln.

Rivet, Neubecker, Marucchi u. a. traten demgegenüber dafür ein, daß die lokalen Kirchen zwar zeitliche Güter besessen hätten, jedoch nur im Namen von physischen Personen, die vor dem bürgerlichen Recht als Eigentümer galten.

In gewissem Gegensatz zu L. Schnorr v. Carolsfeld wies G. Krüger darauf hin, daß seit der Zeit von C. Julius Caesar und Augustus die Kollegien nur unter strenger Beobachtung der von der öffentlichen Autorität vorgeschriebenen Formen gegründet werden durften. Danach mußte jede Vereinigung vor ihrer Gründung dem Magistrat gemeldet und von ihm zugelassen werden [1]. Man kann wohl fest-

---

[1] D 3, 4, I pr.: «Neque societas neque collegium neque huiusmodi corpus passim omnibus habere conceditur: nam et legibus et senatus consultis et principalibus constitutionibus ea res coercetur».

D 47, 22, 3, 1: «In summa autem nisi ex senatus consulti auctoritate vel Caesaris collegium vel quodcumque tale corpus coierit, contra senatus consultum et mandata et constitutiones collegium celebrat».

Eine lex Julia, die wir aus einer Inschrift kennen, hat die Vereinsbildung neu geregelt.

Cf. Corp. Inscript. Lat. IV, 4416: «Collegio symphoniacorum qui sacris publicis praesto sunt, quibus senatus coire, convocari, cogi permisit e lege Julia ex auctoritate Augusti».

Vgl. C 47, 22, 1, 1 b: «senatus consultum, quo illicita collegia arcentur». – TERTULL., de ieiun. adv. psych. c. 13. – Hierzu und zum Folgenden I. ZEIGER, Historia Iuris Canonici II 56 ff. (mit Literaturangaben); M. KASER, Das römische

halten, daß in den östlichen Provinzen unter den Adoptivkaisern [1] für Vereine aller Art Konzessionierungszwang herrschte. Als Rechtsquellen für das Vereinsrecht der Provinzen galten kaiserliche Mandate [2]. Die Rechtsform der Hetaeriae aber konnte für die Agapen benutzt werden, allenfalls auch für die Vermögensgebarung und die Armenfürsorge. Eine römisch-rechtliche Zusammenfassung mehrerer Gemeinden und eine Verbindung des eucharistischen Kultes mit dem römisch-rechtlichen Vereinswesen ist jedoch zumindest für die Zeit des Plinius und seine Provinz nicht zu ersehen [3].

Eine Approbation erfolgte allgemein durch Senatsbeschlüsse oder kaiserliche Konstitutionen.

Alsbald nach der Approbation von Kollegien durch die öffentliche Autorität wurden sie zumindest praktisch Subjekte des bürgerlichen Rechtes mit den Rechten von Kollegien, so daß sie auch die Rechte der Versammlungsfreiheit und der Rechtsfähigkeit erhielten [4].

Kollegien, welche die nötige Approbation nicht hatten, waren aufzulösen. Das galt nicht weniger für den Fall, daß Kollegien, auch approbierte, aus irgend einem Grunde unerlaubt geworden waren. Anderseits konnten nichtapprobierte Kollegien geduldet werden [5].

Die collegia tenuiorum et funeraticia sind umstritten: Unter ihnen werden allgemein Vereinigungen verstanden, die von Bürgern armer

Privatrecht I[2], München 1971, 307 ff.; F. M. DE ROBERTIS, Il diritto associativo romano dai collegi della repubblica alle corporazione del Basso Impero, Bari 1938, 366 ff. L. SCHNORR V. CAROLSFELD, Geschichte der juristischen Person, München 1933, 237, 241–258; G. KRÜGER, Die Rechtsstellung der vorkonstantinischen Kirchen, Stuttgart 1935 (Neudruck 1969), 14.

[1] Vgl. hierzu den *Pliniusbrief;* TH. MAYER-MALY, a. a. O. 324 f.

[2] D 47, 22, 1 pr.: «Mandatis principalibus praecipitur praesidibus provinciarum ne patiantur esse collegia sodalicia». R. FREUDENBERGER, Das Verhalten der römischen Behörden 238–241.

[3] Die ersten Christen konstituierten sich nicht als «Kulturgemeinde» (θίασος), auch wenn das hellenistische Recht diese Möglichkeit geboten hatte; denn sie verstanden sich als ἐκκλησία, Gemeinde der «Heiligen (der Endzeit)». Vgl. H. SCHÜRMANN, Entsakralisierung 44. – Eine Übersicht über die ganze Frage gibt in ausgewogener Weise W. M. PLÖCHL, Geschichte des Kirchenrechts I 41 ff. Vgl. ferner H. LIERMANN, Handbuch des Stiftungsrechts, Tübingen 1963, 24 ff.

[4] D 3, 4, 1, 1: «Quibus autem permissum est corpus habere, ... proprium est ad exemplum rei publicae habere res communes arcam communem et syndicum actorem, per quem tamquam in re publica, quod communiter agi fierique oporteat, agatur fiat». Anders L. MITTEIS, Römisches Privatrecht I, Leipzig 1908, 400 f.

[5] D 47, 22, 3 pr.: «Collegia si qua fuerint illicita, mandatis et constitutionibus et senatus consultis dissolvuntur». Vgl. SCHNORR V. CAROLSFELD, a. a. O. 237. Cf. PLINIUS, ep. X 34, 93, 96.

und niederer Stellung zur Selbsthilfe gegründet waren, z. B. zur Beschaffung eines würdigen Begräbnisses und zur Hilfe an Witwen und Waisen. Solche waren ohne das Erfordernis der Approbation seitens der öffentlichen Autorität gestattet [1]. Aber selbst diesen waren bestimmte gesetzliche Grenzen gesetzt, so daß sie z. B. nur selten zusammenkommen durften und von Gesetzes wegen darauf geachtet werden konnte, daß sie nicht zum Deckmantel unerlaubter Kulte wurden.

Den meisten Autoren zufolge waren die örtlichen christlichen Gemeinschaften nach der Rechtsform des collegium funeraticium gegründet worden. Neuerdings vertritt G. Krüger die Ansicht, daß sie nach Maßgabe des bürgerlichen Rechtes eingerichtet worden seien. Nichtsdestoweniger wurden den christlichen Gemeinschaften von Heiden bisweilen dunkle und verbrecherische Ziele zugeschrieben.

Wenn auch unter Decius und unter Valerianus viele Christen hingerichtet worden waren, so wurden indessen die christlichen Gemeinschaften als solche weder durch Dekret noch durch neues Gesetz unterdrückt oder verworfen. Die Dekrete ergingen nur mit dem Ziele, daß die Christen schlechthin unbeschadet der Religionsfreiheit alle den staatlichen Göttern opferten [2].

Die Kirchen selber und andere Gebäulichkeiten, die im Besitze einer christlichen Gemeinschaft waren, scheinen nicht schlechthin *konfisziert,* sondern nur beschlagnahmt worden zu sein, damit sie nicht Versammlungen dienen könnten [3]. Nach Eusebius [4] genoß die christliche Religion unmittelbar vor den Verfolgungsdekreten Diokletians gesetzliche Freiheit. Demzufolge besaßen die Christen an vielen Orten nicht nur Immobilien, sondern bauten neue Häuser und Oratorien [5] und feierten ihre Zusammenkünfte durchaus im Einklang

---

[1] D 47, 22, 1 pr.: «Sed permittitur tenuioribus stipem menstruam conferre dum tamen semel in mense coeant ne sub praetextu huius modi illicitum collegium coeat quod non tantum in Urbe sed in Italia et in provinciis locum habere divus quoque Severus rescripsit». G. BOVINI, La proprietà ecclesiastica e la condizione giuridica della Chiesa in età preconstantiniana, Milano 1949, 143.

[2] Vgl. *Act. procons.* c. 1, ed. HARTEL, p. CXI, REITZENSTEIN 13; *acta Cypr.* c. 1: «Sacratissimi imperatores Valerianus et Gallienus litteras ... dare dignati sunt, quibus praeceperunt, qui non Romanam religionem colunt, debere Romanas caeremonias recognoscere ... Praeceperunt etiam ne in aliquibus locis conciliabula faciant nec coemeteria ingrediantur». G. BOVINI, a. a. O.

[3] Vgl. EUSEBIUS, H. E. VII 13.

[4] EUSEBIUS, H. E. VIII 1, 1 f.; G. KRÜGER, a. a. O. 118 f.

[5] In Rom wurden z. B. mehr als 40 Oratorien zu Beginn des 4. Jahrhunderts

mit den Gesetzen. Ob es gar vorkam, daß Magistrate und Offizialen, die Christen waren, durch kaiserliches Dekret von der Pflicht zu opfern befreit wurden, ist unsicher, aber möglich [1].

Zur Zeit der Verfolgungen wurde sicherlich die gesamte katholische Kirche vom römischen Reiche nicht als Rechtspersönlichkeit anerkannt. Demgegenüber scheinen die örtlichen Gemeinschaften eine, wenn auch unsichere rechtliche Existenz besessen zu haben, die von wohlwollender Gesetzesinterpretation abhing. Von einer wahren, im bürgerlichen Rechte begründeten *Rechtspersönlichkeit* und Freiheit der Kirche konnte also nicht die Rede sein.

Wenn als Träger frühen Kirchengutes zunächst die örtliche Kirchengemeinde erscheint, so war für sie der *Korporationsgedanke* maßgebend [2]. Die Meinung, die christlichen Gemeinden hätten sich, so lange das Christentum noch nicht religio licita war, als Begräbnisvereine (collegia tenuiorum) getarnt, begegnet, wie oben angedeutet, mancherorts Vorbehalten [3]. Die Kirche «als lokalen Verein aufzufassen», lag aber auch «für diejenigen nahe, welche sahen, wie die Christen an den einzelnen Orten geschlossen bei den Kulthandlungen auftraten und bei der Ausübung der Caritas nach gemeinsamem Plane arbeiteten» [4]. Die Bestimmung als *Weltkirche* andererseits konnte in den ersten christlichen Jahrhunderten selbst von den Rechtsgelehrten nicht begriffen werden. Vor allem war der Begriff einer Religionsgemeinschaft als selbständiger Persönlichkeit über oder neben dem Staate dem klassischen Juristen nicht denkbar [5].

Das alte Christentum kennt wohl selber, wie E. Peterson meint,

---

gezählt. Vgl. OPTATUS VON MILEVE, De Schism. Don. II 4: «quadraginta et quod excurrit basilicas». EUSEBIUS, H. E. VIII 1,5, spricht nicht direkt von Rom und nennt keine Zahl, sondern berichtet allgemein von dem großen Wachstum der christlichen Gemeinden, das in den Jahren vor dem Ausbruch der letzten großen Verfolgung zu zahlreichen und größeren Kirchenbauten geführt habe, da die alten Gebäude nicht mehr ausreichten. Kombiniert man die beiden Zeugnisse, so erscheint die Zahl von «mehr als 40» bei Optatus durchaus glaubwürdig. Auch sonstige allgemeine historische Überlegungen stehen dem nicht entgegen. – Die Frage, ob sich Spuren dafür finden, daß die Kirche, an der ein Bischof tätig war, in der Frühzeit als eine Angelegenheit des Ortsbischofs gegolten habe, läßt sich vorerst schwerlich beantworten.

[1] Siehe oben S. 14 ff.
[2] A. KNECHT, System des Justinianischen Kirchenvermögensrechtes, Stuttgart 1905, 5. H. LIERMANN, Handbuch des Stiftungsrechtes I 25.
[3] W. SCHWER, Armenpflege, RAC I 695. KNECHT, a. a. O. 2.
[4] KNECHT, a. a. O. 4.
[5] A. a. O.

auch «nicht eigentlich den Begriff der Kirche als einer juristischen Persönlichkeit. Die Kirche ist da, wenn sie zusammentritt, sei es zu Kulthandlungen, sei es zu Konzilsbeschlüssen» [1].

In den Restitutionsedikten der Tetrarchenzeit wird die Gemeinschaft der Christen dann als rechtsfähiger Geschäftspartner behandelt [2].

Das Imperium Romanum kannte freilich zu allen Zeiten und in allen Provinzen den Zusammenschluß römischer Bürger zu Berufs-, Wirtschafts- und Weltanschauungsgruppen mit *körperschaftseigenen Häusern,* die den Mittelpunkt des geschäftlichen, geselligen und kultischen Lebens bildeten [3]. Zu den Körperschaften mit kultischer Prägung zählten z. B. die Poseidoniasten und Hermaisten auf der Insel Delos sowie die Augustales und Hastiferi in Ostia.

Clubhäuser obiger Art weisen eine Reihe kleiner und größerer, um einen zentralen Innenhof gruppierte Versammlungsräume auf, meist mit einem Kult- oder Festsaal. Verschiedene Körperschaften – in Ostia sind mehrere inschriftlich, mit Namensnennung der einzelnen Mitglieder bezeugt – besaßen in unmittelbarer Nähe ihrer Clubhäuser körperschaftseigene Kultbauten und an den Konsularstraßen die für die Mitglieder bestimmten Beerdigungsanlagen. Verschiedene Spuren lassen erkennen, daß Christen an der Via Appia Eigentumsrechte besessen haben.

Bereits lange vor Konstantin hatte die Kirche *in diesem Sinne* wohl einen gewissen rechtlichen, wirtschaftlichen und gesellschaftlichen Status erreicht.

---

[1] E. PETERSON, Das Buch von den Engeln. Stellung und Bedeutung der heiligen Engel im Kultus, Leipzig 1935, 80. Hier wird Bezug genommen (S. 131 f.) auf M. SAN NICOLO, Ägyptisches Vereinswesen zur Zeit der Ptolemäer und Römer (= Münchener Beiträge zur Papyrusforschung H. 2), München 1915, Bd. II, p. 99: «Aristoteles identifiziert den Staat als handelndes Subjekt mit den versammelten Bürgern und in den Urkunden der griechischen und auch der ägyptischen Vereine läßt sich dieser Gedanke mit noch größerer Klarheit verfolgen, indem bei keinem Verein die Versammlung der Genossen als 'ein kollegiales Organ einer von ihr verschiedenen korporativen Einheit' (GIERKE, Genossenschaftsrecht II p. 485) erscheint; sie ist vielmehr der Verein, die Genossenschaft selbst, die wollend auftritt, handelt, Rechte erwirbt und Verpflichtungen eingeht. Der griechische Standpunkt ist ein viel konkreterer als der unsere: er ist die wirklich sichtbare Genossenschaft, die in der Versammlung und nicht durch die Versammlung als Organ will und handelt». E. PETERSON bemerkt hier: «Die Ausführungen von San Nicolo, besonders der letzte Satz, gelten ebenso für die altkirchliche ἐκκλησία».

[2] P. STOCKMEIER, Konstantinische Wende 10.

[3] M. SAN NICOLO, a. a. O.

Kirchliches Vermögen hatte nach altchristlicher Auffassung dem Gottesdienst und den Armen zu dienen. Die Liebesgaben bilden wesentlich das Kirchengut, aus denen das erste kirchliche Vermögen entsteht.

Bis zur Mailänder Konvention konnte indessen kirchliches Eigentum allein nach weltlichem Recht geordnet werden, das nur *Körperschafts-*, nicht Anstaltsgut kannte. Dies gilt, auch wenn die Gemeinden tatsächlich in die Lage versetzt gewesen sein sollten, die Korporationsrechte «sich selber zu nehmen»[1] und vor Konstantin sich die Gemeinde «nach dem Vorbild der antiken Polis» entwickelt hatte[2].

In erster Linie den institutionellen Charakter der Kirche zeigt die Tatsache des Besitzes ihrer Rechtsfähigkeit[3]. Anderseits beweist sie das Streben nach einem gewissen Maße von wirtschaftlicher Sicherung.

Wie die kirchliche *Eigentumsbildung* schon vor Konstantin tatsächlich begonnen hatte, ist aus dem Reskript des Kaisers Gallienus ersichtlich[4], der die «geweihten Stätten» wieder zurückgeben läßt. Eusebius erwähnt hier besonders noch die Gestattung, die sog. Zömeterien wieder in Besitz zu nehmen.

Das von den Päpsten Zephyrinus und Callistus an der Via Appia erworbene Areal, auf dem heute noch zwei dreichörige Mausoleen bezeugt sind, beweist, daß die christliche Kirche bereits an der Wende vom 2. und 3. Jahrhundert einen kircheneigenen Friedhof zu erwerben und diesen über und unter der Kirche zu belegen vermochte.

Dieser Eigentumserwerb geschah in der Regierungszeit des Kaisers Elagabal (218–222), der sämtliche Kulte in einer Einheitsreligion zusammenzufassen versuchte und dazu sich selbst auf dem Palatin einen Tempel hatte erbauen lassen[5]. Daselbst sollten neben anderen Kulten die «Iudaeorum et Samaritanorum religiones» sowie die «veneratio christiana» eine Heimstätte haben[6].

---

[1] A. EHRHARDT, Das Corpus Christi und die Korporationen im spätrömischen Recht, 2. Teil, ZSSt 71 (Rom. Abt.) (1954), 25 u. 30.

[2] A. a. O. 40. H. LIERMANN, Handbuch des Stiftungsrechtes I 26 f. Ein Überblick über die ältere Literatur findet sich bei A. KNECHT, System des Justinianischen Kirchenvermögensrechtes 1–3

[3] G. KRÜGER, Die Rechtsstellung der vorkonstantinischen Kirchen 83.

[4] EUSEBIUS, H.E. VII 13; GCS 9,2, 666. Hierzu A. ALFÖLDI, Zu den Christenverfolgungen in der Mitte des 3. Jahrhunderts, Klio 31 (1938), 323–348.

[5] Vgl. GRÉGOIRE, a. a. O. 37.

[6] L. VÖLKL und P. MIKAT bei L. VÖLKL, Die Kirchenstiftungen des Kaisers Konstantin im Lichte des römischen Sakralrechtes 74 ff.

Das berühmte Edikt von 257 hatte den Christen dann Zusammenkünfte in ihren *Friedhöfen* verboten [1]. Daraus wiederum resultierte
das Verlangen der Gläubigen, die Verehrung der Apostelfürsten an
einem Ort fortzusetzen, der kein Friedhof war, also an der Stelle in
Catacumbas [2].

Daß ein «Tempel» als Rechtssubjekt und Substrat einer juristischen
Person für die christliche Kirche vor 313 nicht möglich war, scheint
sicher. Die Kirche war bis dahin, vom Staat her gesehen, noch «rechts-
freier Raum» [3].

In dem uns von Laktanz überlieferten gemeinsamen Reskript der
Kaiser Constantinus und Licinius [4] ist hernach von dem «corpus»
der Christen gesprochen und von der «persona Christianorum».

---

[1] Eusebius, H. E. VII 11; G. Bovini, La proprietà eccl. 151 f.; H. Grégoire,
Les persécutions[2] 48.

[2] M. Guarducci, Hier ist Petrus 73. War er zuvor heidnischer Friedhof?

[3] Das römische Sakralrecht (von dem das «Tempelrecht» einen besonders
wichtigen Teil darstellt) hat *danach* auf die rechtlichen Bezüge der christlichen
Kirchen eingewirkt: Solches ist unbezweifelbar und wohl auch allgemein anerkannt. Wie dieser Einfluß im einzelnen Fall aussieht, ist jeweils speziell zu
erfragen. Eine Hinführung zu diesen Problemen und Aspekten, mit der Literatur
zu diesen Fragenkomplexen, zwar in Auswahl und nicht abschließend, findet sich
bei L. Völkl, a. a. O., vor allem S. 29 ff. Das abschließende Urteil über die
konstantinischen Kirchenbauten (S. 48): «Als Kinder ihrer Zeit sind sie aus dem
Wurzelstock des antiken Sakralrechtes gewachsen und selbst noch in ihrer
christlichen Ausprägung dem Erbe der Antike verhaftet geblieben». Siehe auch
§ 34.

[4] Lactantius, De mortibus persecutorum 48 (ed. Moreau 133 ff.): «Atque hoc
insuper in *persona Christianorum* statuendum esse censuimus, quod, si eadem loca,
ad quae antea convenire consuerant, de quibus etiam datis ad officium tuum
litteris certa antehac forma fuerat comprehensa, priore tempore aliqui vel a fisco
nostro vel ab alio quocumque videntur esse mercati, eadem Christianis sine
pecunia et sine ulla pretii petitione, postposita omni frustratione atque ambigui-
tate, restituant, qui etiam dono fuerunt consecuti, eadem similiter iisdem Christianis
quantocius reddant, etiam vel hi qui emerunt vel qui dono fuerunt consecuti, si
petiverint de nostra benevolentia aliquid, vicarium postulent, quo et ipsis per
nostram clementiam consulatur. Quae omnia corpori Christianorum protinus per
intercessionem tuam ac sine mora tradi oportebit. Et quoniam iidem Christianis
non ea loca tantum, ad quae convenire consuerunt, sed alia etiam habuisse nos-
cuntur ad ius corporis eorum id est ecclesiarum, non hominum singulorum, per-
tinentia, ea omnia lege quam superius comprehendimus, citra ullam prorsus ambi-
guitatem vel controversiam iisdem Christianis, id est corpori et conventiculis
eorum reddi iubebis, supra dicta scilicet ratione servata, ut ii qui eadem sine
pretio sicut diximus restituant, indemnitatem de nostra benivolentia sperent. In
quibus omnibus supra dicto *corpori Christianorum* intercessionem tuam efficacis-
simam exhibere debebis, ut praeceptum nostrum quantocius compleatur, quo
etiam in hoc per clementiam nostram quieti publicae consulatur».

L. Schnorr von Carolsfeld und G. Krüger [1] fassen die Bezeichnung als Ausdruck für die Kirchengemeinde als selbständiges, vermögensfähiges Rechtssubjekt auf. A. Ehrhardt [2] dagegen sieht darin die Bezeichnung für die katholische Kirche insgesamt. G. Krüger vermutet, daß die Kirche durch die Mailänder Konvention zur Körperschaft des öffentlichen Rechts erhoben worden sei. Einflüsse des Vulgarrechtes sind bisher nicht behauptet worden.

Bereits die Akte des Galerius und Maximinus müssen wohl als Rückkehr zum «Status quo ante» betrachtet werden, d. h. zur Vereinsfähigkeit seitens der Christen. Diese hatten, nach des Eusebius Worten, durch jene von neuem «die Freiheit» [3] erhalten und zwar aufgrund eines wohl eingeschränkten Widerrufes der Regierungsverordnungen [4], der den Autoritäten und den Bewohnern der Provinzen mitgeteilt und ergänzt wurde durch Anweisungen an sie, die gesondert ergehen sollten. Konstantins Maßnahmen gingen weit über einen Widerruf hinaus. Sie löschten, soweit noch nötig, die Wirksamkeit der von den früheren Imperatoren während der Verfolgungszeit erlassenen Reskripte; die christlichen Gemeinden kamen wieder unter die Disziplin des gemeinen Rechtes. Nicht nur, daß sie alle Rechte, deren sich die Vereinigungen erfreuten, genossen; sie erhielten Privilegien, die erheblich über die Rechte hinausgingen, welche die Vereinigungen allgemein besaßen [5].

§ 33. Die Vermögensverwaltung

Die Kirche der christlichen Frühzeit war eine Kirche der Armut. Das kirchliche Vermögen war vergleichsweise recht unbedeutend. Zwi-

[1] L. Schnorr v. Carolsfeld, Geschichte der juristischen Person 15 f., 166, 249 f. Besprechung von Bruck, ZSSt 54 (1934), 422. G. Krüger, Die Rechtsstellung der vorkonstantinischen Kirchen 234 ff.; insbes. 238, 240.

[2] A. Ehrhardt, Constantin d. G. Religionspolitik und Gesetzgebung, ZSSt 72 (1955), 127 ff., insbes. 171. Derselbe, Das Corpus Christi und die Korporationen im spätrömischen Recht 25 ff., 37 ff.

[3] Eusebius, H. E. VIII 14,18.

[4] Nach Lactantius, De mortibus persecutorum, ed. Moreau I 118: «ut denuo sint christiani et conventicula sua component, ita ut ne quid contra disciplinam agant. Per aliam autem epistolam iudicibus significaturi sumus, quid debeant observare». Vgl. hierzu Eusebius, H. E. VIII 17. 9. Vgl. ferner Bovini, a. a. O. 162 ff., mit G. Krüger, a. a. O. 130–138.

[5] Vgl. hierzu Bovini, a. a. O. 164.

schen den Einzelkirchen gab es indessen ein gewisses Gefälle. Eine Art von Lastenausgleich erstrebte man darum in den Sammlungen für andere Kirchen, z. B. für die Kirche in Jerusalem. Eine Sicherung kirchlicher Bedürfnisse durch Leistungen seitens des Staates läßt sich in vorkonstantinischer Zeit kaum feststellen. Legitime Privilegien waren kaum gegeben und konnten nicht in Anspruch genommen werden. So bildeten die meist im Zusammenhang der Liturgie gespendeten Gaben der Gemeinde die wesentliche Einkommensquelle der Christengemeinden.

M. Dibelius erachtet mit E. Hatch das Amt des Bischofs als ökonomisches Amt der Verwaltung im Gegensatz zu charismatischen und patriarchalischen Ämtern [1]. Sicherlich wächst dem Bischofsamt mit fortschreitender Zeit, der fortschreitenden Konsolidierung der Gemeinde und dem Anwachsen der Verwaltungsaufgaben immer größere Bedeutung seitens der ökonomischen Funktion zu [2]. Die Kirchenordnungen der späteren Zeit geben dies allgemein zu erkennen, auch, wie die ökonomische Aufgabe aus der kultischen notwendigerweise erwächst. Denn die Gaben werden im Zusammenhang mit der Eucharistie verteilt. Die Syrische Didaskalie läßt das eindeutig erkennen: «Liebt nicht den Wein und seid keine Trunkenbolde, seid nicht aufgeblasen und seid keine Schlemmer, macht nicht ungerechtfertigte Ausgaben, und gebraucht nicht wie etwas Fremdes, sondern wie euer Eigentum die Gaben Gottes, auf daß ihr als gute Haushalter Gottes dasteht, da er bereit ist, Rechenschaft von euch zu fordern über die Führung des Haushaltes, mit der ihr betraut worden seid. Es genüge euch also euer Teil: Speise und Kleidung und was (sonst) not tut; und nicht sollt ihr über Gebühr von dem, was einkommt, gebrauchen als von etwas Fremdem, sondern mit Maß. Tut euch nicht gütlich und prasset nicht von dem, was für die Kirche einkommt, denn für den Arbeiter genügt sein Kleid und seine Speise. Wie gute Haushalter Gottes also sollt ihr das, was der Kirche geschenkt ist und was für sie einkommt, wohl verwalten nach Vorschrift für die Witwen und Waisen, für die Bedrängten und Fremden, als solche, die da wissen, daß Gott es ist, der Rechenschaft von euch fordert, er, der euch diese Haushaltung übergeben hat. Verteilet und gebet also allen

---

[1] DIBELIUS/CONZELMANN, Handbuch zum NT, Die Pastoralbriefe[3], Tübingen 1955, Exkurs zu 1 Tim 3, S. 46 f,; Zitiert bei BARTSCH, a. a. O. 110.
[2] H. W. BARTSCH, a. a. O. 96.

Bedürftigen. Aber auch ihr selbst sollt euch ernähren und leben von den Einkünften der Kirche, doch verzehret sie nicht allein, sondern lasset mit euch teilnehmen die Bedürftigen; und seid ohne Fehl vor Gott, denn Gott tadelt die Bischöfe, die aus Geiz und für sich allein von den Einkünften der Kirche gebrauchen und die Armen nicht mit sich teilnehmen lassen ...» [1].

§ 34. Der liturgische Ort nach seiner Stellung in der Rechtsordnung

Den öffentlichen Kultakten des Gebetes, des Opfers und der sie umgebenden Handlungen kommt eine besondere Bedeutung zu. Und da sie bei den Zusammenkünften der Christen im gottesdienstlichen Raum bzw. im Gotteshause geschehen, nimmt dieses an ihrer Bedeutung teil. Die neutestamentlichen Berichte (Apg 1,13; 2, 1; 2, 44) lassen zunächst an den «Obersaal» eines Privathauses denken, erwähnen daneben die Salomonshalle des Tempels (Apg 5,12) und vor allem ganz allgemein Privathäuser (5,42; 9, 11, 17; 10, 48): Manche Wendungen und Grüße in den Apostelbriefen bringen dasselbe zum Ausdruck (1 Kor 16,19; Röm 16,5; Phil 2; Kol 4,15). Das Triclinium als Raum für Lehrsäle und gottesdienstliche Versammlungen erwähnen die Actus Petri cum Simone (21), die Acta Thomae (131), die *Acta Saturnini* (2). Im übrigen werden für die ersten drei Jahrhunderte Nachrichten über gottesdienstliche Räume von *Tertullian* gegeben (idol. 7; adv. Val. 3; pud. 7; pud. 15), ferner von *Origenes* (ca. 244, Series commentariorum in Matthaeum 39), *Cyprian* (zwischen 246 und 258, Ep. 39,4), *Commodianus* (ca. 250, Carmina 1,15; Carmina 2,35; Apologeticum, ed. Dombart 138), *Vopiscus* (270/275, Divus Aurelianus 20,5), *Arnobius* (ca. 284–305, Adversus nationes 2,33; Adv. nat. 4,36), der *Didascalia* (3. Jahrhundert, II 57,2; II 57, 3; II 57, 6; II 57, 8; II 59, 2), den *Recognitiones Clementinae* (10, 71) [2].

---

[1] Die syrische Didaskalia, ed. von H. ACHELIS und J. FLEMMING, 39 f. Vgl. *Canones Apost.*, c. 40. *Const. Apost.* II 25, 27; III c. 14.

[2] Vgl. HEGGELBACHER, Taufe als Rechtsakt 137 f., wo die Belege ausführlich gegeben sind. – L. VÖLKL, Die konstantinischen Kirchenbauten im Orient und Okzident, Diss. Pont. Ist. Archeol. Crist, Roma 1950, sowie die Arbeiten von J. P. KIRSCH und seinen Schülern über die «domus ecclesiae» in Rom. – Es darf

Im «Octavius» läßt Minucius Felix freilich den Heiden Caecilius sagen: «Tempel verachten sie, als ob es Gräber waren, vor Götterbildern speien sie aus, verlachen die heiligen Opfer; ... sie schauen ... mitleidig auf unsere Priester herab» [1]. Später wiederholt Caecilius deutlicher: «Weshalb haben sie keine Altäre, keine Tempel, keine bekannten Heiligtümer?» (10,2). Der Christ Octavius bestätigt in der Erwiderung: delubra et aras non habemus (32,1). Im Gegensatz auch zum Judenvolke kennen die Christen keine eigens erbauten Tempel und keine Opferaltäre.

Indessen ist während des dritten Jahrhunderts der Vorwurf des Atheismus gegen die Christen im Osten stark zurückgetreten [2]. Harnack erklärt diese Tatsache einerseits mit dem allgemeinen Ansehensverlust der Staatsgötter, anderseits mit der Begründung, daß der «Eindruck, den die Kirche mit ihren Priestern, Opfern und reichen Gottesdienst mache», solchen Vorwurf nicht mehr rechtfertigte [3]. Man denkt bei letzterem Argument unschwer an die um 232 datierte Kirche von Dura-Europos mit ihrem reichen Freskenschmuck [4].

Neuerdings wird der Gedanke der Universalität des frühchristlichen Gottesdienstes in bezug auf den Gebetsort hervorgehoben [5]. Aber abgesehen davon ist die apostolische Zeit durch den Typ des Wanderpredigers gekennzeichnet. Orte sakralbegrifflich, d. h. im Sinne besonderer Zuordnung zum Göttlichen, zu benennen, setzt eine gewisse Stabilität voraus.

Die apostolische Kirche scheint es darum zunächst unterlassen zu haben, wie für Zeiten, Riten, Sachen und Personen, so für Orte Sakralbegriffe zu gebrauchen [6]. Bei dem Prozeß der Stabilisierung und Institutionierung gab es wohl eine jüdisch-christliche wie eine heidnisch-christliche Entwicklungsreihe. Nach den heute gebotenen Erkenntnissen bedienten sich die Christen in apostolischer Zeit der zu

---

hier auch auf den Fall Pauls von Samosata verwiesen werden; EUSEBIUS, H. E. VII 27 ff.

[1] Text und Übersetzung nach MINUCIUS FELIX, Octavius, Lateinisch-deutsch, hrsg., übersetzt und eingeleitet von B. KYTZLER, München 1965, 68 f.

[2] Vgl. hierzu N. BROX, Zum Vorwurf des Atheismus gegen die alte Kirche, Tr Th Z 75 (1966), 281.

[3] Der Vorwurf des Atheismus in den drei ersten Jahrhunderten, TU 28, 4, Leipzig 1905, S. 14. Vgl. ferner L. KOEP, «Religio» und «Ritus» als Problem des frühen Christentums, JbAC 5 (1962), 43–59.

[4] Vgl. LThK III², 610.

[5] H. W. BARTSCH, a. a. O. 47–57.

[6] Vgl. H. SCHÜRMANN, Entsakralisierung 45.

ihrer Zeit geübten Gepflogenheiten, d. h. im Privatbereich der «domus» und des «titulus», im öffentlichen Bereich der technischen Ausdrücke «conventiculum» (entsprechend dem corpus Christianorum als einer Körperschaft des öffentlichen Rechtes wie sie freilich erst später – nicht vor 313 – eingereiht wurden) bzw. im dritten Jahrhundert auch «ecclesia privata» – «ecclesia publica». Von einem geflissentlichen Vermeiden von Sakralbegriffen in diesem Bereich kann insofern keine Rede sein, da sie ja erst geschaffen werden mußten. Man bediente sich aber der damals üblichen Vokabeln wie coemeterium – memoria – monumentum – tropaion – martyrion im Sepulkralbereich. In den Kirchenordnungen des 3. Jahrhunderts ist vollends die Notwendigkeit des geweihten Raumes für den Gottesdienst unbestritten [1].

Die konstantinischen Kirchenbauten lassen sich, wie L. Völkl dargetan hat [2], schließlich in fünf Hauptgruppen zusammenfassen: in Verwaltungskirchen, Theophanie-Kirchen, Ex-Voto-Kirchen, Zömeterialkirchen und Mausoleen [3].

---

[1] H. W. BARTSCH, Anfänge der urchr. Rechtsbildungen 57. Vgl. *Tradit. Ap.* 40: «mulieres stent orantes in aliquo loco in ecclesia seorsum»; 60: «Viduae ... orent in ecclesia»; 82: «Festinet autem et ad ecclesiam, ubi floret spiritus»; 86: «Diaconi ... doceant illos qui sunt in ecclesia»; 88: «Qui enim orat in ecclesia poterit praeterire (παρελθεῖν) malitiam (κακία) diei ... Nemo ex vobis tardus sit in ecclesia, locus ubi docetur». Ferner die Angaben bei BARTSCH, a. a. O. 53.

[2] Die Kirchenstiftungen des Kaisers Konstantin im Lichte des römischen Sakralrechts 47 f.

[3] Vgl. hierzu auch das oben S. 58 und S. 211 f. Gesagte.

VIII. DER RECHTSSCHUTZ

§ 35. Christ und Rechtsschutz

Im Neuen Testament sind Normen, die Christus über streitiges Gerichtsverfahren gegeben hätte, nicht überliefert. Dennoch ist eine Art Praeceptum iudiciale Mt 18, 15/18 von ihm selbst aufgestellt, worin von der brüderlichen Zurechtweisung die Rede ist [1].

Die Gemeinde in Korinth übt später eine Art Selbstverwaltung aus, indem sie das Recht betätigt, geistliche Strafen zu verhängen und sie wieder aufzuheben (2 Kor 2,6 f.) und über bürgerliche Streitigkeiten innerhalb der Gemeinde selbst Richter (= Friedensrichter) zu bestellen (1 Kor 6,1 ff.).

Die Zulassung zum Gläubigengebet bedeutet zugleich das Recht, an der Kirchenzucht sich mit allen Gemeindemitgliedern aktiv zu beteiligen. Einer besonderen Ermächtigung hierzu bedarf es nicht mehr (vgl. 1 Klem 56,2), auch nicht für die Schwestergemeinde, da dieser die Taufe genügender Rechtstitel dafür ist, Ermahnungen auszusprechen [2]. Obwohl die Correptio fraterna allen Gläubigen gestattet war, ist sie etwa im zweiten Klemensbrief freilich nur für Presbyter ausdrücklich bezeugt (17,3 u. 17,5) und wird als unangenehmes und undankbares Recht ihnen gerne überlassen worden sein.

Ignatius von Antiochien verlangt in den Briefen an die Trallianer und Smyrnäer mit ausdrücklichem Bezug auf 1 Kor 6, 1–7 [3] von den Gläubigen Gehorsam den Bischöfen gegenüber. Tertullian weiß von einem kirchlichen Gericht [4]; Cyprian, der sich als dessen Schüler

---

[1] Vgl. H. DAUSEND, Kirchenrecht – Heiliges Recht, Wissenschaft und Weisheit 5 (1935), 265/271.

[2] B. POSCHMANN, Paenitentia secunda 119. E. PETERSON, Das Praescriptum des 1. Clemensbriefes, Pro Regno - Pro Sanctuario, Nijkerk 1950, 351/357.

[3] Trall 3,1; Smyrn 8.

[4] Apol. 39,4; Adv. Marc. 5,12.

betrachtete [1], hatte im vollen Bewußtsein seiner Gewalt von seinem Amte als ordentlicher Richter seiner Herde Gebrauch gemacht [2]. Er nennt den Bischof selbst «Richter an Christi Statt» [3]. «Jeder Bischof ist gleichberechtigt und ist frei, ungehindert seine Meinung auszusprechen und für seine Person nach ihr auch zu handeln. Nur Christus wird sein Richter sein» [4]. Als Hüter der göttlichen Ordnung ist er Herr der Buße und seine Tätigkeit kulminiert in der Ausübung der Richt- und Vergebungsgewalt [5].

Die Didaskalie, wohl in der ersten Hälfte des dritten nachchristlichen Jahrhunderts im nördlichen Syrien entstanden [6], kann als die «älteste Quelle für den kirchlichen Rechtsgang» gelten [7].

Die einzelnen Stadien dieses Verfahrens können dargetan werden [8]. Es ist jedoch nicht möglich, die hier bestehenden Normen eindeutig aus bestimmten Rechtskreisen herzuleiten. Die durchforschten Quellen sprechen weder absolut für die sog. jüdische noch für die römische These, sondern eher für eine gemischte Theorie [9]; freilich gilt dies nur für den Geltungsbereich der Didaskalie und ihre Zeit.

Eine beachtenswerte Höhe des Gerichtsverfahrens ist der Didaskalie in jedem Falle zuzubilligen [10]. Für Kläger, Beklagte, Richter, Verhandlung, Beweisverfahren, Urteilsfällung ist im Sinne eines summarischen Verfahrens jedenfalls Vorsorge getroffen [11].

In der Didaskalie IV 5/8 findet sich ein Hinweis darauf, welche Sünden sich die «Exkommunikation» zuziehen. «Bewirken einer ungerechten Gefängnisstrafe, schlechte Behandlung der Sklaven und Armen, sexuelle Vergehen, Mißbrauch der Amtsgewalt eines Dorfregenten, Verfertigen von Götzenbildern, Veranlassung falscher Ge-

---

[1] HIERONYMUS, De vir. ill. 53.

[2] Vgl. H. v. CAMPENHAUSEN, Kirchliches Amt und geistliche Vollmacht 300.

[3] Ep. 59.5: iudex vice Christi.

[4] Eingangsworte vor Abgabe der Sentenzen: ed. HARTEL 435 f.

[5] Vgl. v. CAMPENHAUSEN, a. a. O. 311 ff. B. POSCHMANN, Paenitentia secunda 424.

[6] K. RAHNER, Bußlehre und Bußpraxis der Didascalia Apostolorum, ZkTh 72 (1950), 257.

[7] A. STEINWENTER, Der antike kirchliche Rechtsgang und seine Quellen, ZSSt kan. Abt. 23 (1934) 15.

[8] U. MOSIEK, Das altkirchliche Prozeßrecht im Spiegel der Didaskalie, Österr. Arch. f. Kirchenrecht 16 (1965) 183/209.

[9] A. a. O. 209.

[10] W. PLÖCHL, Geschichte des Kirchenrechts I² 95.

[11] L. WENGER, Aus Novellenindex und Papyruswörterbuch, München 1928, 28, 85 (Sitzungsber. Bayer. Akad. Wiss., Phil.-hist. Klasse 1928, IV. Abh.).

richtsurteile von Advokaten und Zeugen, Betrug bei Arbeiten in Edel-
metall, Maß- und Gewichtsverfälschung, Weinpanschen, Wahrsagen
aus Träumen, Mord, Teilnahme an der Blutgerichtsbarkeit, gesetz-
loses Soldatenhandwerk, Wucher, Götzendienst, Diebstahl usw.» [1]
führen, wenn das Rügeverfahren nach Mt 18, 15/17 nicht von Erfolg
gekrönt war, zur Exkommunikation. Wenn also der an sich zivil-
rechtliche Streit durch den Bischof entschieden ist und infolge der
Widersetzlichkeit eine der Parteien keine Rechtskraft erlangen kann,
kann er mit der Exkommunikation der einen Partei enden, so wie die
Befolgung eines Synagogenurteils durch den Bann erzwungen werden
konnte [2].

Welches Ansehen das Rügeverfahren genoß, ist aus der Problematik zu erschließen, die sich bei Origenes zur Überlegung zuspitzt,
ob bei Mangel an Besserung nicht doch das evangelische Rügeverfahren statt der Exkommunikation Platz behalten müsse. Die Aufnahme in die öffentliche Buße geschieht nach Tertullians Aussage
für öffentliche Sünder öffentlich in feierlicher Form unter Assistenz
von Klerus und Volk in einer Gerichtssitzung durch den Bischof,
wie Apol. 39 erwähnt.

Die Rücksichtnahme auf den christlichen Namen gebot, gegen-
seitige Streitigkeiten nicht vor die Ungläubigen, sondern vor die
Geheiligten zu bringen. Aus eigener Mitte soll ein Verständiger auf-
gestellt werden. Immer wieder begegnet dieser Gedanke, und die
Didaskalia stellt darum für das Verfahren der Gerichte die genauen
Vorschriften auf [3].

Einen lang gehegten Wunsch erfüllte schließlich die Verordnung
Konstantins vom Jahre 318 [4]: Darin wurde die Möglichkeit geschaffen, daß in Streitfällen das Schiedsgericht vor dem Bischof in

---

[1] Zusammenfassung von K. Rahner, Bußlehre und Bußpraxis der Didascalia
Apostolorum, 260/261. Vgl. hierzu die parallelen Bestimmungen von *Hippolyts
Kirchenordnung* über die Zulassung zum Katechumenat.

[2] K. Rahner, a. a. O. 279. Zusammenfassende Darstellung über die Grundsätze der kirchlichen Zivil- und Strafgerichtsbarkeit nach der Didaskalia bei
W. Plöchl, Geschichte des Kirchenrechts I 89 f.

[3] H. Achelis - J. Flemming, Die ältesten Quellen des orientalischen Kirchenrechts. II. Buch: Die syrische Didaskalie, 61/67. Kurze Zusammenfassung bei
F. Funk, Die Apostolischen Konstitutionen, Rottenburg 1891, 32. Vgl. B. Kurtscheid, Historia iuris canonici. Historia institutionem. Vol. I: Ab ecclesiae funda-
tione usque ad Gratianum, Romae 1941, 88/91.

[4] C. Th. I, 27,1.

Anspruch genommen werden konnte. Nahmen die Parteien den Vergleich an, so war das Urteil staatlich vollstreckbar.

Insofern war ihrem Spruch volle Rechtsverbindlichkeit zu eigen [1]. Wie weit es zutrifft, daß damit zu den Konstitutionen des beginnenden 5. Jahrhunderts übergeleitet war, durch welche den Bischöfen eine einzig dastehende, den Praefectus Praetorio überragende und der kaiserlichen gleiche, nicht appellierbare Entscheidungsgewalt übertragen wurde, bleibt zu überprüfen. Daß sie weder an das staatliche Gerichtsverfahren, noch an das materielle Recht, sondern lediglich an die Lex Christiana gebunden war, gilt nur bedingt. Wie weit die Sententia eines Bischofs auch inter nolentes Gültigkeit haben [2] sollte, bleibt zu klären.

Daß es schon zuvor Synodalgerichte gegeben hat, ist aus dem Verfahren gegen Paul von Samosata auf dem Konzil von Antiochien zu ersehen [3]. Dieser, der zugleich Bischof von Antiochia und Statthalter der Königin von Palmyra war [4], fügte sich freilich dem Spruch der Synode von 268 keineswegs. Zur Durchsetzung dieses Rechtsanspruches wandte man sich an Kaiser Aurelian, der in der Frage durchaus billig entschied, indem er befahl, demjenigen das Gotteshaus zu übergeben, mit dem die christlichen Bischöfe Italiens und Roms in schriftlichem Verkehr stünden. «Somit wurde der erwähnte Mann zu seiner größten Schande vor der weltlichen Macht aus der Kirche vertrieben» [5]. Damit war also die Gesetzgebung des Gallienus sanktioniert.

---

[1] A. BIGELMAIR, Die Beteiligung der Christen am öffentlichen Leben in vorkonstantinischer Zeit, München 1902, 92. Um der Verschleppung von Prozessen zu steuern, wird der bischöflichen Gerichtsbarkeit sogar eine die staatliche übersteigende Kompetenz verliehen.

[2] Vgl. A. BECK, Römisches Recht bei Tertullian und Cyprian, Halle 1930, 133, Anm. 2. Const. Sirm. 1.

[3] Vgl. HIPPOLYT über Noet i. d. Philosoph. IX 7–12 und X 27. Noetos mußte sich vor dem «Presbyterium» verantworten.

[4] G. BARDY, Paul de Samosate², 1929, 254 ff.

[5] EUSEBIUS, H. E. VII 30.

IX. NORMEN
FÜR DEN AUSSERKIRCHLICHEN BEREICH

§ 36. Die Ordnung der frühchristlichen Liebestätigkeit

Die frühchristliche Liebestätigkeit schaffte dem neuen Glauben dadurch eine Basis der Glaubwürdigkeit, daß sie die von Christus verkündeten Prinzipien im Alltag verwirklichte. Die Bischöfe, in deren Händen alle Fäden zusammenlaufen und die allein über das Kirchenvermögen zu verfügen haben, sind hierbei die obersten Leiter der gesamten Armenpflege [1].

Wer immer als Anhänger Jesu aus der Synagoge ausscheiden mußte und also der synagogalen Armenunterstützung verlustig ging, war damit faktisch an den christlichen Armendienst verwiesen. War er ohnehin durch die Verkündigung des Evangeliums seitens der Apostel angezogen worden, so wurde er auch durch die leibliche Not der Obsorge der Zwölf überantwortet [2]. Immer nämlich, auch nach der Wahl der Sieben, als der ständigen Aufsichtsorgane (Apg 6, 1–6), war die oberste Leitung des Tischdienstes mit der Stellung der Zwölf unlöslich verbunden [3]. Entscheidend wirkt also auch hierin das personale Bindeglied der Hierarchie bereits in apostolischer Zeit. Trotzdem haben die Geltungslinien und Geltungspunkte, welche aus der Taufe erfließen, noch ihr eigenes Gewicht: Denn diese begründet die christliche Personalität und ergreift von da aus die ganze Breite des Lebens [4].

[1] Über Geschichte und Umfang der frühchristlichen Liebestätigkeit vgl. W. Liese, Geschichte der Caritas I, Freiburg 1922, 1/138.

[2] Vgl. P. Gaechter, Die Sieben, ZkTh 74 (1952), 129 ff.

[3] A. a. O. 136.

[4] Vgl. O. Heggelbacher, Taufe 79 ff.; derselbe, Die Begründung der Frühchristlichen Liebestätigkeit im kirchlichen Taufrecht, Caritas 55 (1954), 190 ff.; A. Sifoniou, Les fondements juridiques de l'aumône et de la charité chez Jean Chrysostome, Rev Dr Can 14 (1964), 241/269; J. Tobei, Bischofsamt und Caritas. Das Amtsethos des Bischofs als Pater pauperum im Decretum Gratiani, Diss. Freiburg i. Br. 1965, 19–39.

Als nach dem Tode der Apostel die hierarchische Organisation sich gefestigt hatte, knüpfte der monarchische Bischof, als Repräsentant Gottes und Christi mit einer beinahe absoluten und göttlichen Macht bekleidet, die Bande, welche die Gläubigen mit ihren Hirten einte, noch enger. Die Einheit der Leitung, die ihren ergreifenden Ausdruck in der Einheit des Kultes fand, bestimmte das Gemeindeleben. Häretiker und Schismatiker schließen sich von der Eucharistie aus, da sie die reale Gegenwart der «Caro Christi» verneinen und sich auch von der hierarchischen Kirche trennen [1]. Wer nämlich von dieser sich trennt, schließt sich von der kirchlichen Gemeinschaft aus, verliert die mit der Taufe verliehene «koinonia» und damit die Teilnahme an der eucharistischen «Agape» und auch die Basis für einen Hilfeanspruch im Verbande des Volkes Gottes, für den die äußere Einheit der sichtbare Reflex ist. Auf diese mit der Kulteinheit der Eucharistie verbundene Liebestätigkeit bereitet praktisch die Forderung des Almosenspendens vor, die mit dem Aufkommen des Katechumenats fürderhin an die Katechumenen gestellt wird [2]. Sie wird bei den Katechumenen als Gelegenheit zur Erprobung und Einübung erachtet. Mit erlangter Teilhabe an der Gemeinschaft ist sie dem Getauften zur selbstverständlichen Pflicht geworden. Daraus erwächst dem in Not geratenen Christen ein Recht. Am unverdächtigsten zeigte es sich zunächst vielleicht im Widerspruch, der sich schon früh in der römischen Gesellschaft gegen das Christentum geregt haben muß und für den man keinen besseren Zeugen anrufen kann als Caecilius Natalis, den Sprecher des Heidentums in dem Dialog «Octavius» [3]. Aus den untersten Schichten des Volkes sich ergänzend, schließen die Getauften sich eng zusammen; die Glieder dieser den Gegnern gegenüber so exklusiv wirkenden christlichen Gemeinschaft nennen sich Brüder und Schwestern und lieben sich gegenseitig, fast bevor sie sich kennen. Dieses Bruder-Schwester-Verhältnis kristallisiert sich um den Kult, wie die Worte zeigen: «Allenthalben üben sie auch unter sich sozusagen eine Art von Sinnlichkeitskult; unterschiedslos nennen sie sich

---

[1] Hierzu vgl. O. PERLER, Eucharistie et unité de l'Eglise d'après saint Ignace d'Antioche, Actas del XXXV Congreso Eucaristico Internacional, Barcelona 1952, II 425.

[2] Vgl. *Hippolyts Kirchenordnung.* (ed. JUNGKLAUS 134); ferner das *Testamentum Domini Nostri Jesu Christi* II 6 (ed. RAHMANI 119 f.).

[3] Vgl. hierzu M. DIBELIUS, Rom und die Christen im ersten Jahrhundert, Sitzungsberichte der Heidelberger Akademie der Wissensch., Phil.-hist. Klasse, Jahrg. 1941/42, 2. Abtl., Heidelberg 1942, 38.

Brüder und Schwestern» [1]; vom Gegner wird es im Sinne der modernen Psychoanalyse beurteilt.

Man strebt danach, Christus und die christliche Liebe im sozialen Bereich zu verkörpern. Es entstehen Vereinigungen mit sozialer oder auch mehr geselliger Zielsetzung. Sie verleiht ihrem Bekenntnis Glaubwürdigkeit. Insofern erliegt man auch nicht der Gefahr, sich in den Spiritualismus zurückzuziehen, und so erzielt man fortwährend eine wirksame Erneuerung der Kirche.

Tertullian erwähnt für seinen Bereich und für seine Zeit, daß die «Communicatio (neben dem Rechtsanspruch auf die Teilnahme an den öffentlichen Gebeten mit Eucharistie und Kommunion und an den Versammlungen der Christen) das Recht auf das Commercium» umfasse [2]. Darunter sind zum Teil recht spürbare Dinge zu verstehen, nämlich das Anrecht auf die kirchliche Unterstützung und die christlichen Gemeinschaftsbriefe, d. h. Empfehlungsschreiben an andere Gemeinden. Das meist in den Versammlungen erbetene Geld wurde in eine gemeinsame Kasse aufgenommen und stand von da aus offensichtlich für alle Fälle der Fürsorge zu Gebote. Man bestritt die Begräbniskosten für unbemittelte Familien; man unterstützte Mittellose, Greise, Waisen, Schiffbrüchige [3].

Andere, die wegen eines Verbrechens ihren Titel als Glieder der christlichen Gemeinschaft verloren hatten, wurden nicht oder in geringerem Maße berücksichtigt. Vorzüglich aber diente der Kollektenerlös den um ihrer «Zugehörigkeit zur Gemeinschaft Gottes» willen eingekerkerten oder in Bergwerke oder auf Inseln verschickten Christen: Diese galten als «Pfleglinge ihres Bekenntnisses» [4]. Darüber hinaus sind die mit der Eucharistie verbundenen Agapen im engeren Sinne eine Eigenform der caritas christiana. Nach der ersten sicheren Kunde über sie bei Tertullian und einigen Ausführungen bei Klemens Alexandrinus [5] nehmen die verschiedenen Kirchenordnungen im Sinne der leitenden kirchlichen Kreise zu ihnen Stellung: Sie bilden einen Teil der privaten Wohlfahrtspflege, sind aber dennoch kultischen

---

[1] Vgl. Kap. 9 und 31. Deutsche Übersetzung BKV², Bd. 14, 148. Ob dem Dialog des Minucius Felix oder Tertullians Apologeticus die zeitliche Priorität zuerkannt werden muß, ist nicht geklärt.

[2] Apol. 39, 4.

[3] Apol. 39 (Ausgabe BECKER 184/185).

[4] A. a. O.: «si qui in metallis et si qui in insulis vel in custodiis, dumtaxat ex causa dei secta, alumni confessionis suae fiunt». Hierzu Justinus, Apol. 67.

[5] TERTULLIAN, Apol. 39; KLEMENS ALEX., Paed. II 1, 3.

Bindungen unterworfen; denn es ist die Anwesenheit eines Geistlichen bei ihnen gefordert, der das Zusammensein leitet und den Segen spricht [1]. Den Katechumenen sind sie verschlossen, wenngleich ihnen exorziertes Brot gegeben werden soll. Deren rechtliche Stellung gibt dazu Anlaß.

Die dem dritten Jahrhundert entstammende Didaskalia, die das beste und anschaulichste Bild der altkirchlichen Armenpflege zumal für die Verfolgungszeit gibt, weiß sowohl von der leitenden Hand der Bischöfe bei Unterstützung des Bedürftigen, wie von den strengen und doch durchaus verständigen Grundsätzen in der Leistung der Armenhilfe zu berichten. Vor allem aber setzt sie die Hilfegewährung in innigste Beziehung zum Gottesdienst; diese Hilfe trägt den Charakter des Opfers auf «Christi Altar»: «Ihr Bischöfe und Diakone, traget Sorge für Christi Altar, das heißt für die Witwen und Waisen» [2].

Auf diesem Boden erwuchs schließlich die Gestalt der kirchlichen Liebestätigkeit, die im spätrömischen, christlich geprägten Staatsrecht erscheint. Hier wird den Bischöfen eine besondere Aufgabe bei der Betreuung der Gefangenen, in den Fällen von Kindesaussetzung, in der Sorge für Geisteskranke und für deren Kinder, bei der Betreuung von Minderjährigen und erpreßten Schauspielerinnen zugewiesen [3].

§ 37. Der Christ im bürgerlichen Leben

Der Evangelist Johannes hat in seiner Darstellung des Prozesses Jesu vor Pilatus (Joh 18 und 19) die Problematik des Staates mitgedacht: Neben der durch Pilatus repräsentierten politischen Gewalt, mit ihrer eigenen Sphäre taucht in Jesus eine andere Herrschaft auf, «die ihren Ursprung und daher ihr Wesen nicht von dieser Welt hat, sondern von 'oben' ist. Es ist die Herrschaft der Wahrheit, die auch an den Staat den Anspruch erhebt, von ihm gehört zu werden» [4].

[1] *Hippolyts Kirchenordnung*, Ausgabe JUNGKLAUS 139 ff. Während Tertullian die Beschreibung einer solchen Feier bietet, gibt die Kirchenordnung eine förmliche Liturgie.

[2] *Didascalia* IV 5. Die Vorschriften über das Armenwesen sind besonders im dritten und vierten Buche zu finden. Im Blick auf die *Fremdenfürsorge* schrieb schon Melito ein Werk «Peri philoxenias» (EUS., H. E. IV 26, 2). Vgl. DIDACHE 11; TERTULLIAN, De praescr. haer. 20: contesseratio hospitalitatis.

[3] Cod. Iustinianus I, 4; L. 22, 24, 27, 28, 30, 33.

[4] H. SCHLIER, Der Staat nach dem Neuen Testament, Besinnung auf das Neue Testament II, Freiburg 1964, 200.

Lukas bringt die Loyalität gegenüber dem römischen Imperium in Verbindung mit den politisch-apologetischen Absichten seines Werkes zum Ausdruck (u. a. Passionsbericht Lk 23; Apg 13,12; 16, 37 f.; 18,14 ff.; 21,32; 23,10; 23,12; 23,26–30; 25,26); er läßt jedoch keinen Zweifel darüber, daß sie begrenzt ist, insofern die Christen «mit der politischen Gewalt in Konflikt geraten, wenn diese den Anspruch auf das erhebt, was Gottes und nur Gottes ist»[1]. Der Verweis auf Lk 12,11; 21,12 ff.; Apg 5,29 sei angefügt. «Auch Paulus teilt die lukanische Sicht von der politischen Gewalt als einem Ordnungselement gegenüber den zerstörenden Mächten der Welt und von der Möglichkeit eines Zusammenwirkens der politischen Gewalten mit den Verkündern des Evangeliums»[2]. Man mag sich hier an Röm 13,1–7; 1 Tim 2,1 f. erinnern. Die Zukunft Gottes ist jedoch im himmlischen Politeuma beschlossen (Phil 3,20 f.), wohin die Christen auf dem Wege sind (Hebr 11,9; 13,14; 12,22 u. a.)[3]. Auch beim Apostel Paulus ist indessen der Antichrist ein politisches Phänomen wie sich aus 2 Thess 2,3 f. ergibt[4]. Was Jesuswort und der Apostel Paulus andeuten, wird Thema der Geheimen Offenbarung, wo der Staat in Kapitel 13 und in Kapitel 17/18 unter der Gestalt des Tieres bzw. der großen Kurtisane gesehen wird[5].

Die Worte des Hebräerbriefes «Wir haben hienieden keine bleibende Stätte, sondern die kommen soll, suchen wir» (Hebr 13,14) erfuhren im Lauf der nachapostolischen Zeit eine zunehmende Verschärfung. Während der friedliche und sanfte Bischof Polykarp an die Kirche Gottes zu Philippi, «die in der Fremde weilt», schreibt[6], scheint es dem Urteil Tertullians, nach dessen Worten die Christen als solche nicht geboren werden, sondern aus den Reihen der Mitbürger hervorgehen[7], sogar beinahe unmöglich, ein öffentliches Amt auszu-

---

[1] P. MIKAT, Lukanische Christusverkündigung und Kaiserkult. Jahres- und Tagungsbericht der Görres-Gesellschaft 1970, 45 bzw. 29.

[2] H. SCHLIER, a. a. O. 203.

[3] Vgl. H. SCHLIER, a. a. O. 205.

[4] A. a. O. 207.

[5] Vgl. a. a. O. 208.

[6] Phil. In.; ed. BIHLMEYER 114: τῇ παροικούσῃ Φιλίππους. Für seinen großen Charaktergegensatz Ignatius von Antiochien, den temperamentvollen Streiter, ist der Fürst dieser Welt der Satan selbst: Eph 17,1; ed. BIHLMEYER, τοῦ ἄρχοντος τ. αἰῶνος τούτου; Eph 19.1 (a. a. O.): τὸν ἄρχοντα τοῦ αἰῶνος τούτου. Ein allerdings paulinischer Gedanke.

[7] Apol. 18; ed. KROYMANN 46 Z. 18/19: «De vestris sumus: fiunt, non nascuntur Christiani».

üben, ohne einen Akt des Götzendienstes zu begehen [1]: Der Grund wird darin gesehen, daß die Magistraten kraft ihres Amtes Götzenopfer darbringen müssen, dem heidnischen Kult Opfer zu besorgen, die Tempel zu unterhalten, Schauspiele zu geben, Edikte zu veröffentlichen, kurz Dienste auszuführen haben, die mit den Pflichten christlichen Glaubens unvereinbar sind. Für die Christen bestand trotzdem noch kein Verbot, öffentliche Funktionen wahrzunehmen [2].

In nicht minderem Ernste als der Eiferer Tertullian vermag der weltoffene Hellene Klemens von Alexandrien Christi Wort «Wer Vater und Mutter und Brüder verläßt ...» auf das Scheiden von Heimaterde und Staatsgesetz zu deuten [3].

Im Falle der Gesetzeskollision hat der Christ nicht dem Staatsgesetz zu folgen, sondern dem Naturgesetz – so lehrt Origenes [4]. Die Versammlungen sind für die Christen ein gutes Recht, dies im Interesse der Wahrheit – selbst im Widerspruch zu den Gesetzen [5].

Die Einstellung zur Umwelt ist für die Christen der ersten Jahrhunderte also begreiflicherweise keine problemlose Sache. Die Solidarität mit ihrer Welt und die Verständigungsbereitschaft mit ihren Ansprüchen finden ihre Grenze an weltanschaulichen Gegensätzen, die in der Tiefe klaffen.

Das Ringen um die Lösung solcher Fragestellungen offenbart sich in den Kanones 3 und 7 der Synode von Arles. Im ersteren werden desertierende militärpflichtige Christen mit der Exkommunikation bestraft [6]. Im zweiten wird dem Christen, der Gouverneur geworden ist, die Empfehlung an den Bischof zur Überwachung durch ihn gegeben [7]. Noch die Synode von Elvira hatte einen solchen mit der Gottesdienstsperre bedroht, wenn auch nur für die Dauer seiner Amtszeit [8]. Die Auseinandersetzung mit der «weltlichen Welt» war in ein neues Stadium getreten.

---

[1] Idol. 18; ed. REIFFERSCHEID-WISSOWA, CSEL 20, 32 Z. 18 f.

[2] Apol. 37, 4; ed. HOPPE 88 Z. 20/23: «Hesterni sumus, et vestra omnia implevimus, urbes singulas castella municipia conciliabula castra».

[3] Strom. IV 4; ed. STÄHLIN 255 Z. 25/28: μήτηρ γοῦν ἡ πατρὶς ..., πατέρες δὲ οἱ νόμοι οἱ πολιτικοί ...

[4] C. Cels. V 37; ed. KOETSCHAU I S. 40 Z. 17 – S. 40 Z. 3. Vgl. C. Cels. II, 40, 17.

[5] C. Cels, I 1, a. a. O. S. 56 Z. 1.

[6] HEFELE-LECLERCQ, I 282 f.

[7] A. a. O. 284 f.

[8] A. a. O. 252 f.

§ 38. Christ und Wehrdienst

In seiner monographischen Darstellung [1] hatte A. von Harnack versucht, das anfängliche Verhältnis des Christen zum Heeresdienst darzustellen. Hierbei ging er von der Voraussetzung aus, daß das Christentum jeden Krieg und alles Blutvergießen grundsätzlich verworfen habe. Seiner Natur nach ebenso wie nach dem Verständnis der ersten Generation sei das Evangelium als allem Kriegerischen entgegengesetzt erschienen. Dennoch hätten kriegerische Bilder in den Erbauungsschriften Beliebtheit gefunden, sogar bis zur Annahme militärischer Grundsätze durch die Kirche. So seien Christen praktisch doch im Heere gewesen und anfangs habe es keine Soldatenfrage gegeben. Erst mit dem Ausbleiben der Ankunft Christi sei das Problem brennend geworden, so daß um 170 die Diskussion darauf gelenkt worden sei. Im Widerspruch zu den christlichen Theoretikern seien die Christen im Heere geblieben, wo sie immer mehr geduldet worden seien. Im Jahre 314 habe endlich das Konzil von Arles die theoretische Stellung der Kirche gründlich revidiert und im dritten Kanon geradezu den Bann für jene ausgesprochen, die in Friedenszeiten die Waffen wegzuwerfen wagten [2].

Klemens von Rom, der das Mittelglied zwischen dem apostolischen und nachapostolischen Schrifttum bildet, spricht mit Bewunderung und warmer Begeisterung vom römischen Heere (1 Klem 37). So hatten auch die Schriften des Neuen Testamentes eine erlaubte Selbstverteidigung des Christen vorausgesetzt und Kriegführen, den Gebrauch des Schwertes durch die Obrigkeit sowie Rechtsstreite nicht grundsätzlich verboten (Jo 18,23; Apg 25,11; Röm 13,1/7; 1 Kor 6,1 f.; 1 Petr 2,13 f.).

Wenn Origenes in C. Cels. VIII 73 davon sagt, daß die Christen ein eigenes Heer bilden, ein Heer der Frömmigkeit durch die Gebete an die Gottheit, und nicht mit dem König zu Feld zögen, so braucht damit eine grundsätzliche Ablehnung der Heeresfolge nicht ausgesprochen zu sein [3]. Origenes konnte mit Bezug auf das Vorrecht der heidnischen Priester unter den ihm bekannten Umständen auch

---

[1] Militia Christi. Die christliche Religion und der Soldatenstand in den ersten Jahrhunderten, Tübingen 1903.
[2] A. a. O. 2; 11; 46; 51; 57; 67; 87.
[3] Vgl. A. Pirngruber, Harnacks Militia Christi. Stimmen aus Maria Laach 71 (1906), 281.

den Christen ein unbestreitbares Recht darauf zuerkennen, vom Kriegsdienst freizubleiben.

Um dieselbe Zeit schildert Cyprian in seiner Schrift Ad Donatum 6 die Schönheit des Christenlebens im Gegensatz zu den Lastern der Heiden. Er brandmarkt die blutigen Greuel, die in den Kriegen vorkommen [1]. Wenn er hier die Privatpersonen (*singuli*) dem Heer (*publice*) gegenüberstellt, besagt das erste den Meuchelmord, das zweite eine in der Öffentlichkeit vollzogene Handlung, also entweder Tötung im Krieg oder bei den Gladiatorenspielen. Da letzere im Kontext besonders berührt werden, spricht die Wahrscheinlichkeit für eine Auslegung auf sie hin.

Umso weniger dürften die Sätze aus Cyprians Erstlingsschrift ein Verdikt über den Soldatenstand und den Krieg überhaupt sein, als die von ihm erwähnten Gebete um Abwehr der Feinde (Ad Demetr. 20) [2] und das Lob auf die Soldatenmärtyrer Laurentius und Ignatius die Vereinbarkeit dieses Berufes mit dem christlichen Glauben voraussetzen.

Trotzdem schlagen die Militärparagraphen der verschiedenen Kirchenordnungen einen ziemlich scharfen Ton an. Am schärfsten ist die Vorschrift des Test DNJChr., wonach das Gewerbe des Kriegsdienstes während des Katechumenates nur von dem ausgeübt werden darf, der schon Soldat ist. Nach der Taufe selbst muß auch er dem bisherigen Berufe entsagen [3].

Völlig undenkbar wäre es hier, daß der *Katechumene* oder der *Christ* diesem Stande sich *neu* widmeten. Dennoch ist in der späteren koptisch-arabischen Version der wichtige Zusatz weggelassen, daß der Katechumene, welcher bereits Soldat ist, seinen Beruf aufgeben müsse [4].

---

[1] Ed. Hartel, CSEL III, 1 S. 8 Z. 16/21: «Cerne tu itinera latronibus clausa, maria obsessa praedonibus, cruento horrore castrorum bella ubique divisa, madet orbis mutuo sanguine: et homicidium cum admittunt *singuli*, crimen est: virtus vocatur, cum *publice* geritur; impunitatem sceleribus adquirit non innocentiae ratio, sed saevitiae magnitudo».

[2] Ed. Hartel I 3: «et tamen pro arcendis hostibus et imbribus impetrandis et vel auferendis vel temperandis adversis rogamus semper et preces fundimus et pro pace ac salute nostra ... instanter oramus».

[3] *Test DNJChr.* II, 2; ed. Rahmani 115: Volentes autem illi (sc. miles vel constitutus in magistratu) in Domino baptizari, omnino renuncient militiae vel magistratui: secus minime admittantur. Si quis catechumenus fidelis vult fieri miles, desistat ab intentu huiusmodi, aliter reprobetur, utpote qui suo consilio Deum contempserit, et spiritualia posthabens, in carne (i. e. in corporalibus seu temporalibus) melior evaserit, fidem despiciens.

[4] Ed. Rahmani, 115, Anm. 2.

In ähnlicher Weise verlangt Hippolyts Kirchenordnung, daß «ein Katechumene oder ein Gläubiger», der Soldat zu werden wünsche, zurückgewiesen werden solle, «weil sie sich entfernen von Gott» («weil sie Gott verachtet haben») [1].

Die aus der Zeit um 350 stammenden, jedoch gleichfalls auf der Kirchenordnung Hippolyts beruhenden Canones Hippolyti bestimmen: «Kein Christ soll hingehen und Soldat werden, wenn es nicht notwendig für ihn ist» [2]. Das nicht einheitliche Zeugnis der Kirchenordnungen gewährt also zumindest einen Einblick in Stimmungen, welche weite Kreise beherrschten.

In diesen Kreisen hatte der Ton zweifellos Widerhall gefunden, den Tertullian angeschlagen hatte, indem er die Stellen des höheren Dienstes, wie überhaupt das Soldatsein, als mit dem Christsein unvereinbar erklärte [3]. Noch im 4. Jahrhundert hat Martin von Tours den Militärdienst als absolut unstatthaft für Christen erklärt [4].

Wenn die Militärparagraphen der Kirchenordnungen von tertullianischen Anschauungskreisen stärker beeinflußt worden sein sollten, ist die Gedankenwelt umso bedeutungsvoller, die den Nährboden für Tertullians Haltung abgab. Die Zeit nach dem zweiten Weltkriege hat die verschiedenen Momente herauszuarbeiten versucht [5].

A. von Harnacks Blick geht bei Betrachtung des Fragenkreises ohne Zweifel zu sehr von der Ethik aus und wertet den *Gedanken des Basileus* und seinen Einfluß auf die Rechtsordnung der frühen Christenheit zu wenig. Er wirkte milieugestaltend.

Durch die visionäre Schau des Sehers von Patmos war dem Christentum diese Idee mitgegeben worden, daß die irdische Liturgie als

---

[1] Ed. JUNGKLAUS 132 Z. 15/18. Vgl. Z. 5/9; 10/15. Vgl. ed. BOTTE 36/37. Ps.-IGNATIUS, Philad. 4, 7 verlangt von den Soldaten Unterwürfigkeit unter den Kaiser. Vgl. hierzu S. 112 f.

[2] *Canones Hippolyti* 14; ed. RIEDEL 207.

[3] Idol. 19; ed. REIFFERSCHEID-WISSOWA, CSEL 20, S. 53 Z. 14/16: «Non convenit (sc. militia) sacramento divino et humano, signo Christi et signo diaboli, castris lucis et castris tenebrarum». Tertullians Abfall war 207 vollendet. Das sog. Bußedikt des *Callistus* scheidet für die Datierung der Werke aus, je mehr der von Tertullian bekämpfte Bischof als fiktive Gestalt gelten muß. Idol. entstammt der montanistischen Zeit und läßt erkennen, daß die dort vertretene Anschauung nicht mit der der Allgemeinheit der Christen übereinstimmt. Das Ende 197 abgefaßte apol. hat nichts am Soldatenstand zu tadeln: Apol. 37, 4; ed. HOPPE 88 Z. 20/23.

[4] A. EHRHARDT, Constantin d. Gr. Religionspolitik und Gesetzgebung 144.

[5] Vgl. A. KOLPING, Sacramentum Tertullianeum 81 f.

Abbild der himmlischen zu werten sei, welche eine Huldigung an den Beherrscher der Welt bedeutet. Christus selbst hatte vor dem Tribunal den Titel eines Basileus für sich in Anspruch genommen (Jo 18, 33/37) [1]. In den *Acta Pauli* betitelt Paulus den Herrn mit der Hoheitsbezeichnung «Du bist mein Herr, Christus Jesus, König der Himmel» [2]. Vor dem kaiserlichen Tribunal als Untertan des «großen Königs» angesprochen, erweitert er den Gedanken: «Denn es ist uns aufgetragen, keinen auszuschließen, der unserm König Kriegsdienste leisten will» und schließt ihn nach der Urteilsverkündigung mit dem Satze ab: «Kaiser, nicht für kurze Zeit lebe ich meinem Könige» [3]. Die Paulus-Akten waren wiederum von der Hystaspes-Apokalypse, einem staatlicherseits bei Todesstrafe verbotenen, aber trotzdem von den Christen gelesenen Buch, das Justinus Martyr erwähnt, inspiriert [4]. Ausgeprägt wurde der Basileusgedanke durch die sog. Katechetenschule von Alexandrien. Während Klemens von Alexandrien auf den rechtmäßigen Besitz des Königstitels durch Christus hinweist und ihn mit der Begründung rechtfertigt, daß Gott selbst ihm, unserem König, das gesamte Weltall unterstellt habe [5], behandelt dies Origenes grundlegend in der Schrift gegen Celsus und redet weiterhin von dem von der göttlichen Einheit ausgehenden Nous, der König aller vernunftbegabten Wesen geworden ist und die Machtbefugnisse über das Universum in Händen trägt [6]. An Machtherrlichkeit und am Gericht des Königs aller Könige hätten seine Getreuen teil [7].

Im gleichen Sinne verlangte Hippolytus, die Taufe der Gläubigen auf den Namen des großen und höchsten Gottes sowie den seines Sohnes, des großen Königs zu vollziehen [8].

Die im Rahmen der alexandrinischen Gelehrtenschule als Spekulation gewertete Basileus-Idee wurde in den Oracula Sibyllina als

---

[1] Vgl. *Mart. Polyc.* 9, 3.

[2] *Acta Pauli* 9, 27; ed. C. SCHMIDT, Glückstadt-Hamburg 1936, 52.

[3] 9, 1/2; 9,7 (9, 26); a. a. O. 60, 62, 64.

[4] H. WINDISCH, Die Orakel des Hystaspes, Amsterdam 1929, 34/35; Justinus, 1 Apol. 20 und 44; ed. GOODSPEED 40 Z. 4 und 57 Z. 26 f.

[5] Strom. I 24, 159, 5/6; ed. STÄHLIN 100 Z. 23/26.

[6] De princ. II 6 a; ed. KOETSCHAU 160 Z. 15/18. De princ. III 5, 7; ed. KOETSCHAU 278 Z. 11/12: «Cum subiecta sibi fuerint omnia, cum rex omnium fuerit et potestatem tenuerit universorum».

[7] Martyr. 28; ed. KOETSCHAU 24 Z. 25/27.

[8] Elenchos IX. 15,1: ed. P. WENDLAND, GCS 253 Z. 14/16.

höchst staatsgefährlich erachtet, insofern sie den Untergang des irdischen Basileus und den Sieg des himmlischen Panbasileus prophezeiten: Das Königsrecht Christi über die Menschen ist in seinem stellvertretenden Leiden verankert; so ist er als Richter über alle Menschen bestellt [1].

Die Tradition der vorausliegenden Jahrzehnte zusammenfassend, heben die teilweise ins 3. Jahrhundert zurückgehenden Constitutiones Apostolorum hervor, daß die Christen durch die Taufe zwar nicht Priester, wohl aber ein «königliches Priestertum und damit ein heiliges Volk, eine Kirche Gottes, Säulen und Fundament des Brautgemaches» würden. Die Vorsteher sollten sich den Erlöser, unsern König und Gott, vor Augen halten; die Eucharistie soll als Antitypos des königlichen Leibes dargebracht werden [2].

So beginnt das Gebet mit den Worten: «O ewiger Gott, König der höchsten Wesen, Allbeherrscher, Herr und Gott» [3].

Unter dem Einfluß solcher Ideen sucht Eusebius dem Herrn die Vorrechte eines Panbasileus zu sichern und dennoch dem Kaiser als von Gott bestelltem Basileus die Anerkennung zu wahren [4]. So ist es nicht zu verwundern, wenn die kirchliche Gesetzgebung sich diesem Gedanken erschließt. Und vom vierten Jahrhundert an halten die christlichen Schriftsteller auch das Tötungsverbot hinsichtlich des Krieges nicht mehr aufrecht [5].

---

[1] Or. Sibyllina VII, 249; ed. J. Geffcken, Leipzig 1902, 157. Or. Sibyll. VIII 242; ed. Geffcken 156. Vgl. II 346/47; ed. Geffcken 45 und XII 293/95; a. a. O. 202, sowie XIII 172/73; ed. Geffcken 157.

[2] III 16, 3; II 24,7; VI 30, 2; ed. Funk, 211 93, 381.

[3] VII 33, 2; ed. Funk 424.

[4] H. E. X 4, 25; X 4, 63. Vgl. dazu L. Völkl, Die Konstantinischen Kirchenbauten im Orient und Okzident 63–71.

[5] Hierzu und zum Ganzen B. Schöpf, Das Tötungsrecht bei den frühchristlichen Schriftstellern bis zur Zeit Konstantins, Regensburg 1958, 198/240, 255 f. J. Fontaine, Die Christen und der Militärdienst im Frühchristentum, Concilium 1 (1965), 592–598.

X. ZUSAMMENFASSUNG UND SCHLUSS

§ 39. Der Ertrag für die nachfolgenden Jahrhunderte

Nicht alle Einzelheiten der kirchlichen Rechtsstruktur sind im Neuen Testament vorgegeben. Dafür aber sind die grundlegenden Verhaltensnormen der Christen untereinander geboten.

Das Recht hat das Dogma zu vertreten und zu schützen. Nicht als ob die Kanones der christlichen Kirche fast als Offenbarung angesehen worden wären. Zutreffender wäre es zu sagen, daß die Kanones der christlichen Kirche in sich nicht Offenbarungen sind, sondern zum Teil Entwicklungen aus der Durchführung geoffenbarter Wahrheiten. Der Natur der Kirche soll ihre Struktur entsprechen. Darum gehören die ersten drei christlichen Jahrhunderte zu den die Aufmerksamkeit am meisten erregenden und am meisten diskutierten Epochen der kirchlichen Rechtsgeschichte. Die von ihnen gesetzten Orientierungen und Entscheidungen inspirierten zwei Jahrtausende. Die Technik der rechtlichen Formulierung setzt übrigens früh, zumindest in der Didaskalia, ein und ist im Nizänum voll entwickelt.

Der Raum des Mittelmeeres, in dem die westliche Kultur mit ihrem Sinn für den gültigen Bestand beheimatet war und der die Menschheitskultur bis heute wesentlich beeinflußte, hat die Talente freigegeben, die geeignet waren, um an der Geschichte des Kirchenrechts kunstvoll mitzugestalten. Die frühchristliche Kirchenordnung ist mittelmeerisch geprägt.

Bei aller Richtung auf die Stabilität der Ordnung gibt es, wenn man so sagen will, bei ihr eine permanente Unruhe. Dies schon deswegen, weil die teilkirchlichen Besonderheiten stark ausgeprägt sind. In apostolischer Zeit besteht bereits eine Vielfalt von Formen der Ordnung. Dennoch verbindet eine tieferreichende Einheit über alle Gefährdung durch Spaltungen hinweg zur Geschlossenheit des Ganzen.

Die Einheit im Bekenntnis des Glaubens und auf dem Grunde der einen Taufe kontrastiert mit den vorhandenen Unterschieden in der

Disziplin und zeigt sich immer wieder als gefestigt in der Wahrheit der einen Frohbotschaft. Die mehr oder weniger stark ausgeprägte Selbständigkeit der Kirchenprovinzen ist hierfür kennzeichnend. Der Eigenart von Regionen und Ländern ist ein weiter Spielraum gelassen. Die Vielgestaltigkeit des Glaubenserlebens und des Kirchenseins ist eine selbstverständliche Wirklichkeit.

Die Bischöfe stellen sich als Gliedfunktionen des Gottesvolkes dar. Die Dienstfunktion ihres Amtes tritt in den Verfolgungszeiten bei übergenug Gelegenheiten zutage. Ihre Mittlerstellung gegenüber dem Mittelpunkt Rom erweist sich – auch der Verfahrensweise nach – als vielfältig.

Da «Demokratie» ein politischer Begriff ist, kann er nicht auf die Kirche ohne weiteres übertragen werden. Will man sich dennoch seiner bedienen, so bleibt die Feststellung, daß mit Ausformung der Synodalstruktur einer «Demokratisierung» der Kirche nicht Platz gegeben wurde. Die kirchliche Struktur würde in solcher Weise aufgehoben. Denn die geistliche Autorität ist nicht von unten abgeleitet. Die Kirche entnimmt vielmehr ihre Lehre göttlicher Offenbarung und impliziert eine Verfassung göttlichen Rechtes. Hiermit ist, «wenn auch nur in den allerersten Grundlagen, die Organisation der durch den Herrn selbst ins Leben gerufenen religiösen Vereinigung gegeben» [1]. Ihre Ämter ruhen auf sakramentaler Weihe und apostolischer Sukzession. Sie ist damit hierarchisch von oben nach unten verfaßt. Gleichwohl zeigt die Entwicklung des Kirchenrechtes die Spuren offener Selbstkritik.

Mit dem vierten Jahrhundert und dem Anbruch der konstantinischen Zeit dringen zusätzlich Elemente monarchischer Verfaßtheit aus dem Staatsdenken ein. So wird die grundlegende Struktur der Brüderlichkeit und der Kollegialität teilweise überlagert, und aus der geistlichen Stellung ergeben sich zivil- und personenstandsrechtliche Konsequenzen. Dies ist durch die Fehlentwicklung des frühchristlichen Staatskirchentums begünstigt: Konstantin der Große bezeichnet sich als «Bischof für die säkularen Rechtsverhältnisse der Kirche» (Eusebius, Vita Const IV 24) [2]. Die Ansichten über die Natur dieses Strukturwandels weichen bedeutend voneinander ab.

---

[1] A. M. KÖNIGER, a. a. O. 9.
[2] TH. GOTTLOB, Das Staatskirchentum, Düsseldorf 1930, 4. Vgl. J. STRAUB, Kaiser Konstantin als ἐπίσκοπος τῶν ἐκτός, Studia Patristica I, Berlin 1957, 678–695.

Von einem Rückzug ins Ghetto – was das Verhältnis von Kirche und Staat angeht – kann seit Melito von Sardes nicht mehr gesprochen werden. Von einer Glaubenskrise kann darum nicht die Rede sein. Eine große Unbefangenheit gegenüber den Werten der Tradition – bei allem Bewußtsein der dauernden Spannung zwischen Kirche und Welt – gibt den Weg für die Assimilation vorhandenen Rechtsgutes frei und trägt zur Mehrung der apostolischen Kirche bei. Eine erklärte Minderheit bringt natürlich gerade in solchen Zeiten der Entscheidung ihre Reserve gegenüber einer eventuellen Auslieferung an die etablierte Macht zum klaren Ausdruck. Man kann jedoch nicht ein abwertendes Gesamturteil fällen, ohne die Bemühungen um die Detailfragen des Zusammenlebens zwischen der Kirche und dem römischen Staat zu würdigen.

Die Entwicklung des frühchristlichen Kirchenrechtes zeitigt vor allem die charakteristische Erkenntnis, daß Gedankengänge sog. individualistischen Denkens in keiner Weise dominant sind. Die soziale Ausrichtung und zwar sowohl im Sinne von Wohltätigkeit wie im gesellschaftlichen Bezug erscheint als Grunddimension. Der starke Zug zum sozialen Engagement ist ausgeprägt. Die Pflichten des Christen betreffen nicht nur ihn, sondern die ganze religiöse Gemeinschaft, wie denn auch die Folgen seines Handelns nicht nur ihn berühren: Eine Tolerierung individueller Zügellosigkeit kann demzufolge in keiner Weise festgestellt werden.

Die harten Kämpfe um das Überleben als Kirche verleihen den Ordnungen inhaltlich und qualitativ Auftrieb. Da es um die personale Existenz geht, erhalten solche Probleme den Vorrang, die menschlich und gesellschaftlich am wichtigsten sind. So werden die Christen der Frühzeit vor der Uferlosigkeit der Aspekte bewahrt. Sie schreiten zum Neubau persönlichen, gesellschaftlichen und öffentlichen Lebens mit seiner ganzen Variationsbreite. Die Erneuerung der Welt wird übrigens von Menschen innerhalb der Struktur dieser Kirche vollzogen, nicht etwa von Mitgliedern gestaltloser Gruppen. Ihrem Tun ist nichtsdestoweniger der Charakter einer neuen Spontaneität aufgeprägt [1]. Die Nachwelt mochte manche ihrer Auffassungen freilich als unrealistische Einschläge abwerten.

Dennoch ist das Ziel der frühchristlichen Rechtsordnung – trotz der Reichstheologie des Eusebius – nicht etwa ein Sakralstaat und

---

[1] Vgl. K. Prümm, Christentum als Neuheitserlebnis, Freiburg 1939.

die Herrschaft über den Staat. Sie versteht das Verhältnis zu diesem als Dienst [1]. Jedoch gilt die Rechtsordnung der Kirche als heilsnotwendige Bedingung der Heilsvermittlung. Das Heil bleibt für die frühe Christenheit reine Gnadengerechtigkeit inmitten aller hierarchischen und sakramentalen Rechtsstruktur. Die Sakramente gelten als Sakramente im Sinne von Zeichen einer Glaubens- und Gnadengerechtigkeit. Dieser Sachverhalt wird bei aller Rechtsstruktur der Sakramente nicht geändert [2]: Ihr höchster Sinn zielt darauf, den erlösenden Christus der Menschheit zu bringen.

So sehr dieser christliche Glaube dynamisch wirken will, ist er sich dessen bewußt, daß mit der Niederlegung bestehender Strukturen das Heil nicht erreicht ist. Im letzten geht es um den einzelnen Menschen. Die Sorge um ihn führt dann zum Zusammenbrechen überholter Gesellschaftsformen. Der eigentliche Auftrag an die Menschen bleibt indessen trotz aller nötigen Verstrickung in die politischen und soziologischen Aufgaben unvergessen. So ist das frühchristliche Priesterbild auch in den Rechtsquellen eindeutig und klar.

Vom Einfluß eines aristotelisch geprägten Naturrechtes auf das Kirchenrecht ist in dieser Periode kaum etwas zu bemerken. Dies ist um so weniger verwunderlich, als die ersten deutlichen Spuren solcher Verwendung des aristotelischen Gedankengutes im patristischen Schrifttum erst aus der zweiten Hälfte des vierten Jahrhunderts stammen [3].

Das *platonisch*-heidnische Weltbild mit seiner Entwertung des Leibes hat bisweilen christliche Gemeinden beherrscht. Dennoch wurden die Kirchen nach den neutestamentlichen Baugesetzen erstellt. Die *stoische* Lehre hat freilich starke Kerben in der christlichen Morallehre hinterlassen. Zwar bestand die Aufgabe der frühchristlichen Kirche nicht darin, Moralsysteme zu entwerfen. Dennoch sahen sich die geistlichen Führer gedrängt, Wegweisungen zu geben.

Daß die Kirche *«unter dem Gesetze»* stand, wagte die Theologie mit Fug und Recht zu bestreiten. Ebensowenig gab es Zeugnisse dafür, daß die Gewissen der Einzelmenschen sich wegen der ihnen durch die Leiter der Kirche gegebenen Normen geknechtet fühlten.

---

[1] H. RAHNER, Kirche und Staat im frühen Christentum. Dokumente aus acht Jahrhunderten und ihre Deutung, München 1961, 33 ff.

[2] Vgl. G. SÖHNGEN, Grundfragen einer Rechtstheologie, München 1962, 81.

[3] Vgl. HEGGELBACHER, Ambrosiaster 138.

Daß die griechische Philosophie den Kirchenvätern die wertvollsten Hilfsmittel bot, um die Lehre Jesu gegenüber der jüdischen wie der gnostischen Ethik zu erklären, zu entfalten und zu verteidigen, ist nachgerade allgemein anerkannt [1]. Diese Tatsache hat ihre Konsequenzen für die kirchliche Rechtsordnung. Ohne einer antijudaistischen Strömung zu verfallen, hatte Irenäus dargelegt, daß «die Menschen des Alten Bundes als Knechte Gottes durch das Gesetz gebunden waren und darum 'nur wie Knechte von den Handlungen Rechenschaft ablegen mußten', während wir im Neuen Bunde als Freie Gott in Liebe dienen sollen und deshalb 'auch für unsere Worte und Gedanken verantwortlich sind: Denn dadurch wird der Mensch mehr erprobt, ob er den Herrn ehrt, fürchtet und liebt' (Adv. haereses 4, 16, 5), fügt Irenäus bei und zeigt durch diese feine Bemerkung, daß erst die innere Übereinstimmung mit dem Willen Gottes dem Wesen wahrer Sittlichkeit gerecht wird» [2].

Wie Tertullian, vertritt sein Schüler Cyprian die Gleichwertigkeit von Wille und Werk. Die gelehrten Theologen der Katechetenschule in Alexandrien kleiden diese Gedanken in das Gewand griechischer Philosophie. Klemens und Origenes versuchen den Einbau der aristotelischen Philosophie in das kirchliche Lehrsystem. Beide bedienen sich der aristotelischen und der stoischen Philosophie zur Darlegung der Lehre von der Willensfreiheit und den Motiven für das sittliche Handeln [3].

Ambrosius wird im Anschluß an Lk 1,18 auf den gewaltigen Unterschied zwischen menschlicher und göttlicher Rechtspflege verweisen: «Anders sehen Menschen, anders Gott; die Menschen schauen ins Angesicht, Gott aber ins Herz» [4].

Eine sog. «offene, unangegliederte Zugehörigkeit zur Kirche» kennt die frühe Kirche nur in dem Sinne, daß einer «bona fide» ihr zuzugehören bestrebt ist, ohne die Möglichkeit zu haben, ihr «actu» zuzugehören [5].

Ein Denken, das auf der christlichen Überlieferung als «Ganzem» aufbaut, ist für ein frühchristliches Kirchentum unvollziehbar.

---

[1] Vgl. M. Müller, Ethik und Recht 18.
[2] A. a. O. 19.
[3] M. Müller, a. a. O. 18 ff.
[4] CSEL 32, 4, 22.
[5] Vgl. Ch. Davis, A Case of conscience, London 1967. Besprechung von Roland Hill in F. A. Z. 16. Dezember 1967, Nr. 292.

Ohne *institutionelles Christentum* ist also die frühchristliche Zeit nicht denkbar.

Man schließt im Vertrauen auf die Kraft der Frohbotschaft zweifellos Kompromisse mit dem Status quo, jedoch nicht bis zu einer Verfälschung des Glaubensgutes. Das zeigt die Übersicht über die Einzelfakten und ihre Interpretation. Solcher Gefahr wirkt die Glaubensglut, die immer neu aufbricht, entgegen. Von einer institutionellen Verankerung der Rechte kann auf weite Strecken nicht gesprochen werden. Eine Befreiung von Glaubenssätzen ist indessen im gleichen Maße indiskutabel, wie Geschichte der Dogmen nicht deren Ende besagt. Es geht der frühen Christenheit nicht um eine Art von Gleichschaltung, sondern um die «Richtschnur der Wahrheit», die zu verlassen einen Bruch in der Glaubensüberzeugung bedeutet hätte.

I. SACHVERZEICHNIS

Abendmahl 168 ff.
Abgaben, freiwillige 171, 217 f.
Abschreckungstendenz 190.
Absetzung 75, 92.
Acta Pauli 234.
Ägyptische Kirche 77, 101 f., 108.
Älteste 30 f.
Afrikanische Kirche 98, 110 f., 112.
Agapen 171, 227 f.
Akoluthat 72, 95.
Alexandrien 101 f.
Almosen 226.
Altes Testament 1
Amtsenthebung 76.
Amt(sgewalt) 28 ff., 37, 63 ff., 79, 140 f. etc.
Amtspriestertum 53 ff.
Antiochien 102, 122 f.
Apostelbegriff 27 f.
Apostelkonzil 106.
Apostolische Kanones 3, 7.
Apostolische Kirchenordnung 6, 54 f., 167.
Apostolische Konstitutionen 1, 3, 6 f., 167.
Apokryphen 2 f.
«Apostolische Tradition» 4, 46, 50, 52, 75.
Arianismus 60, 78, 116 f., 119, 196.
Arkandisziplin 158, 181, 207, 226 f.
Armenische Kirche 104.
Armenpflege 225.
Aspersionstaufe 154.
Attritio 161.
Ausbildung der Geistlichen 82 f.

Baptisterium 167.
Beamtenstand (Taufe und -) 91, 229 f.
Behinderung (eines Vorstehers) 60 ff.
Beichte 161, 185, 187.
Besetzung (kirchlicher Ämter) 74 ff.

Bischof 36 ff., 55 f., (Amtsbereich des -) 56 ff.
Bischofssprengel 57 f.
Bischofswahl 74 ff., 79.
Blutsverwandtschaft 176.
Briefe 142 f., 144.
Büßer 183.
Bußdisziplin 180 ff.
Buße, öffentliche 83 ff.
Buße, private 187.
Bußfrage 180 ff.
Bußstufen 187.
Bußvollmacht 186 f.

Cäsarea in Kappadozien 104.
Cäsarea in Palästina 104.
Canon 192.
Canones Hippolyti 8.
Caritas 225 ff.
Charisma, Charismatiker 63 ff., 79 ff.
Chrisam 165.
Chorepiskopat 58 ff.
Christenverfolgungen 13 ff.
Collegia funeraticia 209 ff.
Collegia illicita 210.
Collegia tenuiorum 210.
Commercium 227.
Communicatio 142 f., 227.
Communio 142 f., 144, 227.
Consignatorium 167.
Corpus Christianorum 215, 220.

Decretum Gratiani 3, 7.
Diadoche 194 f.
Diakonat, Diakone 32, 72, 76.
Diakonissen 93 ff.
Diakonsregionen 58.
Didaskalia 5 f., 49 f.
Dienst (geistl. Gewalt als Dienst) 140 f.
Diözese 57.
Dispens 85, 86, 90.

Donatismus 115.
Duldung von Christen 14 ff.

Ehe, zweite 87, 175, 177.
Ehehindernisse 175 f.
Ehelosigkeit der Geistlichen 87 f.
Eherecht 172 ff.
Ehescheidung 177.
Eheschließungsform 172 ff.
Eheverbote 175.
Eignungsbedingungen für Geistliche 83 ff.
Einkünfte 217.
Ekklesia – Begriff 25 ff.
Energumenen 88.
Episcopus 32, 39, 55, 60.
Episkopat (monarchischer) 38 ff., 44 ff., 226.
Eucharistie 33, 168 ff.
Exhomologese 161.
Excommunicatio latae sententiae 181.
Exkommunikation 184, 185 ff., 187.
Exorzismen 156, 179.
Exorzist(at) 89, 95.

Familienbindungen der Getauften 205 ff.
Fälschungen 8.
Fasten 162 f., 180.
Firmformel 165.
Firmort 167.
Firmritus 165.
Firmung 165 ff.
Fossores 95.
Frau (Rechtstellung der getauften bzw. nichtgetauften-) 150 f., (Hilfsdienste der -) 93 ff., 151.
Freigelassene 14.
Fremdenfürsorge 228.
Friedensbriefe 17, 59.
Friedhofskirchen 58.

Gebrechen, körperliche 90 f.
Gemeindeverfassung 23 ff.
Gemeinschaft, christliche 141 ff.
Gemeinschaftsbriefe 142, 227.
Gerichtsbarkeit 185 ff., 221 ff.
Gewinnsucht (als Weihehindernis) 93.
Gewohnheitsrecht 120 f., 176, 190.
Gläubigengebet 169.
Glaube und Taufe 161.
Glaubensabfall 85 f.

Glaubensspaltungen 84 f.
Gottesdienstpflicht 200 f.

Handauflegung 32, 133 f., 165 ff.
Häresie oder Schisma, Zugehörigkeit zu 84 f.
Häretikertaufe 110 f., 132 ff.
Heidenkirche 22.
Heilige Schrift 1 f., 179.
Hierarchie, dreigliedrige 27 ff., 38 ff., 48, 70.
Hörende 187.
Hypodiakonat 72, 89.

Immunität 73 f.
Immersionstaufe 154.
Infusionstaufe 154.
Initiationsritus (Taufe als -) 162 ff.
Instrumentalmusik 170.
Intentio 160.
Interstitien, 89.
Ius divinum 24.
Ius mere apostolicum 170, 172 f.

Jerusalem 60 f., 103, 122.
Jungfrauen 93 f.

Kanon der Wahrheit 193.
Katechumenat 160.
Katechumenatsprüfungen 156.
Katechumenatszeugen 158 f.
Katechumenen 171.
Ketzertaufstreit 110 f., 132 ff.
Kindertaufe 152, 159 f.
Kirchen 58.
Kirchenbauten, konstantinische 220.
Kirchenbegriff 25 ff.
Kirchenglieder 64 ff.
Kirchenordnungen 3 ff.
Kirchenprovinzen 96 ff.
Kirchenschriftsteller 10 ff.
Kirchenväter 10 ff.
Kirchenverfolgungen 13 ff.
Kirchenversammlungen 105 ff.
Klerus 69 ff., (Ausbildung) 82 f., (Eignungsbedingungen) 83 ff., (verbotene Tätigkeiten) 91 f.
Kliniker 86.
Klinikertaufe 154, 160, 167 f.
Kollegialität (des Bischofsamtes) 28 f., 46 f.
Kommunionempfang 168 f.

Konzelebration 70.
Konzil (Synode) von:
(Hauptfundorte!)
Hierapolis in Asia (ca. 172 n. Chr.) 107
Anchialos in Tracia (2. Hälfte des
2. Jahrh.)   107
Smyrna (um 190)   107
Rom, Asia, Pontus, Palästina, Osrho-
ëne (Ende des 2. Jahrh.)   107/108
für Africa proconsularis und Numi-
dien (zwischen 218 und 229)   109
Alexandria
(231 und kurz danach)   108
Ikonium (zwischen 230 und 235) 109
Synnada (zwischen 230 und 235) 109
für Africa proconsularis und Numi-
dien (zwischen 236 und 248)   109
Bostra (um 244)   109
Arabia (zwischen 244 und 249)   109
Asia (zwischen 244 und 249)   109
Antiochien (252)   111
Carthago (252)   109
Carthago (254)   85
für Africa proconsularis und Numi-
dien (Frühjahr 256)   109/111
Rom (256)   111
Carthago (256)   111
Arsinoe Teuchira (um 255)   109
Antiochien (264)   111
Antiochien (268)   111
Cirta (305)   112
Alexandria (306)   112
Elvira (zwischen 305 und 311) 112 f.
Rom (313)   113 f.
Arles (314)   114 ff.
Ankyra (um 314)   116
Neocäsarea (um 315)   116
Alexandria (etwa 320/321)   116
Antiochien
(324 oder Anfang 325)   117
Nizäa (325)   118 ff.
Krankenölung 186
Kriegsdienst (als Weihehindernis) 91 f.
Kultakte 169 f.

Laien 64.
Landbischöfe 58 ff.
Landpriester 58.
Lapsi 17.
Lehraufsicht 117, 196.
Leitungsgewalt 30 f., 32 f., 44 f., 49,
53, 55.

Lektor 71 f.
Letzte Ölung 186.
Libelli pacis 17.
Liebestätigkeit 225 ff.
Liegende 187.
Liturgie 50 ff., 177 ff.
Liturgiesprache 179 f.
Lossprechung 185 ff.

Märtyrerakten 41.
Mailänder Konvention 113, 214 f.
Martyrerprivileg 17.
Messe 200 f.
Metropoliten, Metropolitansystem 34,
96 ff.
«Missionare» 58.
Missionstätigkeit 121 ff.
Mitstehende 187.
Monarchisches Prinzip 34 f., 36, 44, 70.

Name des Christen 201 ff.
Neophyten 86.
Neues Testament 2.
Niederfallende 187.
Novatianismus 130.

Oblationen 94, 217.
Oratorien 58, 95, 211 f.
Ordinare 66 f.
Ordination 67.
Ordination, absolute 56.
Ordo 66 ff.
Ort, liturgischer 218 ff.
Osterfeststreit 107 f., 127 f.
Ostiarius 73.

Patriarchate 100 ff.
Patristik 10 ff., 36 ff.
Pax (Bedeutungsgehalt von P. im christ-
lichen Bereich) 143 f.
Persona Christianorum 215.
Personenrecht 36 ff., 163 f.
Photizomenat 156.
Poenae medicinales 188 f.
Poenitentiarii 186 f.
Potestas iurisdictionis 186.
Potestas ordinis 186.
Präsumptionen 189.
Presbyter 34 f., 37, 70 f.
Priester 30 f., 34, 38 f.
Primas 98.
Primat des Bischofs von Rom 124 ff.
Privatbuße 187.

Privilegium Paulinum 172, 174 f.
Promulgation 9.
Pseudocharismatiker 80 f.
Pseudoklementinen 153.

Quartodezimaner 107 f., 127 f.
Quellen (Rechtsgeschichts-, bzw. Rechts-) 1 ff.

Recht, göttliches 24.
Rechtsfähigkeit des Getauften 163.
Rechtspersönlichkeit (Kirche als -) 212 f.
Rechtsquellen 1 ff.
Rechtsschutz (Christ und -) 221 ff.
Regionen 58.
Rekonziliation 182 ff., 186.
Revision 60.
Rügeverfahren 223.

Sabellianismus 132.
Sacramentum, Bedeutungsgehalt des Wortes 199.
Schiedsgericht 223 f.
Schuldbekenntnis 185.
Schwägerschaft 176.
Sibyllina 234 f.
Sittenformel (für Täuflinge) 197.
Sklaven 145 ff.
Soldatenstand 231 ff.
Sonntagsgottesdienst 200 f.
Soziale Bindungen (Notwendigkeit ihrer Aufgabe nach der Taufe) 208.
Spanische Kirche 97, 112 f.
Sphragislehre 180 ff.
Sponsores 160.
Staat (und Kirche) 14.
Staatsbürger (Christ als -) 228 ff.
Strafdisziplin 180 ff.
Stehende 187.
Suburbium 58.
Sündenbekenntnis 161, 185.
Sukzession 34, 37 f., 40 f., 43 f., 52.
Synodalbeschlüsse 8 ff., 120 f.
Synodalgerichte 224.
Synoden 105 ff.
Synodus 112.
Syrische Kirche 112.

Teilkirchen (außerordentliche Leitung der -) 60 ff.
Taufbelehrung 160 f.
Taufe (Wiederholung) 133.

Taufelement 153 f.
Taufformel 154 f.
Tauffragen 155.
Taufgehilfen 159.
Taufpaten 157 ff.
Taufmatrikel 94.
Taufritus 177 f.
Taufspender 155 ff.
Taufvertrag 164.
Tempelrecht 215.
Territoriale Gliederung 56 ff.
Testamentum Domini Nostri Jesu Christi 8.
Thomas-Akten 153, 155, 174.
Titulus 78, 220.
Todesgefahr, Taufe in 86.
Tradition 47.
Translation von Bischöfen 78.
Trauung 173 ff.
Typus der Taufliturgie 177 f.

Unfreie 145 f.
Unterhalt 217.
Urgemeinde 23 ff.

Verbrechen (Beanstandung wegen eines) 83 f.
Verfolgungsdekrete 17 ff.
Vermögensfähigkeit 209 ff.
Vermögensverwaltung 216 ff.
Vollmacht der Taufspendung 157.

Wahl, kanonische 74 ff.
Wehrdienst 231 ff.
Weihealter 89 f.
Weiheerfordernisse, persönliche 83 ff.
Weihefristen 89.
Weihegewalt 33 f., 42, 45 f., 50 f., 55.
Weihegrade, niedere 71, 89.
Weihehindernisse 83 ff.
Weiheinterstitien 89.
Weiheliturgie 50 f.
Weihestufen 88 ff.
Weihevoraussetzungen 83 ff.
Weinende 187.
Wiederaufnahme (i. d. Kirche) 186.
Wiedertaufe 110 f., 133.
Witwen 94.
Wortgottesdienst 71 ff., 95, 170, 179.

Zwölf (Apostel) 28 ff.
Zwölf-Apostel-Lehre 4.

II. AUTORENVERZEICHNIS

a) AUTOREN DES ALTERTUMS

AETHERIA (-e Peregrinatio) 158, 204.
ALEXANDER VON ALEXANDRIEN 112, 116.
AMBROSIUS 54, 145, 176, 182, 196.
APULEIUS 199.
ATHANASIUS 68, 77, 78, 120, 131, 196.
ANIZET, Papst 127.
ARNOBIUS 176.
ATHENAGORAS 175, 203.
AUGUSTINUS 84, 85, 114 f., 137, 152, 182, 196, 204.

Barnabasbrief 161, 178, 181.
BASILIUS 131, 134, 182.

CALLISTUS, Papst 129, 147, 233.
CICERO 145.
CYPRIAN 9, 17, 44 ff., 52, 71 f., 75, 83 ff., 89 f., 105, 109 f., 118, 120 f., 130 ff., 143, 152, 155, 167, 181 f., 186 f., 201, 232.
CYRILL VON JERUSALEM 165.

DIDACHE 3 f., 33, 55, 75, 81, 153 f., 158, 162, 167, 168, 178, 200, 228.
DIDASKALIA 3, 5 f., 49 f., 51 f., 54, 72, 83 f., 88, 151, 159, 167, 180, 183, 186, 201, 228.
DIONYSIUS, Papst 131 f.,
DIONYSIUS D. GROSSE VON ALEXANDRIEN 77, 104, 131 f., 155, 169, 196.
DIONYSIUS EXIGUUS 7, 11.

EPIKTET 207.
EPIPHANIUS 91, 117.
EUSEBIUS VON CÄSAREA 9, 13, 14, 16, 19, 21, 35, 41, 59, 67, 70, 73, 77, 86, 89, 90, 96, 98, 102, 104, 107 f., 109, 110, 111, 114, 118, 125, 126, 127, 130, 131, 132, 137, 142, 145, 169, 196, 205, 211, 212, 214, 215, 216, 219, 224.
EUSEBIUS VON VERCELLI 72.

GELASIUS I., Papst 73.
GREGOR VON NAZIANZ 68.
GREGOR I., Papst 145.

HERMAS 71, 181 f., 187, 201.
HERODIAN 15.
HIERONYMUS 16, 53, 77, 83, 105, 131, 208, 222.
HIPPOLYT 4, 6 f., 15, 46, 50 f., 54, 87, 107, 147, 153, 155, 159, 161, 170, 174, 178, 196, 200 f., 223 f., 226, 228, 233 f.

IGNATIUS VON ANTIOCHIEN 38 ff., 52, 70, 81, 87, 94, 125 f., 156, 168, 170, 178, 181, 201.
INNOZENZ I., Papst 58, 73, 84, 85, 186.
IRENÄUS 15, 35, 81, 85, 108, 128 f., 155, 182, 194 ff.

JOHANNES CHRYSOSTOMUS 68, 182.
JUSTINUS 72, 155, 158, 168, 178 f., 200, 227, 234.

KLEMENS VON ALEXANDRIEN 35, 48, 161, 182, 199, 227, 234.
KLEMENS I., Papst 37 f., 51 f.
Klemensbrief (II.) 71, 182, 198, 221.
Kornelius, Papst 67.

LAKTANZ 18, 22, 92, 96, 196, 215, 216.
LAMPRIDIUS 16.
LIVIUS 207.

Maximus von Turin 93.
Melito von Sardes 14, 228.
Minucius Felix 207, 227.

Niceta von Remesiana 149.

Optatus von Mileve 54, 114 f., 121, 212.
Origenes 16, 48 f., 75 f., 84, 87 f., 92, 131, 165, 169, 181 f., 196, 223, 230 f., 234.
Ossius von Cordoba 119.

Pacian 182.
Petrus Alexandrinus 86.
Philostratos 206.
Philostorgius 117, 119.
Plinius 171, 198, 200, 203, 210.
Polykarp 40 f., 93, 127, 201.

Serapion von Antiochien 196.
Siricius, Papst 73.
Sokrates, Kirchenhistoriker 10, 85, 88, 116.
Sozomenos, Kirchenhistoriker 62, 77, 148.
Stephan I., Papst 131 f., 133 f., 135.

Tacitus 19, 81.
Tertullian 14, 35, 43 f., 66, 85, 87, 92, 94, 108, 129 f., 142 ff., 153, 155, 156, 165, 167, 168, 171, 196, 201, 204, 207, 209, 223, 227 f.
Theodoret 116.

Viktor I., Papst 127 f.

Zosimus, Papst 73.

b) AUTOREN DER NEUEREN ZEIT

Achelis H. 75, 92.
Achelis H. - Flemming J. 94, 218, 223.
Adam K. 64, 66, 129.
Affeldt W. 16.
Alberigo G. 45, 46.
Alès d'A. 129, 135.
Alföldi A. 15, 214.
Allo E. B. 156.
Altaner B. 4, 12, 40, 131.
Andrieu M. 73, 82.
Antonini L. 108.
Arrangio-Ruiz V. 173.
Audet J. P. 4, 69.

Baltensweiler H. 172.
Bardy G. 9, 47, 48, 58, 61, 76, 77, 78, 96, 97, 101, 107, 109, 111, 112, 117, 130, 131, 132, 136, 192, 224.
Barison F. 108.
Barnard L. W. 13, 40.
Barth K. 26, 27.
Bartsch H. W. 26, 27, 33, 71, 76, 81, 94, 146, 217, 219, 220.
Batiffol P. 127, 139.
Bauer W. 193.
Bayard L. 61.

Beck A. 195, 224.
Benz E. 126.
Bévenot M. 46, 131.
Beyschlag 38.
Bickell G. 6.
Bigelmair A. 224.
Bihlmeyer K. 41, 176, 180, 181, 182, 198, 229.
Bihlmeyer-Tüchle 107.
Biondi B. 149.
Blum C. G. 50, 51.
Boelens M. 87.
Botte B. 3, 5, 7, 37, 40, 42, 43, 46, 51, 55, 70, 94, 147, 156, 165, 179, 200, 233.
Bovini G. 211, 215, 216.
Braun F. M. 26.
Braunert H. 20.
Brauss E. 176.
Brommer F. 68.
Brosch J. 30, 32, 63, 64, 65, 79, 81.
Brox N. 34, 219.
Bryennios 4.
Burmester O. H. E. 8.
Burn A. E. 149.
Busch B. 159.

CAMELOT P. Th. 4, 117, 118.
CAMPENHAUSEN H. VON 28, 33, 36, 38, 40, 43, 44, 45, 48, 49, 50, 53, 67, 74, 75, 140, 222.
CAPELLE B. 158.
CASEL O. 136, 197, 200.
CASPAR E. 15, 74, 113, 114, 115, 128, 131, 195.
CAVALLERA F. 77.
CHARTIER C. 142, 184.
CHAVASSE A. 163.
CHRISTOPHILOPOULOS A. 192.
CICOGNANI H. J. 5.
CLERCQ DE V. C. 111, 112.
COLSON J. 29, 32, 36.
CONGAR Y. 25, 121, 141.
CONNOLLY R. H. 5, 6, 200.
COPPENS J. 136, 167.
COPPO A. 125.
CREED J. M. 108.
CULLMANN O. 149, 158, 161.

DALLMAYER H. 120.
DANIÉLOU J. 29, 47.
DAUDET P. 172.
DAUSEND H. 221.
DAVIES J. G. 69, 95.
DAVIS CH. 240.
DEISSMANN A. 25.
DEJAIFVE J. 46, 120.
DEMOUSTIER A. 44.
DIBELIUS M. 206, 207, 208, 217, 226.
DICK E. 159, 200.
DINKLER E. 125.
DIX G. 43.
DÖLGER F. J. 160, 182, 198, 200.
DOMBOIS H. 25, 164.
DU CANGE 95.
DUCHESNE L. 83, 107, 128, 200.
DUJARIER M. 163.

EGER O. 148.
EHRHARDT A. 214, 216, 233.
EID E. 100.
ELFERS H. 167, 170.
ERCOLE d' G. 6, 7, 70, 144.
ESMEIN A. 172.
EYNDE VAN DEN D. 193.

FABBRINI F. 148.
FEDERER K. 193.
FEINE H. E. 3, 25, 36, 69.

FERRINI C. 147.
FISCHER H. E. 186, 187.
FISCHER J. 87.
FISCHER J. A. 36, 37.
FLICHE-MARTIN 115, 116.
FONTAINE J. 235.
FRANCHI DE CAVALIERI P. 201.
FRANCISCI DE P. 148.
FRANSEN P. 165.
FREISEN J. 172.
FREUDENBERGER R. 14, 16, 171, 200, 210.
FREY J. B. 94.
FUCHS H. 143.
FUCHS V. 33, 43, 50, 55, 157.
FUNK F. X. 1, 7, 52, 71, 72, 75, 87, 88, 89, 90, 92, 94, 146, 147, 151, 180, 181, 183, 202, 223, 235.

GAECHTER P. 26, 28, 30, 31, 97, 103, 122, 124, 225.
GALTIER P. 182.
GAUDEMET J. 74.
GEFFCKEN J. 203, 208, 235.
GERKAN A. 125.
GEWIESS J. 28, 30, 32, 33.
GHEDINI G. 108.
GILLMANN 59.
GLOEGE G. 24.
GOEMANS M. 120.
GOETZ C. 143.
GOODSPEED E. J. 192, 198, 205, 234.
GOTTLOB TH. 59, 237.
GRAF G. 7.
GRASMÜCK E. L. 73, 98, 114, 115.
GRÉGOIRE H. 13, 14, 15, 17, 18, 19, 20, 109, 137, 214, 215.
GROTZ H. 22, 96, 97, 99, 101, 102, 104, 107, 109, 122.
GROTZ J. 112, 144, 187, 188.
GRUPP G. 95.
GUARDUCCI M. 125, 215.

HABICHT CHR. 21.
HAGEMANN W. 101, 102, 103.
HAJJAR J. 96, 106, 109, 120.
HAMER J. 116.
HANSSENS J. M. 3, 5.
HARNACK A. v. 25, 36, 49, 55, 59, 67, 76, 105, 123, 125, 129, 130, 178, 180, 192, 194, 195, 202, 219.
HASENHÜTTL G. 39, 81.

HATCH E. 217.
HAULER E. 6.
HEFELE C. J. V. 176.
HEFELE-LECLERCQ 17, 59, 60, 61, 62, 73, 78, 79, 84, 85, 87, 88, 89, 90, 95, 98, 99, 100, 104, 107, 108, 109, 111, 112, 113, 116, 118, 119, 127, 128, 157, 189, 230.
HEITMÜLLER W. 202.
HENGEL M. 121.
HENNECKE E. 4, 5.
HERMANN J. 113.
HERTLING L. 126, 127, 132, 138, 139.
HESS H. 192.
HEUMANN-SECKEL 66.
HINSCHIUS P. 61.
HOFMANN L. 91.
HOH J. 181, 199.
HOLL K. 195.
HOLSTEIN G. 24.
HÖSLINGER R. 97.
HOVE A. VAN 6, 7.

IACONO V. 180.
INSTINSKY H. U. 14, 15, 16, 18, 19, 20, 111, 113, 114, 137, 138.

JAVIERRE A. M. 37, 195.
JAFFÉ PH. 84, 92.
JEDIN H. 106, 119.
JOICE G. H. 172.
JONGHE M. DE 154.
JUNGKLAUS E. 147, 159, 171, 200, 226, 228.
JUNGMANN J. A. 161, 170.

KAISER M. 28.
KALSBACH A. 94.
KAERST J. 150.
KÄSEMANN E. 75.
KASER M. 174, 209.
KATTENBUSCH F. 193.
KAYSER H. 178.
KEES H. 22.
KÉRAMÉ O. 102.
KIDD B. J. 60, 128.
KIRSCH J. B. 78, 218.
KIRSCHBAUM E. 125.
KITTEL G. 30 165, 191, 201.
KITTEL H. 60, 61.
KLAUSER TH. 4, 138.
KLEVINGHAUS J. 173.

KNAUBER A. 82, 123, 171, 201.
KNECHT A. 212, 214.
KNOCH O. 36, 38.
KNOPF K. 55.
KNOPF R. 204, 205.
KOCH H. 115.
KOCH W. 192, 197.
KÖHNE J. 176.
KOENIGER A. M. 27, 237.
KOEP L. 219.
KOLPING A. 28, 164, 199, 204, 208, 233.
KONIDARIS G. 31, 39, 78.
KOSCHAKER P. 1.
KOSTER M. D. 152.
KÖTTING B. 87, 175.
KRETSCHMAR K. 106, 154, 178.
KRÜGER G. 210, 211, 214, 216.
KÜBLER B. 74.
KURTSCHEID B. 34, 223.

LACY O'LEARY DE 108.
LAGRANGE M. J. 197.
LANGGÄRTNER G. 73, 99, 112, 113, 115.
LANNE D. E. 102.
LEBRETON J. 97, 193.
LEDER P. A. 69.
LE GUILLOU M. I. 127.
LEITNER F. 170.
LIERMANN H. 113, 210, 212, 214.
LIESE W. 225.
LIETZMANN H. 4, 108, 149, 202.
LIGHTFOOT J. B. 194.
LINTON O. 25.
LIPSIUS R. A. - BONNET M. M. 174.
LÖBMANN B. 188.
LÜBECK K. 21, 96, 105.
LÜBTOW U. 56, 57.
LYONNET ST. 29.

MAASSEN F. 127.
MAGIE D. 57.
MAROT H. 9, 102, 108, 111, 117, 139.
MARSCHALL W. 129, 130, 132, 136, 138.
MARTIMORT A. G. 179.
MAY G. 177.
MAYER R. 1.
MAYER-MALY TH. 13, 200, 210.
MEER VAN DER H. 94.
MERKLEIN H. 79.
MICHIELS A. 28.
MICHL J. 2.
MIKAT P. 16, 37, 45, 214, 229.

MINGANA A. 159.
MITTEIS L. 190, 210.
MOHLBERG K. 198.
MOLITOR J. 34, 104.
MOMMSEN TH. 15.
MONACHINO V. 13.
MONTEVECCHI O. 108.
MONZEL N. 144.
MOR C. G. 148.
MOREAU J. 13, 16, 18, 20, 22, 215, 216.
MOSIEK U. 6, 222.
MÜLLER M. 12, 91, 189, 190, 240.
MUNIER C. 7.
MUSSNER F. 106.

NESTLE W. 143.
NEUNHEUSER B. 47, 165.
NEUMANN K. J. 15.
NEUMANN J. 30, 36, 166, 167, 168.
NIELEN J. M. 141, 142.

OGARA F. 208.
ÖHLANDER C. J. 8.
OPITZ H. G. 10, 117, 120.
OTT L. 34.
OTTO A. J. 149.

PANTALEO P. 192.
PARIBENI R. 203.
PARTSCH J. 148.
PERLER O. 14, 36, 38, 39, 40, 41, 42,
    43, 44, 45, 47, 49, 51, 52, 60, 91, 109,
    126, 130, 182, 185, 226.
PETERSON E. 3, 4, 115, 170, 188, 195,
    202, 213, 221.
PILGRAM F. 197.
PIRNGRUBER A. 231.
PITRA J. B. 87.
PLÖCHL W. 6, 21, 106, 181, 222, 223.
POSCHMANN B. 181, 182, 186, 187, 199,
    221, 222.
POURRAT P. 135.
PRANDI A. 125.
PREISKER H. 173.
PRÜMM K. 199, 238.

QUASTEN J. 7.

RAHMANI I. E. 147, 151, 171, 180,
    226, 232.
RAHNER H. 22, 54, 239.
RAHNER K. 23, 29, 36, 49, 136, 183,
    222, 223.

RAMING J. 93.
RATZINGER J. 29, 126, 127, 144.
RHEINFELDER H. 124.
RICHERT C. 83, 86, 88, 92.
RIEDEL W. 147, 180, 233.
RIEDMATTEN DE H. 109.
RITZER K. 172, 173, 176.
ROBERT-FEUILLET 1.
ROBERTIS F. M. DE 210.
RÖSSER E. 120.
RÖTZER W. 204.
RORDORF W. 171.
ROSSUM VAN W. 54.
RÜCKER A. 151, 159, 204.
RUSCH P. 28, 29, 107, 120, 141.

SAGLIO M. E. 95.
SAINT PALAIS d'AUSSAC F. DE 133, 135,
    136.
SALMON P. 21, 115, 138.
SAN NICOLO M. 213.
SCHEELE J. 13, 41, 66, 94, 145, 146.
SCHELKLE K. H. 33, 66, 69.
SCHERMANN TH. 6, 54, 178.
SCHLATTER A. 191.
SCHLIER H. 33, 34, 63, 64, 65, 70, 74,
    75, 94, 99, 140, 155, 170, 228, 229.
SCHMAUS M. 34, 38, 185.
SCHMID J. 24, 33, 124.
SCHMIDT C. 181, 234.
SCHMIDT K. L. 25.
SCHNACKENBURG R. 1, 23, 26, 32, 64,
    124, 153, 180.
SCHNORR VON CAROLSFELD L. 210, 216.
SCHÖPF B. 235.
SCHÜRMANN H. 31, 170, 210, 219.
SCHWARTE K. H. 13.
SCHWARTZ E. 17, 20, 104, 117, 148, 205.
SEEBERG A. 180, 192.
SEEBERG R. 194.
SEECK O. 74.
SEESEMANN H. 141.
SEIDL E. 57.
SELZER H. 104.
SIFONIOU A. 225.
SÖHNGEN G. 239.
SOHM R. 36, 101, 194.
STAMMLER R. 24.
STAUFFER E. 74, 191, 195.
STEINMANN A. 147.
STEINWENTER A. 108, 222.

Stenzel A. 162.
Stickler A. 3, 11.
Stirnimann J. K. 194.
Stockmeier P. 18, 20, 22, 36, 37, 39, 40, 53, 213.
Strack-Billerbeck 146.
Straub J. 16, 22, 237.
Strobel A. 15.
Stromberg A. v. 177.
Stufler J. 183.
Stutz U. 27.
Swete H. B. 43.

Teeuwen St. W. J. 142, 143.
Tellenbach G. 145.
Ter-Mekerttschian 193.
Thaninayagan H. St. 69.
Tixeront J. 135.
Tobei J. 225.
Troxler G. 201.
Trummer J. 62.
Turner C. H. 7, 43, 79.

Vögtle A. 28, 29, 64, 124.
Vogels H. J. 141.
Vogt J. 16, 18, 19, 21, 74, 108, 113, 123, 145.

Völker K. 171.
Völkl L. 19, 20, 21, 73, 214, 215, 218, 235.
Vries W. de 100, 101, 103.

Weber L. M. 70.
Weigand R. 174.
Weinzierl E. 66.
Wenger L. 192, 222.
Wickert U. 131.
Wieland F. 71, 72.
Wikenhauser A. 1, 23, 24, 32, 191, 196, 197.
Will C. 91.
Wilpert J. 95, 192.
Windisch H. 234.
Winterswyl L. A. 38.
Wissowa G. 91.
Wolf E. VIII, 23, 25, 148, 163, 197.

Xiberta F. B. 185, 197.

Zähringer D. 68.
Zeiger I. A. 2, 55, 57, 58, 65, 80, 94, 96, 99, 105, 106, 120, 209.
Ziegler A. W. 14, 201.
Zmire P. 54, 66, 139.

DATE DUE

GAYLORD			PRINTED IN U.S.A.